CONTRE MARCION

SOURCES CHRÉTIENNES

N° 399

TERTULLIEN

CONTRE MARCION

TOME III
(LIVRE III)

*INTRODUCTION, TEXTE CRITIQUE, TRADUCTION,
NOTES ET INDEX DES LIVRES I-III*

par

René BRAUN

Professeur émérite à l'Université de Nice

*Ouvrage publié avec le concours
du Centre National de la Recherche Scientifique*

LES ÉDITIONS DU CERF, 29, Bd de Latour-Maubourg, PARIS 7e
1994

*La publication de cet ouvrage a été préparée avec le concours
de l'Institut des «Sources Chrétiennes»
(U.R.A. 993 du Centre National de la Recherche Scientifique)*

INTRODUCTION
AU LIVRE III

Défenseur de la nouveauté absolue de l'Évangile qu'il séparait radicalement de la Loi, Marcion avait supprimé toute la préparation prophétique de la venue de son Christ, qui était apparu soudainement à Capharnaüm au temps de Tibère : et par là, il se faisait l'allié objectif du judaïsme dont il adoptait le refus d'une interprétation christique de l'Ancien Testament. Adepte d'un docétisme intransigeant, adversaire résolu de la chair, réputée selon lui œuvre du Démiurge ou Créateur, c'est-à-dire d'un dieu inférieur au Père de toute bonté, le même Marcion n'accordait à son Christ qu'une apparence humaine, il lui refusait la naissance comme l'incarnation[1]. Ce sont là les deux traits de la christologie marcionite[2] qu'a retenus Ter-

1. Cf. Mahé, *Éd. Carn.*, p. 74-80.
2. Sur l'aspect modaliste de la christologie de Marcion, le livre n'apporte aucun témoignage irrécusable. On sait que cette interprétation a été accréditée par Harnack, qui se fondait principalement sur *Marc.* I, 19, 1 (voir t. 1, p. 57 et n. 2). Nous nous sommes nous-même plusieurs fois référé à cette théorie (voir I, 11, 8 ; 15, 6 ; II, 27, 2). Elle vient d'être remise en question par A. Orbe (« En torno al modalismo de Marción », *Gregorianum* 71, 1990, p. 43-65 et « Marcionitica »), selon qui Marcion a conçu le Christ-Fils comme distinct du Père ; ce savant s'appuie sur l'exégèse restituée par *Marc.* V. Mais il semble prématuré de tenir pour tranchée dans ce sens une question difficile, et qui reste encore ouverte (voir nos observations dans « Chronica Tertullianea 1990, n° 43 », *REAug* 37, 1991, p. 360, et « Chronica Tertullianea 1991, n° 72, *REAug* 38, 1992, p. 386). Nous nous abstiendrons ici de tout commentaire sur le modalisme christologique de Marcion, puisqu'aussi bien Tertullien n'en a jamais fait état expressément.

tullien quand il a constitué le livre III de son *Contre Marcion*. Il a su d'ailleurs, pour donner une sorte d'unité à sa réfutation, subordonner le second au premier qui domine ainsi largement le débat.

I. GENÈSE ET DATE

L'idée de consacrer un livre spécial au Christ de Marcion semble bien s'être imposée à Tertullien lors de l'élargissement (*plenior compositio*) du *monobiblos* qu'il avait d'abord publié contre l'hérétique[1]. Quand, en effet, il préparait cette seconde édition – celle qu'un faux frère devait lui dérober avant même sa complète réalisation[2] –, notre polémiste, mu par un souci de clarté[3], crut bon de distinguer la *defensio unicae diuinitatis* du problème spécifique du Christ. Ensuite, dans la refonte de ce second état de l'ouvrage, d'où est sortie l'édition définitive, la troisième, la seule qui soit parvenue jusqu'à nous, la question de la divinité ayant été partagée en deux livres, l'un contre l'existence du dieu supérieur de Marcion, l'autre pour la réhabilitation du Créateur, le livre sur le Christ s'est trouvé devenir notre livre III[4]. Tertullien a-t-il profité de ce remaniement pour ajouter (des phrases? des développements?), selon l'indication programmatique qui ouvre son édition définitive en I, 1, 2? Dans le prologue du livre III, il se sert du seul mot *reformare*, lequel n'implique pas en soi la notion d'ajout. Mais ce terme est repris au prologue du livre II, et il est associé à *per-*

---

1. Cf. t. 1, p. 13-15.
2. Cf. I, 1, 1.
3. Cf. I, 19, 1.
4. Cf. II, 1, et t. 1, p. 16.

seuerare, qui marque une continuité. On peut donc supposer, selon toute vraisemblance, que la méthode de révision exposée en tête du livre I a été appliquée sans changement à la matière du livre III et qu'elle a comporté à la fois innovations et additions [1]. Nous nous demanderons plus loin si le premier état de *Marc.* III n'a pas laissé quelques traces saisissables dans notre livre actuel. En tout cas, au moment où il entreprenait cette refonte, Tertullien était déjà acquis au montanisme : notre livre, qui relate en 24, 4 la réalisation d'un oracle de la Nouvelle Prophétie, en porte témoignage. D'autre part, le polémiste avait dès lors conçu pour son traité un projet d'examen approfondi des Écritures marcionites : ce projet, qui paraissait encore lointain et indéterminé au livre I [2], est maintenant senti comme d'exécution proche, du moins en ce qui concerne l'évangile. Nous ne trouvons pas moins de sept renvois d'anticipation au futur livre IV [3]; et il est notable même que certains allègements indiqués de la matière du livre III ont été fonction de ce que l'auteur entendait développer plus en détail dans le livre qui allait suivre et dont la structure s'annonçait déjà dans sa réflexion [4].

Sur la date de publication elle-même, le texte ne nous apporte aucun indice précis. L'allusion de 24, 4 à l'expédition d'Orient, qui ne peut être que celle de Septime Sévère en 197-198, nous fournit un *terminus a quo* de

---

1. Cf. I, 1, 2 (*innouatio / adicere*).
2. Cf. t. 1, p. 17.
3. Cf. III, 3, 3; 11, 3-4; 15, 7; 17, 5; 19, 4; 24, 2; 24, 8.
4. C'est le cas pour l'examen de *Lc* 8, 20 et 5, 24 (III, 11, 3-4), pour celui des activités du Christ sous le double aspect de son enseignement et de ses miracles (III, 17, 5), pour l'exégèse du «sein d'Abraham» (III, 24, 2).

peu d'intérêt[1]. Aucun renvoi à d'autres ouvrages de
l'auteur, sauf au *De spe fidelium* sur lequel nous n'avons
aucun autre renseignement[2]. On admettra donc que, dans
la publication échelonnée du vaste ouvrage *Contre
Marcion* (*totius opusculi series*)[3], le livre III a dû suivre
de près les deux premiers livres : en 207/208 ou peut-
être, pour tenir compte du temps qu'a pu demander la
première prise de contact avec l'évangile de Marcion, fin
208 ou début 209.

II. CONTENU ET ORGANISATION

Grâce aux repères fournis par l'auteur en vue de baliser
le cheminement du lecteur, on peut aisément reconstituer
le plan qu'il a suivi.

Le livre s'ouvre, comme les précédents, par un prologue (ch. 1) où est d'abord rappelée, brièvement, la circonstance du remaniement. Ce prologue, ensuite, expose
l'objet du livre – l'examen du Christ de Marcion – en le
situant dans le prolongement du débat sur la divinité
unique des livres I et II, et en reprenant l'argumentation
sur la postériorité de l'hérétique. Enfin il introduit le thème
principal qui sera développé, celui de l'annonce constante
du Christ par l'Ancien Testament.

Le développement est constitué de deux parties très
inégales : la première, faite de trois chapitres, est un débat
préliminaire ; la seconde, qui prend tout le reste du livre,

---

1. Le texte dit : *proxime expunctum est.* Aucune indication précise
n'est à tirer de l'adverbe qui, à l'échelle humaine, peut servir aussi
bien pour une semaine que pour une décennie. Voir nos remarques
sur la fragilité de telles déductions dans nos *Approches de Tertullien,*
p. 80.
2. Cf. III, 24, 2 et *infra,* p. 203, n. 4.
3. Cf. I, 29, 9.

se présente comme un débat sur les Écritures, et se décompose elle-même en trois grandes sections.

Le débat préliminaire (ch. 2-4) est un développement de caractère préjudiciel, qui sert à préparer la démonstration sans entrer dans le vif du sujet. Il rappelle la *praemunitio* ou *praestructio* de II, 3-4[1], et Tertullien l'assimile, selon la métaphore militaire qui lui est habituelle, à un « combat engagé de loin[2] », pour mieux souligner son aspect nettement polémique. Continuant à mettre en œuvre la méthode de discussion qu'il a appliquée dans les deux livres précédents, méthode fondée sur ce qu'il a appelé des « idées communes » et des « argumentations justes[3] », et sans aborder encore l'examen des textes scripturaires, il s'en prend à la thèse marcionite de la soudaine venue du Christ au temps de Tibère[4] sans annonce prophétique qui l'aurait préparée.

Le chapitre 2, s'appuyant d'abord sur les titres de Fils et d'envoyé, que Marcion ne récusait pas pour son Christ puisqu'ils figuraient dans l'évangile, fait valoir la nécessité d'un ordre chronologique fondé sur la règle naturelle (*regula rerum*) qui veut que le Père soit connu avant le Fils et le mandant avant l'envoyé. L'ordonnance chronologique de l'être qui a joué un grand rôle dans la pensée de Tertullien[5], est ici transposée au plan de la connaissance et de la révélation. Ensuite, c'est la notion de disposition divine, c'est-à-dire l'ordonnance des choses créées selon le plan de Dieu[6], qui est utilisée pour écarter la conception marcionite de venue soudaine. L'importance

1. Cf. t. 1, p. 37 et n. 2.
2. Cf. 5, 1 et *infra*, p. 70, n. 5.
3. Cf. I, 16, 2 et t. 1, p. 31-32.
4. Cf. I, 19, 1-2.
5. Voir L. J. Van der Lof, « Tertullian and the continued Existence of Things and Beings », *REAug* 34, 1988, p. 14-24.
6. Voir Moingt, *TTT* 3, p. 871.

de la foi comme agent du salut de l'homme[1] justifie aux yeux de l'auteur le soin que Dieu prend – et doit prendre – de fournir à celui-ci les moyens de former et assurer cette foi, d'abord par le monde créé, ensuite par la révélation de l'Écriture sainte[2].

Le chapitre 3 discute un argument prêté à l'adversaire : le Christ n'avait pas besoin d'une préparation prophétique puisqu'il a manifesté directement sa divinité par ses miracles. Discussion minutieuse, laborieuse, qui se déploie en une longue argumentation à plusieurs degrés : Tertullien récuse la voie d'une reconnaissance par les seuls miracles ; il s'en prend à la prétendue nouveauté de ceux du Christ en rappelant ceux du Créateur (dans l'Ancien Testament), Créateur qui, ayant l'avantage de la priorité, a capté par avance la foi de l'homme ; il fait jouer la loi d'analogie pour postuler un Christ venant comme celui du dieu rival, préparé par des prophéties avant d'être manifesté par des miracles. Il conclut à l'impossibilité de croire en un dieu qui n'aurait pas dû rester ignoré, et en un Christ que son dieu aurait dû faire connaître d'avance.

Le chapitre 4 marque un progrès dans la polémique. Il commence par des sarcasmes sur l'absurdité, l'aberration de la foi marcionite qui renverse l'ordre naturel puisqu'elle place la venue du Christ avant qu'on ait connu l'existence de celui-ci. Puis, transposant au problème présent la question déjà posée en I, 17, 4 (*cur postea?*), l'auteur se demande pourquoi le dieu de l'hérétique ne s'est pas révélé après l'achèvement des plans du Créateur, c'est-à-dire après la venue de son Christ, celui qu'attendent encore les juifs. C'est pour lui un moyen de mettre en

---

1. Cf. I, 12, 2 et II, 17, 7.
2. Cf. I, 10, 3 ; sur cette «théologie naturelle», voir *Approches de Tertullien*, p. 36-37.

évidence les incohérences des thèses marcionites, les contradictions du dieu suprême comme son impuissance en face du Créateur, et, pour finir, de tourner en dérision l'eschatologie adverse, qu'il s'amuse à corriger d'après la théorie chrétienne des deux parousies.

Succédant au débat préliminaire qui, nourri de raisonnements et de considérations de bon sens, prolonge le livre I pour détruire le dieu de Marcion, le débat principal – ou, comme l'appelle l'auteur, le «combat rapproché[1]» – porte sur les Écritures du Créateur, c'est-à-dire l'Ancien Testament dont l'hérétique n'admettait pas l'interprétation admise et défendue par la Grande Église. Ce débat, qui se déroule jusqu'à la fin du livre, s'ouvre par une mise au point sur les caractéristiques du langage des prophéties (ch. 5). Par souci de clarté et pour éviter des redites[2], Tertullien définit les deux types de *propheticum eloquium* : l'un qui énonce des événements futurs comme déjà accomplis, l'autre qui utilise des figures et images à comprendre autrement qu'au sens littéral. Ces analyses sont, dans chaque cas, illustrées d'exemples bibliques.

Après cette explication préalable, le débat s'engage. Il se déroule en trois sections – ou étapes – de longueur croissante.

La première comprend les chapitres 6 et 7. Tertullien attaque Marcion comme «allié de l'erreur juive[3]». L'hérétique, en effet, voyait dans le refus des juifs de croire au Christ dont ils avaient même obtenu la mort, la preuve que ce Christ relevait, non du Créateur, mais d'une divinité étrangère au monde, le dieu supérieur. Pour détruire cette argumentation, l'auteur met à profit certains éléments de

---

1. Cf. 5, 1 (*comminus dimicaturus*).
2. Cf. 5, 1 (fin); 6, 1 (début).
3. Cf. 6, 2 (*cum Iudaico errore sociari*).

la controverse antijudaïque habituelle : il rappelle les prédictions vétérotestamentaires sur l'aveuglement des juifs,
prophéties qui se sont en tout point accomplies lorsque
ce peuple a refusé de reconnaître le Christ. Celui-ci n'en
est pas moins Fils du Créateur (6, 1-8). Il utilise ensuite
un argument spécifique tiré du comportement des juifs :
ce n'est pas que ceux-ci aient repoussé le Christ comme
venant d'un « autre dieu »; tout simplement, ils n'ont pas
reconnu sa divinité en le prenant pour un homme des
leurs, destructeur du judaïsme (6, 9-10). Enfin, élargissant
le champ de son explication dans le chapitre 7, notre
docteur expose, aux marcionites comme aux juifs, avec
textes prophétiques à l'appui, le principe de leur commune
erreur : ni les uns ni les autres n'ont compris que deux
parousies avaient été promises au Christ, l'une ignomi-
nieuse et humble qui s'est réalisée dans la venue terrestre et la passion de Jésus, l'autre glorieuse qui aura
lieu à la fin des temps. C'est cette seconde seule que
les juifs admettent et attendent encore, ayant été abusés
par l'obscurité et l'indignité de la première.

Formée des chapitres 8 à 11, la deuxième section traite
le second thème que nous avons indiqué au début de
cette Introduction et qui, annoncé discrètement aux livres
précédents (I, 11, 8; II, 28, 2), n'avait pas encore été
mentionné dans celui-ci : il s'agit du docétisme. Sur ce
point, Marcion était seul en cause, sa doctrine se déso-
lidarisant du judaïsme et se rattachant à celle des hérétiques visés par Jean dans sa première épître[1]. Il concevait
le Christ comme un pur « esprit de salut[2] » et s'appuyait
en particulier sur *Phil.* 2, 7 pour admettre qu'il avait pris
seulement l'apparence d'un homme : son corps était un

---

1. Cf. 8, 1 (transition soignée et imagée, suivie d'un cliché hérésiologique).
2. Cf. I, 19, 2 (*spiritus salutaris*).

φάντασμα en comparaison des corps humains naturels[1]. Le docétisme radical, dont il est le représentant aux yeux de Tertullien, est envisagé sous deux aspects solidaires que notre polémiste distingue pour les mieux combattre : a) refus que le Christ soit venu dans une chair véritable; b) refus qu'il ait eu une naissance. Au premier aspect sont consacrés les chapitres 8 à 10 : Tertullien démontre d'abord qu'admettre une chair illusoire dans le Christ aboutit à détruire le christianisme (ch. 8); ensuite il discute l'échappatoire de l'analogie avec les anges apparus à Abraham et à Loth en *Gen.* 18-19 (ch. 9); enfin il établit que, pour Dieu, seul est déshonorant le mensonge, et que la réalité de la chair est moins indigne de lui que l'apparence trompeuse de celle-ci (ch. 10). Le deuxième aspect, encore plus important pour un adversaire de la naissance comme Marcion, est traité dans le chapitre 11 qui indique notamment que cette naissance de la chair par la chair ne saurait être tenue pour plus indigne de Dieu que la passion et la mort, l'incarnation formant un tout impossible à briser. Au passage, le thème antidocète est associé au thème majeur que constitue le refus d'une annonce du Christ par l'Ancien Testament. Non sans quelque arbitraire il est vrai, Tertullien souligne que, si Marcion a écarté de son Christ la chair et la naissance, c'est parce que le Christ du Créateur était promis à l'une et à l'autre par les prophéties (11, 1). La même idée revient à la fin de la conclusion récapitulative du développement sur le docétisme (11, 8b-9) : elle ramène ainsi le lecteur à la négation essentielle de Marcion, qui domine tout le livre : celle de l'annonce prophétique du Christ par l'Ancien Testament.

---

1. Cf. *Marc.* V, 20, 2-3. Voir HARNACK, *Marcion*, p. 125-126 et p. 286*.

C'est bien ce thème qui va nourrir la troisième section, du chapitre 12 au chapitre 24 – plus de la moitié du livre! Marcion, dans son alliance tactique avec le judaïsme, récusait l'interprétation donnée de l'Ancien Testament et de ses prophéties par la Grande Église. Tertullien s'attache donc à comparer, à confronter avec les Écritures du Créateur (il s'agit essentiellement d'Isaïe et des Psaumes) toute l'histoire du Christ et de la nouvelle alliance[1]. Cet examen se déroule selon un ordre chronologique[2] qui s'échelonne en cinq blocs de chapitres.

A) Les chapitres 12 à 14 traitent d'une prophétie d'Isaïe telle que la présente Justin (*Dial.* 43, 5-6 et *Dial.* 77-78), constituée des versets 7, 14-16a + 8,4, et dont on a pu dire qu'elle est une «adaptation de la prophétie modifiée pour annoncer exactement les événements de l'évangile de l'enfance[3]» : il s'agit de la dénomination d'Emmanuel donnée à l'enfant, de la puissance de Damas et des dépouilles de la Samarie qu'il prendra contre le roi des Assyriens. A l'interprétation littéraliste qui aboutit à l'absurdité d'un bébé conquérant, est opposée une interprétation figurée, que vient confirmer ensuite l'exégèse de *Ps.* 44 (45), 3-5 dont les expressions militaires sont interprétées à la lumière de l'Évangile et des épîtres pauliniennes, dans la perspective spirituelle du règne de la foi.

B) Les chapitres 15 et 16 donnent la démonstration que les noms de «Christ» et de «Jésus» ne peuvent convenir qu'au Christ du Créateur : le premier parce qu'il est solidaire de l'Ancien Testament, le second parce que Josué (= Jésus) a annoncé typologiquement Jésus-Christ.

---

1. Cf. 12, 1 (*comparationem*); 17, 1 (*cum scripturis conferamus*); 17, 5 (*ad scripturarum regulam recognosci*).

2. Cf. 16, 6; 17, 1; 20, 1 (*ordinem Christi decurrere*).

3. PRIGENT, *Justin et l'A.T.,* p. 146.

Une conclusion partielle (16, 6b-7) annonce la suite de l'examen de l'*ordo Christi* en posant le principe (*praescriptio*) que rien ne devra être commun entre le Christ de l'«autre» dieu et celui du Créateur.

C) Les chapitres 17 à 19 évoquent l'œuvre de salut du Christ : d'abord, son aspect ignominieux et souffrant, opposé à la plénitude spirituelle présente en lui, donne lieu à un développement dont le début double, en quelque sorte, le passage du chapitre 7 sur le premier avènement (17, 1-4); ensuite sa double activité d'enseignement et de miracles est traitée en quelques lignes qui renvoient la démonstration au livre suivant et se limitent au rappel d'*Is.* 50, 10 et 53, 4 comme prophéties courtes et bien représentatives (17, 5); enfin l'*exitus* du Christ, c'est-à-dire sa fin sur la croix, appelle deux grands développements dont le premier (ch. 18) énumère les figures vétérotestamentaires de cette croix, et dont le second (19, 1-5) rappelle les prédictions verbales, tirées des prophètes et des psaumes, dont elle a été aussi l'objet. Après la reprise de la polémique contre un adversaire qui n'a pas le droit de revendiquer pour son Christ la mort sur la croix puisque ce Christ n'a pas été prédit et que par conséquent sa mort n'a pas pu l'être non plus, une preuve prophétique abrégée (*Is.* 57, 2 et 53, 12) établit tout en même temps la mort et la résurrection de Jésus-Christ (19, 6-9).

D) Les chapitres 20 à 23, après une transition appuyée (1-2a), traitent de la disposition qui a suivi l'existence terrestre du Christ, et des prophéties qui en ont annoncé les divers aspects. Et d'abord l'appel des païens («nations»), par quoi se sont réalisées les promesses du Père au Fils, l'alliance éternelle dans un Christ davidique et la prophétie de Nathan à David (*II Sam.* 7, 12) qui ne peut se comprendre de Salomon (20, 2b-10). Le chapitre 21 répond à des objections de l'adversaire, et

notamment à celle qui explique ces mentions vétérotestamentaires des « nations » comme visant les prosélytes
du judaïsme. Le chapitre 22 regroupe des prophéties qui
concernent successivement l'œuvre apostolique, le rejet
du judaïsme, les persécutions contre les apôtres et les
fidèles, enfin le culte spirituel de l'Église. Le chapitre 23
porte sur la dispersion des juifs hors de leur pays, punition
de leur impiété à l'égard de Jésus-Christ : la première
partie (1-4) montre qu'elle accomplit des prophéties d'Isaïe
et des psaumes ; la seconde (5-8) polémique contre la
thèse adverse qui attribue la crucifixion aux vertus et
puissances du Créateur ; elle en fait apparaître l'absurdité.

   E) Le long chapitre 24 forme la conclusion de cette
histoire du salut qui, inaugurée par la venue du Christ,
débouche sur l'espérance eschatologique. Il traite du
royaume céleste, de la *caelestis promissio* que Marcion
dénie au Créateur. Après un rappel et une ironique réfutation d'une « antithèse » marcionite (1-2), puis une longue
parenthèse sur le *regnum iustorum* de mille ans (3-6), il
est démontré, en un premier temps, que ce royaume
céleste a été annoncé par des prophéties de la *Genèse*,
d'Isaïe et d'Amos dont le sens se manifeste avec le Christ,
porte et voie du ciel (7-11). Dans un second temps, de
caractère dialectique (12-13), l'auteur établit qu'en
l'absence même de toute prophétie, la disposition céleste
ne saurait être attendue que du Créateur de l'univers.
Sans autre conclusion, le livre se clôt par des sarcasmes
sur la « grande promesse » du dieu de Marcion.

   Au total, construction solide, élaborée, ferme dans ses
grandes lignes, où tout paraît voulu pour servir la visée
principale : montrer que la venue du Christ et son prolongement par l'Église ont été l'objet de prédictions dans
l'Ancien Testament. La réalisation de ces prophéties mani-
festant la consonance parfaite entre l'ancienne et la nouvelle alliance, ainsi sera ruinée, sans recours possible, la

thèse marcionite de la nouveauté absolue de l'Évangile. L'aménagement du plan a répondu à un souci constant d'ordre, de clarté, de brièveté. De là vient la distinction entre le débat préliminaire sur la nécessité d'une préparation prophétique (fondé sur la *regula rerum*) et le débat principal qui porte sur le fond, les Écritures et leur interprétation (*regula scripturarum*). De là vient aussi la mise au point préalable sur les formes de langage prophétique, comme le principe d'organisation qui tantôt associe Marcion à l'«erreur judaïque» et tantôt l'en dissocie. C'est la même volonté qui a présidé à la mise en ordre des prophéties : celles-ci suivent le déroulement chronologique de l'*ordo Christi*, de la naissance à la résurrection. Enfin nous avons vu [1] que, pour éviter des redites et des surcharges, certains développements avaient été renvoyés au livre IV.

III. VESTIGES DE REMANIEMENT

Cette composition d'ensemble si ferme et si étudiée n'est pas sans présenter, en deux ou trois cas, des traces de discontinuité qui pourraient bien s'expliquer par le remaniement évoqué plus haut [2]. Ainsi en est-il du § 1 du chapitre 21 : ce rappel d'une antithèse de Marcion opposant le Messie restaurateur des juifs au Christ libérateur du dieu tout bon, que suit assez maladroitement une reprise de l'argument habituel sur la postériorité de l'hérétique, fait l'effet d'une parenthèse mal insérée dans la trame; ce que confirme le § 2 qui enchaîne avec le précédent chapitre. Nous avons affaire, là, à un rajout de quelques lignes. De même, au § 5 du chapitre 23, de

1. Cf. *supra*, p. 9, n. 4.
2 Cf. *supra*, p. 8.

Atque à *subrepti,* deux phrases interrompent la suite naturelle du développement sur la dispersion des juifs par
laquelle le Créateur a vengé la mort du Christ : Tertullien,
brusquement, fait état d'une thèse adverse qui attribue la
crucifixion aux «puissances» du Créateur et il y répond
par un argument scripturaire (citation d'*Is*. 53, 9). Divers
détails[1] dénoncent ces deux phrases comme rajoutées.
Peut-on aller plus loin dans l'investigation? On ne manque
pas d'être intrigué par la transition qui se lit au tout
début du chapitre 15 (*De quaestione carnis et per eam
natiuitatis et unius interim nominis Emmanuhelis hucusque*). Elle ne cadre pas avec le développement qui précède
puisqu'elle semble ignorer les chapitres 13 et 14 et qu'elle
rattache la nouvelle section sur les noms de Christ et de
Jésus directement à la séquence des chapitres 8 à 12
(chair/naissance/Emmanuel). Est-ce un vestige – que Tertullien aurait laissé subsister par négligence – d'un état
de composition plus ancien, et comportant une suite où
le développement antidocète (ch. 8-11) précédait immédiatement un développement consacré aux dénominations?
Comme les chapitres 12-14 sont empruntés, nous le
verrons plus bas, à l'*Aduersus Iudaeos,* on peut se
demander s'ils n'ont pas été, lors du dernier remaniement,
insérés dans la trame primitive, qui était sans doute de
structure plus simple. Nous verrons de même que le chapitre 7, sur les deux avènements, a été également repris
de l'*Aduersus Iudaeos*. Or, quand l'auteur revient, en 17,
1-4, sur le thème de l'abaissement du Christ, et qu'il le
fait en usant des mêmes textes qu'au début du ch. 7, on
peut s'étonner qu'il n'ait pas usé d'une formule de renvoi
pour signaler cette reprise : d'où l'hypothèse plausible que
ce chapitre 7 aussi a été ajouté après coup. On pourra

---

1. Cf. *infra,* p. 199, n. 4.

ainsi formuler l'hypothèse – mais qui reste une hypothèse – que le premier *De Christo Marcionis* était constitué
simplement des ensembles de chapitres sur le docétisme,
sur les dénominations et sur les prophéties de l'*ordo
Christi* et des événements suivants. La structure complexe,
avec débat préliminaire précédant le débat principal, a
dû être introduite lors de la refonte de l'édition définitive, en même temps qu'était mis à profit, pour un élargissement de la matière, le texte de l'*Aduersus Iudaeos*.
Quoi qu'il en soit de cette hypothèse sur la genèse de
notre livre III actuel, il reste que celui-ci laisse au lecteur
le sentiment d'une organisation nette et sûre.

IV. REMPLOIS D'AUTRES OUVRAGES

C'est un fait reconnu depuis longtemps que Tertullien
s'est beaucoup imité lui-même : nombreux sont, à travers
son œuvre, les passages parallèles. La même tendance se
manifeste à un degré éminent dans notre livre III. Ont
plus particulièrement été mis à profit le *De carne Christi*
(= *Carn.*) et l'*Aduersus Iudaeos* (= *Iud.*).

Successivement C. Moreschini[1] et J.-P. Mahé[2] ont signalé
l'évidente parenté des développements de *Carn.* et de
Marc. III qui combattent la christologie docète de Marcion
avec des textes scripturaires et des arguments identiques.
Le second de ces critiques, de plus, a su montrer de
façon convaincante que la polémique des ch. 8-11 de
notre livre était postérieure à celle des ch. 5-6 de *Carn.*
Nous avons nous-même proposé une solution au problème chronologique que ne manquait pas de soulever

1. «Temi e motivi», p. 152-156.
2. «Traité perdu» et *Éd. Carn.*, p. 24-26.

la constatation d'un rapport de dépendance[1]. Il paraît généralement admis aujourd'hui que, combattant Marcion à propos de la chair illusoire et non née de son Christ, Tertullien a repris des matériaux qui lui avaient servi dans une ébauche antérieure, non encore publiée, dirigée contre le docétisme des grands gnostiques de son temps, et qu'il avait sans doute conçue comme une préparation à un ouvrage plus considérable, qui devait être son *De resurrectione carnis*. Ainsi le développement, inspiré de *I Cor.* 15, 15 s., qu'on trouve dans notre livre (8, 5-6), sur la nécessité d'une chair réelle du Christ pour fonder la foi chrétienne, rappelle celui de *Carn.* 5, 2-3. D'une manière plus précise, notre ch. 9, consacré à l'objection hérétique tirée de la chair des anges de *Gen.* 18-19, s'explique par un remploi de passages de *Carn.* 6 où l'auteur avait polémiqué contre un disciple déviationniste de Marcion, Apellès, auquel il avait consacré un traité spécial au début de sa carrière[2]. Enfin, le ch. 11 qui interpelle l'hérétique sur son refus d'admettre la naissance du Christ, reprend divers arguments et idées qui avaient été utilisés contre lui, du même point de vue, dans les premiers chapitres de *Carn.*[3].

Bien plus nombreux, et plus frappants encore, sont les remplois de *Iud.* Le problème des rapports entre notre livre et l'écrit contre les juifs, posé dès le XVIIIe siècle[4], a souvent été débattu. Pour nous limiter à notre siècle, rappelons la thèse d'A. Akerman (Lund 1918) qui voyait

---

1. «Chronologica Tertullianea : le *De carne Christi* et le *De idololatria*», *AFLNice* 21, 1974, p. 277-278 (= *Approches de Tertullien*, p. 91-92).

2. Voir la note complémentaire 35, p. 280.

3. Voir *infra*, p. 112, n. 3 et 4; p. 114, n. 2.

4. Depuis J. S. Semler († 1791) qui s'était prononcé pour l'inauthenticité des deux écrits.

dans la dernière partie de *Iud.* l'œuvre d'un interpolateur
travaillant à partir de *Marc.* III, et la réfutation dont elle
a été l'objet par G. Saeflund, quelque quarante ans après [1].
Les conclusions de ce dernier ont été reprises et
confirmées par H. Tränkle dans son édition de *Iud.* (Wiesbaden 1964). Il est généralement admis aujourd'hui que
cet écrit est bien une œuvre de Tertullien, mais restée
à l'état d'esquisse inachevée, qu'elle est antérieure à
Marc. III et qu'elle fut peut-être publiée *inuito auctore* [2].
La deuxième partie de cette ébauche (ch. 9-14) traite des
prophéties vétérotestamentaires qui se sont accomplies
dans les circonstances de la vie terrestre, puis de la mort
du Christ, et du destin du peuple juif : elle est faite en
rédactions multiples, d'où la présence de doublets [3]. C'est
de cette seconde partie que proviennent les emprunts de
notre livre. Le détail en est indiqué dans l'apparat des
Fontes de notre édition, comme ils l'étaient dans l'édition
de Kroymann, et on trouvera une synopsis dans l'édition
Tränkle de *Iud.* (p. XI). Bornons nous ici à dire que,
des six chapitres formant cette seconde partie de *Iud.*,
trois — les ch. 9 ; 10 et 14 — ont été repris presque en
entier, et que les trois autres l'ont été partiellement : soit,
au total, 16 pages, sur les 21 de l'édition de Tränkle. En
dehors du ch. 7 sur les deux parousies, où est réutilisée
la plus grande partie de *Iud.* 14, c'est dans le développement contre l'interprétation marcionite des prophéties,
c'est-à-dire du ch. 12 au ch. 23 de notre livre, que sont
localisés les emprunts : cette longue séquence n'a pas de

---

1. *De pallio und die stilistische Entwickelung Tertullians,* Lund 1955.
2. Dans sa tradition manuscrite, le texte de certaines citations bibliques
de *Iud.* a pu subir des retouches sous l'influence de la Vulgate : on
expliquera ainsi les alternances *nullificamen* (*Marc.*) / *abiectionem* (*Iud.*)
et *aspernamentum* (*Marc.*) / *abominamentum* (*Iud.*); voir p. 87, n. 6
et p. 194, n. 3.
3. Cf. Tränkle, *Éd. Iud.,* p. XXXVI-LIII.

chapitre qui ne comporte de tels remplois, qu'il soient plus ou moins longs. Bien entendu, la plupart du temps, a été nécessaire un travail d'adaptation à la nouvelle polémique. C'est ce qui explique que plusieurs passages aient été laissés de côté (ainsi *Iud.* 14, 8 en *Marc.* III, 7)[1]. Ces aménagements ont pu entraîner quelquefois, quoique rarement, des maladresses : la plus notable se rencontre en 18, 1, qui remploie, non sans obscurité, une phrase fort claire de *Iud.* 10, 2[2]. Pour ce qui est de la rédaction, notre auteur a visé, comme d'habitude en pareil cas, à plus de concision, de sobriété, de force. L'étude des textes parallèles, faite avec soin par H. Tränkle[3], selon les voies ouvertes par C. Becker et G. Säflund dans des travaux similaires, a abouti à des conclusions qu'on tiendra pour définitives : la formulation de *Marc.* III est beaucoup plus ferme, resserrée, énergique que celle de *Iud.*, comme le prouvent les retranchements d'explications, de redites, de mots sans nécessité, allant quelquefois jusqu'à la hardiesse ou à l'ellipse, ainsi que les regroupements d'idées émiettées en plusieurs phrases. Elle s'est marquée aussi par un renforcement de la tendance au sarcasme. On trouvera, dans les notes, plus d'une observation allant dans le même sens. Littérairement, comparé à *Iud.*, *Marc.* III est une œuvre accomplie.

1. Voir notre note complémentaire 34, p. 276.
2. Voir la dernière partie de la note complémentaire 43, p. 296.
3. *Éd. Iud.*, p. LIII-LXV.

V. SOURCES, ARGUMENTATIONS, EXÉGÈSE

Dans l'introduction aux livres I et II, nous avons rappelé la thèse – sans doute excessive, parce que trop simplificatrice – de G. Quispel qui attribue à chacun des trois premiers livres une source principale[1] : le *Dialogue* de Justin aurait servi à constituer notre livre III, qui porterait en outre des traces de l'*Aduersus Haereses* d'Irénée[2]. De son côté P. Prigent, à partir de comparaisons très précises sur le thème de la naissance virginale, veut que Tertullien ait puisé, non dans le *Dialogue* de Justin, mais dans son *Syntagma* contre toutes les hérésies[3]. Les analyses de H. Tränkle ont confirmé aussi que le *Dialogue avec Tryphon* a été, avec l'*Épître de Barnabé*, la source de nombreux développements de *Iud.* qui sont passés dans *Marc.* III[4]. Nous avons nous-mêmes opéré une confrontation systématique, grâce à *Biblia Patristica* I, entre les citations bibliques de notre auteur et celles de ses devanciers. Les résultats, que nous présentons dans nos notes complémentaires, nous permettent d'affirmer à notre tour qu'indéniable est l'influence exercée par Justin tant sur les thèmes que sur le matériel scripturaire de notre livre. En quelques cas même, l'emprunt paraît assuré : pour la citation composite d'*Is.* 7, 10-16a + 8, 4 + 7, 16b-17 (Emmanuel, puissance de Damas, dépouilles de la Samarie) dans les ch. 12-13, citation qui provient de *Dial.* 43, 5-6[5]; et également pour la forme de la citation d'*Is.* 3, 10 en 22, 5 (où *auferamus* suppose la lecture de Justin ἄρωμεν)[6]. Mais le plus souvent, et lors

---

1. Cf. t. 1, p. 41-43.
2. *Bronnen,* p. 56-61.
3. *Justin et l'A.T.,* p. 145-155.
4. *Éd. Iud.,* p. LXXVI-LXXXVIII.
5. Voir la note complémentaire 36, p. 282.
6. Voir la note complémentaire 47, p. 301.

même qu'il y a accord sur le thème, ou l'idée générale, ou l'orientation de l'exégèse, des différences se manifestent, marquant que Tertullien ne reprend pas « ne varietur » son prédécesseur : ainsi au ch. 5 pour l'explication des deux formes du langage prophétique[1] ; au ch. 7 pour le matériel sur les deux avènements qui, proche de Justin, ne peut néanmoins être attribué à une source unique[2] ; ou au ch. 18, pour l'explication de l'image de la croix contenue en *Deut.* 33, 17[3]. Bien des fois aussi, l'originalité de notre écrivain s'affirme par une plus grande netteté, une force démonstrative accrue : c'est le cas par exemple dans la typologie christique de Josué au ch. 26[4]. On a déjà remarqué qu'il a été le premier à établir une correspondance claire entre les deux boucs de la fête des Expiations et les deux parousies[5]. De nombreuses observations dans le même sens seront apportées par les notes, où l'on verra également que Tertullien a beaucoup innové dans des détails de ses exégèses.

Une influence d'Irénée sur Tertullien est aussi saisissable en quelques passages. On la décèlera par exemple dans le développement sur l'appel des nations, où la lecture de *Ps.* 131 (132), 11 est conforme à la sienne, avec un rappel, comme chez lui, de la prophétie de Nathan en *II Sam.* 7, 12[6]. Plusieurs textes des dossiers scripturaires qui servent à la démonstration se rencontrent aussi dans l'*Aduersus haereses* et, plus encore, dans le petit traité d'Irénée qui nous est parvenu en tra-

---

1. Voir la note complémentaire 32, p. 270.
2. Voir la note complémentaire 34, p. 276.
3. Voir p. 276, n. 1-4 et p. 161, n. 5.
4. Voir la note complémentaire 40, p. 290.
5. Tränkle, *Éd. Iud.*, p. LXXVII-LXXVIII. Voir aussi notre note complémentaire 34, p. 279.
6. Voir la note complémentaire 45, p. 298.

duction[1]. Mais l'exégèse de notre auteur est loin d'en
être un simple décalque. C'est ainsi qu'au ch. 24,
l'argument tiré de la bénédiction d'Isaac sur Jacob – où
Quispel[2] voyait une dépendance d'*Haer.* 5, 33, 3 – est
en réalité très éloigné de l'interprétation de l'évêque de
Lyon[3].

On pourra dire, en résumé, que si Tertullien dépend
étroitement d'une tradition ecclésiastique où Justin et
Irénée occupent une place éminente, il ne s'est jamais
attaché aveuglément à eux, il a repensé leurs interprétations, il les a réélaborées en fonction de ses propres
conceptions. Il les a aussi éclairées au moyen d'autres
textes scripturaires : nous verrons en effet qu'une partie
de son matériel de *testimonia* est neuve.

Pour les argumentations, ce que nous avons dit à
propos des livres I et II[4], pourrait se répéter ici : « idées
communes » et « argumentations justes » ont servi aussi à
la critique de la christologie marcionite. La seule différence par rapport aux livres précédents, et notamment
au livre I, c'est le recours beaucoup plus massif à la
regula scripturarum, à l'Écriture sainte. Parmi ces arguments simples et raisonnables, qui ont déjà été utilisés
dans la *defensio unicae diuinitatis*, indiquons d'abord
l'exploitation de la notion adverse d'antithèse : elle permet
à Tertullien d'établir que prouver le Christ du Créateur
équivaut à détruire le dieu de Marcion (1, 2), de refuser
à l'hérétique l'application à son Christ d'exemples pris au
Créateur (9, 1), de nier que ce nom de Christ puisse
intervenir dans la disposition du dieu opposé (15, 2).

1. *Démonstration de la prédication apostolique,* éd. L. M. Froidevaux,
SC 62, Paris 1959 (= *Dem.*).
2. *Bronnen,* p. 60-61.
3. Voir la note complémentaire 49, p. 304.
4. Cf. t. 1, p. 45-61.

Concernant la divinité, ce sont des notions philosophiques courantes qui sont mises à profit : l'idée que rien n'est déficient en Dieu (15, 4), celle de la dignité de Dieu et de ce qui lui convient, dont Marcion se servait aussi[1] ; enfin et surtout le concept selon lequel Dieu, étant vérité[2], ne peut souffrir le mensonge, concept qui sert de fil conducteur pour toute la réfutation de la chair «illusoire» prêtée à son Christ par Marcion (ch. 8-11). En quelques passages, des arguments sont tirés de la psychologie de la foi, du cheminement par lequel l'homme arrive à la croyance, l'auteur se mettant lui-même en scène dans cette recherche (2, 4 ; 3, 4 ; 24, 13). Accessoirement, la *concordia oppositorum*[3] sert à étayer une argumentation (3, 4 ; 24, 12). Sont invoqués des principes de physique, comme la corporalité de tout ce qui est (8, 4), et de logique, comme la licéité de préjuger de la totalité des cas à partir de la majorité (20, 1). Le recours à la «prescription[4]» se retrouve également dans ce livre (3, 3 ; 16, 6). Souvent notre raisonneur fait appel au bon sens : sur un constat d'absurdité il fonde la nécessité d'entendre des énoncés bibliques au sens figuré (5, 3), sur celui d'une impossibilité matérielle, il rejette certaines interprétations des prophéties (23, 6). Ce même bon sens éclate dans sa conclusion qu'un dieu crucifié par les puissances du Créateur ne peut être qu'un dieu vaincu, dont on ne saurait rien attendre (23, 8). Cette dialectique se complaît aussi dans les raisonnements *a fortiori* (6, 8 ; 9,3), comme dans la tactique du repli[5] par concession (apparente) à

---

1. Le motif de θεοπρεπές (cf. t. 1, p. 46) revient en 9, 4 ; 10, 2-5 ; 24, 5.
2. Confirmé par *Jn* 14, 6 en 11, 9. Cf. aussi CLÉMENT DE ROME, *Cor*. 27, 2.
3. Cf. t. 1, p. 46-47.
4. Cf. t. 1, p. 49.
5. *Ibid*.

l'adversaire (19, 6 ; 24, 12). La formation rhétorique reparaît avec le goût pour l'étymologie : le rappel du sens étymologique de *Christus* (=*unctus*) sert à prouver la réalité de l'incarnation (15, 6). Le sentiment linguistique de la propriété exacte des termes conduit notre écrivain à distinguer soigneusement, dans les textes scripturaires, les mentions des «prosélytes» et celles des «nations» (21, 2). D'une façon plus générale, ce qui caractérise sa pensée, c'est le besoin d'ordonnance chronologique. Le recours à l'*ordo*, fondé sur ce qu'il appelle la *regula rerum*, l'amène à refuser la conception marcionite d'un Fils qui se manifeste avant son Père (ch. 2). La même notion préside à l'organisation et au déroulement des textes prophétiques sur le Christ (ch. 12-19). Elle commande le rattachement du prosélytisme à la loi ancienne et de l'appel des nations à la loi nouvelle (ch. 21). En bref, elle sous-tend toute l'histoire du salut, avec ses préparations, ses accomplissements, les réalisations encore à venir de l'espérance eschatologique, que Tertullien oppose à l'inconsistance de la révélation selon Marcion, négateur du temps comme il l'est du monde. C'est elle enfin qui entraîne la reprise de l'argument sur la postériorité de l'hérétique (1, 1 ; 13, 6 ; 21, 1).

L'Écriture sainte, nous l'avons dit, est largement utilisée dans notre livre. En dehors de la *prolusio* des ch. 2-4 où elle joue un rôle minime (trois renvois implicites en tout), elle intervient partout ailleurs : au ch. 5, dans l'explication des formes du langage prophétique, pour l'illustrer d'exemples ; dans la section contre le docétisme (ch. 8-11) pour justifier les idées directrices de la démonstration[1]. Mais on la trouve surtout dans les chapitres sur l'aveuglement des juifs et les deux parousies (ch. 6-7) et dans

---

1. *I. Cor.* 15, 3-4 et 15-18 au ch. 8 ; *Jn* 14, 6 au ch. 11.

la dernière section qui traite de l'accomplissement des prophéties (ch. 12-24) : on peut dire qu'elle y fournit l'aliment même du débat. On ne s'étonnera pas que les renvois bibliques dépassent considérablement, en nombre, ceux des livres I et II[1] : 264 renvois, dont 95 en citations explicites. Comme il est normal étant donné la nature du sujet, l'Ancien Testament est beaucoup plus cité que le Nouveau Testament. Ont été principalement allégués des textes prophétiques (94 renvois, dont 74 pour le seul *Isaïe* qui est cité 43 fois explicitement), des passages du Pentateuque (34 fois, dont 7 citations explicites) et des *Psaumes* (31 fois, dont 24 citations explicites). Les livres historiques n'interviennent que pour 11 renvois, dont un seul en citation explicite. Pour le Nouveau Testament, ce sont surtout les *Épîtres* pauliniennes qui sont mises à contribution (33 renvois, dont 7 citations explicites). Il est évident que ces *dicta probantia* ont été apportés à notre auteur par un courant ecclésiastique d'interprétation qui a commencé dans le Nouveau Testament même. Mais Tertullien ne s'est pas borné à répéter ses devanciers. Ainsi a-t-il enrichi les dossiers scripturaires reçus d'eux : nous avons relevé 20 textes vétérotestamentaires (dont 10 d'*Isaïe*) qui ne se rencontrent ni chez Justin, ni chez Irénée, ni chez Méliton, ni chez Hippolyte. A-t-il traduit lui-même sur le grec de la LXX[2]? ou a-t-il bénéficié du secours de diverses formes de «Vieilles Latines[3]»? Il est impossible de le dire. Les deux pratiques ont pu se conjuguer selon les cas. Comme

---

1. Voir t. 1, p. 52.

2. Il convient d'ajouter : ou, pour *Daniel*, sur le texte «mixte» (LXX et Théodotion) : voir *infra*, p. 88, n. 3.

3. La preuve de l'usage d'une Vieille Latine paraît assurée dans le cas d'*Is*. 2, 20 en 23, 1 (voir *infra*, p. 194, n. 3). Pour les citations d'*Isaïe*, voir le travail spécifique de P. PETITMENGIN, «Citations d'Isaïe» (qui laisse ouverte la question posée ici).

on l'a aussi souvent remarqué, il a fait preuve d'une grande liberté, voire de désinvolture, dans sa manière de citer. Plusieurs de ses citations sont aberrantes[1]. On ne s'étonnera pas non plus que se soient glissées quelques erreurs d'attribution : *Amos* 4, 13 est nommément rapporté à *Joël* (6, 6); *Deut.* 33, 17 est rapporté à la *Genèse* (18, 3); un texte d'*Isaïe* est peut-être – mais la formulation est ambiguë – indiqué comme étant d'*Amos* (24, 11).

Sur l'exégèse mise en œuvre par Tertullien pour tous ces textes de l'Ancien Testament, notamment prophétiques et psalmiques, nous ne nous étendrons pas ici[2] : elle se situe dans le grand mouvement de typologie christique et ecclésiologique de l'Église ancienne. Les particularités d'interprétation, qui ne manquent pas, seront indiquées dans les notes. Il a en tout cas, avec netteté, posé certaines règles, comme celle du critère d'absurdité pour justifier, contre l'interprétation littérale, le recours à l'interprétation figurée[3], et comme celle de la cohérence au contexte[4]. Le sens de l'ordre chronologique, qui nous a paru plus haut distinctif de sa pensée, a retenti aussi sur son exégèse et explique certaines minuties, comme par exemple de s'attacher à la *structura benedictionis* à propos de Jacob et d'Ésaü (24, 8-9). Son goût pour la brièveté se manifeste souvent par une présentation qui lui est propre : texte scripturaire et commentaire se mêlent l'un à l'autre, les explications exégétiques prenant place dans l'énoncé au moyen de *id est, scilicet* ou même direc-

---

1. Par exemple, celle d'*Is.* 52, 10 en 22, 3 (cf. *infra,* p. 168, n. 3).
2. Voir notre étude « Le témoignage des psaumes dans la polémique antimarcionite de Tertullien », *Augustinianum* 22, 1982, p. 149-163 (= *Approches de Tertullien,* p. 199-213).
3. Voir 5, 3 et la note complémentaire 32, p. 271. Règle appliquée en 18, 3; 18, 5; 20, 3; 24, 2.
4. Voir 12, 2; 13, 1.

tement[1]. Ce même goût entraîne aussi la recherche de
citations qui illustrent, de façon exemplaire, le thème
développé, et qui sont mises, pour plus d'effet, en fin
de chapitre (17, 5; 19, 9; 24, 11). Un dernier aspect
mérite d'être souligné : la théologie du Fils-Verbe, pro-
fessée par notre auteur en accord avec son temps[2], et
qui trouve aussi dans notre livre des occasions de
s'affirmer[3], revêt, au niveau de l'interprétation des textes,
une forme particulière : celle de l'exégèse prosopographique, qui consiste à découvrir dans les énoncés
bibliques, la voix du Fils s'adressant au Père (*Ps.* 21, 23
en 22, 6 et *Ps.* 58, 12 en 23, 4), ou l'inverse (*Is.* 52, 14
en 17, 1).

VI. POLÉMIQUE

Limitée à deux thèmes – refus d'une incarnation véritable et refus d'une préparation prophétique –, cette critique de la christologie marcionite est avant tout une
entreprise de polémiste : Tertullien veut ruiner et décon-
sidérer la doctrine de l'adversaire. Même si, comme nous
l'avons vu, il a déjà quelque idée de l'évangile de Marcion
puisqu'il a aménagé son troisième livre en fonction de
matières renvoyées au livre suivant[4], sa connaissance de
cette doctrine reste fondée essentiellement sur les *Antithèses*[5]. Il sait sans doute que l'hérétique rejette l'*Apoca-*

---

1. Voir 6, 6; 7, 3; 17, 4; 18, 5; 20, 4; 21, 3; 22, 2; 23, 2-3; 23, 5.
2. Voir t. 1, p. 57-58; et II, 27.
3. Voir 6, 7; 16, 5.
4. Voir *supra*, p. 9, n. 3 et 4. Par deux fois (19, 4 et 24, 8), Tert.
allègue le témoignage de «votre évangile» – et chaque fois à bon
escient, ce qui suppose qu'il avait effectué certains contrôles.
5. Cf. t. 1, p. 39-40. Ici, en 21, 1 et 24, 1, il se réfère aussi à une
«antithèse» marcionite.

lypse de Jean et ne reconnaît comme apôtre que Paul
(13, 10; 14, 4), mais il paraît ignorer les innovations de
son *apostolicon* (5, 4). Tributaire d'une tradition hérésiologique très riche[1], c'est d'elle assurément qu'il tient certains clichés qui, par exemple, rattachent Marcion à
l'«erreur juive» en ce qui concerne les prophéties (6, 2;
7, 1; 23, 1) et aux gnostiques dénoncés par *I Jn* en ce
qui concerne le docétisme (8, 1). Comme dans les livres
précédents, il porte des coups au docteur autant qu'à la
doctrine. On retrouve les sarcasmes relatifs à l'origine
«barbare» (6, 3; 11, 1; 13, 3), à sa profession (6, 3),
ainsi que le grief habituel de mutilation de l'évangile (13,
6). Reviennent le qualificatif d'Antichrist (8, 2; cf. I, 22,
1) et l'assimilation à une bête venimeuse (8, 1). Ressur-
gissent les expressions traditionnelles pour stigmatiser
l'hérésie : aveuglement (7, 1), endurcissement (19, 6),
démence (6, 1), stupidité (11, 1), inanité (12, 3). Mais
on observera que, dès le début du livre III, Tertullien a
voulu marquer un renchérissement sur le reproche d'extravagance de la fin du livre II : c'est de folie furieuse qu'il
l'accuse maintenant[2]. D'autre part, et en liaison avec son
docétisme, apparaît une imputation nouvelle, celle d'être
un faiseur de tours de passe-passe, et c'est sur elle que
se clôt le livre[3]. Si les sectateurs de l'hérétique ne sont
pas l'objet d'attaques particulières comme ils l'étaient dans
les livres précédents[4], la doctrine, elle, est aussi mal-
menée que son auteur : Tertullien s'en prend surtout au
dieu marcionite, dont le troisième livre entend poursuivre
l'élimination (1, 2). Outre le rappel ironique de ses titres

1. Cf. t. 1, p. 40-41.
2. Progrès de *furens* (III, 1, 2) sur *inconsiderantissimus* (II, 29, 44;
cf. t. 1, p. 61).
3. Emploi de *praestigiae* en 11, 1 et 28, 13.
4. Voir t. 1, p. 61-62.

de dieu supérieur (10, 5), meilleur et plus parfait (9, 1), tout bon (4, 4; 8, 2; 21, 1; 24, 1), outre celui de sa patience à l'égard du Créateur (4, 2; 23, 8), notre polémiste ramène à son propos l'adverbe *uane* comme pour marteler le grief d'absurdité et d'incohérence contre cette inconsistante divinité (4, 3-5; 11, 4; 15, 6; 23, 5; cf. I, 28, 1). Usant de rétorsion, il retourne sur elle les reproches que Marcion faisait au Créateur et souligne cruellement son impuissance vis-à-vis d'un dieu prétendu subalterne (4, 4; 8, 2; 15, 7; 23, 8). Ainsi voyons-nous l'hérésiarque, son dieu, son Christ, confondus par l'habileté du controversiste dans le même constat d'inanité.

VII. LANGUE, STYLE, RHÉTORIQUE

Du point de vue de l'expression et de la forme littéraire, le livre III prolonge les précédents : les diverses caractéristiques relevées dans l'Introduction aux livres I et II[1] se retrouvent pareillement ici.

Même vocabulaire hardiment novateur : quatre hapax, avec *interemptibilis* (6, 4), *famulabundus* (7, 4), *incorporabilis* (17, 3), *introgressus* (21, 4); trois vocables propres à l'auteur, *exorbitator* (6, 10), *nullificamen* (7, 2; 17, 3), *malitiositas* (15, 7; 23, 8); une vingtaine de mots qu'il inaugure, soit en les créant lui-même, soit en les faisant entrer dans la langue écrite, comme *destructor* (6, 10), *indeficiens* (7, 5), *impresse* (8, 5), *nascibilis* (11, 1; 19, 8), *medicator* (17, 5), etc; enfin quelques néologismes sémantiques comme *exauctorare* (3, 1), *ignorabilis* (6, 4), *iniectio* (21, 1), *infamia* (23, 3).

Le souci de l'expressivité démonstrative[2] se marque de

1. Voir t. 1, p. 65-75.
2. Voir t. 1, p. 68 s.

la même manière : par des traits appuyés, soulignant l'armature de l'exposé[1], et par le goût pour les phrases longues, amples, dans certains développements[2]. Mais c'est la vivacité rhétorique[3] qui domine dans ce livre. Y est systématiquement appliqué le procédé du dialogue diatribique : il permet de construire la discussion, d'en articuler les mouvements, d'en souligner les rebondissements. Cette seconde personne du singulier[4] concerne, semble-t-il, l'hérésiarque qui est censé être l'interlocuteur. Mais il arrive aussi au polémiste, dans un souci de variété, de la remplacer par une seconde personne du pluriel qui vise alors l'ensemble des sectateurs[5]. On rencontre même l'expression *pars diuersa* qui restitue le cadre fictif d'un débat (15, 1 ; 16, 6). Mais l'usage habituel de Tertullien est d'interpeller celui qu'il tient pour responsable de ces aberrations doctrinales, Marcion. Des impératifs, d'un bout à l'autre ponctuent la controverse en faisant intervenir le meneur de jeu[6]. Certains même paraissent lancer de véritables défis[7]. Au début du livre retentit un appel au lecteur, promu au rang d'arbitre du débat[8]. Mais notre auteur l'oublie tout aussitôt, pour demeurer seul en face de son adversaire. L'impression de corps à corps sans merci qu'il lui livre est encore renforcée par les divers procédés de la rhétorique : reprises, anaphores, interro-

1. Récapitulations et transitions : 5, 1 ; 6, 1 ; 11, 8b-9 ; 16, 6b-7 ; 20, 1.
2. Cf. 3, 3 ; 3, 4 ; 6, 1-2 ; 6, 6 ; 16, 4-5 ; 17, 4 ; 18, 3-4.
3. Voir t. 1, p. 70s.
4. Innombrables exemples : 3, 1 ; 3, 2 ; 3, 3, etc. A remarquer l'absence d'apostrophe directe à Marcion comme celle de II, 29, 3.
5. Ainsi en 10, 1 ; 15, 1 ; 18, 1 ; 22, 5. Quand il veut désigner l'évangile marcionite, Tert. se sert soit de *Marcionis* (17, 5) soit de *uestrum* (19, 4 ; 24, 8).
6. Voir 3, 2 ; 11, 7 ; 13, 6 ; 13, 10 ; 21, 4 ; 23, 1.
7. Voir 20, 2 et 21, 4 (*nega*) ; 23, 7 (*redde... contende*).
8. Voir 6, 1 (*memento, lector*) ; également 5, 1.

gations pressantes, parallélismes, antithèses[1]. L'engagement
personnel de Tertullien au service de la cause dont il se
veut le champion éclate dans certaines proclamations
comme celle qui termine le ch. 16 : « Mihi uindico
Christum, mihi defendo Iesum. » Dans sa concision énergique, on retrouve tout l'art de l'auteur pour les formules-
chocs[2].

Autres aspects de ce style, la variété et la verve humoristique[3]. Notre rhéteur, qui ne recule pas, le cas échéant,
devant des termes techniques de son art[4], fait appel aussi,
dans des intentions caricaturales, à des mots familiers
comme *sapa, defrutum, placenta, aquilex, uulpicula* (5,
3), *stropha* (10, 2), *lignarius* (19, 1) ou à des termes de
l'agriculture et de la médecine comme *praecocus* et
aborsiuus (8, 1). Il aime recourir à des proverbes (8, 1),
rappeler au détour d'une comparaison les réalités terre-
à-terre de la vie quotidienne, les thermes et les voleurs
(3, 2 ; 16, 1), glisser plaisamment un souvenir littéraire
qui met une note de burlesque, comme la comédie du
Fantôme à propos du Christ marcionite (11, 6), susciter
des rapprochements imprévus, cocasses, comme entre
Rhodes, le Pont et l'armateur Marcion (6, 3), jouer sur
des mots en paronomase (*lanceare/lancinare* en 13, 3).
Les images se pressent sous sa plume. Il a beaucoup de
propension pour celles qui proviennent de la guerre et
de la lutte[5]. Mais il sait emprunter aussi aux divers aspects
de la vie publique et privée[6]. L'alliance habile du concret

1. Voir 4, 3-4 ; 8, 3 ; 10, 1 ; 18, 7 ; 20, 6 ; 23, 6 ; 24, 7.
2. Cf. t. 1, p. 72.
3. *Ibid*.
4. Ainsi pour la catachrèse (15, 4).
5. Voir 1, 2 ; 2, 1 ; 3, 3 ; 5, 1 ; 16, 2.
6. Ainsi l'image de construction avec *superstruere* (20, 1), l'image du
banquet public avec *uisceratio* (7, 7), *cena* (24 ; 13).

et de l'abstrait lui permet de renouveler des expressions banales, qui deviennent insolites[1]. Enfin l'ironie, sous toutes ses formes, de la légère insinuation jusqu'au sarcasme indigné, déploie ses ressources d'un bout à l'autre du livre[2]. Elle est pour Tertullien, le moyen le plus efficace d'associer le lecteur à son sentiment, qu'il s'agisse de l'absurdité des interprétations littéralistes ou de celle du docétisme. Ironie incisive qui harcèle inlassablement Marcion, ses thèses, son dieu jusqu'à l'évocation finale du «festin sans maison» auquel convie l'hérétique[3]!

VIII. L'ÉDITION

Suite directe de notre édition des livres I et II, celle du livre III s'inspire des mêmes principes : nous les avons exposés dans l'introduction aux livres I et II[4]. Nous nous permettons d'y renvoyer, nous bornant ici à l'essentiel.

Nous nous sommes appuyé sur une collation personnelle des mss *M, F* et *X.* Les *recentiores,* pour ce livre, ne nous ont apporté aucune donnée intéressante. Naturellement, pour résoudre les nombreux problèmes d'établissement du texte, nous avons pris en compte, avec soin, tout l'apport de la critique depuis Beatus Rhenanus et ses successeurs de l'époque humaniste jusqu'aux trois derniers éditeurs de notre siècle (Kroymann, Moreschini, Evans). Afin de permettre des comparaisons, nous avons jugé utile d'indiquer régulièrement dans notre apparat critique la forme du texte reçu par nos deux prédécesseurs

---

1. Un bon exemple est fourni par l'expression *manum scriptura porrigente* (24, 12); également *fides uictricis uetustatis* (3, 4).
2. Voir 4, 1; 6, 3; 8, 2; 8, 7; 10, 5; 11, 6; 13, 2-3; 14, 2; 15, 6; 18, 5; 19, 1; 22, 7; 23, 8; 24, 1.
3. Voir 24, 13.
4. Voir t. 1, p. 80-83.

immédiats. Mais nous n'avons pas cru devoir y noter toutes les leçons fautives, particulièrement les omissions des trois mss de base, ni leurs variantes et fantaisies orthographiques, ni certains désaccords de *R* dus à des normalisations. Nous avons recueilli, en revanche, les variantes de *X* qui permettent de préciser la physionomie de ce ms.

Notre travail pour l'établissement d'un texte difficile et souvent discuté a fait l'objet de 102 notes critiques qui sont présentées à la suite du texte et de la traduction. L'apparat critique y renvoie, dans chaque cas, par un astérisque. Au total, notre édition s'écarte dix-sept fois de celles de nos devanciers; dans ce nombre, il y a cinq cas où la ponctuation a été modifiée, et deux cas où nous avons ajouté un élément tiré d'un *locus gemellus* de l'*Aduersus Iudaeos*.

Le désir de ponctuer certaines phrases de façon plus intelligible, et également l'étude de la suite des idées nous ont amené à modifier le découpage des paragraphes, voire des chapitres. Voici le détail des changements que nous avons apportés : ch. 4, début du § 2 avancé; ch. 11, début du § 4 reculé; ch. 13, début du § 4 avancé; ch. 16, début du § 5 reculé; ch. 18, début du § 4 avancé; ch. 20, début du § 8 reculé; ch. 22, début avancé par inclusion de la dernière phrase du chapitre précédent[1]; ch. 23, début du § 7 reculé et début du § 8 avancé. Pour le reste, nous avons respecté la numérotation des paragraphes de l'édition de Moreschini, sauf dans les cas suivants où nous avons rétabli celle de l'édition de Kroymann : ch. 9, § 5 rétabli à *Difficilius deo* et § 7 rétabli à *Sed unde*; ch. 16, § 4 avancé de deux mots; ch. 19, §§ 7, 8, 9 maintenus; ch. 23, § 5 avancé.

----

1. Voir Notes critique, p. 257.

Pour les éclaircissement sur le fond et les idées, nous avons procédé comme dans les deux volumes précédents : notes en bas de page et notes complémentaires en fin de volume. Celles-ci ont été plus particulièrement destinées à préciser les dossiers scripturaires, à en dégager l'orientation, l'organisation, pour mieux cerner l'originalité de l'auteur. Elles ont porté aussi, le cas échéant, sur les remplois. Les passages parallèles de l'*Aduersus Iudaeos* ont été, d'autre part, signalés dans l'apparat des *Fontes*. Pour ce double travail, nous avons été aidé par les volumes de *Biblia Patristica* et par l'édition Tränkle de l'*Aduersus Iudaeos*.

Enfin, le livre III étant particulièrement riche en citations bibliques, il nous a paru indispensable de munir cette édition d'un index scripturaire qui en rende la consultation plus aisée. Par la même occasion, nous y avons inclus les citations des livres I et II, et également, pour l'ensemble des trois livres, ajouté les divers index requis par ce genre d'édition.

*
* *

La réalisation de ce troisième volume a bénéficié, elle aussi, d'aides précieuses : celle de M. Pierre Petitmengin, Conservateur de la bibliothèque de l'École Normale Supérieure, qui m'a procuré aimablement de nombreux documents, celle de M. Michel Lestienne, du Secrétariat des Sources Chrétiennes, qui a relu mon manuscrit avec une remarquable acribie. À l'un comme à l'autre j'exprime ici toute ma reconnaissance.

ABRÉVIATIONS ET SIGLES

Œuvres de Tertullien

An.	De anima
Ap.	Apologeticum
Bapt.	De baptismo
Carn.	De carne Christi
Cor.	De corona
Cult.	De cultu feminarum
Exh.	De exhortatione castitatis
Fug.	De fuga in persecutione
Herm.	Aduersus Hermogenem
Id.	De idololatria
Iei.	De ieiunio
Iud.	Aduersus Iudaeos
Marc.	Aduersus Marcionem
Mart.	Ad martyras
Mon.	De monogamia
Nat.	Ad nationes
Or.	De oratione
Paen.	De paenitentia
Pal.	De pallio
Pat.	De patientia
Praes.	De praescriptionibus haereticorum
Prax.	Aduersus Praxean
Pud.	De pudicitia
Res.	De resurrectione mortuorum
Scap.	Ad Scapulam
Scor.	Scorpiace
Spec.	De spectaculis

Test.	De testimonio animae
Val.	Aduersus Valentinianos
Virg.	De uirginibus uelandis
Vx.	Ad uxorem

Divers

AFLNice	*Annales de la Faculté des Lettres et Sciences humaines de Nice*, Nice
ASNP	*Annali della Scuola Normale Superiore di Pisa, Cl. di Lettere e filosofia*, Pise.
BA	*Bibliothèque Augustinienne*, Paris.
BAGB	*Bulletin de l'Association G. Budé*, Paris.
BJ	*La Bible de Jérusalem*, Paris 1973.
CCL	*Corpus Christianorum, Series Latina*, Turnhout.
CSEL	*Corpus Scriptorum Ecclesiasticorum Latinorum*, Vienne.
DAGR	Dictionnaire des antiquités grecques et romaines, Paris.
Dhorme	*La Bible (Bibliothèque de la Pléiade)*, t. 1-2, Paris 1956-1959.
FVS	DIELS H., *Die Fragmente der Vorsokratiker*, t. 1-3, Berlin 1954.
JbAC	*Jahrbuch für Antike und Christentum*, Münster.
JThS	*Journal of Theological Studies*, Oxford.
PW	Realencyclopädie der classischen Altertumswissenschaft, Stuttgart.
RAC	Reallexicon für Antike und Christentum, Stuttgart.
REAug	*Revue des Études Augustiniennes*, Paris.
REL	*Revue des Études latines*, Paris.
RSLR	*Rivista di Storia e letteratura religiosa*, Florence.
RSR	*Revue des Sciences Religieuses*, Strasbourg.
SAWW	*Sitzungsberichte der Österreichischen Akademie der Wissenschaft in Wien, Philos.-Hist. Klasse*, Munich.
SC	*Sources Chrétiennes*, Paris.
SVF	ARNIM J. VON, *Stoicorum Veterum Fragmenta*, t. 1-4, Stuttgart 1964.
TLL	Thesaurus Linguae Latinae, Munich.

TOB	*Traduction Œcuménique de la Bible, Ancien Testament,* Paris 1975.
TU	*Texte und Untersuchungen zur Geschichte der altchristlichen Literatur,* Leipzig.
TWNT	Theologisches Wörterbuch zum Neuen Testament, Stuttgart.
VChr	*Vigiliae Christianae,* Amsterdam.
VetChr	*Vetera Christianorum,* Bari.
WS	*Wiener Studien,* Vienne.
ZKG	*Zeitschrift für Kirchengeschichte,* Stuttgart.
ZPE	*Zeitschrift für Papyrologie und Epigraphik,* Bonn.
ZRGG	*Zeitschrift für Religions- und Geistesgeschichte,* Cologne.

BIBLIOGRAPHIE

Éditions et traductions

QSF. Tertulliani Opera. Ex recensione A. Kroymann. Pars 3 (*CSEL* 47), Vienne 1906, p. 290 s. Repris dans *CCL* 1, 1954, p. 437 s.

Tertulliani Aduersus Marcionem. Edidit C. Moreschini (*Testi e documenti per lo studio dell'antichità* 35), Milan 1971.

Opere scelte di Quinto Settimo Florente Tertulliano. A cura di C. Moreschini (*Classici UTET*), Turin 1974, p. 291 s. (= Moreschini, *Trad.*).

Tertullian, *Aduersus Marcionem*. Edited and translated by E. Evans. Books 1 to 3 (*Oxford Early Christian Texts*), Oxford 1972.

Traductions anciennes

Œuvres de Tertullien traduites en français par M. de Genoude, t. 1, Paris 1852, p. 1-100.

The five books of Quintus Septimus Florens Tertullianus against Marcion translated by P. Holmes (*Ante-Nicene Christian Library* 7), Edimburg 1868.

Tertullians sämtliche Schriften aus dem Lateinischen übersetzt von H. Kellner, Cologne 1882, t. 2, p. 212-254.

Critique textuelle

Braun R., «De quelques corrections au texte d'*Aduersus Marcionem* I-III», *RSLR* 21, 1985 p. 49-55.

Moreschini C., «Prolegomena ad una nuova edizione dell'*Aduersus Marcionem* di Tertulliano», *ASNP* 35, 1966, p. 293-308; 36, 1967, p. 93-102 et p. 236-244 (= Moreschini, «Prolegomena»).

–, «Osservazioni sul testo dell'*Aduersus Marcionem* di Tertul-

liano», *ASNP* 39, 1970, p. 1-25 (= MORESCHINI, «Osservazioni»).

–, «Per una nuova lettura dell'*Aduersus Marcionem* di Tertulliano», *Studi Classici e Orientali* 23, 1974, p. 60-69 (= MORES-
CHINI, «Per una nuova lettura»).

TRÄNKLE H., Compte rendu des éditions MORESCHIN et EVANS
dans *Gnomon* 46, 1974, p. 166-174 (= TRÄNKLE).

Travaux sur Marcion et sur le *Contre Marcion* de Tertullien

BLACKMAN E.C., *Marcion and his influence,* Londres 1948
(= BLACKMAN).

BOSSHARDT E., *Essai sur l'originalité et la probité de Tertullien
dans son traité contre Marcion* (Thèse de Lettres de l'Université de Fribourg en Suisse), Florence 1921 (= BOSSHARDT,
Essai).

HARNACK A. VON, *Marcion. Das Evangelium vom fremden Gott*
(*TU* 45), Leipzig 1924[2], réimpr. Darmstadt 1960 (= HARNACK,
Marcion).

MORESCHINI C., «Temi e motivi della polemica antimarcionita di
Tertulliano», *Studi classici e orientali* 17, 1968, p. 149-186
(= MORESCHINI, «Temi e motivi»).

QUISPEL G., *De Bronnen van Tertullianus' Aduersus Marcionem,*
Leiden 1943 (= QUISPEL, *Bronnen*).

Autres travaux

Nous donnons ici la liste des travaux les plus souvent cités dans l'Introduction et le Commentaire.

ALÈS A. D', *La théologie de Tertullien,* Paris 1905.

ARCHAMBAULT G., Édition de JUSTIN, *Dialogue avec Tryphon,*
t.1-2, Paris 1909 (= ARCHAMBAULT, *Éd. Dial.*).

La Bible d'Alexandrie. 1. *La Genèse,* par M. HARL, Paris 1986.
2. *L'Exode,* par A. LE BOULLUEC et P. SANDEVOIR, Paris 1989.

BRAUN R., *Deus Christianorum. Recherches sur le vocabulaire doctrinal de Tertullien*, Paris 1977² (= *Deus Christ.*).

–, « Chronologica Tertullianea. Le De carne Christi et le De idololatria », *AFLNice* 21, 1974, p. 271-281.

–, « Le témoignage des Psaumes dans la polémique antimarcionite de Tertullien », *Augustinianum* 22, 1982, p. 149-163 (= « Le témoignage des Psaumes »).

–, *Approches de Tertullien*, Paris 1992 (= *Approches de Tertullien*).

BULHART V., *Tertullian-Studien, SAWW* 231/5, Vienne 1957, p. 5-56.

–, « De sermone Tertulliani », dans *Tertulliani opera, Pars* IV (*CSEL* 76), Vienne 1957, p. IX-LVI (= BULHARDT, *CSEL* 76).

CANTALAMESSA R., *La cristologia di Tertulliano*, Fribourg 1962.

DANIELOU J., (*Histoire des origines chrétiennes avant Nicée. III*). *Les origines du christianisme latin*, Paris 1978 (= DANIÉLOU, *Origines du christianisme latin*).

–, *Sacramentum futuri*, Paris 1950.

–, *Études d'exégèse judéo-chrétienne*, Paris 1966.

DEKKERS E., *Tertullianus en de Geschiedenis der Liturgie*, Bruxelles-Amsterdam 1947 (= DEKKERS, *Tertullianus*).

DREYER O., *Untersuchungen zum Begriff des Gottgeziemenden in der Antike* (*Spudasmata* 24), Hildesheim-New York 1970.

FREDOUILLE J.-C., *Tertullien et la conversion de la culture antique*, Paris 1972 (= FREDOUILLE, *Conversion*).

–, édition de TERTULLIEN, *Contre les Valentiniens* (*SC* 280-281), Paris 1980.

HOPPE H., *Beiträge zur Sprache und Kritik Tertullians*, Lund 1932 (= HOPPE, *Beiträge*).

–, *Syntax und Stil des Tertullian*, Leipzig 1903 (= HOPPE, *SuS*), cité aussi dans la traduction italienne de G. ALLEGRI, Brescia 1985 (= trad. it.).

LABRIOLLE P. DE, *La crise montaniste*, Paris 1913 (= LABRIOLLE, *Crise montaniste*).

LEUMANN M., HOFMANN J.B. et SZANTYR A., *Lateinische Grammatik, 2. Band, Syntax und Stilistik*, Munich 1965 (= *LHS*).

MAHÉ J.-P., édition de TERTULLIEN, *La chair du Christ* (*SC* 216-217), Paris 1975 (= MAHÉ, *Éd. Carn.*).

–, « Le traité perdu de Tertullien 'Aduersus Apelleiacos' et la chronologie de sa triade antignostique», *REAug* 16, 1970, p. 3-24 (= MAHÉ, «Traité perdu»).

MOINGT J., *Théologie trinitaire de Tertullien*, t. 1-4, Paris 1966-1969 (= MOINGT, *TTT*).

MONCEAUX P., *Histoire littéraire de l'Afrique chrétienne, t. 1. Tertullien et les origines*, Paris 1901 (= MONCEAUX, *HLAC* 1).

O'MALLEY T.P., *Tertullian and the Bible* (*Latinitas Christianorum Primaeva* 21), Nimègue 1967 (= O'MALLEY, *Tert. and the Bible*).

ORBE A., «En torno al modalismo di Marción», *Gregorianum* 71, 1990, p. 43-65.

–, «Marcionitica», *Augustinianum* 31, 1991, p. 195-244.

OTTO A., *Die Sprichwörter und sprichwörtlichen Redensarten der Römer*, Leipzig 1890 (réimpr. Hildesheim, 1962).

PETITMENGIN P., «Recherches sur les citations d'Isaïe chez Tertullien», dans *Recherches sur l'histoire de la Bible latine* (Colloque... sous la direction de R. Gryson et P.M. Bogaert), *Cahiers de la Revue théologique de Louvain* 19, Louvain-la-Neuve 1987, p. 21-41 (= PETITMENGIN, «Citations d'Isaïe»).

PRIGENT P., *Justin et l'Ancien Testament*, Paris 1964 (= PRIGENT, *Justin et l'A.T.*).

–, Édition de l'*Épitre de Barnabé* (*SC* 172), Paris 1971 (= PRIGENT, *Éd. Barn.*).

SAEFLUND G., *De pallio und die stilistische Entwicklung Tertullians*, Lund 1955.

SCHNEIDER A., Édition de *Le premier livre Ad nationes de Tertullien*, Institut suisse de Rome 1968 (= SCHNEIDER, *Éd. Nat.*).

TRÄNKLE H., Édition de *Q.S.F. Tertulliani Aduersus Iudaeos*, Wiesbaden 1964 (= TRÄNKLE, *Éd. Iud.*).

VAN DER GEEST J.E.L., *Le Christ et l'Ancien Testament chez Tertullien* (*Latinitas Christianorum Primaeva* 22), Nimègue 1972.

VAN DER LOF L.J., «Tertullian and the continued Existence of Things and Beings», *REAug* 34, 1988, p. 14-24.

WASZINK J.H., Édition de Q.S.F. TERTULLIANUS, *De anima*. With Introduction and Commentary, Amsterdam 1947 (= WASZINK, *Comm. An.*).

–, «Tertullians principles and methods of exegesis», dans *Early Christian Literatur and the classical intellectual Tradition* (Mélanges R.M. Grant), Paris 1979, p. 9-31.

SOMMAIRE DU LIVRE III

Prologue (I) : objet du livre

PREMIÈRE PARTIE : DÉBAT PRÉLIMINAIRE (II-IV)

— Fils et envoyé de son Père, le Christ de Marcion aurait dû être annoncé (II)
— Ses miracles ne suffisent pas à l'authentifier (III)
— Le dieu de Marcion aurait dû se révéler après le Christ du Créateur (IV)

DEUXIÈME PARTIE : DÉBAT SUR LES ÉCRITURES (V-XXIV)

— Mise au point préalable : les deux formes du langage prophétique (V)

1) Contre l'argumentation empruntée par Marcion aux juifs (VI-VII)
— L'A.T. a prédit l'aveuglement des juifs devant le Christ (VI, 1-8)
— Les juifs n'ont pas repoussé le Christ comme venant d'un autre dieu (VI, 9-10)
— Les juifs n'ont pas compris les deux avènements du Christ qui étaient annoncés (VII)

2) Contre le docétisme de Marcion (VIII-XI)
A) Sa négation de la chair véritable du Christ (VIII-X)
— Une chair illusoire dans le Christ détruit le christianisme (VIII)

– Discussion sur l'analogie proposée avec la chair des anges de *Gen.* 18-19 (IX)

– Rien n'est déshonorant pour Dieu que le mensonge (X)

B) *Sa négation de la naissance du Christ* (XI)

– Étant de chair, le Christ a eu une naissance (XI, 1-8a)

Conclusion de la section (XI, 8b-9)

3) CONTRE L'INTERPRÉTATION MARCIONITE DES PROPHÉTIES (XII-XXIV)

A) *Le Christ d'Isaïe* (XII-XIV)

– «Emmanuel» (XII)

– «Puissance de Damas et dépouilles de la Samarie» (XIII)

– Confirmation par le *Psaume 44* (XIV)

B) *Les deux noms du Christ Jésus* (XV-XVI)

– Le nom de Christ (XV)

– Le nom de Jésus (XVI, 1-6a)

– Conclusion partielle et principe pour la suite (XVI, 6b-7)

C) *Déroulement de l'histoire du Christ* (XVII-XIX)

– Son aspect ignominieux et souffrant (XVII, 1-4)

– Son action (XVII, 5)

– Sa fin sur la croix (XVIII-XIX)

 • Figures de sa croix : Isaac, Joseph, le taureau de Jacob, Moïse (XVIII)

 • Prédictions de sa croix : *Ps.* 96, 10 ; *Is.* 9, 5 ; *Jér.* 11, 19 ; *Ps.* 21 (XIX, 1-5)

 • Prédiction de sa mort et de sa résurrection par Isaïe (XIX, 6-9)

D) *Ce qui devait suivre* (XX-XXIII)

– Transition (XX, 1-2a)

– L'appel des nations (XX, 2b-10)
  • Promesses du Père (XX, 3-5a)
  • L'alliance éternelle par le Christ issu de David (XX, 5b-8a)
  • Prophétie de Nathan (XX, 8b-10)
– Réponse à une objection (XXI)
  • L'événement est antérieur à Marcion (XXI, 1)
  • Il ne concerne pas les prosélytes (XXI, 2-4)
– Prédication apostolique et assemblées chrétiennes (XXII)
  • Œuvre des apôtres (XXII, 1)
  • Rejet du judaïsme (XXII, 2-3)
  • Souffrance des apôtres et fidèles (XXII, 4-5)
  • Culte spirituel de l'Église (XXII, 6-7)
– La dispersion des juifs (XXIII)
  • Accomplissement des prophéties (XXIII, 1-4)
  • Absurdité de la thèse adverse (XXIII, 5-8)

E) L'espérance eschatologique du royaume céleste (XXIV)
– L'antithèse de Marcion (XXIV, 1-2)
– Le royaume céleste succédera au règne millénaire (XXIV, 3-6)
– Il a été promis par le Créateur (XXIV, 7-11)
  • La postérité d'Abraham (7a)
  • Jacob et Ésaü (7b-9a)
  • L'échelle de Jacob et autres prophéties (9b-11)
– Il n'est à espérer que du Créateur (XXIV, 12-13)

TEXTE

ET

TRADUCTION

CONSPECTVS SIGLORVM

M	*Codex Montepessulanus H 54*, saec. XI.
F	*Codex Florentinus Magliabechianus, conv. soppr. I, VI, 10*, saec. XV.
X	*Codex Luxemburgensis 75*, saec. XV.
R_1	Beati Rhenani editio princeps, Basileae anno 1521.
R_2	Beati Rhenani editio secunda, Basileae anno 1528.
R_3	Beati Rhenani editio tertia, Basileae anno 1539.
R	consensus $R_1R_2R_3$.
θ	consensus codicum M F X et trium editionum B. Rhenani (R).
β	consensus F X et trium editionum B. Rhenani (R).
γ	consensus F X
G	*Codex Gorziensis deperditus* (quem adhibuit B. Rhenanus in tertia editione sua).
N	*Codex Florentinus Magliabechianus, conv. soppr. I, VI, 9*, saec. XV.
L	*Codex Leidensis latinus 2*, saec. XV.
V	*Codex Vindobonensis 4194* (nunc *Neapolitanus 55*), saec. XV
D	*Codex Diuionensis* (ex collatione P. Pithou).
B	Martini Mesnartii editio, Parisiis anno 1545.
Gel.	Sigismundi Gelenii editio prior, Basileae anno 1550.
Pam.	Iacobi Pamelii editio, Antuerpiae anno 1579.
Iun.	Pamelii editio cum Francisci Iunii notis, Franekerae anno 1597.
Scal.	notae Iosephi Iusti Scaligeri in margine exemplaris editionis Pamelianae iteratae (1597) quod in bibliotheca Leidensis adseruatur.
Lat.	notae Latini Latinii (Romae 1584).

Vrs. coniecturae Fuluii Vrsini ab Ioanne a Wouwero editae, Francofurti anno 1612.
Rig. Nicolai Rigaltii editio, Parisiis anno 1634.
Oehler Francisci Oehler editio, Lipsiae anno 1853-1854.
Kr. Aemilii Kroymann editio, Vindobonae anno 1906 (*CSEL* 47).
Eng. coniecturae Augusti Engelbrecht in editione Vindobonensi.
Van der Vliet coniecturae J. Van der Vliet in eadem editione Vindobonensi.
Mor. Claudii Moreschini editio, Mediolani anno 1971.
Ev. Ernesti Evans editio, Oxonii anno 1972.

*
* *

ac ante correctionem
pc post correctionem
codd. codicum consensus
edd. editorum consensus *uel* editorum post Beatum Rhenanum consensus
cett. ceteri
add. addidit *uel* addiderunt
coni. coniecit *uel* coniecerunt *uel* coniectura
corr. correxit *uel* correxerunt
dist. distinxit *uel* distinxerunt
interp. interpunxit *uel* interpunxerunt
inu. inuertit *uel* inuerterunt
om. omisit *uel* omiserunt
pos. posuit *uel* posuerunt
prob. probauit *uel* probauerunt
secl. seclusit *uel* secluserunt
sign. signauit *uel* signauerunt
traiec traiecit *uel* traiecerunt
transt. transtulit *uel* transtulerunt

Dans l'apparat critique, l'astérisque sert à renvoyer à une «Note critique» sur le texte et l'interprétation.

Les *fontes* renvoient aux pages et aux lignes de l'édition de l'*Aduersus Iudaeos* par H. Tränkle, Wiesbaden 1964.

ADVERSVS MARCIONEM

LIBRI QVINQVE

LIBER TERTIVS

I. 1. Secundum uestigia pristini operis, quod amissum reformare perseueramus, iam hinc ordo de Christo, licet ex abundanti post decursam defensionem unicae diuinitatis. Satis etenim praeiudicatum est Christum non alterius
5 dei intellegendum quam Creatoris, cum determinatum est alium deum non credendum praeter Creatorem, quem adeo Christus praedicauerit, et deinceps apostoli non alterius Christum adnuntiauerint quam eius dei quem Christus praedicauit, id est Creatoris, ut nulla mentio

Tit. INCIPIT LIB̄ TERCIVS *M* INCIPIT LIBER TERTIVS ADVERSVS MARCIONEM *FX*

1. Voir Introduction générale, t. 1, p. 13-15 et Introduction au livre III, p. 8.
2. Formule fréquente chez Tert. et le plus souvent liée à l'argument de prescription. L'idée rappelle le prologue du livre II (cf. t. 2, p. 22, n. 1).
3. Rappel des liens organiques qui soudent les livres I et II.

CONTRE MARCION

EN CINQ LIVRES

LIVRE III

Prologue
Objet du livre

I. 1. En suivant pas à pas notre ouvrage précédent – perdu et que nous continuons à refondre –, voici que maintenant notre plan nous amène à traiter du Christ[1] : la chose pourtant est superflue[2] une fois achevée la défense de l'unicité divine[3]. Qu'on ne doive pas comprendre le Christ comme venant d'un autre dieu que le Créateur, c'est là un préalable suffisamment établi puisque la preuve est faite qu'on ne doit pas croire à l'existence d'un autre dieu que le Créateur, lui précisément que le Christ a prêché ; et les apôtres à sa suite n'ont pas annoncé le Christ d'un autre dieu que du dieu prêché par le Christ, c'est-à-dire le Créateur ; si bien que n'a donné lieu à débats aucune mention[4] d'un autre dieu ni non plus,

---

4. Reprise du thème polémique de I, 19, 3-5 ; 22, 10, etc. L'expression avec *agitata* (déjà chez Tite Live 7, 1, 3) est plus recherchée qu'avec *facta* ou *habita :* elle insiste sur la fréquence.

10 alterius dei atque ita nec alterius Christi agitata sit ante
scandalum Marcionis. **2.** Facillime hoc probatur aposto-
licarum et haereticarum ecclesiarum recensu, illic scilicet
pronuntiandam regulae interuersionem ubi posteritas inuenitur. Quod etiam primo libello intexui. Sed et nunc
15 congressio ista seorsus in Christum examinatura eo utique
proficiet, ut dum Christum probamus Creatoris, sic quoque
deus excludatur Marcionis. Decet ueritatem totis uiribus
uti suis, non ut laborantem (ceterum in praescriptionum
compendiis uincit) sed, ut decretum est, gestientem ubique
20 aduersario occurrere, in tantum furenti ut facilius prae-
sumpserit eum uenisse Christum qui nunquam sit adnuntiatus quam eum qui semper sit praedicatus.

I, 14 intexui. Sed $R_2 R_3$ *edd.* : intexuisset M_γ R_1 ‖ 15 seorsus *M*
Kr.Mor. : seorsum β *Ev.* ‖ 17 excludatur Marcionis : *inu.* β ‖ 18-19
ceterum – uincit : *parenthesin sign. Kr.Mor.* * ‖ 19 ut decretum est
scripsi : decretum est ut θ *Mor.* [decretum est] ut *Kr.Ev.* *

---

1. Même emploi, en contexte similaire, en I, 20, 1 : *interuersio* est
propre à Tert. et ne se retrouve que dans le Code Théodosien.
2. Cf. I, 21, 4-5 ; également I, 1, 6 et, d'une façon générale, toute
l'argumentation de *Praes*.

par là même, d'un autre Christ avant le scandale de Marcion. **2.** S'il est une chose très facile à prouver en passant en revue les Églises apostoliques et hérétiques, c'est bien qu'on doit se prononcer pour une perversion de la règle de foi là où se rencontre la postériorité[1]. J'en ai déjà parlé même dans l'exposé du premier livre[2]. Mais cette bataille[3] d'aujourd'hui, qui veut examiner séparément le Christ[4], présentera en tout cas un avantage : en prouvant que le Christ vient du Créateur, nous éliminerons encore ainsi le dieu de Marcion[5]. Il convient que la vérité use de toutes ses forces[6], non qu'elle soit en difficulté – d'ailleurs elle est victorieuse dans les arguments abrégés des prescriptions[7] –, mais c'est que, selon la décision prise[8], elle brûle de faire front partout contre un adversaire assez dément[9] pour trouver plus facile de présumer la venue d'un Christ qui n'a jamais été annoncé que la venue de celui qui a toujours été prédit.

3. Métaphore militaire, qui sera filée dans la phrase suivante : voir Introduction au livre III, p. 36.

4. Emploi unique de *examinare* suivi de *in* + accus., modelé sur le tour indentique avec *examinatio* en II, 3, 1 (t. 2, p. 30).

5. Cf. II, 1, 1, où *excludere* sert pour énoncer les intentions de Marcion à l'égard du Créateur.

6. Justification de la poursuite du débat par un argument de convenance, formulé en une *sententia* où la *ueritas (christiana)* est discrètement personnifiée, et qui n'est pas loin de contredire celle de II, 29, 1 (t. 2, p. 132, n. 2).

7. Cf. I, 1, 7 (t. 1, p. 106, n. 2).

8. Voir Notes critiques, p. 217.

9. Reprise d'un thème polémique (cf. t. 1, p. 61), mais reprise aggravée : Marcion est présenté comme un fou furieux.

II. 1. Hinc denique gradum consero, an debuerit tam
subito uenisse. Primo quia et ipse dei sui filius. Hoc enim
ordinis fuerat, ut ante pater filium profiteretur quam patrem
filius, et ante pater de filio testaretur quam filius de patre.
5 Dehinc et qua missus, praeter filii nomen. Proinde enim
praecessisse debuerat mittentis patrocinium in testimonium
missi, quia nemo ueniens ex alterius auctoritate ipse eam
sibi ex sua affirmatione defendit, sed ab ipsa defendi se
potius expectat, praeeunte suggestu eius qui auctoritatem
10 praestat. **2.** Ceterum nec filius agnoscetur quem
nunquam pater nuncupauit, nec missus credetur quem
nunquam mandator designauit, nuncupaturus pater et
designaturus mandator, si fuisset. Suspectum habebitur
omne quod exorbitarit a regula rerum, quae principales
15 gradus non sinit posterius agnosci, patrem post filium et
mandatorem post mandatum et Deum post Christum.
3. Nihil origine sua prius est in agnitione, quia nec in

II, 2 quia θ *Mor.Ev.* : qua *Kr.* ‖ 5 qua θ *Kr.Mor.* : quia *Iun. Ev.* ‖
8 defendi se *Rig.Kr.Mor.* : defendisse *M* defensionem (-one γ) β *Ev.* ‖
14 exorbitarit a *R₂R₃ edd.* : exorbitaria *M* γ *R₁* ‖ rerum, quae *Kr.Mor.* :
rerumque θ *Ev. ** ‖ principales *M* γ (*ex* principalis *F*) *R₁ Kr.Mor.* : principalis *R₁* (*coni.*) *R₂R₃ Ev. ** ‖ 16 deum post Christum *R₃ Kr.Mor.Ev.* :
Christum post deum *M* γ *R₁R₂ Rig.*

---

1. Si *gradus* («position de combat») est fréquent chez Tert. (cf. I, 9, 2
et Hoppe, *SuS*, trad. it., p. 354 s.), l'expression *conserere gradum,* au
sens de *conserere manum,* paraît, elle, originale : le *TLL* IV, c. 417,
l. 10 s. ne la cite pas.
2. Cf. I, 19, 1-2. Sur ce chapitre initial du débat préliminaire et sur
son argumentation nourrie d'idées familières à Tert., voir Introduction
au livre III, p. 11s.
3. Les mots *praeter filii nomen* reprennent un peu lourdement, mais
vigoureusement, le membre précédent *Primo quia ... filius.* Moreschini
(«Osservazioni,» p. 13) les juge difficiles à insérer dans le mouvement
de la pensée et, supposant une lacune, les supprime. Mais ils sont
attestés par toute la tradition et admis par tous les autres éditeurs.

PREMIÈRE PARTIE :
DÉBAT PRÉLIMINAIRE

**Ce Christ de Marcion
aurait dû être
annoncé**

II. 1. Car voici sur quelle position j'engage le combat[1] : devait-il venir si subitement[2]? Et d'abord parce qu'il était lui-même le fils de son dieu. Il eût été en effet dans l'ordre que le père annonçât son fils avant que le fils annonçât son père, et que le père rendît témoignage au fils avant que le fils rendît témoignage au père. Ensuite aussi en sa qualité d'envoyé, qui s'ajoutait à sa dénomination de fils[3]. Car, pareillement, d'abord aurait dû venir la caution de celui qui envoyait, pour témoigner en faveur de l'envoyé : jamais, quand on vient par l'autorité d'un autre, on ne revendique cette autorité pour soi-même de sa propre affirmation; on attend plutôt d'être défendu par elle, puisque vient en premier l'appui de la personne procurant cette autorité. **2.** D'ailleurs, on ne reconnaîtra pas pour fils celui que son père n'a jamais déclaré, et on ne croira pas envoyé celui que son mandant[4] n'a jamais désigné: un père qui l'aurait déclaré, un mandant qui l'aurait désigné s'il avait existé[5]! On tiendra pour suspect tout ce qui s'écarte de la règle naturelle, qui ne permet pas aux degrés primaires d'être reconnus postérieurement[6] : le père après le fils, le mandant après le mandaté, Dieu après le Christ. **3.** Jamais une chose ne précède dans l'ordre de la connaissance celle dont elle dérive, puisqu'elle ne la précède pas non plus dans l'ordre de ce qui a été disposé.

---

4. Seul emploi, ici et en 4, 1, de *mandator,* terme du droit (cf. *TLL* VIII, *s. u.*).

5. Sur l'«inexistence» du dieu marcionite, thème polémique repris ici ironiquement, voir t. 1, p. 64.

6. Voir Notes critiques, p. 218. Même emploi de *principalis gradus* en *Carn.* 21, 7.

dispositione. Subito filius et subito missus et subito
Christus. Atquin nihil putem a Deo subitum, quia nihil a
20 Deo non dispositum. Si autem dispositum, cur non et
praedicatum, ut probari posset et dispositum ex praedicatione et diuinum ex dispositione? **4.** Et utique tantum
opus, quod scilicet humanae saluti parabatur, uel eatenus
subitum non fuisset qua per fidem profuturum. In quantum
25 enim credi habebat ut prodesset, in tantum paraturam
desiderabat ut credi posset, substructam fundamentis dis-
positionis et praedicationis, quo ordine fides informata
merito et homini indiceretur a Deo et Deo exhiberetur
ab homine, ex agnitione debens credere quia posset, quae
30 scilicet credere didicisset ex praedicatione.

III. 1. Non fuit, inquis, ordo eiusmodi necessarius,
quia statim se et filium et missum et dei Christum rebus
ipsis esset probaturus per documenta uirtutum. At ego
negabo solam hanc illi speciem ad testimonium compe-

---

19 Atquin *M Kr.Mor.Ev.* : At qui γ   Atqui *R* ‖ 20 non et : *inu.* β ‖
26 substructam θ *Mor.Ev.* : -tum *Kr.* (*scil. opus*) ‖ 28 indiceretur *M R₃*
Kr.Mor.Ev. : indicaretur γ *R₁R₂* ‖ 29 debens *M R₃ Kr.Mor.Ev.* : debes γ
R₁R₂

---

1. Les trois notions *diuinitas/dispositio* («ordonnance des choses
créées selon le plan de Dieu»)/*praedicatio* sont étroitement articulées
et soudées entre elles pour former une chaîne qui résume toute l'œuvre
de la Révélation : cf. I, 18, 2.

2. Cf. II, 27, 7 (t. 2, p. 165, n. 6) : la Révélation a pour fin le salut
de l'homme.

3. Sur la *fides,* agent du salut de l'homme, voir I, 12, 2.

4. Cf. I, 11, 9 où est employé le même mot *paratura.*

5. Ici *dispositio* désigne la création voulue et disposée par Dieu
comme un moyen pour l'homme de le connaître (cf. II, 4, 1) et *praedicatio* la parole divine enregistrée dans l'Écriture sainte : cf. I, 18, 2
(t. 1, p. 182, n. 4).

6. Procédé d'une réponse supposée de l'adversaire. Marcion récusait
la nécessité d'une préparation vétérotestamentaire au nom de l'absolue

Subitement fils et subitement envoyé et subitement Christ! Mais moi, je ne saurais rien imaginer de subit de la part de Dieu, parce qu'il n'est rien que Dieu n'ait disposé. Et s'il a disposé, pourquoi n'aurait-il pas aussi prédit pour permettre de faire la preuve et de la disposition par la prédiction et du caractère divin par la disposition[1]? **4.** Et à coup sûr dans le cas d'une aussi grande œuvre, celle qui était préparée pour le salut des hommes[2]! Elle n'aurait pas dû être subite pour cette raison justement qu'elle devait être profitable par la foi[3]. Car, dans la mesure où l'on devait y croire pour qu'elle fût profitable, dans cette même mesure elle réclamait, pour qu'on pût y croire, une préparation[4] qui s'appuyât sur les assises d'une disposition et d'une prédiction[5]; ainsi, façonnée par ce processus, la foi pourrait être à juste titre enjointe à l'homme par Dieu et accordée à Dieu par l'homme : on serait tenu de croire après avoir reconnu, parce qu'on le pourrait, ayant appris à croire après avoir entendu prédire.

Ses miracles ne suffisent pas à l'authentifier

III. 1. «Un tel processus, dis-tu, n'était pas nécessaire, parce que sa qualité de fils, d'envoyé et de Christ, il devait l'authentifier immédiatement par les faits eux-mêmes, en la prouvant par ses miracles[6].» — Mais je nierai, moi, qu'à lui seul cet aspect convienne pour porter témoignage à son égard : lui même

---

nouveauté de l'Évangile : son dieu révélait immédiatement *(statim)* sa divinité par ses miracles (sur ce sens de *uirtutes*, voir *Deus Christ.*, p. 108 et n. 8). Une réplique semblable a été prêtée aux marcionites à propos de la création en I, 17, 1. Ici Tert. va refuser de recevoir cette preuve par les seuls miracles. Dans la première apologétique chrétienne, les prophéties jouent un rôle plus important que les miracles : cf. A. d'ALÈS, *La théologie de Tertullien*, p. 22-25. Sur l'argumentation du chapitre, voir Introduction au livre III p. 12.

5 tisse, quam et ipse postmodum exauctorauit. Siquidem
edicens multo uenturos et signa facturos et uirtutes magnas
edituros <ad> auersionem etiam electorum[a], nec ideo
tamen admittendos[b], temerariam signorum et uirtutum
fidem ostendit, ut etiam apud pseudochristos facilli-
10 marum. **2.** Aut quale est si inde se uoluit probari et
intellegi et recipi, ex uirtutibus dico, unde ceteros noluit
aeque et ipsos tam subito uenturos quam a nullo auctore
praedicatos? Si quia prior eis uenit et prior uirtutum documenta signauit, idcirco, quasi locum in balneis, ita fidem
15 occupauit, posteris quibusque praeripuit, uide ne et ipse
in condicione posteriorum deprehendatur, posterior
inuentus Creatore ante iam cognito, et proinde uirtutes
ante operato, et non aliter praefato non esse aliis credendum[c], post eum scilicet. **3.** Igitur si priorem uenisse
20 et priorem de posteris pronuntiasse hoc fidem cludet,
praedamnatus erit et ipse iam ab eo quo posterior est
agnitus; et solius erit auctoritas Creatoris hoc in posteros
constituendi, qui nullo posterior non potuit. Iam nunc,

III, 5 exauctorauit. Siquidem *interp. Rig.Kr.* : exauctorauit, siquidem
θ *Mor.Ev.* ‖ 7 ad *add. Eng.Mor.* (*prob. Tränkle*) : usque ad *coni. Ev.* * ‖ 11
ceteros *R₁* (*coni.*) *R₂R₃ Kr.Mor.Ev.* : ceteris *M* γ *R₁* ‖ 13 Si : Sed β ‖ 19
si : sic γ *R₁R₂* ‖ 20 cludet *M R Kr.Mor.* : eludet γ excludet *Ev.* (*ex
coni. Kr.*) cudet *Eng.* * ‖ 21 quo θ *Kr.Ev.* : quod *Gel.Mor.* ‖ 22 posteros : -teris γ *R₁R₂* ‖ 23 non potuit *M* γ *R₁R₂ Kr.* (*qui lacunam ante
sign.*) : esse potuit *R₃ Ev.* innotuit *R₂* (*coni.*) *Mor.* *

III. a. Cf. Mc 13, 22; Matth. 24, 24 ‖ b. Cf. Matth. 24, 25-26 ‖ c.
Cf. Is. 45, 21

1. A *exauctorare* (4 occurrences), Tert. paraît avoir, le premier, donné
le sens de *auctoritate priuare,* rare après lui (*TLL* V, 2, c. 1189, l. 18 s.).
2. Parole du Christ rapportée par *Mc* et *Matth.,* mais absente de *Lc,*
donc de l'évangile marcionite, ce qui rend fragile le point de départ
de la démonstration. Sur le texte, voir Notes critiques, p. 218.

aussi, par la suite, il l'a désavoué[1]. Car, en proclamant que beaucoup viendraient et feraient des prodiges et produiraient de grands miracles capables de fourvoyer même les élus[a], et qu'il ne faudrait pas pour autant les recevoir[b][2], il a montré que ce serait témérité d'ajouter foi aux prodiges et aux miracles, choses très faciles à réaliser même pour de pseudochrists. **2.** Ou alors, quelle inconséquence de sa part d'avoir voulu être authentifié, compris et reçu par cette voie, je veux dire celle des miracles, alors qu'il l'a refusée aux autres qui, également, de façon identique, devaient venir aussi subitement que sans être annoncés par aucune autorité! Est-ce d'être venu avant eux et d'avoir avant eux consacré la preuve des miracles qui lui a permis de s'emparer de notre foi, telle une place aux bains[3], et de la soustraire d'avance à tous ceux qui viendraient postérieurement? Mais alors, prends garde qu'on ne le saisisse lui aussi dans la situation de ceux qui lui sont postérieurs : on le découvre postérieur au Créateur, lequel était connu déjà avant lui[4], et pareillement avait avant lui opéré des miracles, et avait déclaré de même qu'il ne fallait pas croire aux autres[c], ceux qui viendraient après lui s'entend. **3.** Si donc, d'être venu le premier et d'avoir fait le premier une déclaration sur ceux qui viendront après, cela emprisonne la foi à jamais[5], il sera dès lors lui aussi condamné d'avance par le dieu auquel on l'a reconnu postérieur; et au Créateur seul appartiendra l'autorité de prononcer cette exclusive contre ceux qui lui seront postérieurs, lui qui n'a pu être postérieur à personne[6]. Et maintenant, à propos des

3. Comparaison familière, empruntée à la vie quotidienne où la fréquentation des thermes jouait un grand rôle.

4. Sur la priorité absolue du Créateur, voir I, 10.

5. Voir Notes critiques, p. 219.

6. Cf. I, 10; voir Notes critiques, p.219s.

cum probaturus sim Creatorem easdem uirtutes, quas solas
25 ad fidem Christo tuo uindicas, interdum per famulos suos
retro edidisse, interdum per Christum suum edendas des-
tinasse, possum et ex hoc merito praescribere tanto magis
Christum <tuum> non ex solis uirtutibus credendum fuisse
quanto illae non alterius quam Creatoris interpretari
30 potuissent, ut respondentes uirtutibus Creatoris et editis
per famulos suos et in Christum suum repromissis.
4. Quamquam, et si alia documenta inuenirentur in tuo
Christo, noua scilicet, facilius crederemus etiam noua
eiusdem esse cuius et uetera, quam cuius tantummodo
35 noua, egentia experimentis fidei uictricis uetustatis, ut sic
quoque praedicatus uenire debuerit tam praedicationibus
propriis exstruentibus ei fidem quam et uirtutibus, prae-
sertim aduersus Christum Creatoris uenturum et signis et
prophetis propriis munitum, ut aemulus Christi per omnes
40 diuersitatum species reluceret. Sed quomodo a deo
nunquam praedicato Christus eius praedicaretur? Hoc est
ergo quod exigit nec deum nec Christum tuum credi,
quia et deus ignotus esse non debuit, et Christus agnosci
per deum debuit.

---

28 tuum *add.Kr.* * ‖ 29 illae *Kr.* (*in apparatu*) : illum *codd. edd.* *
‖ 30 respondentes *M* γ *R₁R₂ Kr.Mor.Ev.* : -dentem *R₃* * ‖ 38 uenturum
θ *Mor.Ev.* : uenturus *Kr.* (*prob. Mor.*) ‖ 39 prophetis θ *Mor.* : -tiis *Kr.Ev.* ‖
42 exigit θ *Mor.Ev.* (*prob. Thörnell IV, p. 136*) : exigis *Kr.*

---

1. Annonce du projet qui sera réalisé au livre IV : les miracles opérés
par Jésus selon le texte de l'évangile (guérisons, résurrections, etc.)
seront référés à l'A. T. et expliqués comme accomplissements d'actes
ou de paroles des prophètes. Cf. plus bas 24, 12 (*per famulos/per deum
ipsum*). Sur *Christum <tuum>*, voir Notes critiques, p. 200.

2. Sur ce sens habituel de *praescribere* chez Tert., voir FREDOUILLE,
Conversion, p. 198 s.

3. Voir Notes critiques, p. 200.

4. Reprise du thème des «antithèses» du Dieu Créateur : cf. II, 29, 4.

5. Voir la note complémentaire 31, p. 269.

miracles que tu revendiques comme seule garantie pour
faire croire à ton Christ, comme je me propose de prouver
que le Créateur parfois a produit les mêmes par ses serviteurs et parfois a désigné les mêmes comme devant
être produits par son Christ[1], j'ai donc le droit de t'opposer
cette objection de principe[2] : on devait d'autant moins
croire en ton Christ du fait de ses seuls miracles que
ceux-ci ne pouvaient pas être compris d'un autre dieu
que le Créateur, puisqu'ils répondaient à ceux du
Créateur[3], produits par ses serviteurs comme promis pour
son Christ. **4.** D'ailleurs, même si on trouvait en ton
Christ d'autres preuves, je veux dire nouvelles, il nous
serait plus aisé de croire que ces preuves nouvelles
relèvent du même dieu que les anciennes, plutôt que
d'un dieu qui n'en aurait produit que de nouvelles[4] : car
celles-ci auraient besoin des expériences d'une foi à
l'ancienneté victorieuse[5] ; en conséquence, par là aussi,
il aurait dû venir annoncé par des prédictions propres à
lui, qui lui auraient frayé la foi, tout autant que par des
miracles ; lui qui surtout faisait face au Christ du Créateur
destiné à venir avec l'équipement de ses propres prodiges et prophéties[6] – et cela afin d'apparaître lumineu-
sement par toutes formes d'oppositions, comme le rival
de notre Christ[7]. Mais comment un dieu jamais annoncé
aurait-il annoncé son Christ ? C'est donc bien là ce qui
exige qu'on ne croie ni en ton dieu ni en ton Christ :
ton dieu n'aurait pas dû rester ignoré et ton Christ aurait
dû se faire connaître par son dieu[8].

6. Cf. I, 11, 8 (l. 9 s.) -9. Sur l'ablatif contracte *prophetis* (attesté par
toute la tradition), voir M. LEUMANN, *Lateinische Laut-und Formenlehre*,
Munich 1963, § 196 b, p. 280 et, pour l'usage de Tert., V. BULHART, *Tertullian-Studien,* Wien 1957, p. 7, et *CSEL* 76, p. X, § 6.

7. Exploitation contre Marcion de la notion d'antithèse qui fait la
base de son système.

8. La critique d'un Christ non annoncé rejoint celle d'un dieu inconnu
en I, 9-17.

IV. 1. Dedignatus, opinor, est imitari ordinem dei
nostri, ut displicentis, ut cum maxime reuincendi. Nouus
noue uenire uoluit, filius ante patris professionem et missus
ante mandatoris auctoritatem, ut et ipsam fidem mons-
5 truosissimam induceret, qua ante crederetur Christum
uenisse quam sciretur fuisse. **2.** Competit mihi etiam illud
retractare, cur non post Christus uenerit. **(2)** Nam cum
intueor deum eius tanto aeuo patientissimum acerbissimi
Creatoris adnuntiantis interea in homines Christum suum,
10 quacumque id ratione fecit tam reuelationem quam inter-
cessionem suam differens, eadem ratione dico illum
patientiam debuisse Creatori in Christo quoque suo dispositiones suas exsecuturo, ut perfecta et expleta omni
operatione aemuli dei et aemuli Christi tunc et ipse pro-
15 prias dispositiones superinduceret. **3.** Ceterum paenitentia tantae patientiae fecit quod non in finem rerum

---

IV, 4 ipsam *M Rig.Kr.Mor.* : ipse β *Ev.* ‖ 7 Christus *scripsi* : Christum
codd. edd. Christum <meum> *coni. Kr.* (*in apparatu*) <creatoris>
Christum *coni. Ev.* (*in apparatu*) * ‖ 8 deum *Kr.Mor.Ev.* : dominum θ ‖
15 superinduceret *X* : super duceret *M* superduceret *F R Kr.Mor.Ev.*
* ‖ 15-16 paenitentia : si paenitentia *Kr.* (*qui post* perseuerauerit *leuius*
dist.) paenitentiam *Mor.* *

---

1. Autre argument prêté au marcionite contre la nécessité du processus *(ordo)* défendu au ch. 2. Il est tiré de la nouveauté absolue que
Marcion confère au dieu suprême (cf. I, 8, 1-3 ; 9, 1-2).
2. Tert. répond à l'argument par une ironique caricature de cette
nouveauté qui devient absurdité, monstruosité.
3. Nouveau problème qui apparaît brusquement (voir Introduction,
p. 12). La question est symétrique de celle de I, 17,4 *(cur postea ?)*
Selon Marcion, fidèle à l'eschatologie judaïque, le Messie juif est encore
à venir. Pourquoi, se demande Tert., le dieu suprême n'a-t-il pas attendu,

**Le dieu de Marcion
aurait dû se révéler
après le Christ
du Créateur**

IV. 1. Il a dédaigné, j'imagine, d'imiter le processus de notre dieu – un dieu qui lui déplaisait, que surtout il devait confondre ! Nouveau, il a voulu venir selon un mode nouveau[1], fils avant la déclaration de son père, envoyé avant la garantie de son mandant, pour introduire une foi, elle-même aussi la plus aberrante, qui devait faire croire en la venue du Christ avant qu'on ait su son existence[2] ! **2.** Mais il me convient d'examiner même pourquoi ce Christ n'est pas venu plus tard[3]. **(2)** Car lorsque je vois son dieu si patient depuis toujours à l'égard du très impitoyable Créateur[4] qui pendant ce temps annonçait la venue de son Christ parmi les hommes, pour quelque raison qu'il ait agi ainsi en retardant sa révélation comme son intervention, je dis que la même raison l'obligeait à attendre patiemment que le Créateur accomplît ses dispositions en la personne aussi de son Christ : cela afin de pouvoir lui-même, une fois terminée et parachevée l'œuvre entière du dieu rival et du Christ rival, introduire en son lieu et place ses propres dispositions[5]. **3.** Mais, va-t-on dire, son repentir d'une si longue patience a fait qu'il n'a pas persévéré jusqu'à l'achèvement des plans du

pour se révéler, que ce Christ se soit manifesté, alors qu'il l'a laissé annoncer si longtemps par l'A. T. ? Sur le problème textuel, voir Notes critiques, p. 221.

4. Sur la patience du dieu suprême, voir I, 17, 4 et 22, 7-10. Sur la cruauté reprochée au Créateur, voir I, 11, 1, etc.

5. S'appuyant sur la notion d'antithèse *(aemulatio)*, Tert. s'amuse à corriger, pour le rendre plus cohérent, le système de l'adversaire : la révélation du dieu marcionite aurait dû se produire après complète réalisation des plans du Créateur. Sur *superinduceret*, voir Notes critiques, p. 222.

Creatoris perseuerauerit. Vane sustinuit praedicari Christum
eius quem non sustinuit exhiberi. Aut sine causa intercidit temporis alieni decursum, aut sine causa tam diu
20 non intercidit. Quid illum detinuit, quidue turbauit? Atquin
in utrumque commisit, post Creatorem quidem tam tarde
reuelatus, ante Christum uero eius tam propere.
4. Alterum uero iam dudum debuerat traduxisse, alterum
nondum, ne illum quidem tam diu saeuientem sustinuisse,
25 istum uero adhuc quiescentem inquietasse, circa ambos
excidens ab optimi dei titulo, certe uarius et ipse et
incertus, tepidus scilicet in Creatorem et calidus in
Christum, et uanus utrubique. Non magis enim compescuit
Creatorem quam obstitit Christo. Manet et Creator, qualis
30 omnino est; ueniet et Christus, qualis et scribitur. Quid
uenit post Creatorem, quem emendare non ualuit? Quid
ante Christum eius reuelatus est, quem reuocare non
potuerit? **5.** Aut si emendauit Creatorem, post illum reuelatus, ut emendanda praecederent, ergo et Christum eius
35 aeque emendaturus expectasse debuerat, proinde et illius

---

23 uero : *secl. Kr.* ‖ 24 nondum : *grauius dist. Ev.* ‖ sustinuisse θ
Ev. : -isset *Eng.Kr.Mor.* * ‖ 25 inquietasse *R Ev.* : -tasset *M*γ *Kr.Mor.*
* ‖ 28 utrubique *M* (*cf. Marc. V, 20, 4; Id. 6, 2; Exh. 5, 4; Res. 56, 3*) :
utrobique β *Kr.Mor.Ev.* ‖ 32 reuelatus *R edd.* : -tum *M*γ ‖ 33-34 reuelatus θ *Kr.Mor.* : reuelatus est *Rig.Ev.* (*qui post* praecederent *grauius
dist.*)

---

1. Réponse supposée de l'adversaire. Ironiquement Tert. suggère qu'il
y a chez lui un illogisme, les «repentirs» du Créateur étant vivement
critiqués (cf. II, 24 et 28, 2). Sur le texte, voir Notes critiques, p. 223.
2. Reprise du thème polémique de la *uanitas* du dieu marcionite
(cf. I, 28, 1, etc.). A grands renforts de rhétorique (parallélismes, retours
de mots, etc.), Tert. va exploiter la contradiction que lui paraît présenter la doctrine.

Créateur[1]. C'était bien vain[2] alors de supporter l'annonce de son Christ sans en supporter la manifestation! Ou c'est sans raison qu'il a interrompu le cours d'un temps qui lui était étranger[3], ou c'est sans raison qu'il est resté si longtemps sans l'interrompre. Qu'est-ce qui l'a retenu, ou qu'est-ce qui l'a piqué? Ainsi, dans l'un et l'autre cas, son attitude est fautive : si tardif à s'être révélé après le Créateur, mais si hâtif avant son Christ! **4.** Il aurait dû confondre l'un depuis longtemps déjà, l'autre pas encore, il n'aurait pas dû non plus supporter que celui-là sévisse si longtemps, ni apporter le trouble à celui-ci encore en repos[4] : envers tous deux il a dérogé à son titre de dieu très bon[5], étant à coup sûr lui aussi changeant et incertain[6], puisque tiède contre le Créateur et bouillant contre son Christ, et vain dans les deux cas. Car il n'a pas plus réprimé le Créateur que fait obstacle à son Christ. Le Créateur reste tel qu'il est absolument, et son Christ viendra tel que le dit l'Écriture[7]. Pourquoi est-il venu après le Créateur qu'il n'a pas été capable de corriger? Pourquoi s'est-il révélé avant son Christ auquel il ne pourra pas faire rebrousser chemin[8]? **5.** Ou alors, s'il a corrigé le Créateur en se révélant après lui, pour que vienne en premier lieu ce qui mérite correction, eh bien donc il aurait dû aussi attendre l'apparition de son Christ pour corriger celui-ci de même : il l'aurait pareillement corrigé en venant après lui, comme il avait

3. Sur le temps, œuvre du Créateur et lié à la création, voir II, 3, 4.
4. Voir Notes critiques, p. 223.
5. Cf. I, 17, 4; 24, 4, etc.
6. Rétorsion d'un grief fait au Créateur en II, 21, 1 et 28, 1.
7. Allusion aux textes vétérotestamentaires qui annoncent aux juifs un Messie, notamment *Deut.* 18, 18-22.
8. La *vanité* du dieu marcionite se mue ici en *impuissance* devant le Créateur et son Christ.

posterior emendator futurus, sicut Creatoris. Aliud est si
et ipse post illum rursus adueniet, ut primo quidem
aduentu processerit aduersus Creatorem, legem et prophetas destruens eius, secundo uero procedat aduersus
40 Christum, regnum redarguens eius. Tunc ergo conclusurus
ordinem suum, tunc, si forte, credendus est : aut si iam
hinc perfecta res est eius, uane ergo uenturus est, nihil
scilicet peracturus.

V. 1. His proluserim quasi de gradu primo adhuc et
quasi de longinquo. Sed et hinc iam ad certum et comminus dimicaturus uideo aliquas etiam nunc lineas prae-
ducendas, ad quas erit dimicandum, ad scripturas scilicet
5 Creatoris. Secundum eas enim probaturus Christum Creatoris fuisse, ut postea Christo suo adimpletas, necesse
habeo ipsarum quoque scripturarum formam et, ut ita
dixerim, naturam demandare, ne tunc in controuersiam
deductae cum adhibentur ad causas, et sua et causarum
10 defensione commixta obtundant lectoris intentionem.

V, 1 proluserim *M*γ *Kr.Mor.Ev.* : praeluserim *R* ‖ 2 et hinc : exhinc
Kr. ‖ 6 postea : post a *Iun.* postea a *Kr.* (*in apparatu coni.*) ‖ 10
commixta *Kr.Ev.* : commixtae θ *Mor.* *

---

1. Formule habituelle pour introduire une hypothèse contraire à la
réalité. Par dérision, Tert. modifie l'eschatologie marcionite en imaginant,
sur le modèle de la doctrine des deux parousies (cf. ch. 7), un deuxième
avènement du Christ chez Marcion.

2. Allusion au royaume messianique attendu par les juifs.

3. Selon Marcion, la révélation apportée par le dieu suprême en son
Christ assure, à elle seule, l'œuvre de salut, qui est donc définitive. Un
second avènement, ainsi, n'aurait aucun sens (*uane*).

4. Potentiel d'atténuation, *uerbis* à sous-entendre après *his*. Cet emploi
de *proludere* (opposé à *pugnare, dimicare*) paraît emprunté à Cicéron,
De Orat. 2, 80, 325 (cf. *Diu. in Caec.* 47). Autre emploi en II, 4, 1,
ce qui permet d'écarter la lecture de *R, praeluserim* (verbe inconnu de
l'auteur). Sur la tactique de la *prolusio*, voir Introduction, p. 11.

5. Sur l'image «agonistique» qui sera développée dans la phrase suivante, voir I, 7, 7 (t. 1, p. 133 et n. 5) et I, 9, 2 (t. 1, p. 137 et n. 5).

fait pour le Créateur. A moins que bien sûr[1] il ne doive venir encore, lui aussi, après ce Christ, en s'étant dressé, dans un premier avènement, contre le Créateur par la destruction de sa loi et de ses prophètes, et en se dressant, dans un second, contre son Christ dont il renversera le royaume[2]! Alors oui, il bouclera son processus, alors peut-être on devra croire en lui! Mais si son œuvre est dès maintenant terminée, il est bien vain pour lui d'avoir à venir, n'ayant plus rien à accomplir[3]!

DEUXIÈME PARTIE
DÉBAT SUR LES ÉCRITURES

Mise au point préalable : les deux formes du langage prophétique

V. 1. Si j'ai pu préluder[4] par ces mots, c'est comme en un premier engagement encore, et comme à distance[5]. Mais me disposant, à partir d'ici, à combattre pour de vrai et au corps à corps, je vois qu'il me faut maintenant aussi tracer les quelques lignes où devra se situer le combat : je veux parler des Écritures du Créateur. Comme je dois m'appuyer sur celles-ci pour prouver que le Christ a bien été celui du Créateur, elles qui se sont par la suite accomplies dans son Christ, je juge indispensable de préciser[6] aussi la forme et, pour ainsi dire, la nature de ces Écritures mêmes : et ce afin d'éviter que, mises en discussion chaque fois qu'on les alléguera pour tel ou tel cas, elles n'émoussent l'attention du lecteur si l'on mêle leur justification à celle des cas

---

6. Usage particulier de *demandare* dans le sens de *rem considera-tione dignam menti alicuius commendare* (*TLL* V, 1, c. 475, l. 25-30) : Tert. en a cinq exemples.

2. Duas itaque causas prophetici eloquii adlego agnoscendas abhinc aduersariis nostris. Unam, qua futura interdum pro iam transactis enuntiantur. Nam et diuinitati competit quaecumque decreuerit ut perfecta reputare, quia
15 non sit apud illam differentia temporis apud quam uniformem statum temporis dirigit aeternitas ipsa, et diuinationi propheticae magis familiare est id quod prospiciat, dum prospicit, iam uisum atque ita iam expunctum, id est omni modo futurum, demonstrare, sicut per Esaiam :
20 *Dorsum meum posui in flagella, maxillas autem meas in palmas, faciem meam uero non auerti a sputaminibus*[a].
3. Siue enim Christus iam tunc in semetipsum secundum nos, siue prophetes de semetipso secundum Iudaeos pronuntiabat, nondum tamen factum pro iam transacto
25 sonabat.

Alia species erit qua pleraque figurate portenduntur per aenigmata et allegorias et parabolas, aliter intellegenda quam scripta sunt. Nam et montes legimus destillaturos dulcorem[b], non tamen ut sapam de petris aut defrutum

---

16 temporis θ *Kr.Mor.* : temporum *Pam.Ev.*

V. a. Is. 50, 6 ‖ b. Cf. Joël 3, 18 (LXX 4, 18)

---

1. Phrase reprise et clarifiée plus bas (6, 1) : *deductae, adhibentur, obtundant* sont à rapporter à *scripturae*. Voir aussi Notes critiques, p. 224. Sur le souci d'organiser le débat avec clarté et en évitant des répétitions, voir Introduction p. 19.

2. Sur les sources, l'organisation et les textes bibliques de ce développement, voir la note complémentaire 32, p. 270.

3. La correction de Pamelius : *temporum,* d'après un *Codex Vaticanus,* (adoptée par Evans) ne se justifie pas ; c'est le singulier qu'on lit aussi dans les textes rapprochés par la note complémentaire 32.

4. Sur l'interprétation juive, qui y a vu l'annonce des mauvais traitements réservés à Isaïe lui-même à cause de sa prédication, voir JÉRÔME,

débattus[1]. **2.** Ainsi, je le déclare, il y a deux cas de langage prophétique[2], et nos adversaires doivent dorénavant les reconnaître. L'un consiste à énoncer parfois les événements futurs comme étant déjà accomplis. Car il appartient à la divinité de regarder comme accompli tout ce qu'elle a décidé : il n'y a pas en elle de différence de temps[3] puisqu'en elle l'éternité même imprime au temps un statut d'uniformité ; et d'autre part, ce que la divination prophétique aperçoit devant elle, il lui est plus habituel de le présenter, au moment même où elle l'aperçoit, comme déjà vu et par là déjà réalisé, c'est-à-dire destiné de toute manière à être. C'est ainsi que Dieu dit par Isaïe : « J'ai offert mon dos aux fouets et mes joues aux soufflets ; je n'ai pas détourné ma face des crachats[a]. » **3.** Qu'on rapporte cette parole au Christ s'exprimant dès ce moment-là sur son propre compte, comme nous faisons, ou qu'on la rapporte au prophète parlant de lui-même, comme font les juifs[4], de toute façon une action qui n'avait pas encore eu lieu était énoncée comme déjà accomplie.

L'autre type de langage sera celui qui consiste à annoncer bien des choses figurativement, par énigmes, allégories, paraboles, qu'il faut comprendre autrement qu'au sens littéral. Car nous lisons que les montagnes distilleront[5] la douceur[b] sans pour autant qu'on espère voir le muscat couler des pierres ou le raisiné des

---

In Is. 14, 4/7 (*CCL* 73 A, p. 553, l. 18 s.). Ailleurs (*Pat.* 14, 1 et *Scor.* 8, 3), Tert. rappelle la tradition selon laquelle Isaïe fut scié en deux, tradition donnée par l'*Ascension d'Isaïe* 5, 14, mais qu'il a pu connaître simplement par Justin, *Dial.* 120, 5 (cf. J.C. Fredouille, *Éd. Pat.*, *SC* 310, p. 254).

5. Emploi de *destillare* (= *guttatim fundere*) transitif, qui ne se rencontre que tardivement et surtout dans les *Veteres Latinae* (*TLL* V, 1, c. 754, l. 26 s.).

30 de rupibus speres; nec terram audimus lacte et melle
manantem[c], ut de glebis credas te unquam placentas et
Samias coacturum; quia nec statim aquilicem et agricolam
se Deus repromisit, dicens : *Ponam flumina in regione
sitienti et in solitudine buxum et cedrum*[d]. Sicut et praedi-
35 cans de nationum conuersione : *Benedicent me bestiae
agri, sirenes et filiae passerum*[e], non utique ab hirundinum pullis et uulpiculis et illis monstruosis fabulosisque
cantricibus fausta omina relaturus est. **4.** Et quid ego de
isto genere amplius? cum etiam haereticorum apostolus
40 ipsam legem indulgentem bobus terentibus os liberum[f],
non de bobus sed de nobis interpretetur[g], et petram potui
subministrando comitem Christum adleget fuisse[h], docens
proinde et Galatas duo argumenta filiorum Abrahae allegorice cucurrisse[i], et suggerens Ephesiis quod in pri-
45 mordio de homine praedicatum est relicturo patrem et

---

30 nec *scripsi* : et *codd. edd.* * ‖ 31 ut *M*γ *R₁R₂* : non tamen ut *R₃*
Kr.Mor.Ev. * ‖ 32 samias *M R Kr.Mor.Ev.* : sannas γ psomias *Lat.* ‖
37 uulpiculis *M* : uulpeculis β *Kr.Mor.Ev.* ‖ 40 et 41 bobus *M Kr.Mor.* :
bubus β *Ev.*

---

c. Cf. Ex. 3, 8; Deut. 26, 9-15 ‖ d. Is. 41, 18-19 ‖ e. Is. 43, 20 ‖ f.
Cf. Deut. 25, 4 ‖ g. Cf. I Cor. 9, 9-10 ‖ h. Cf. I Cor. 10, 4; Ex. 17,
6 ‖ i. Cf. Gal. 4, 22-25; Gen. 16, 15; 21, 2

---

1. En fait *sapa* désigne un vin cuit *usque ad tertiam partem,* et
defrutum un vin cuit *usque ad dimidiam* selon PLINE, *H. N.* 14, 9, 11
(80).

2. Voir Notes critiques, p. 224.

3. *Placenta* désigne un gâteau plat, où fromage et miel sont ajoutés
à une pâte sans levain. Le mot *samia* (non attesté ailleurs) désignerait
une espèce particulière de *placenta*, confectionnée à Samos (FORCELLINI,
Dict., s. u.). Latinius a inutilement corrigé en *psomias,* qui n'est pas
davantage attesté ailleurs.

4. *Aquilex, -legis* est un terme technique très rare : Tert. est le premier
a attester la forme de génitif *-licis (TLL, s. u.).*

5. Le mot *passer,* qui traduit στρουθός de la LXX, désigne aussi bien
le moineau que l'autruche, et c'est le cas aussi du terme grec (cf. ERNOUT

rochers[1]; et nous n'entendons pas[2] dire «une terre ruis-
selante de lait et de miel[c]» en croyant jamais recueillir
de la glèbe galettes et gâteaux de Samos[3]; car Dieu n'a
pas non plus automatiquement promis d'être puisatier[4]
et agriculteur pour avoir dit : «Je mettrai des fleuves dans
le pays de la soif, et dans le désert le buis et le cèdre[d].»
De même quand il annonce la conversion des nations et
dit : «Les bêtes des champs, les sirènes et les petits des
passereaux[5] me béniront[e]», il ne compte pas, à coup
sûr, recevoir d'heureux auspices des petits des hiron-
delles, des renardeaux et de ces monstrueuses cantatrices
de la fable[6]! **4.** Ai-je besoin de m'étendre davantage sur
cette sorte de style? Car même l'apôtre des hérétiques[7],
traitant de la loi qui accorde aux bœufs foulant le grain
d'avoir la bouche libre d'entrave[f], ne l'interprète pas des
bœufs, mais de nous[g]; du rocher qui suivait les Hébreux
pour leur fournir à boire, il affirme qu'il était le Christ[h];
pareillement encore, il enseigne aux Galates que l'histoire
des deux fils d'Abraham s'est déroulée allégoriquement[i];
et il explique aux Éphésiens[8] que l'annonce faite au commencement à propos de l'homme qui abandonnerait son
père et sa mère pour être avec sa femme deux en une

---

et MEILLET, *Dict. Étym.*, et CHANTRAINE, *Dict. Étym., s. u.*). Mais le commentaire de Tert. *(hirundinum pulli)* laisse bien voir qu'il a compris
le mot au premier des deux sens.

6. Le ton humoristique du passage est souligné par l'expression *fausta
omina* (de résonance païenne) et par des mots rares : *cantrix* (seul
emploi cher Tert.) qui est archaïque et *uulpecula* (seul emploi également chez lui). Pour ce dernier mot, nous avons préféré la forme
préromane *uulpicula,* qui est donnée par le ms le plus ancien *M*.

7. Il s'agit des seuls marcionites : ils se rattachaient à Paul, à l'exclusion
des autres apôtres, réputés judaïsants; cf. *Marc.* IV, 2-4.

8. C'est en suivant l'ordre du canon de l'Église *(Cor., Gal., Éphés.),*
et non celui de l'*apostolicon* marcionite, que Tert. a présenté ses
exemples. De même, il ne paraît pas encore savoir que Marcion avait
fait de l'*Épître aux Éphésiens* une *Épître aux Laodicéens* (cf. *Marc.*
V, 17, 1).

matrem et futuris duobus in unam carnem[j], id se in
Christum et ecclesiam agnoscere[k].

VI. 1. Si satis constat de istis interim duabus proprietatibus Iudaicae litteraturae, memento, lector, consti-
tisse ut, cum tale quid adhibuerimus, non retractetur de
forma scripturae sed de statu causae. Cum igitur haeretica
5 dementia eum Christum uenisse praesumeret qui nunquam
fuerat adnuntiatus, sequebatur ut eum Christum nondum
uenisse contenderet qui semper fuerat praedicatus;
2. atque ita coacta est cum Iudaico errore sociari et ab
eo argumentationem sibi struere, quasi Iudaei certi et ipsi
10 alium fuisse qui uenit, non modo respuerint eum ut
extraneum uerum et interfecerint eum ut aduersarium,
agnituri sine dubio et omni officio religionis prosecuturi,
si ipsorum fuisset. **3.** Scilicet nauclero illi non quidem
Rhodia lex, sed Pontica, cauerat errare Iudaeos in Christum
15 suum non licere, quando, et si nihil tale praedicatum in
illos inueniretur, uel sola utique humana condicio deceptui

VI, 1 constat : est F ‖ 7 contenderet : -derent γ R_1R_2 ‖ 10 alium θ
Mor.Ev. (*cf. infra XXIII, l. 57*) : alienum *Kr.*

---

j. Cf. Gen. 2, 24 ‖ k. Cf. Éphés. 5, 31-32

---

1. Le lecteur, déjà mentionné en 5, 1, est l'objet d'un appel qui ouvre
le débat sur les Écritures; c'est une innovation par rapport aux livres
I et II. Mais, par la suite, il ne reparaîtra plus qu'en IV, 6, 3 (également pour l'ouverture de la discussion). L'opposition *scriptura/causa*
est reprise aussi de 5, 1 (fin).
2. Cf. 1, 2 et p.57, n. 9.
3. Sur Marcion «allié de l'erreur juive», voir Introduction, p. 33.
4. Avant même de présenter son premier contre-argument, d'ordre
général (les juifs, étant hommes, ont pu se tromper en ne reconnaissant
pas le Christ), Tert. tourne en dérision l'assurance de Marcion. Reprise
des motifs polémiques habituels : Marcion armateur (cf. I, 2, 1; 7, 1;
18, 4) et barbare du Pont (I, 1, 3; 2, 1; 7, 7, etc.). A la législation
maritime de Rhodes – hautement réputée dans l'Antiquité et dont certaines modalités sont passées dans le *Digeste* – est opposée une *Pontica*

seule chair[j], il en reconnaît, lui, l'application au Christ et
à l'Église[k].

I. Contre l'argumentation empruntée
par Marcion aux juifs

**L'A.T. a prédit
l'aveuglement des juifs
devant le Christ**
VI. 1. Si nous sommes bien
d'accord pour l'instant sur ces deux
caractères de la littérature juive, sou-
viens-toi, lecteur, de cet accord afin
que, quand nous allèguerons un de ces textes, on ne
remette pas en discussion la forme de l'Écriture, mais
qu'on débatte sur le cas en question[1]. Donc, comme la
démence hérétique présumait la venue d'un Christ qui
n'avait jamais été annoncé[2], il lui fallait en conséquence
prétendre que n'était pas encore venu le Christ depuis
toujours prédit. **2.** Et ainsi elle a été contrainte de
s'associer à l'erreur des juifs et d'en tirer à son profit
une argumentation, dans l'idée que les juifs, certains eux
aussi d'avoir affaire à la venue d'un autre Christ, non
seulement l'ont repoussé comme un étranger, mais l'ont
même tué comme un adversaire : sans aucun doute ils
l'auraient reconnu et lui auraient rendu tous les devoirs
de leur religion s'il avait été leur Christ[3]. **3.** Assurément,
pour notre armateur, ce n'est certes pas la législation de
Rhodes, mais celle du Pont qui avait établi d'avance
l'infaillibilité des juifs à l'endroit de leur Christ[4]! Pourtant,
même si l'on ne trouvait contre eux aucune prédiction
de cette sorte[5], du moins leur seule condition d'hommes

---

lex qui n'est sans doute qu'une plaisante fiction. Sur le sens juridique
de *cauere* (= *constituendo prospicere*) construit avec la proposition infinitive, voir *TLL* III, c. 638, l. 66 s. et c. 639, l. 4 s.

5. Annonce de l'argument majeur qui sera développé à partir du § 4.

obnoxia persuasisset Iudaeos errare potuisse, qua homines,
nec statim praeiudicium sumendum de sententia eorum
quos credibile fuerat errasse. **4.** Porro cum et praedi-
20 catum sit non agnituros eos Christum ideoque etiam
perempturos, iam ergo ipse erit et ignoratus et interemptus ab illis in quem ita admissuri praenotabantur.

Hoc si probari exigis, non eas scripturas euoluam quae
interemptibilem Christum edicentes utique et ignorabilem
25 affirmant (nisi enim ignoratus nihil scilicet pati posset),
sed reseruatis eis ad causam passionum eas praedicationes in praesenti sufficiet adhibere quae interim ignorabilem probent Christum, et hoc breuiter, dum ostendunt
omnem uim intellectus ademptam populo a Creatore.
30 **5.** *Auferam,* inquit, *sapientiam sapientium illorum, et pru-*
dentiam prudentium eorum abscondam [a], et, *Aure audietis*
et non audietis, et oculis uidebitis et non uidebitis : incras-
satum est enim cor populi huius, et auribus grauiter
audierunt et oculos concluserunt, ne quando auribus
35 *audiant et oculi uideant et corde coniciant et conuer-*

---

18 statim : statim in β ‖ 27 adhibere : -beri X

VI. a. Is. 29, 14

---

1. Faut-il comprendre au sens large d'«opinion»? Nous préférons
donner à *sententia* sa valeur de terme juridique, qui renvoie à *inter-*
fecerint du § 2 (voir plus bas, § 10 : *in iudicium ... suo iure punierint*).
Sur cette responsabilité du peuple juif, voir II, 28, 3 (t. 2, p. 171 et
n. 9).
2. Retour à l'interlocuteur habituel de la discussion (Marcion ou le
marcionite).
3. Pour répondre à *interemptus,* Tert. crée *interemptibilis* (hapax),
comme il créera *nascibilis* en III, 11, 1 et 19, 8. Voir *Deus Christ.,*
p. 307 et 321.
4. Emploi unique de *ignorabilis* (déjà chez Cicéron et Aulu-Gelle, au
sens de «ignoré», «inconnu»). L'auteur lui donne un sens particulier :
quod cognosci uel intellegi non potest (*TLL* VII, 1, c. 306, l. 84).

exposés à l'erreur aurait dû le persuader que les juifs, étant hommes, avaient pu se tromper et qu'il ne fallait pas incontinent tirer un préjugé favorable d'une sentence[1] portée par eux, dont on pouvait croire qu'ils s'étaient trompés. **4.** Mais poursuivons : comme il a été prédit aussi qu'ils ne reconnaîtraient pas le Christ et le mettraient même à mort pour cette raison, celui qu'ils ont à la fois méconnu et tué sera donc bien alors celui contre qui il était d'avance annoncé qu'ils commettraient un tel crime.

Tu en exiges la preuve[2] ? Je ne vais pas parcourir les Écritures qui, proclamant un Christ appelé à être mis à mort[3], affirment à coup sûr aussi un Christ appelé à être méconnu[4] (car, s'il n'avait pas été méconnu, il n'aurait pas pu évidemment souffrir quoi que ce soit!), mais réservant ces textes pour le débat sur sa passion[5], il me suffira pour l'instant d'alléguer des prédictions de nature à prouver, en attendant, un Christ destiné à être méconnu ; et je le ferai brièvement, car elles montrent que le Créateur a enlevé à son peuple toute faculté de comprendre[6]. **5.** « J'ôterai, dit-il, la sagesse de leurs sages et j'obscurcirai la clairvoyance de leurs clairvoyants[a] », et : « Vos oreilles entendront et vous n'entendrez pas, et vos yeux verront et vous ne verrez pas ; car le cœur de ce peuple est épaissi, et ils sont devenus durs d'oreille et ils ont fermé leurs yeux, pour empêcher que leurs oreilles n'entendent et que leurs yeux ne voient et que leur cœur ne comprenne et qu'ils ne se convertissent et que je ne

---

5. Cf. *infra*, ch. 17. Ayant étroitement lié méconnaissance et mise à mort, Tert. va se limiter au premier point, qui est l'essentiel pour sa démonstration.

6. Sur le dossier scripturaire concernant l'aveuglement des juifs et sur son utilisation, voir la note complémentaire 33, p. 273.

tantur, et sanem illos[b]. **6.** Hanc enim obtusionem salu-
tarium sensuum meruerant, labiis diligentes Deum, corde
autem longe absistentes ab eo[c]. Igitur si Christus quidem
adnuntiabatur a Creatore solidante tonitruum et condente
40 spiritum et adnuntiante in homines Christum suum,
secundum Iohelem prophetam[d], si omnis spes Iudaeorum,
ne dicam etiam gentium, in Christi reuelationem destinabatur, sine dubio id demonstrabantur non agnituri et non
intellecturi, ablatis agnitionis et intellegentiae uiribus,
45 sapientia atque prudentia, quod adnuntiabatur, id est
Christus, erraturis in eum principalibus sapientibus eorum,
id est scribis, et prudentibus eorum, id est pharisaeis,
pariter et populo auribus audituro et non audituro, utique
Christum docentem, et oculis uisuro et non uisuro, utique
50 Christum signa facientem, secundum quod et alibi : *Et
quis caecus, nisi pueri mei? et quis surdus, nisi qui dominatur eorum*[e]*?* **7.** Sed et cum exprobrat per eundem
Esaiam : *Filios generaui et exaltaui, at illi me reiecerunt :
agnouit bos possessorem suum et asinus praesepe domini
55 sui, Israbel autem me non cognouit et populus me non
intellexit*[f], nos quidem certi Christum semper in prophetis
locutum, spiritum scilicet Creatoris sicut propheta testatur

---

36 obtusionem *M Kr.Mor.*: obtunsionem β *Ev.* * ‖ 39 condente
Lat.Kr.Mor. (*cf. Amos 4, 13* κτίζων) : concludente θ *Ev.* * ‖ 41 Iohelem
(Ioel- *R Ev.*) θ *Kr.Mor.Ev.* : Amos *Pam.* * ‖ 42 ne *Iun. Kr.Mor.Ev.* :
nedum θ * ‖ 45 sapientia ... prudentia *R edd.* : -tiam ... -tiam *M* γ ‖
47 eorum : *om.* β ‖ 56 intellexit : *grauius dist. Kr.Mor.* *

---

b. Is. 6, 9-10 ‖ c. Cf. Is. 29, 13 ‖ d. Cf. Amos 4, 13 (*LXX*) ‖ e. Is. 42,
19 ‖ f. Is. 1, 2-3

---

1. Sur la forme *obtusio,* voir Notes critiques, p. 224.
2. Cette citation est en réalité d'Amos (voir Notes critiques, p. 225).
Elle est faite d'après la LXX. La Vulgate en diffère beaucoup : *firmans*

les guérisse[b].» **6.** Cet émoussement[1] des sens porteurs
du salut, ils l'avaient mérité pour avoir aimé Dieu des
lèvres en se tenant loin de lui par le cœur[c]. Si donc le
Christ était annoncé par le Créateur qui forme le ton-
nerre et crée le souffle et annonce son Christ aux hommes
selon le prophète Joël[d 2], si toute l'espérance des juifs,
pour ne pas dire aussi celle des nations, était orientée
vers la révélation du Christ, sans aucun doute il était
montré que les juifs, privés des facultés de reconnaître
et de comprendre – la sagesse et la clairvoyance –, ne
reconnaîtraient pas et ne comprendraient pas ce qui était
annoncé, c'est-à-dire le Christ; car à son endroit se trom-
peraient leurs maîtres en sagesse, c'est-à-dire les scribes,
et en clairvoyance, c'est-à-dire les pharisiens; et il en irait
pareillement pour le peuple : ses oreilles entendraient et
il n'entendrait pas, évidemment l'enseignement du Christ,
ses yeux verraient et il ne verrait pas, évidemment les
prodiges accomplis par le Christ, selon ce qui est dit
ailleurs aussi : «Qui est aveugle sinon mes fils? et qui
est sourd sinon celui qui les commande[e]?» **7.** Mais également dans ces reproches adressés par la bouche du
même Isaïe[3] : «J'ai engendré des fils et je les ai exaltés,
mais eux m'ont rejeté; le bœuf a reconnu son proprié-
taire et l'âne la crèche de son maître, mais Israël ne m'a
pas connu et le peuple ne m'a pas compris[f]», nous du
moins qui avons la certitude que toujours le Christ a
parlé dans les prophètes, étant l'esprit du Créateur, ainsi
que l'atteste le prophète – manifestation de notre esprit

---

montes et creans uentum et adnuntians homini eloquium suum; cf.
Jérôme, *In Amos* 2, 4, 12/13 (*CCL* 76, p. 268-272). Tert. demande à ce
testimonium de confirmer que toute l'ancienne alliance est orientée vers
la révélation du Christ.

3. Sur la ponctuation de la longue phrase qui commence avec cette
citation, voir Notes critiques, p. 226.

personam spiritus nostri Christum dominum[g], qui ab initio
uicarius patris in dei nomine et auditus sit et uisus, scimus
60 ipsius uoces eiusmodi fuisse iam tunc Israheli exprobrantis
quae in illum commissuri praedicabantur : *Dereliquistis
dominum et in iram prouocastis sanctum Israhel*[h]. **8.** Si
uero non in Christum, sed in ipsum potius Deum uolueris
referre omnem Iudaicae ignorantiae de pristino reputa-
65 tionem, nolens etiam retro sermonem et spiritum, id est
Christum Creatoris, despectum ab eis et non agnitum, sic
quoque reuinceris. Non negans enim filium et spiritum
et substantiam Creatoris esse Christum eius, concedas
necesse est eos qui patrem non agnouerint nec filium
70 agnoscere potuisse, per eiusdem substantiae condicionem,
cuius si plenitudo intellecta non est, multo magis portio,
certe qua plenitudinis consors.

9. His ita dispectis iam apparet quomodo et respuerint
Iudaei Christum et interemerint, non ut extraneum
75 Christum intellegentes, sed ut suum non agnoscentes, quia

58 personam *Quispel*: persona *codd. edd.* * ‖ 58 Christum dominum
*M*γ *R₁R₂*: -tus -nus *R₃ Kr.Mor.Ev.* * ‖ qui *M R₃ Kr.Mor.Ev.*: quia γ
R₁R₂ ‖ 60 exprobrantis *R₃ Kr.Mor.Ev.*: -branti *M*γ *R₁R₂* ‖ 62-63 Si uero
R₃ edd.: uero si *M*γ *R₁R₂* ‖ 65 nolens: noles γ ‖ 71 si: et si *X* ‖
73 dispectis: desp- γ ‖ 75-76 quia nec *M*γ *R₁ Kr.Mor.Ev.*: Qui enim
R₃ Ev. (*signo interrogationis post* praedicatum *addito*) qui nec *R₂* *

g. Cf. Lam. 4, 20 ‖ h. Is. 1, 4

1. Rappel de la doctrine du IIe-IIIe siècle, selon laquelle les paroles
de l'A. T. sont à rapporter au Fils, Verbe et Esprit, agent du Père *ad
extra*: cf. II, 27, 3 (t. 2, p. 162 et n. 1). Elle est appuyée ici d'un *testimonium, Lam.* 4, 20, qui est cité d'après la LXX, mais de façon
inexacte et accommodée (voir Notes critiques, p. 227). Le même texte
se trouve en *Marc.* V, 11, 12 et en *Prax.* 14, 10. *Testimonium* étudié
par J. DANIÉLOU, *Études d'exégèse judéo-chrétienne*, p. 76-95. Sur son utilisation par Tert. qui, selon nous, donne ici à *persona* le sens de

le Christ Seigneur[g] –, lui qui depuis le début, représentant du Père, s'est fait entendre et voir au nom de Dieu [1], nous savons que de telles paroles étaient de lui : dès ce moment il reprochait à Israël les crimes dont la prophétie annonçait qu'il se rendrait coupable envers lui : «Vous avez abandonné le Seigneur et avez mis en colère le Saint d'Israël[h].» **8.** Si tu veux attribuer non au Christ, mais plutôt à Dieu même toute imputation de méconnaissance faite dans le passé aux juifs, si tu refuses même d'admettre qu'autrefois le Verbe et Esprit, c'est-à-dire le Christ du Créateur, ait été l'objet de leur mépris et de leur méconnaissance [2], dans ce cas aussi tu seras confondu. Tu ne nies pas que le Christ du Créateur soit son fils et son esprit et sa substance ; tu dois alors inévitablement concéder que ceux qui n'ont pas reconnu le Père n'ont pas pu non plus reconnaître le Fils, de par la condition que crée l'identité de substance. Car si la plénitude de cette substance n'a pas été comprise, à bien plus forte raison sans doute la partie, puisqu'elle participe de la plénitude [3].

Les juifs n'ont pas repoussé le Christ comme venant d'un autre dieu

9. Une fois qu'on a bien saisi ces choses, on voit dès lors clairement comment les juifs ont repoussé le Christ et l'ont mis à mort : ce n'est pas qu'ils l'aient compris comme un Christ étranger, c'est qu'ils ne l'ont pas reconnu pour leur

πρόσωπον («manifestation»), voir *Deus Christ.,* p. 216 ; 219-221 ; 587-591 et 722-723.

2. Objection supposée de Marcion qui, faisant sienne l'exégèse juive de l'A. T., n'admettait pas un Christ préexistant ayant parlé par les prophètes.

3. Sur le Verbe comme *portio* de la substance du Père, voir *Ap.* 21, 11-12. (cf. *Deus Christ.,* p. 189-191). Le raisonnement est du type *a minore ad maius :* cf. Introduction aux livres I et II, t. 1, p. 48.

nec extraneum intellegere potuissent de quo nihil unquam
fuerat adnuntiatum, cum intellegere potuissent de quo
semper fuerat praedicatum. Id enim intellegi uel non
intellegi capit quod habendo substantiam praedicationis
80 habebit et materiam uel agnitionis uel erroris. Quod uero
materia caret, non admittit sapientiae euentum. **10.** Et
adeo non qua alterius dei Christum auersati persecutique
sunt, sed qua solummodo hominem, quem planum in
signis et aemulum in doctrinis existimabant; ut et ipsum
85 hominem qua suum, id est Iudaeum, sed Iudaismi exor-
bitatorem et destructorem, deduxerint in iudicium et suo
iure punierint, alienum scilicet non iudicaturi. Tanto abest
ut alienum Christum intellexisse uideantur, qui nec
hominem eius ut alienum iudicauerunt.

VII. **1.** Discat nunc haereticus ex abundanti cum ipso
licebit Iudaeo rationem quoque errorum eius, a quo
ducatum mutuatus in hac argumentatione caecus a caeco

VII : *Iud*. 14, 1-7 (p. 38, l. 13 – p. 39, l. 21) + 14, 9-10 (p. 40,
l. 2-19).

---

77 cum *R₃ Kr.Mor.Ev.* : non *M* γ *R₁R₂* * ‖ potuissent *M* γ *R₁R₂ Kr.Mor.* :
non potuissent *R₃ Ev.* * ‖ 81 materia : materia ea *Kr.* ‖ 82 qua *R edd.* :
ęqua *M* equa γ
VII, 1 discat *R₃ edd.* : dicat *M* γ *R₁R₂*

---

1. Retour à l'argument marcionite du § 2. Tert. va établir que les
juifs n'ont pas repoussé Jésus comme Christ d'un *autre* dieu.
2. Les ch. 2-4 ont montré l'importance d'une préparation prophétique
pour déterminer la foi dans le Christ. Sur le texte de cette phrase, voir
Notes critiques, p. 227.
3. Emploi impersonnel de *capit* (= ἐνδέχεται), suivi de la proposition
infinitive : voir HOPPE, *SuS*, trad. ital. , p. 98.
4. Cf. *Ap*. 21, 17 *(hominem ... magum)*. Le terme péjoratif *planus*
(emprunt au grec, déjà chez Cicéron) revient plus bas, en 15, 7 (aucune
autre attestation chez Tert.). Peut-être réminiscence de *Matth*. 27, 63.
5. Déjà employé en II, 13, 5, *exorbitator* ne se rencontre pas ailleurs
(TLL, s. u.); destructor apparaît aussi chez Tert.

Christ[1]. Car ils n'auraient pas pu comprendre même un
étranger dont on n'avait jamais rien annoncé ; tandis qu'ils
auraient pu comprendre celui qui avait toujours été l'objet
de prédictions[2]. En effet on peut[3] comprendre ou ne pas
comprendre ce qui, ayant l'appui réel d'une prédiction,
aura aussi matière ou à reconnaissance ou à erreur. Mais
ce qui est dépourvu de toute matière telle n'offre pas
prise au cheminement de la sagesse. **10.** Et précisément
ils ont rejeté et persécuté le Christ, non comme venant
d'un autre dieu, mais comme étant seulement un homme,
qu'ils tenaient pour un charlatan[4] dans ses prodiges et
un antagoniste dans ses doctrines ; et en conséquence,
c'est cet homme que, comme étant des leurs, c'est-à-dire
juif, mais déviateur et destructeur[5] du judaïsme, ils ont
traduit en jugement et puni en vertu de leur droit :
quelqu'un d'étranger, assurément, ils ne l'auraient pas
jugé. Tant il s'en faut qu'ils paraissent l'avoir compris
comme un Christ étranger : même l'homme en lui[6], qu'ils
ont jugé, n'était pas à leurs yeux un étranger.

**Les juifs
n'ont pas compris
les deux avènements
du Christ**

VII. 1. Il sera maintenant loi-
sible à l'hérétique d'apprendre à
profusion, en compagnie du juif, la
raison des erreurs de celui qu'il a
pris pour guide[7] dans cette argu-
mentation : aveugle conduit par un aveugle, il est tombé

---

6. L'expression *homo eius* (= *Christi*) désigne concrètement la nature
humaine du Christ ; voir *Deus Christ.*, p. 308 et 708.

7. L'image renchérit sur celle de 6, 2 (alliance avec les juifs) et
entraîne un rappel de *Matth.* 15, 14 (déjà en *Praes.* 14, 8). Elle a été
suggérée par la transition de *Iud.* 14, 1 : *discite ... erroris uestri ducatum*,
où l'image est appliquée différemment puisque, selon l'explication de
Tränkle (*Éd. Iud.*, p. XLIX, n. 1), c'est l'erreur qui est guide. Sur le
thème polémique de Marcion aveugle, cf. I, 2, 3 ; II, 2, 1-2.

in eandem decidit foueam[a]. Duos dicimus Christi habitus
5 a prophetis demonstratos totidem aduentus eius praeno-
tasse : unum in humilitate, utique primum, cum tanquam
ouis ad uictimam deduci habebat, et tanquam agnus ante
tondentem sine uoce, ita non aperiens os suum[b], ne
aspectu quidem honestus. **2.** *Adnuntiauimus* enim,
10 inquit, *de illo : sicut puerulus, sicut radix in terra sitienti,*
et non est species eius neque gloria, et uidimus eum, et
non habebat speciem neque decorem, sed species eius inho-
norata, deficiens citra filios hominum, homo in plaga, et
sciens ferre infirmitatem[c], ut positus a patre in lapidem
15 offensionis et petram scandali[d], minoratus ab eo modicum
citra angelos[e], uermem se pronuntians et non hominem,
ignominiam hominis et nullificamen populi[f]. **3.** Quae
ignobilitatis argumenta primo aduentui competunt, sicut
sublimitatis secundo, cum fiet iam non lapis offensionis
20 nec petra scandali[d], sed lapis summus angularis post
reprobationem adsumptus et sublimatus in consumma-

---

8 ne : nec γ ‖ 12 sed : et X

VII. a. Cf. Matth. 15, 14; Lc 6, 39 ‖ b. Cf. Is. 53, 7 ‖ c. Is. 53, 2-
3 ‖ d. Cf. Is. 8, 14; 28, 16; Rom. 9, 33; I Pierre 2, 6-7. ‖ e. Cf. Ps. 8,
6 ‖ f. Cf. Ps. 21 (22), 7

---

1. Sur les sources et l'organisation du développement, repris de
Iud. 14, voir la note complémentaire 34, p. 276.
2. Emploi de *habere* + infinitif (= «devoir») : cf. HOPPE, *SuS,* trad.
it., p. 92. Adaptation au contexte de ἤχθη d'*Is.* 53, 7.
3. Sur *inquit* sans sujet exprimé, pour introduire un texte biblique
(censé prononcé par Dieu ou le Christ), voir *LHS* § 221, p. 417-418.
4. Seules différences avec la citation de *Iud.* 14, 2 : *non est species*
a été substitué à *non erat species* par souci d'exactitude (LXX : ἔστιν),
et, après *in plaga, positus* (équivalent de ὤν) a été retranché par souci
d'allègement (même raccoucissement en *Carn.* 15, 5).

dans la même fosse[a]! Nous disons, nous, que les deux
figures du Christ montrées par les prophètes ont annoncé
d'avance le même nombre de ses avènements[1] : l'un, dans
l'humilité – le premier bien sûr –, quand il devait être
mené[2] comme la brebis au sacrifice, et sans ouvrir la
bouche comme l'agneau est sans voix devant celui qui
le tond[b], étant même d'aspect dépourvu de dignité.
2. Il est dit en effet[3] : «Voici ce que nous avons annoncé
de lui : comme un petit enfant, comme une racine dans
une terre desséchée; et il n'a pas d'apparence ni de
gloire; et nous l'avons vu, et il n'avait pas d'apparence
ni de beauté; mais son apparence était méprisable, déficiente plus que celle des fils d'hommes; homme de
douleur, et sachant supporter l'infirmité[c 4].» Car il a été
placé par le Père comme une pierre d'achoppement et
un roc qui fait trébucher[d 5], mis par lui un peu au-dessous
des anges[e]; il se déclare ver et non pas homme, opprobre
de l'homme et objet de mépris[6] pour le peuple[f]. **3.** Ces
marques d'ignominie conviennent au premier avènement,
comme au deuxième celles de grandeur, quand il
deviendra non plus pierre d'achoppement et roc qui fait
trébucher[d], mais pierre angulaire du sommet, qui est
accueillie après avoir été réprouvée et qui est élevée pour

5. La seconde expression *et petram scandali* est absente de *Iud.* 14, 2.
A-t-elle été introduite ici par Tert. par réminiscence de *Rom.* 9, 33? Ou
faut-il penser que la tradition de *Iud.* est fautive sur ce point? La présence de *nec petra scandali* en *Iud.* 14, 3 favoriserait la seconde hypothèse. Rien dans l'édition de Tränkle là-dessus.

6. Traduction de ἐξουδένημα, *nullificamen* ne se rencontre qu'ici et
dans les reprises de la même citation (*Marc.* III, 17, 3 et IV, 21, 12),
et selon le *Dictionnaire* de BLAISE, il ne se lit nulle part ailleurs. En
Iud. 14, 2, il est remplacé par le mot de la Vulgate : *abiectionem.*

tionem templi[g], ecclesiae scilicet, et petra sane illa apud
Danihelem de monte praecisa, quae imaginem saecularium
regnorum comminuet et conteret[h]. **4.** De quo aduentu
25 idem prophetes : *Et ecce cum nubibus caeli tanquam filius*
hominis ueniens, uenit usque ad ueterem dierum; aderat
in conspectu eius, et qui adsistebant adduxerunt illum; et
data est ei potestas regia, et omnes nationes terrae
secundum genera, et omnis gloria famulabunda; et
30 *potestas eius usque in aeuum, quae non auferetur, et*
regnum eius quod non uitiabitur[i]; **5.** tunc scilicet habiturus et speciem honorabilem et decorem indeficientem
supra filios hominum – *Tempestiuus enim, inquit, decore*
citra filios hominum, effusa est gratia in labiis tuis; prop-
35 *terea benedixit te deus in aeuum. Accingere ensem super*
femur tuum, potens, tempestiuitate tua et pulchritudine
tua[j] – cum et pater, posteaquam diminuit eum modicum
quid citra angelos, gloria et honore coronabit illum et

---

23 Danihelem *M Kr.Mor.*: Danielem β *Ev.* ‖ 31-32 habiturus et θ
Mor.Ev.: habiturus est *Eng.Kr.* * ‖ 33 supra *M*γ *Rig.Mor.*: super *R*
Kr.Ev. * ‖ 35 aeuum: aeternum *F* ‖ 36 potens, tempestiuitate *M*
(*secundum Scripturae locum*): potens tempestiuitate β *edd.* *

---

g. Cf. Ps 117 (118), 22; Éphés. 2, 20-21; I Pierre 2, 4; 6-8 ‖ h. Cf.
Dan. 2, 34-35 ‖ i. Dan. 7, 13-14 ‖ j. Ps 44 (45), 3-5

---

1. Les trois mots *templi, ecclesiae scilicet* ne se lisent pas non plus
en *Iud.* 14, 3. La tradition n'y serait-elle pas fautive, là encore, d'omission?
On ne peut comprendre *in consummationem* (qui ne correspond à rien
dans *Ps.* 117, 22) sans un génitif qui le complète, par l'association avec
Éphés. 2, 20-21. (αὔξει εἰς ναόν).
2. Il s'agit de la statue apparue en rêve à Nabuchodonosor, et que
Daniel a expliquée comme représentant en ses différentes parties la
succession des royaumes terrestres (*Dan.* 2, 35-45).
3. Principales différences avec *Iud.* 14, 4 : *secundum genera* est plus
exact que *secundum genus; famulabunda* (hapax selon *TLL* VI, 1, *s. u.*)
remplace *seruiens illi; usque in aeuum* se substitue à *aeterna, uitia-*

l'achèvement du temple[g], c'est-à-dire de l'Église[1] ; également, pour sûr, ce roc qui, dans Daniel, s'est détaché de la montagne et mettra en pièces et en poussière la représentation figurée des royaumes terrestres[h][2]. **4.** De cet avènement, le même prophète a dit : « Et voici venant sur les nuées du ciel comme un fils d'homme ; il est venu jusqu'à l'ancien des jours. Il se trouvait devant lui, et ceux qui se tenaient à l'entour l'ont introduit. Et lui ont été données la puissance royale et toutes les nations de la terre par races et toute gloire à son service. Et sa puissance s'étend pour l'éternité, elle qui ne lui sera pas ôtée, et son règne qui n'aura pas de déclin[i][3]. » **5.** C'est alors qu'il est destiné à avoir une apparence glorieuse et une beauté inaltérable, passant celle des fils d'hommes[4]. Car il est dit : « Tu es épanoui de beauté au-dessus des fils d'homme ; la grâce est répandue sur tes lèvres. C'est pourquoi Dieu t'a béni pour l'éternité. Ceins ton épée sur ta cuirasse, vaillant[5], dans ton épanouissement et ta beauté[j]. » Cela, lorsque le Père, après l'avoir abaissé un peu au-dessous des anges, le couronnera de gloire et

bitur à *corrumpetur*. Texte étudié par F.C. BURKITT, *The Old Latin and the Itala (Texts ans Studies 4)*, Cambridge 1896, p. 20-21 : Tert. aurait utilisé pour *Daniel* une forme de la LXX différente de l'édition d'Origène et assez proche des citations de Justin (à remarquer que celles de *Iud.* n'ont pas été prises en compte). De son côté, G. SÄFLUND, *De pallio und die stilistische Entwicklung Tertullians*, Lund 1955, p. 130, fait observer que *usque ad ueterem dierum* renvoie à Théodotion (cf. TRÄNKLE, *Éd. Iud.*, p. XII). Sur cette question, voir maintenant R. BODENMANN, *Naissance d'une exégèse. Daniel dans l'Église ancienne des trois premiers siècles (Beiträge zur Geschichte der bibl. Exegese* 28), Tübingen 1986, p. 83-86, qui a montré que Tert. utilise un texte mixte de *Daniel*, c'est-à-dire comportant des leçons de *Dan.* LXX et de *Dan.* Théodotion, et qui serait celui d'un « Ur-Théodotion » (p. 95-106).

4. Reprise inversée des expressions d'*Is.* 53, 3 cité au §2. Tert. est le premier témoin du « christianisme » *indeficiens*. Voir aussi, pour le texte adopté, Notes critiques, p. 228.

5. Voir Notes critiques, p. 228.

subiciet omnia pedibus eius[k]. **6.** Tunc et cognoscent
40 eum qui compugerunt[l], et caedent pectora sua tribus ad
tribum[m], utique quod retro non agnouerunt eum in humilitate condicionis humanae : *Et homo est,* inquit Hieremias,
et quis cognoscet illum[n] *?* Quia et : *Natiuitatem eius,* Esaias,
quis, inquit, *enarrabit*[o] *?* Sic et apud Zachariam in persona
45 Iesu, immo et in ipso nominis sacramento, uerus summus
sacerdos patris, Christus Iesus, duplici habitu in duos
aduentus delineatur[p], primo sordidis indutus[q], id est carnis
passibilis et mortalis indignitate, cum et diabolus aduer-
sabatur ei, auctor scilicet Iudae traditoris[r], ne dicam etiam
50 post baptisma temptator[s], dehinc despoliatus pristinas
sordes, et exornatus podere et mitra et cidari munda[t], id
est secundi aduentus gloria et honore. **7.** Si enim et
duorum hircorum qui ieiunio offerebantur[u] faciam interpretationem, nonne et illi utrumque ordinem Christi
55 figurant? Pares quidem atque consimiles propter eundem
dominum conspectum, quia non in alia uenturus est forma,
ut qui agnosci habeat a quibus laesus est. Alter autem

---

40 compugerunt β *Kr.Mor.Ev.* : compungerunt *M* ‖ 42 Hieremias *R*
Kr.Mor.Ev. : Ieremias *M*γ ‖ 45 ipso θ *Kr.Mor.Ev.* : ipsius *Pam.* ‖ 51 et
cidari munda β *Kr.Mor.Ev.* : et -rim -am *M* * ‖ 56 dominum θ *Ev.* :
domini *Lat.Kr.Mor.* (cf. *Iud.* 14, 9) *

---

k. Cf. Ps. 8, 6-7 ‖ l. Cf. Zach. 12, 10; Jn 19, 37 ‖ m. Cf. Zach.
12, 12 ‖ n. Jér. 17, 9 ‖ o. Is. 53, 8 ‖ p. Cf. Zach. 3, 1-5 ‖ q. Cf. Zach.
3, 3 ‖ r. Cf. Jn 13, 27 ‖ s. Cf. Matth. 4, 1-11; Mc 1, 12-13; Lc 4, 1-
13 ‖ t. Cf. Zach. 3, 4-5 ‖ u. Cf. Lév. 16, 5-10; 15-22; 27 (cf. Barn. 7,
4-11)

---

1. Ordre des mots insolite (hyperbate répondant à une volonté de
varier après l'usuel *inquit Hieremias?*).
2. En *Iud.* 14, 7, on lit *uerissimus sacerdos.* La présente rédaction
est plus exacte : *Zach.* 3, 3 parle bien de «grand prêtre» et l'*Épître
aux Hébreux,* dont l'écho est ici perceptible, fait du Christ l'ἀρχιερεύς
de Dieu.

d'honneur et soumettra tout sous ses pieds[k]. **6.** Alors le reconnaîtront aussi ceux qui l'ont transpercé[l], et ils se frapperont la poitrine tribu après tribu[m], évidemment pour ne pas l'avoir reconnu autrefois dans l'humilité de sa condition humaine. «Et il est homme, dit Jérémie, et qui le reconnaîtra[n]?» parce que, dit Isaïe[l], «sa naissance, qui la racontera[o]?» De même chez Zacharie, en la personne de Jésus ou plutôt dans le mystère même de son nom, nous est dessinée l'image du véritable grand prêtre[2] du Père, Jésus-Christ, sous son double aspect et dans la perspective de ses deux avènements[p] : d'abord, en vêtements sales[q3], c'est-à-dire dans l'indignité d'une chair exposée à la souffrance et à la mort, quand il était même en butte aux attaques du diable, instigateur de la trahison de Judas[r], pour ne pas dire aussi son tentateur après le baptême[s4]; ensuite, dépouillé de ses anciennes saletés et paré de la robe longue, de la mitre et de la tiare immaculée[t5], c'est-à-dire la gloire et l'honneur de son deuxième avènement. **7.** Si je fais aussi l'exégèse des deux boucs que l'on offrait lors du jeûne[u], ne figurent-ils pas également les deux conditions successives du Christ? Sans doute sont-ils pareils et tout à fait semblables, puisque identique est vu le Seigneur[6]; car il ne reviendra pas sous une figure différente, lui qui devra se faire reconnaître de ceux qui l'ont frappé. Mais l'un des boucs,

---

3. Les mots *sordidis (sc. uestibus) indutus* correspondent à ἐνδεδυμένος ἱμάτια ῥυπαρά. Le texte parallèle de *Iud.* 14, 7 a *sordibus indutus*. La variante introduite répond peut-être au désir d'éviter la redite *sordibus/sordes?*

4. A la formulation banale de *Iud.* 14, 7 (*qui eum etiam post baptismum temptauerat*) est substitué un tour plus littéraire grâce au rhétorique *ne dicam* et au substantif en *-tor*.

5. Voir Notes critiques, p. 229.

06. Voir Notes critiques, p. 229.

eorum circumdatus coccino, maledictus et consputatus et
conuulsus et compunctus, a populo extra ciuitatem abi-
60 ciebatur in perditionem, manifestis notatus insignibus
dominicae passionis[v]. Alter uero, pro delictis oblatus et
sacerdotibus <tantum> templi in pabulum datus, secundae
repraesentationis argumenta signabat, qua delictis omnibus
expiatis sacerdotes templi spiritalis, id est ecclesiae, domi-
65 nicae gratiae quasi uisceratione quadam fruerentur, ieiunantibus ceteris a salute. **8.** Igitur quoniam primus
aduentus et plurimum figuris obscuratus et omni inho-
nestate prostratus canebatur, secundus uero et manifestus
et Deo condignus, idcirco quem facile et intellegere et
70 credere potuerunt, eum solum intuentes, id est secundum,
non immerito decepti sunt circa obscuriorem, certe indi-
gniorem, id est primum. Atque ita in hodiernum negant
uenisse Christum suum, quia non in sublimitate uenerit,
dum ignorant etiam in humilitate fuisse uenturum.

---

58 consputatus *M Pam.Kr. (cf. Iud. 14, 9)* : consputus β *Mor.Ev.* * ‖
59-60 abiciebatur θ *Kr.Mor.* : adicie- *Ev. (per mendum?)* ‖ 62 tantum
suppleui (ex loco gemello Iud. 14, 10) : om. cett. * ‖ 65 fruerentur *R
(cf. Iud. 14, 9) Kr.Mor.Ev.* : fruerentur *M*γ ‖ 67 obscuratus : -tis γ

---

v. Cf. Matth. 27, 27; 30; Mc 15, 19-20

---

1. Voir Notes critiques, p. 230.
2. Voir Notes critiques, p. 230.
3. Littéralement : «jouiront comme d'une sorte de banquet de la grâce
du Seigneur». *Visceratio,* à l'origine terme du vocabulaire sacrificiel (=
«distribution des *viscera* d'un animal immolé en un sacrifice cultuel»)
a élargi son sens pour désigner, à la fin de la république, puis sous
l'empire, en rapport avec l'évergétisme municipal, une «distribution de
viandes au peuple». Voir P.A. GRAMAGLIA, «Visceratio : semantica euca-
ristica in Tertulliano?», *Sangue e antropologia nella teologia,* Atti della
VI Settimana, Roma 23-28 nov. 1987, a cura di Fr. Vattioni, t. 3,
Roma 1989, p. 1 385-1 417, qui donne de nombreuses références épi-

enveloppé d'écarlate, après avoir été maudit, conspué[1], tiraillé, percé, était chassé par le peuple hors de la cité pour son anéantissement : il portait manifestement les marques distinctives de la passion du Seigneur[v]. Quant à l'autre, il était offert pour les péchés et donné en nourriture seulement[2] aux prêtres du temple : il portait les symboles de la seconde parousie où après purification de tous les péchés, les prêtres du temple spirituel – l'Église – jouiront comme en une sorte de banquet de la grâce du Seigneur[3], cependant que les autres connaîtront le jeûne du salut. **8.** Ainsi donc, comme le premier avènement était l'objet d'une prédiction tout à la fois très obscure en ses symboles et avilie par des indignités de toute sorte, tandis que le deuxième était tout à la fois lumineux et très digne de Dieu, les juifs n'ont eu d'yeux que pour l'avènement qu'ils pouvaient facilement comprendre et croire, le deuxième, et il n'est pas surprenant qu'ils se soient laissés abuser concernant celui qui était plus obscur et, pour sûr, plus indigne, c'est-à-dire le premier. Et c'est ainsi que jusqu'à nos jours, ils nient la venue de leur Christ parce qu'il n'est pas venu dans la majesté ; car ils méconnaissent qu'il devait venir aussi dans l'humilité.

---

graphiques de cet emploi (p. 1412 s.) et indique avec raison que, pour les chrétiens de Carthage, le mot devait évoquer l'image d'une fête collective, symbole d'un bien-être social, durant laquelle la distribution des viandes était réservée aux habitants du municipe, sinon à une catégorie privilégiée (p. 1416). Il n'est pas douteux qu'ainsi Tert. fasse référence aux banquets eucharistiques qui trouveront leur accomplissement, pour les élus, dans le banquet spirituel (cf. plus bas, 24, 5 : *bonorum, utique spiritalium*) inauguré par le retour du Christ (*ibid.* p. 1400). Mais comme l'a bien vu P. PETITMENGIN (recension de l'article dans *REAug* 37, 1991, p. 353), Tert. s'est rendu compte de la hardiesse de la métaphore et du relent de paganisme présent dans ce terme; d'où une double atténuation par *quasi* et par *quadam*.

VIII. **1.** Desinat nunc haereticus a Iudaeo, aspis quod
aiunt a uipera, mutuari uenenum, euomat iam hinc proprii
ingenii uirus, phantasma uindicans Christum. Nisi quod
et in ista sententia alios habebit auctores, praecocos et
5 aborsiuos quodammodo Marcionitas, quos apostolus
Iohannes antichristos pronuntiauit[a], negantes Christum in
carne uenisse, et tamen non ut alterius dei ius consti-
tuerent, quia et de isto notati fuissent, sed quoniam incredibile praesumpserant deum carnem. **2.** Quo magis anti-
10 christus Marcion sibi eam rapuit praesumptionem, aptior
scilicet ad renuendam corporalem substantiam Christi, qui
ipsum deum eius nec auctorem carnis induxerat nec resus-
citatorem, optimum uidelicet et in isto, et diuersissimum
a mendaciis et fallaciis Creatoris. Et ideo Christus eius,

VIII, 4 in *M Kr.Mor.* : *om.* β *Ev.* ‖ praecocos *M* γ *Kr.Mor.* : prae-
coquos *R Ev.* ‖ 5 aborsiuos *scripsi* (*cf. An. 37,2; Fug. 9, 4, et TLL I,
c. 127, 3s.*) : auorsiuos *M* abortiuos (-tiuuos γ) β *Kr.Mor.Ev.* * ‖ 6
pronuntiauit : nominauit *X* ‖ 8 de isto *MG R₃ Kr.Mor.Ev.* : isti γ *R₁R₂* ‖
10 aptior : apertior *F*

VIII. a. Cf. I Jn 2, 18.22 ; 4, 2

---

1. Transition littérairement soignée, qui accuse la discontinuité de la
composition. Sur le nouveau développement et sur le chapitre, voir
Introduction, p. 14s. Sur ce genre de comparaisons avec des animaux,
voir II, 5, 1 et 20, 1, où se trouve la même image *euomere* (cf. t. 1,
p. 73) ; sur le goût pour les proverbes, cf. t. 1, p. 73-74. Le proverbe
ici rappelé est attesté aussi chez ÉPIPHANE, *Haer.* I, 23, 7 : voir OTTO,
Sprichwörter, p. 373. L'aspic, dont la morsure entraîne une mort ins-
tantanée (cf. PLINE, *H. N.* 8, 85), passe pour plus pernicieux que la
vipère.
2. Cliché hérésiologique qui consiste à établir la filiation de l'hérésie
combattue. En *Praes.* 33, 11, même utilisation du passage de *I Jn* (seule
épître de Jean que Tert. connaît et qui, en effet, s'en prenait à des
« précurseurs du docétisme et du gnosticisme »). L'auteur ici s'attache à
montrer que ces prémarcionites sont moins coupables, n'ayant pas
touché à la doctrine du Dieu unique. Recherche de termes imagés avec
praecocus, mot du vocabulaire de l'agriculture (doublet de *praecox;*

2. Contre le docétisme de Marcion

A) Sa négation de la chair véritable

Une chair illusoire **VIII. 1.** Que l'hérétique main-
dans le Christ détruit tenant cesse d'emprunter son venin
le christianisme au juif – l'aspic à la vipère comme
on dit! Qu'il vomisse désormais le
poison de sa propre invention en prétendant que le Christ
est un fantôme[1]! Mais peut-être que, même dans cette
opinion, il aura d'autres garants, marcionites venus en
quelque sorte avant l'heure et avant terme[2], ceux que
l'apôtre Jean a déclarés des antichrists[a] : ils niaient la
venue du Christ dans la chair, sans que ce fût toutefois
pour établir les droits d'un autre dieu – car ils auraient
été aussi stigmatisés sur ce dernier point –, mais parce
qu'ils avaient présumé incroyable un dieu fait chair. **2.**
L'antichrist Marcion[3] n'en a été que plus empressé à faire
sienne cette présomption, lui qui était d'autant plus porté
à refuser la réalité corporelle du Christ que précisément
le dieu de ce Christ, par lui introduit[4], n'était ni l'auteur
ni le ressusciteur[5] de la chair – un dieu évidemment de
toute bonté en cela aussi, et tout à l'opposé des mensonges et tromperies du Créateur[6]! Et c'est pourquoi son

Tert. ne présente que des formes en – *coc* – selon *TLL* X, 2, c. 512,
l. 16) et avec *aborsiuus,* terme du vocabulaire de la médecine (sur la
forme adoptée, voir Notes critiques, p. 231).

3. Cf. I, 22, 1. On connaît l'anecdote de Polycarpe rencontrant Marcion
au bain et l'appelant «premier né de Satan» (Irénée, *Haer.* 3, 3, 4).

4. Habile rattachement de la christologie docète à la théologie dithéiste
réfutée dans les deux précédents livres.

5. Le mot *resuscitator* est sans doute une création de Tert. Cf. *Deus
Christ.,* p. 538.

6. Sur les mensonges et tromperies du Créateur selon Marcion,
cf. II, 20, 1 et 28, 2 (t. 2, p. 170, n. 5).

15 ne mentiretur, ne falleret, et hoc modo Creatoris forsitan
deputaretur, non erat quod uidebatur, et quod erat men-
tiebatur, caro nec caro, homo nec homo. **3.** Proinde
deus Christus nec deus : cur enim non etiam dei phantasma portauerit? An credam ei de interiore substantia
20 qui sit de exteriore frustratus? Quomodo uerax habebitur
in occulto tam fallax repertus in aperto? Quomodo autem
in semetipso ueritatem spiritus, fallaciam carnis
confundens, negatam ab apostolo lucis, id est ueritatis,
et fallaciae, id est tenebrarum[b], commisit communica-
25 tionem? **4.** Iam nunc cum mendacium deprehenditur
Christus caro, sequitur ut et omnia quae per carnem
Christi gesta sunt mendacio gesta sint, congressus,
contactus, conuictus, ipsae quoque uirtutes. Si enim tan-
gendo aliquem liberauit a uitio uel tactus ab aliquo[c],
30 quod corporaliter actum est non potest uere actum credi
sine corporis ipsius ueritate. Nihil solidum ab inani, nihil
plenum a uacuo perfici licuit. Putatiuus habitus, putatiuus

---

15 Creatoris forsitan : *inu. X* || 17 homo. Proinde *M Rig.Kr.Mor.* : homo,
proinde β *Ev* || 18 Christus θ *Mor.Ev.* : opinor *Kr.* || enim non etiam :
etiam non *X* || 22 fallaciam *M γ R₁ Kr.Mor.* : fallacia *R₂R₃ Ev.* * || 24 fal-
laciae, id est tenebrarum θ *Mor.Ev.* : tenebrarum, id est fallaciae *Kr.* * ||
26 Christus θ *Mor.Ev.* : -ti *Vrs.Kr.* * || 29 liberauit *R edd.* : -rabit *M γ*

---

b. Cf. II Cor. 6, 14 || c. Cf. Matth. 9, 20-21 ; 14, 36 ; Mc 5, 25-29 ;
6, 56 ; 8, 23 ; Lc 8, 43-44 ; Jn 9, 6

---

1. Reprise d'une accusation traditionnelle dans la polémique antimarcionite, celle du mensonge constitué par une chair apparente. Elle
est présentée ici ironiquement, dans la perspective d'une antithèse au
Créateur. En fait, Marcion, à ce reproche que son Christ feignait d'être
ce qu'il n'était pas, répondait : « Sa conviction intime lui suffisait »
(cf. *Carn* 3, 2). Voir HARNACK, *Marcion,* p. 125 et n. 4.

2. De ce mensonge sur son humanité, Tert. tire brutalement, par voie
d'analogie, cette conséquence que ce Christ peut nous avoir trompés
aussi sur sa divinité. Le thème du dieu fantôme est amorcé en I, 22, 1
(également I, 27, 1 et II, 11, 3).

3. Habile utilisation de *II Cor.* 6, 14 (que Marcion avait peut-être

Christ, de peur de mentir, de peur de tromper et de
passer par là peut-être pour le Christ du Créateur, n'était
pas ce qu'il paraissait être, et mentait sur ce qu'il était,
chair sans être chair, homme sans être homme[1].
3. Pareillement un Christ dieu sans être dieu[2]! Car
pourquoi n'aurait-il pas pu porter aussi en lui un fantôme
de dieu? Vais-je me fier à lui en ce qui concerne sa
substance intérieure quand il nous a trompés sur sa substance extérieure? Comment le tiendra-t-on pour véridique
dans ce qu'il cache de lui, alors qu'il se découvre si
trompeur dans ce qu'il en fait voir? Comment d'autre
part, en mélangeant en lui-même vérité de l'esprit, tromperie de la chair, a-t-il pu réaliser cette union intime,
que l'Apôtre déclare impossible[b], de la lumière, qui est
vérité, et de la tromperie, qui est ténèbres[3]? **4.** Dès lors
qu'on reconnaît comme mensonge que le Christ soit chair[4],
il en découle qu'a été mensongèrement accompli tout ce
que le Christ a accompli par la chair : ses rencontres, ses
contacts, ses relations sociales, et jusqu'à ses miracles[5].
S'il a délivré quelqu'un d'une infirmité en le touchant ou
en se laissant toucher[c], cette action corporelle ne peut
être crue action véritable sans la vérité de son corps
même. Rien de solide n'a pu être réalisé par le creux,
rien de plein par le vide[6]. Aspect illusoire, action illu-

---

conservé : cf. HARNACK, *Marcion*, p. 100*) et rappel de la conception
christologique orthodoxe des deux substances, humaine et divine, qui
« se mêlent » pour former le Christ. En *Prax.* 27, Tert. exclura *confundere*
au profit de *coniungere* pour exprimer l'union hypostatique. Sur le texte,
voir Notes critiques, p. 231s.

4. Voir Notes critiques, p. 232.

5. Extension de l'argument à tout ce que le Christ a accompli *per
carnem* : actions, passion, mort, résurrection. Toute cette seconde partie
du chapitre s'inspire de *I Cor.* 15, 12-18 : cf. R. CANTALAMESSA, *La cristologia*, p. 84-87, et MORESCHINI, «Temi e motivi», p. 152-153.

6. Principe de physique stoïcien, rappelé aussi en *Marc.* IV, 8, et
An. 5, 5; il y est illustré par le vers de LUCRÈCE I, 304.

actus : imaginarius operator, imaginariae operae. **5.** Sic
nec passiones Christi eius fidem merebuntur. Nihil enim
35 passus est qui non uere est passus; uere autem pati
phantasma non potuit. Euersum est igitur totum Dei opus.
Totum Christiani nominis et pondus et fructus, mors Christi
negatur, quam tam impresse apostolus demandat, utique
ueram, summum eam fundamentum euangelii constituens
40 et salutis nostrae et praedicationis suae[d]. *Tradidi enim*,
inquit, *uobis inprimis, quod Christus mortuus sit pro pec-
catis nostris, et quod sepultus sit, et quod resurrexerit tertia
die*[e]. **6.** Porro si caro eius negatur, quomodo mors eius
asseueratur, quae propria carnis est passio, per mortem
45 deuertentis in terram de qua est sumpta, secundum legem
sui auctoris[f]? Negata uero morte, dum caro negatur, nec
de resurrectione constabit. Eadem enim ratione non resurrexit qua mortuus non est, non habendo substantiam scilicet carnis, cuius sicut et mors, ita et resurrectio est.
50 Proinde resurrectione Christi infirmata etiam nostra
subuersa est. Nec ea enim ualebit, propter quam Christus
uenit, si Christi non ualebit. **7.** Nam sicut illi, qui
dicebant resurrectionem mortuorum non esse, reuincuntur

---

42 resurrexerit *M* γ *Kr.Mor.Ev.* : -xit *R* ‖ 45 deuertentis θ *Ev.* : reuer-
Lat.Kr.Mor. * ‖ 52 Christi *Oehler Kr.Mor.Ev.* : -tus θ ‖ ualebit θ *Kr.Mor.Ev.* :
resurrexit *Lat. Pam.*

---

d. Cf. I Cor. 15, 14 ‖ e. I Cor. 15, 3-4 ‖ f. Cf. Gen. 3, 19

---

1. Même emploi de *imaginarius* en *Carn.* 5, 2 (commentaire de
MAHÉ, *Éd. Carn., SC* 217, p. 338). Plusieurs développements du présent
chapitre se retrouvent en *Carn.* 5. Voir Introduction, p. 21.

2. L'argument – déjà chez IRÉNÉE, *Haer.* 3, 18, 6 (*SC* 211, p. 360-
362) – est traditionnel dans la polémique antidocète et se trouve aussi
en *Carn.* 5, 2-3 (sans qu'on puisse parler de texte parallèle à celui-ci :
cf. MAHÉ, «Traité perdu», p. 10-11). Cependant, Marcion admettait la
réalité de la passion et de la mort du Christ, c'est seulement au «corps
de chair» qu'il appliquait l'«apparence» : cf. HARNACK, *Marcion*, p. 286*
et A. ORBE, «La Pasíon según los Gnosticos», *Gregorianum* 56, 1975,

soire ; agent imaginaire, œuvres imaginaires[1] ! **5.** Ainsi ne seront pas plus dignes de foi les souffrances de son Christ. C'est ne rien souffrir que de ne pas souffrir véritablement. Or souffrir véritablement n'est pas possible à un fantôme[2]. Voilà donc renversée toute l'œuvre de Dieu ! La mort du Christ − tout ce qui fait le poids et le fruit du nom de chrétien − se voit niée, elle que l'Apôtre souligne avec tant d'insistance[3], comme vraie évidemment, puisqu'il en fait le fondement suprême de l'Évangile, de notre salut et de sa prédication[d 4] : «Je vous ai transmis en premier lieu, dit-il, que le Christ est mort pour nos péchés, qu'il a été enseveli et qu'il est ressuscité le troisième jour[e].» **6.** Si donc · on nie sa chair, comment affirme-t-on sa mort, quand celle-ci est une souffrance affectant en propre la chair qui, par la mort, retourne à la terre[5] dont elle a été tirée, selon la loi de son auteur[f]? Or si, par la négation de sa chair, on nie ainsi sa mort, on ne laissera pas debout non plus sa résurrection. Il n'est pas ressuscité pour la même raison qu'il n'est pas mort, n'ayant pas en effet la substance de la chair dont relève la résurrection comme la mort. Par conséquent, une fois infirmée la résurrection du Christ, la nôtre aussi est anéantie. Elle non plus ne tiendra pas, cette résurrection pour laquelle est venu le Christ, si celle du Christ ne tient pas. **7.** Car, de la même manière que les négateurs de la résurrection des morts sont réfutés par l'Apôtre

---

p. 16-18 (qui s'appuie sur *Carn* 5, 2 et *Marc* III, 11, 7 s., ainsi que sur Origène, *Hom. Éz.* 1, 4).

3. Sur *impresse* (= *acriter, grauiter*) qui apparaît avec Tert. (cinq autres occurrences) et reste très rare après lui, voir *TLL* VII, 1, c. 684, l. 10 s. Sur le sens de *demandare*, voir *supra*, p. 71, n. 6.

4. Dans toute cette fin, Tert. oriente le raisonnement de *I Cor.* 15, 3-19 (dirigé contre les négateurs de la résurrection des morts) de façon à confondre les négateurs de l'incarnation.

5. Voir Notes critiques, p. 232.

ab apostolo ex resurrectione Christi[g], ita resurrectione
55 Christi non consistente aufertur et mortuorum resurrectio.
Atque ita inanis est et fides nostra, inanis est praedicatio
apostolorum[d]. Inueniuntur autem etiam falsi testes Dei,
quod testimonium dixerint quasi resuscitauerit Christum,
quem non resuscitauit[h]. Et sumus adhuc in delictis. Et
60 qui in Christo dormierunt, perierunt[i]; sane resurrecturi,
sed phantasmate forsitan, sicut et Christus.

IX. 1. In ista quaestione qui putaueris opponendos
esse nobis angelos Creatoris, quasi et illi in phantasmate,
putatiuae utique carnis, egerint apud Abraham et Loth,
et tamen uere sint et congressi et pasti et operati quod
5 mandatum eis fuerat[a], primo non admitteris ad eius dei
exempla quem destruis. Nam et quanto meliorem et per-
fectiorem deum inducis, tanto non competunt illi eius
exempla quo nisi diuersus in totum non erit omnino
melior atque perfectior. **2.** Dehinc scito nec illud concedi
10 tibi, ut putatiua fuerit in angelis caro, sed uerae et solidae
substantiae humanae. Si enim difficile non fuit illi putatiuae carnis ueros et sensus et actus exhibere, multo
facilius habuit ueris et sensibus et actibus ueram dedisse

---

55 aufertur : auferetur *X* ‖ 56 *alterum* inanis est θ *Mor.Ev.* : inanis
et *Iun.Kr.* inanis est et *Pam.*
IX, 12 carnis θ *Mor.Ev.* : -ni *Kellner Kr.*

---

g. Cf. I Cor. 15, 12 ‖ h. Cf. I Cor. 15, 15 ‖ i. Cf. I Cor. 15, 17-18
IX. a. Cf. Gen. 18, 1-8; 19, 1-22

---

1. Sarcasme final, qui étend le docétisme aux réalités eschatologiques.
En fait, Marcion comprenait la résurrection comme réalisée dès ici-bas
par la gnose.
2. Sur ces anges et sur l'objection marcionite, voir la note complémentaire 35, p. 280.
3. Premier contre-argument, qui reprend et résume *Carn.* 6, 4, mais
en l'adaptant à la polémique contre un dieu *melior et perfectior* introduit
au-dessus du Créateur (cf. I, 14, 2; 22, 9; II, 2, 3, etc.) et en exploitant

au moyen de la résurrection du Christ[g], pareillement, sans l'assise de la résurrection du Christ, la résurrection des morts est emportée. Et ainsi vide est notre foi, vide est la prédication des apôtres[d]. Ceux-ci se trouvent être même de faux témoins de Dieu puisqu'ils ont porté témoignage qu'il avait ressuscité le Christ, alors qu'il ne l'a pas ressuscité[h]! Et nous sommes encore dans nos péchés; et ceux qui se sont endormis dans le Christ ont péri[i] : sans doute doivent-ils ressusciter, mais à l'état peut-être de fantômes, comme le Christ[1]!

Analogie non recevable avec les anges de Gen. 18-19 **IX. 1.** En ce débat peut-être crois-tu devoir nous opposer les anges du Créateur[2] : eux aussi, dis-tu, sous le fantôme d'une chair évidemment illusoire, ont agi devant Abraham et Loth, et ce n'est pas moins véritablement qu'ils les ont rencontrés, qu'ils se sont nourris et qu'ils ont opéré la tâche à eux confiée[a]. En premier lieu, tu ne seras pas admis à prendre des exemples chez un dieu que tu détruis. Car, dans la mesure où est meilleur et plus parfait le dieu que tu introduis, dans la même mesure ne lui conviennent pas les exemples d'un dieu auquel il ne sera absolument supérieur en bonté et perfection qu'en lui étant opposé du tout au tout[3]. **2.** En second lieu, sache qu'on ne te concède pas non plus que la chair de ces anges ait été illusoire : elle était faite d'une substance humaine véritable et consistante[4]. Car, s'il n'aurait pas été difficile au Créateur de présenter dans une chair illusoire des sentiments et actions véritables, il lui a été beaucoup plus facile de donner à des sentiments et actions véritables la

l'idée adverse d'«antithèse» (= opposition absolue).

4. Cf. *Carn*. 6, 9, où il est dit que ces anges, sans porter une chair qui leur fût propre, se sont transfigurés momentanément en une chair humaine.

substantiam carnis, uel qua proprius auctor et artifex eius.
15 **3.** Tuus autem deus, eo quod carnem nullam omnino
produxerit, merito fortasse phantasma eius intulerit cuius
non ualuerat ueritatem. Meus autem deus, qui illam de
limo sumptam in hac reformauit qualitate[b], nondum ex
semine coniugali et tamen carnem, aeque potuit ex qua-
20 cunque materia angelis quoque adstruxisse carnem, qui
etiam mundum ex nihilo in tot ac talia corpora, et quidem
uerbo aedificauit.   **4.** Et utique, si deus tuus ueram quandoque substantiam angelorum hominibus pollicetur *(erunt
enim,* inquit, *sicut angeli[c])* cur non et deus meus ueram
25 substantiam   hominum   angelis   accommodarit   unde
sumptam? Quia nec tu mihi respondebis unde illa apud
te angelica sumatur. Sufficit mihi hoc definire quod deo
congruit, ueritatem scilicet eius rei quam tribus testibus[d]

---

15 autem θ *Mor.Ev.* : quidem *Iun.*   enim *Kr.* ‖ 18 hac ... qualitate
θ *Mor.Ev.* : hanc ... -tatem *Kr.* ‖ 21 ac : et *R* ‖ 24 angeli : angeli dei
X ‖ 25 unde θ *Mor.* : undeunde *Vrs.Kr.Ev.* * ‖ 26 sumptam? Quia
Kr.Ev. : sumptam, quia *Mor.* ‖ 27 sumatur. Sufficit *Kr.Mor.* : sumatur,
sufficit *Ev.*

---

b. Cf. Gen. 2, 7 ‖ c. Lc 20, 36 ‖ d. Cf. Deut. 19, 15; Matth. 18, 16;
II Cor. 13, 1

---

1. Jusqu'au § 5 a, ce sont des considérations sur le Créateur, sa puissance et sa véracité, qui nourrissent l'argumentation en faveur de la
thèse d'un corps humain véritable porté par ces anges.

2. Raisonnement *a minore ad maius*. Sur la création du monde *ex
nihilo*, cf. *Herm.* 2, 15; 21; 22. Sur l'antithèse entre la masse du monde
et la parole créatrice (le *fiat*), cf. *Ap.* 21, 10 *(uerbo ... molitum); Marc.*
II, 4, 4 *(imperiale uerbum);* IV, 9, 8 *(uerbo tantum mundi molem semel
protulit)*.

3. Parole de Jésus en *Lc* 20, 36, que Marcion conservait (cf. Harnack,
Marcion, p. 229*, d'après *Marc.* IV, 38, 5; 39, 11). Elle est plusieurs
fois citée par Tert. avec des variantes formelles. Se fondant sur ce

substance véritable de la chair, ne serait-ce qu'en sa qualité d'auteur et artisan propre de cette chair[1]. **3.** Ton dieu, lui, par le fait qu'il n'a produit absolument aucune chair, a pu peut-être avoir des raisons de présenter une chair fantômatique, n'ayant pas été capable de la présenter véritable. Mais pour ce qui est de mon dieu, lui qui l'a tirée du limon et l'a façonnée en cette nature de chair[b], non encore issue de la semence conjugale et chair cependant, il a bien pu aussi former une chair à partir d'une matière quelconque pour en doter également les anges, lui qui construisit même l'univers à partir de rien en tant de corps et en de tels corps, et cela d'un mot[2]! **4.** Et assurément, si ton dieu promet aux hommes de leur accorder un jour la substance véritable des anges – «car ils seront, dit-il, pareils aux anges[c 3]» –, pourquoi mon dieu n'aurait-il pas pu prêter à des anges la substance véritable des hommes, d'où qu'il la tirât[4]? Car toi non plus, tu ne sauras me répondre d'où ton dieu, che. toi, tire cette substance angélique[5]! Moi, il me suffit[6] de poser ce principe, qui est en accord avec mon dieu[7]: est véritable une réalité qu'il a soumise à trois témoins[d],

---

passage, A. ORBE, «Marcionitica», p. 214, pense que Marcion admettait l'existence, dans les cieux invisibles, d'anges du dieu bon ou Père.

4. Voir Notes critiques, p. 233.

5. Cf. I, 11, 4 (le dieu supérieur n'est l'auteur d'aucune création visible).

6. De *Quia* à *auditui*, les éditions anciennes, suivies par Evans, présentent l'énoncé d'une seule phrase. La ponctuation après *sumatur,* introduite par Kroymann, et que nous adoptons après Moreschini, sans rien changer au sens, a l'avantage de créer un tour plus nerveux et surtout de se conformer davantage à l'*usus auctoris*: Tert. met volontiers *sufficit* en tête de phrase.

7. Retour du motif du θεοπρεπές (cf. t. 1, p. 46). Laissant de côté le problème de l'origine du corps humain dans ces anges, Tert. se borne à établir la vérité de ce corps: il en demande la preuve à l'A. T.

sensibus obiecit, uisui, tactui, auditui. **5.** Difficilius Deo
30 mentiri quam carnis ueritatem unde producere, licet non
natae.

Ceterum et aliis haereticis, definientibus carnem illam
in angelis ex carne nasci debuisse si uere fuisset humana,
certa ratione respondemus, qua et humana uere fuerit et
35 innata : humana uere propter Dei ueritatem a mendacio
et fallacia extranei, et quia non possent humanitus tractari
ab hominibus nisi in substantia humana ; innata autem,
quia solus Christus in carnem ex carne nasci habebat, ut
natiuitatem nostram natiuitate sua reformaret, atque ita
40 etiam mortem nostram morte sua dissolueret resurgendo
in carne in qua natus est ut et mori posset. **6.** Ideoque
et ipse cum angelis tunc apud Abraham[e] in ueritate
quidem carnis apparuit, sed nondum natae quia nondum
moriturae, sed ediscentis iam inter homines conuersari.
45 Quo magis angeli, neque ad moriendum pro nobis dis-

---

30 unde θ *Mor.* : undeunde *Lat.Kr.Ev.* * ‖ 34 uere : uera *X* ‖ 44
ediscentis *Kr.* : et discentis *M*γ *R₁R₂ Mor.Ev.* discentis *R₃* et discens
coni. Ev. *

---

e. Cf. Gen. 18, 1-8

---

1. Le principe, posé en *Deut.* 19, 15, de la nécessité de deux ou
trois témoins a été repris, avec des variantes, par le N. T. (cf. *Matth.*
18, 16 ; *Jn* 8, 17 ; *II Cor.* 13, 1) ; il est cité par Tert. sous la forme *in
tribus testibus stabit omne uerbum (dei)* en *Praes.* 22, 6 et *Bapt.* 6, 2
(cf. aussi *Marc.* IV, 22, 7 et V, 12, 9). Mais il arrive à l'auteur, pour
les besoins de son argumentation, de parler seulement de *deux* témoins
(*Marc.* IV, 43, 2 ; *Prax.* 22, 3). Ici, par une personnification conforme
aux habitudes rhétoriques, les trois témoins sont les trois sens qui ont
vérifié la réalité corporelle de ces anges, vus, touchés et entendus
d'après le récit biblique.
2. Cet argument rejoint la critique du ch. 8 sur l'apparence de chair
qui est forcément mensonge (8, 3-4). Sur le «dieu vrai» de la Bible,
qui ne peut mentir, voir *Deus Christ.*, p. 74-76.

les sens de la vue, du toucher, de l'ouïe[1]. **5.** Il est plus difficile à Dieu de mentir[2] que de produire une chair véritable d'où que ce soit, et même en dehors de la naissance.

Du reste, il y a d'autres hérétiques[3] aussi qui posent en principe que cette chair des anges aurait dû naître de la chair si elle avait été véritablement humaine. Nous leur répondons en faisant valoir une raison certaine pour laquelle cette chair était véritablement humaine tout en échappant à la naissance : elle était véritablemnent humaine du fait de la vérité de Dieu, étranger au mensonge et à la tromperie, et parce que des anges n'auraient pas pu être traités sur le mode humain par des hommes sans avoir la substance humaine[4] ; et d'autre part, elle échappait à la naissance parce que seul le Christ devait se faire chair en naissant de la chair, afin de réformer notre naissance par sa naissance et ainsi détruire également notre mort par sa mort, en ressuscitant dans la chair où il était né, pour pouvoir aussi y mourir[5]. **6.** Et c'est pourquoi lui aussi, alors, il apparut avec les anges devant Abraham[e], dans une chair bien véritable, mais qui n'était pas encore née, car elle ne devait pas encore mourir, mais faisait déjà l'apprentissage du commerce des hommes[6]. Raison de plus pour admettre que des anges, dont la mission n'est pas non plus de mourir

---

3. Il s'agit des apelléïaques : voir la note complémentaire 35, p. 280.
4. Double argument : vérité de Dieu (cf. § 5 a) et nécessité d'un corps humain pour que ces anges aient pu être vus et rencontrés par des hommes (cf. *Carn.* 6, 9).
5. Reprise de l'argumentation de *Carn.* 6, 5-7 (voir MAHÉ, *Éd. Carn.*, p. 90-92) : elle se fonde sur la différence entre la mission des anges et celle du Christ incarné.
6. Reprise très condensée de *Carn.* 6, 7-8. Pour *ediscentis*, voir Notes critiques, p. 233.

positi, breuem carnis commeatum non debuerunt nascendo sumpsisse, quia nec moriendo deposituri eam fuerant. **7.** Sed unde sumptam et quoquo modo [mentiti] omnino dimissam, mentiti eam tamen non sunt. Si Creator
50 facit angelos spiritus et apparitores suos ignem flagrantem[f], tam uere spiritus quam et ignem, idem illos uere fecit et carnem, ut nunc recordemur et haereticis renuntiemus eius esse promissum homines in angelos reformandi quandoque[c] qui angelos in homines formarit aliquando.

X. 1. Igitur non admissus ad consortium exemplorum Creatoris, ut alienorum, et suas habentium causas, uelim edas et ipse consilium dei tui, quo Christum suum non in ueritate carnis exhibuit. Si aspernatus est illam ut ter-
5 renam et, ut dicitis, stercoribus infersam, cur non et simulacrum eius proinde despexit? Nullius enim dedignandae

---

46 breuem *R edd.* : breue *M*γ ‖ 48 fuerant. Sed *M Rig.Kr.* : fuerant, sed β *Mor.Ev.* ‖ unde θ *Mor.* : undeunde *Pam.Kr.Ev.* * ‖ sumptam β *Mor.Ev.* : sumta *M*   sumpta   *Kr.* (*qui* demissa *pro* dimissam *postea pos.*) ‖ mentiti *secl. R₃*

X, 1 admissus *R₃ Kr.Mor.Ev.* : admissum *M*γ *R₁R₂* ‖ 3 tui *R₃ edd.* : uti *M*γ *R₁R₂*

---

f. Cf. Ps. 103 (104), 4

---

1. Cf. *Carn.* 6, 5.
2. Retour à l'idée maîtresse qui a présidé à l'adaptation du développement repris de *Carn.* 6 : Tert. veut établir la *vérité* de cette chair humaine des anges, contre la thèse marcionite d'une simple apparence (*caro putatiua*).
3. Cf. II, 8, 2 et t. 2, p. 62, n. 2. Ici la citation de *Ps.* 103, 4 est conforme à la LXX. D'autre part le contexte oblige à comprendre *spiritus* et *ignem* comme des attributs (de la même manière que *carnem*). Accent mis sur la puissance transformatrice de Dieu. A comparer avec *Carn.* 6, 9-11, où rien n'est attribué à Dieu dans cette transfiguration des anges qu'ils doivent seulement à leur *potestas angelica*. Sur la corporéité des anges, voir M. SPANNEUT, *Le stoïcisme des Pères,* Paris 1957, p. 393-394.

pour nous, n'ont pas eu besoin de tirer de la naissance une chair qui leur était donnée pour un bref délai : c'est qu'ils n'étaient pas non plus destinés à la déposer en mourant[1]. **7.** Mais, d'où qu'ils aient tiré cette chair, et de quelque manière qu'ils s'en soient totalement dépouillés, en tout cas, ils ne l'ont pas portée mensongèrement[2]. Si le Créateur fait ses anges souffles et ses serviteurs feu flambant[f] – aussi véritablement souffles que feu –, ce même Créateur les a faits aussi véritablement chair[3], pour qu'à l'heure présente nous puissions nous rappeler et remontrer aux hérétiques que la promesse de transformer un jour les hommes en anges[c] émane bien de celui qui a transformé une fois des anges en hommes[4].

Rien n'est déshonorant que le mensonge   **X. 1.** Donc, puisque tu n'es pas admis à associer à ton dieu les exemples du Créateur parce qu'ils lui sont étrangers et ont leurs raisons propres, je voudrais que tu nous dises toi-même quel a été son dessein en ne présentant pas son Christ dans une chair véritable[5]. S'il l'a méprisée parce que terrestre et, selon votre expression, bourrée d'ordures[6], pourquoi n'en a-t-il pas aussi, pareillement, dédaigné le simulacre? Il n'y a rien

---

4. Habile reprise du texte scripturaire cité au § 8 : ainsi apparaît manifeste la cohérence – refusée par Marcion – entre A. T. et N. T. En *Res.* 62, 1-2, l'explication de *Lc* 20, 36 au moyen de *Gen.* 18, 1-8 sera développée et précisée.

5. Transition qui renoue avec l'argument prescriptif de 9, 1 et pose le nouveau débat : pourquoi Marcion a-t-il refusé l'incarnation véritable de son dieu? D'où, dans la suite, une série de *cur* qui donne de la vivacité au développement.

6. Telle est effectivement la raison de Marcion. Cf. *Res.* 4,2 (le *conuicium carnis* des hérétiques); également *Carn.* 4, 1 (où sont évoquées, selon l'hérésiarque, les *spurcitiae genitalium*). La 2e personne du pluriel vise les marcionites (cf. I, 13, 1, pour le dénigrement de la création).

rei imago dignanda est. Sequitur statum similitudo.
2. Sed quomodo inter homines conuersaretur, nisi per
imaginem substantiae humanae? Cur ergo non potius per
10 ueritatem, ut uere conuersaretur, si necesse habebat
conuersari? Quanto dignius necessitas fidem quam
stropham administrasset? **3.** Satis miserum deum instituis,
hoc ipso quod Christum suum non potuit exhibere nisi
in indignae rei effigie, et quidem alienae. Aliquantis enim
15 indignis conueniet uti, si nostris, sicut alienis non congruet
uti, licet dignis. Cur enim non in aliqua alia digniore substantia uenit, et inprimis sua, ne et indigna et aliena uideretur eguisse? **4.** Si Creator meus per rubum quoque et
ignem[a], idem postea per nubem et globum[b] cum homine

14 Aliquantis β *Mor.Ev.* : Aliquantus *M*   Aliquatenus *Kr.* ‖ 16 in :
om. *X* ‖ 19 idem *R₃ Kr.Mor.Ev.* : id est *MF R₁R₂*   id *X*

X. a. Cf. Ex. 3, 2 ‖ b. Cf. Ex. 13, 21-22

1. Argument de bon sens («ce qui vaut pour une chose vaut pour
son image»), présenté sous la forme d'une *sententia* redoublée (antithèses, allitérations). Sur le sens de *status* (= ce qui est, être, réalité),
voir *Deus Christ.*, p. 199 s.
2. Poursuite de la discussion par le procédé du dialogue avec l'interlocuteur (ici Marcion).
3. Reprise de la dialectique, amorcée en 9, 5 a et 9, 7, de l'opposition entre le Dieu vrai et le mensonge. Elle s'associe au motif du
θεοπρεπές (cf. t. 1, p. 46). Le mot *stropha,* emprunté au grec (début du
Iᵉʳ siècle p. C.), signifie «ruse», «détour». Tert. en a 5 occurrences (en
Nat. I, 10, 44, il est en rapport avec les mimes sacrilèges des païens).
Le singulier, qui paraît avoir été assez rare, se rencontre ici et en
An. 28, 4.
4. Cf. I, 19, 5; 21, 5.
5. Reprise d'un argument souvent utilisé au livre I : l'homme œuvre
du Créateur, est un étranger pour le dieu suprême.
6. Cet emploi de *aliquanta* (pluriel neutre) au sens de *aliquot* est
unique chez Tert. (omis dans l'*Index* de CLAESSON *s. u. aliquantus*). Il
est un des premiers exemples de cette signification (cf. *TLL* I, c. 1605,
l. 35 s). La correction de Kroymann en *aliquatenus* n'est pas justifiée.

de déshonorant dont l'image doive être honorée : la ressemblance suit la réalité[1]. **2.** «Mais comment aurait-il eu commerce avec les hommes sans recourir à une image de la substance humaine[2]?» Pourquoi donc n'a-t-il pas plutôt recouru à la vérité de cette substance, pour avoir un commerce véritable avec eux, s'il tenait pour nécessaire un tel commerce? Combien eût-il été plus digne, dans cette nécessité, d'employer la loyauté que l'artifice[3]! **3.** Bien misérable est le dieu que tu nous établis là[4], et du seul fait de n'avoir pas pu présenter son Christ autrement que sous une figure faite d'une chose indigne, qui de plus lui est étrangère[5]! Car d'un certain nombre[6] d'objets indignes de nous, il conviendra d'user s'ils sont à nous, de la même manière qu'il ne sera pas convenable d'utiliser ceux qui appartiennent à d'autres, fussent-ils dignes de nous[7]. Pourquoi n'est-il pas venu dans quelque autre substance plus digne, et qui surtout lui aurait appartenu, de façon à ne pas paraître avoir besoin d'une substance indigne et étrangère à la fois? **4.** Si mon Créateur aussi est entré en rapport avec l'homme par le moyen du buisson enflammé[a8], puis encore de la nuée tourbillonnante[b9], s'il s'est, dans ces matérialisations

7. Appel à l'expérience commune. L'antithèse *indignis/dignis* lui confère l'allure d'une *sententia*.

8. A l'appui de l'argumentation sont utilisées deux théophanies bibliques mettant en jeu des éléments non humains (feu, air). Le buisson ardent n'est pas évoqué ailleurs chez Tert. Justin, *I Apol.* 63, 7-16, avait rapporté cette théophanie au Verbe en l'opposant à la venue du Logos incarné (également *Dial.* 59, 1; 60, 1-4; 127, 4).

9. L'hendiadyn *nubes et globus* se réfère à la «colonne de nuée» d'*Ex.* 13, 21-22; en IV, 8, 9, il sera parlé simplement du Verbe *in nube*. Unique chez Tert., l'emploi de *globus* s'explique sans doute par Sénèque, *Q.N.* 7, 4, 4 (*globus aeris ... quem turbinem dicimus*) : cf. *TLL* VI, 2, c. 2053, l. 41 s. (*de qualibet massa compacta*). L'auteur interprète le texte biblique d'après ses connaissances scientifiques, qui lui viennent surtout de Sénèque.

20 congressus est, et elementorum corporibus in repraesen-
tationibus sui usus est, satis haec exempla diuinae potestatis ostendunt Deum non eguisse aut falsae aut etiam
uerae carnis paraturae. Ceterum si ad certum spectamus,
nulla substantia digna est quam Deus induat. **5.** Quod-
25 cumque induerit, ipse dignum facit, absque mendacio
tamen. Et ideo quale est ut dedecus existimarit ueritatem
potius quam mendacium carnis? Atquin honorauit illam
fingendo. Quanta iam caro est cuius phantasma neces-
sarium fuit deo superiori?

    XI. 1. Totas istas praestigias putatiuae in Christo cor-
pulentiae Marcion illa intentione suscepit, ne ex testimonio substantiae humanae natiuitas quoque eius defen-
deretur, atque ita Christus Creatoris uindicaretur, ut qui
5 nascibilis ac per hoc carneus adnuntiaretur. Stultissime et
hic Ponticus; quasi non facilius crederetur caro in Deo
non nata quam falsa, praestruentibus uel maxime fidem
istam angelis Creatoris in carne uera conuersatis, nec

---

23 paraturae *M*γ *Kr.Mor.* : -tura *R Ev.* *

---

    1. Voir Notes critiques, p. 234;

    2. Cf. *supra* 9, 5 a. Voir *Deus Christ.*, p. 75.

    3. Rappel ironique de la supériorité, selon Marcion, de son dieu :
sublimior (II, 2, 3; 27, 2); *potior* (I, 6, 3; II, 29, 1); *maior* (I, 17, 1).

    4. Cf. *Carn.* 1, 2 (*Marcion, ut carnem Christi negaret, negauit etiam
natiuitatem); 7*, 1. Marcion faisait surgir le Christ dans la synagogue
de Capharnaüm et supprimait tout l'évangile de l'enfance. Le terme
praestigiae, qui évoque, en rapport avec *putatiua,* les tours de passe-
passe d'un illusionniste, reviendra dans la toute dernière phrase du
livre.

    5. Justification prêtée à Marcion : elle permet de lier l'un à l'autre
les deux aspects de la christologie hérétique retenus par Tert. dans sa
réfutation. Voir Introduction, p. 15. Sur *nascibilis,* transposition de
γεννητός, et sans doute création de Tert., voir *Deus Christ.*, p. 321-322.

de lui-même, servi de corps pris aux éléments, ces exemples de la puissance divine montrent assez que Dieu n'avait pas besoin de l'appareil[1] d'une chair, fausse ou même véritable. D'ailleurs, à regarder le fond des choses, aucune substance n'est digne que Dieu la revête. **5.** Quelque matière qu'il revête, il la rend digne de lui, à l'exclusion cependant de ce qui est mensonge[2]. Aussi, quelle absurdité d'admettre qu'il a estimé déshonorant de prendre la vérité plutôt que le mensonge de la chair! Il lui a d'ailleurs fait honneur en la simulant. Quelle grande chose que la chair dès lors que son fantôme a été nécessaire à un «dieu supérieur»[3]!

B) Sa négation de la naissance

Étant de chair le Christ a eu une naissance

XI. 1. Toutes ces jongleries d'un corps illusoire prêté à son Christ, Marcion les a entreprises pour empêcher qu'une substance humaine en celui-ci ne témoignât aussi en faveur de sa naissance[4], et qu'il ne fût ainsi revendiqué comme Christ du Créateur, lequel était prédit comme appelé à naître[5] et, par là, fait de chair. Voilà encore une grande stupidité de notre homme du Pont[6] : comme s'il n'était pas plus facile de croire, en Dieu, à une chair sans naissance qu'à une chair fausse[7], étant donné que, par-dessus tout peut-être, les anges du Créateur, en ayant commerce avec les hommes dans une chair véritable et pourtant sans naissance, avaient préparé

6. Sur ce cliché, voir t. 1, p. 60.
7. Résumé de l'argument du ch. 10 (exclusion du mensonge en Dieu).

tamen nata. **2.** Nam et Philumene illa magis persuasit
10 Apelli ceterisque desertoribus Marcionis ex fide quidem
Christum circumtulisse carnem, nullius tamen natiuitatis,
utpote de elementis eam mutuatum. Quodsi uerebatur
Marcion ne fides carnis natiuitatis quoque fidem induceret, sine dubio qui homo uidebatur, natus utique cre-
15 debatur. **3.** Nam et mulier quaedam exclamauerat :
Beatus uenter qui te portauit, et ubera quae hausisti[a]. Et
quomodo mater et fratres eius dicti sunt foris stare[b]?
(4) Et uidebimus de his capitulis suo in tempore.
4. Certe cum et ipse se filium hominis praedicaret[c], natum
20 scilicet profitebatur. Nunc ut haec omnia ad euangelii dis-
tulerim examinationem, tamen, quod supra statui, si omni
modo natus credi habebat qui homo uidebatur, uane
natiuitatis fidem consilio imaginariae carnis expugnandam

XI, 9 Philumene : Philomene γ ‖ 10 Apelli *R Ev.* (*cf. Carn. 1, 3
secundum A*) : Appelli *M*γ *Kr.Mor.* ‖ 12 mutuatum *R edd.* : -tam *M*γ ‖
18 in tempore *M*γ *Kr.Mor.* : tempore *R Ev.* ‖ 24 expugnandam *M*γ *R₁
Kr.Mor.* : expungendam *R₁* (*coni.*) *R₂R₃ Ev.* *

XI. a. Lc 11, 27 (cf. *Adu. Marc.* IV, 26, 13) ‖ b. Cf. Lc 8, 20;
Matth. 12, 47; Mc 3, 33 (cf. *Adu. Marc.* IV, 19, 6-13) ‖ c. Cf. Lc 5, 24
(cf. *Adu. Marc.* IV, 10, 6-16)

---

1. Cf. *supra* 9, 2-6. Il s'agit, bien sûr, d'un argument tactique, car
Tert. n'admet pas que le Christ de l'incarnation puisse être comparé à
ces anges.
2. Sur ce disciple dissident de Marcion, déjà évoqué dans la note
complémentaire 35, et sur son inspiratrice Philumène, voir *Praes.* 6, 5
(*SC* 46, p. 95, n. 4); 30, 6; *Carn.* 6, 1 et 24, 2 (*SC* 217, p. 343 s.);
An. 36, 3.
3. Doctrine exposée en *Carn.* 6 et 8. Sur la locution *ex fide* («en
toute loyauté», «véridiquement»), voir *TLL* VI, 1, c. 677, l. 24 s. (plusieurs exemples chez l'auteur).
4. Cf. *Carn.* 3, 1 («Si Dieu n'avait pas voulu naître ..., il ne se serait
pas non plus prêté à être vu homme. Qui en effet en le voyant homme
aurait pu nier qu'il fût né?»).
5. Pour *Lc* 11, 27 (ἐθήλασας), la Vulgate a *suxisti,* que J. de Pamèle

à croire une telle chose[1]. **2.** Aussi bien a-t-on vu la fameuse Philumène persuader plutôt à Apellès et aux autres déserteurs de Marcion[2] que le Christ avait promené une chair certes sans mensonge, quoique exempte de toute naissance, empruntée qu'elle était aux corps célestes[3]. Si Marcion redoutait qu'en croyant à la chair du Christ, on ne fût aussi amené à croire à sa naissance, il est hors de doute qu'à le voir homme, on croyait assurément qu'il avait eu une naissance[4]. **3.** Car une femme s'était écriée : «Heureux le sein qui t'a porté et les mamelles que tu as tétées[a][5]!» Et dans quel sens lui a-t-on dit que sa mère et ses frères étaient debout à la porte[b]? **(4)** Nous le verrons aussi en traitant de ces versets en leur temps[6]. **4.** Ce qui est sûr, c'est qu'en se proclamant lui-même Fils de l'homme[c], il professait évidemment avoir eu une naissance[7]. Pour l'instant, afin de renvoyer toutes ces questions à l'examen de l'évangile, je m'en tiendrai cependant à ce que j'ai établi ci-dessus[8] : si, de toute manière, on devait croire à la naissance de celui qu'on voyait être un homme, il a été bien vain de sa part de penser que le recours à une chair imaginaire dût impérieusement détourner de la

propose de rétablir ici, après avoir relevé la variante *sumpsisti* dans un *Codex Vaticanus.* En *Marc.* IV, 26, 13, le même verset est rapporté indirectement et sous une forme édulcorée *(ubera quae illum educassent).* Le verbe *haurire* est très courant pour l'absorption des liquides (*TLL* VI, 3, c. 2 567, l. 46 ; c. 2 569, l. 22). Tert. semble y avoir vu un intensif de *bibere* (cf. *Pud.* 10, 12-13, où il y a progression de l'un à l'autre, en emploi métaphorique).

6. Cf. *Marc.* IV, 19, 6-13 et 26, 13 ; également *Carn.* 7 dont la dernière phrase raccorde l'exégèse de *Lc* 11, 27-28 à celle de *Lc* 8, 20-21.

7. Démonstration qui sera faite en *Marc.* IV, 10, 6-16. Sur le sens de l'expression «Fils de l'homme», voir *Deus Christ.,* p. 309 et 708.

8. Retour au principe de bon sens énoncé à la fin du § 2.

putauit.   **5.** Quid enim profuit non uere fuisse quod pro
25 uero haberetur, tam carnem quam natiuitatem? Aut si
dixeris : Viderit opinio humana, iam deum tuum honoras
fallaciae titulo, si aliud se sciebat esse quam quod homines
fecerat opinari. Iam tunc potuisti etiam natiuitatem puta-
tiuam illi accommodasse, ne in hanc quoque impegisses
30 quaestionem.   **6.** Nam et mulierculae nonnunquam prae-
gnantes sibi uidentur aut sanguinis tributo aut aliqua uale-
tudine inflatae. Et utique debuerat phantasmatis scaenam
decucurrisse, ne originem carnis non desaltasset, qui personam substantiae ipsius egisset. Plane natiuitatis men-
35 dacium recusasti : ipsam enim carnem ueram edidisti. Tur-
pissimum scilicet Dei etiam uera natiuitas.   **7.** Age iam,
perora in illa sanctissima et reuerenda opera naturae;

---

26 honoras θ *edd.* : *fortasse* oneras *legendum* (*cf. supra II, 24, 2*) * ‖
33 carnis : carnem γ R_1R_2 ‖ desaltasset R_3 *edd.* : deal- M γ R_1R_2

---

1. Voir Notes critiques, p. 234. Pour le thème polémique marqué par
uane, cf. *supra* 4, 3 et p. 68, n. 2.

2. Reprise condensée de *Carn.* 3, 2 (*SC* 216, p. 217) : «Cependant
me dis-tu, sa conviction intime *(conscientia)* lui suffisait. Tant pis pour
les hommes *(Viderint homines)* qui le croyaient né parce qu'ils le
voyaient homme.» Jusqu'à la fin du § 7, Marcion est directement interpellé.

3. Voir Notes critiques, p. 235.

4. Nouvel argument: Marcion aurait pu prêter à son Christ une naissance de pure apparence, comme il a fait pour la chair. Idée déjà
énoncée en *Carn.* 1, 4.

5. Expression voisine de *Virg.* 11, 4 (*menses tributa dependunt,* à
propos de *muliebria*). Le goût de Tert. pour les détails physiologiques
et médicaux est bien connu.

6. Plaisante comparaison pour ironiser sur le dieu marcionite, «simu-
lateur» de la chair, qui aurait dû l'être aussi de la naissance. Le verbe
desultare, très rare (Suétone, Ps.-Cyprien), est défini par le *TLL : sal-
tando peragere;* il s'applique à l'exécution d'un mime ou d'une scène
de comédie par un histrion. La pièce visée ici est peut-être celle que
Luscius Lanuuinus, ennemi de Térence, avait écrite d'après le *Phasma*

croire née[1]. **5.** Qu'a gagné à n'être pas véritable ce qui passait pour l'être, aussi bien chair que naissance? Ou alors, si tu dis : «Tant pis pour l'opinion des hommes[2]», eh bien, tu honores ton dieu du grief de fourberie[3], s'il est vrai qu'il se savait différent de l'opinion qu'il avait donnée de lui aux hommes. Et puis, tu aurais même pu lui prêter une naissance illusoire pour t'éviter aussi d'être aux prises avec la présente question[4]. **6.** Car il arrive quelquefois que des jeunes femmes se croient enceintes à cause de leurs règles[5] ou d'une enflure provoquée par quelque maladie. Et assurément ton dieu aurait dû jouer de bout en bout la comédie du «Fantôme», sans s'interdire de mimer l'origine de la chair, lui qui avait pris le personnage de cette même substance[6]! Mais pour sûr, tu as refusé le mensonge de la naissance : c'est que la chair elle-même, tu l'as présentée véritable[7]! Évidemment, c'est la pire des turpitudes même qu'une véritable naissance pour Dieu[8]. **7.** Allons, pérore[9] contre ces très saintes et vénérables opérations de la nature,

de Ménandre (cf. TÉRENCE, *Eun.*, Prol. 9, et H. BARDON, *Littérature latine inconnue*, t. 1, Paris 1952, p. 47). Deux autres pièces grecques (l'une de Théognètos, l'autre de Philémon) ont porté le même titre; Plaute s'était inspiré de la seconde dans sa *Mostellaria*.

7. Tert. feint d'abord, ironiquement, d'accueillir la réponse de Marcion (celui-ci aurait écarté le *mensonge* d'une naissance illusoire). Mais c'est pour lui rappeler, immédiatement, et avec tout autant d'ironie, qu'il n'avait pas eu le même scrupule pour la chair de son Christ. Nous nous écartons totalement de J.P. MAHÉ (*Éd. Carn.*, p. 21 et «Traité perdu», p. 9-10) pour qui Tert. ici viserait non Marcion, mais Apellès, partisan d'une «chair véritable» du Christ. Avec une telle interprétation, la suite des idées serait difficilement intelligible dans un passage où l'auteur interpelle Marcion.

8. Argument suprême contre la naissance : elle est indigne de Dieu; cf. *Carn.* 4, 1 (*corporationem superest ut quasi indignam reicias et accuses*).

9. Même mouvement en *Carn.* 4, 1 : *perora, age, ... describe ... inuehere*. Voir *SC* 217, p. 333-334, qui souligne combien le développement de *Marc.* III est plus condensé.

inuehere in totum quod es; carnis atque animae originem
destrue; cloacam uoca uterum tanti animalis, id est
40 hominis, producendi officinam; persequere et partus
immunda et pudenda tormenta, et ipsius exinde puerperii
spurcos, anxios, ludicros exitus. Tamen cum omnia ista
destruxeris, ut Deo indigna confirmes, non erit indignior
morte natiuitas et cruce infantia et natura poena et caro
45 damnatione. **8.** Si uere ista passus est Christus, minus
fuit nasci. Si mendacio passus est, ut phantasma, potuit
et mendacio nasci.

Summa ista Marcionis argumenta, per quae alium efficit
Christum, satis, opinor, ostendimus non consistere omnino,
50 dum docemus magis utique competere Deo ueritatem
quam mendacium eius habitus in quo Christum suum
exhibuit. **9.** Si ueritas fuit[d], caro fuit; si caro fuit, natus
est. Ea enim quae expugnat haec haeresis confirmantur,
cum ea per quae expugnat destruuntur. Itaque, si carneus
55 habebitur quia natus, et natus quia carneus, quia phantasma non fuerit, ipse erit agnoscendus qui in carne et

---

38 inuehere *R edd.*: -herer *M*γ ‖ 39-40 id est hominis θ *Kr.Ev.*:
secl. Mor. * ‖ 43 indigna *M Pam.Kr.Mor.Ev.*: digna β ‖ 44-45 caro damnatione *Kr.Mor.Ev.*: carne damnatio θ ‖ 46 fuit: fuisset *R* ‖ 55-56 quia
phantasma : <et uerus> quia phantasma *coni. Ev.*

---

d. Cf. Jn 14, 6

---

1. Tenant du traducianisme, Tert. croit à l'apparition de l'âme *in
utero*.
2. Voir Notes critiques, p. 236.
3. Cette périphrase, qui évoque la venue au monde de l'*infans,*
s'éclaire par *Carn.* 4, 2-3 : *spurcos* fait allusion à l'état physique du
nouveau-né *(cum suis impedimentis ... ablutum ... in immunditiis coa-
gulatum); ludicros* vise les caresses dérisoires pour l'amuser *(quod
blanditiis deridetur, per ludibria nutritum;* cf. JÉRÔME, *Ep.* 22, 39); *anxios*
fait écho au thème des pleurs de l'enfant, pressentiments d'une vie de

invective tout ce que tu es, démolis l'origine de la chair et de l'âme[1], appelle égout le ventre maternel, atelier de production d'un si noble animal, l'homme[2]. Acharne-toi aussi sur les tourments impurs et honteux de l'accouchement et sur ce qui suit, le terme dégoutant, angoissant, dérisoire de la parturition elle-même[3]. Cependant, quand tu auras démoli tout cela, pour confirmer que c'est indigne de Dieu, la naissance ne sera pas plus indigne que la mort, l'enfance que la croix, la nature que le supplice, la chair que la condamnation[4] ! **8.** Si ton Christ a souffert tous ces maux véritablement, il était moins grave pour lui de naître. S'il ne les a soufferts que mensongèrement en sa qualité de fantôme, il aurait pu aussi bien naître mensongèrement.

Conclusion de la section   Que ces arguments suprêmes de Marcion, moyens pour lui de fabriquer un autre Christ, ne tiennent absolument pas debout, nous l'avons montré à suffisance, je pense, en enseignant qu'à Dieu convient plus la vérité[5] que le mensonge dans la forme extérieure sous laquelle il a présenté son Christ. **9.** S'il a été vérité[d], il a été chair ; s'il a été chair, il est né. Car les points de doctrine que combat cette hérésie, se trouvent confirmés dès lors que sont détruits les arguments par lesquels elle les combat. Ainsi donc, si l'on considère que le Christ est de chair parce qu'il est né, et qu'il est né parce qu'il est de chair[6], parce qu'il n'a pas été un fantôme, il faudra reconnaître en lui celui-là même dont la venue dans la chair et par la

---

larmes ; cf. *infra* 13, 2 et *An.* 19, 7-8. Voir notre étude «Tertullien et les poètes latins», p. 26-27 (= *Approches de Tertullien,* p. 102-103).

4. Reprise condensée de *Carn.* 5, 1 (*SC* 216, p. 226, l. 4-6).

5. Reprise, dans la conclusion récapitulative, de l'idée maîtresse : exclusion du mensonge de l'apparence par le Dieu de vérité.

6. Cf. *Carn.* 1, 2 *(nec natiuitas sine carne nec caro sine natiuitate).*

ex natiuitate uenturus adnuntiabatur a Creatoris prophetis,
utpote Christus Creatoris.

XII. 1. Prouoca nunc, ut soles, ad hanc Esaiae comparationem Christi, contendens illam in nullo conuenire.
Primo enim, inquis, Christus Esaiae Emmanuhel uocari
habebit[a], dehinc uirtutem sumere Damasci et spolia
5 Samariae aduersus regem Assyriorum[b]. Porro iste, qui
uenit, neque sub eiusmodi nomine est editus neque ulla
re bellica functus est. **2.** At ego te admonebo, uti cohaerentia quoque utriusque capituli recognoscas. Subiuncta
est enim et interpretatio Emmanuhelis : Nobiscum Deus[c],
10 uti non solum sonum nominis spectes, sed et sensum.
Sonus enim Hebraicus, quod est Emmanuhel, suae gentis

XII : *Iud*. 9, 1-3 (p. 20, l. 3-23).

XII, 3 Emmanuhel *M* (*constanter*) *Kr.Mor.* : -nuel β (*constanter*) *Ev.* ‖
5 aduersus : -sum *X R*

XII. a. Cf. Is. 7, 14 ‖ b. Cf. Is. 8, 4 ‖ c. Cf. Is. 8, 8 ou 10; Matth. 1,
23

---

1. Écho de *nascibilis* et *carneus* du § 1 et retour du thème des prophéties qui ont annoncé le Christ du Créateur.
2. Ce chapitre, qui inaugure le développement sur les prophéties
messianiques (voir Introduction, p. 16) remploie les § 1-3 de *Iud*. 9, avec
des suppressions, des adaptations et des ajouts. Ainsi est supprimée la
longue citation biblique (cf. *Iud*. 9, 1, l. 1-8) dont la teneur est rappelée dans la suite. L'interpellation de l'adversaire (*prouoca*) se substitue aux paroles prêtées aux juifs (*dicunt Iudaei*).
3. Cf. *Iud*. 9, 1, l. 8-11, dont la rédaction a été resserrée et condensée
comme l'a bien vu Tränkle, *Éd. Iud.*, p. LVII. Mais comment faut-il
comprendre *Esaiae comparationem Christi?* Moreschini et Evans voient
en *Esaïae* un génitif subjectif et en *Christi* un génitif objectif («a questo
paragone di Cristo, *istituito da* Esaia»; «to this *description* of Christ
which Isaiah makes»). Mais on ne peut dire qu'Isaïe fasse une comparaison du Christ, et *comparatio* n'a pas le sens de «description».
Nous préférons donc voir là un tour brachylogique : la comparaison
(que tu fais) du Christ d'Isaïe (avec le Christ qui est venu). Les deux

naissance était annoncée[1] par les prophètes du Créateur, puisqu'il était le Christ du Créateur.

3. CONTRE L'INTERPRÉTATION MARCIONITE DES PROPHÉTIES

A) Le Christ d'Isaïe

Emmanuel

XII. 1. Appelles-en maintenant[2], selon ton habitude, à cette comparaison avec le Christ d'Isaïe, dont tu prétends qu'elle ne cadre en aucun point[3]. Car d'abord, dis-tu, le Christ d'Isaïe devra s'appeler Emmanuel[a], ensuite il devra prendre la puissance de Damas et les dépouilles de la Samarie contre le roi d'Assyrie[b4]. Or, poursuis-tu, celui qui est venu, ni ne s'est présenté sous cette sorte de nom, ni n'a accompli aucun exploit guerrier. **2.** Mais moi, l'avertissement que je vais te donner, c'est de t'informer de tout le contexte[5] aussi de ces deux passages[6]. Au nom d'Emmanuel est jointe en effet sa traduction : «Dieu avec nous[c]», cela pour qu'on envisage non seulement l'aspect phonétique du nom, mais encore son aspect sémantique. Phonétiquement, Emmanuel est un mot hébreu et il appartient à son peuple; mais,

---

termes de la comparaison sont énoncés dans la suite immédiate. La disjonction d'*Esaiae* par rapport à *Christi* n'a rien de surprenant.

4. Sur ces textes bibliques, la source du chapitre et l'argumentation, voir la note complémentaire 36, p. 282.

5. Principe d'exégèse cher à Tert. Voir l'étude de J.H. Waszink citée dans la note complémentaire 32, p. 272.

6. A *huius capituli* de *Iud.* 9, 2 (référence à la citation textuelle de *Is.* 7, 13-15 + 8, 4) est substitué ici *utriusque capituli* (renvoyant aux deux énoncés, séparés, de *Is.* 7, 14 et 8, 4). *Capitulum,* dans les deux cas, a le même sens de «passage» (d'un texte écrit); cf. *TLL* III, c. 351, l. 33 s.

est; sensus autem eius, quod est Deus nobiscum, ex inter-
pretatione communis est. Quaere ergo an ista vox,
Nobiscum Deus, quod est Emmanuhel, exinde quod
15 Christus illuxit, agitetur in Christo. **3.** Et puto, non
negabis, utpote qui et ipse dicas, Deus nobiscum [dicitur],
id est Emmanuhel. Aut si tam uanus es, ut quia penes
te Nobiscum Deus dicitur, non Emmanuhel, idcirco nolis
uenisse illum cuius proprium sit uocari Emmanuhel, quasi
20 non hoc sit et Deus nobiscum, inuenies apud Hebraeos
Christianos, immo et Marcionitas, Emmanuhelem nominare,
cum uolunt dicere Nobiscum Deus; sicut et omnis gens,
quoquo sono dixerit [deus] Nobiscum Deus, Emmanuhelem pronuntiabit in sensu sonum expungens.
25 **4.** Quodsi Emmanuhel Nobiscum Deus est, Deus autem
nobiscum Christus est, qui etiam in nobis est (*quotquot
enim in Christum tincti estis, Christum induistis* [d]), tam
proprius est Christus in significatione nominis, quod est
Nobiscum Deus, quam in sono nominis, quod est Emma-
30 nuhel. Atque ita constat uenisse iam illum qui praedicabatur Emmanuhel, quia quod significat Emmanuhel uenit,
id est Nobiscum Deus.

---

14 exinde quod θ *Kr.Mor.* : exinde quo *Oehler Ev.* * || 16 dicitur
secl. Kr.Mor. * || 20 hoc sit et θ *Mor.Ev.* : e. h. s. *Kr.* || 23 deus
nobiscum deus θ : *prius* deus *secl. Pam.Mor.Ev.   alterum* deus *secl.
Kr.* || 24 pronuntiabit *Rig.Kr.Mor.* : -tiauit θ *Ev.* * || 28 proprius θ
Mor.Ev. : proprie *Kr.*

---

d. Gal. 3, 27

---

1. Voir Notes critiques, p. 236.
2. Allusion peut-être à quelque usage liturgique de la formule. Sur
le texte, voir Notes critiques, p. 237.
3. Tout ce développement (de *Aut si* à *quod est Emmanuhel*, au § 4)
a été ajouté à *Iud.* 9, 3. Retour du thème polémique de la *uanitas*
marcionite (cf. p. 114, n. 1).
4. Il s'agit sans doute, non de l'hébreu proprement dit, mais du syria-

sémantiquement, «Dieu avec nous» est un nom commun du fait de sa traduction. Cherche donc à voir si cette parole «Dieu avec nous», c'est-à-dire Emmanuel, n'est pas, du moment que[1] le Christ a fait briller sa lumière, brandie dans le Christ. **3.** Et je pense, tu ne le nieras pas puisque tu dis toi-même «Dieu avec nous», c'est-à-dire Emmanuel[2]. Ou alors, si tu es assez vain[3], parce que chez toi on dit «Dieu avec nous» et non Emmanuel, pour refuser d'admettre la venue de celui dont le propre serait, selon toi, de s'appeler Emmanuel, comme si ce nom n'était pas aussi «Dieu avec nous», eh bien tu trouveras, parmi les gens de langue hébraïque, des chrétiens, que dis-je même des marcionites[4], qui prononcent le nom d'Emmanuel quand ils veulent dire «Dieu avec nous» : de la même façon que n'importe quel peuple, quelque forme de vocable qu'il utilise pour dire «Dieu avec nous», prononcera[5] Emmanuel, donnant, dans le sens, son accomplissement au vocable. **4.** Si Emmanuel, c'est «Dieu avec nous», et si le Christ est «Dieu avec nous», puisqu'il l'est même en nous[6] – «autant que vous êtes à avoir été baptisés dans le Christ, vous avez revêtu le Christ[d 7]» –, le Christ est tout autant en propre dans la signification du nom, c'est-à-dire «Dieu avec nous», que dans sa phonétique, c'est-à-dire Emmanuel. Et il est ainsi établi qu'est déjà venu celui qui était prédit comme Emmanuel, puisque est venu ce que signifie Emmanuel, c'est-à-dire «Dieu avec nous».

---

que (cf. HARNACK, *Marcion*, p. 153 et n. 2). Sur l'extension du marcionisme à l'ensemble du monde habité, cf. *Marc.* V, 19, 2; JUSTIN, *I Apol.* 26, 5.

5. Voir Notes critiques, p. 237.

6. Même raisonnement a fortiori chez NOVATIEN, *Trin.* 63 (Éd. Loi, p. 94, l. 17-18), à propos de *Is.* 7, 14 (mais l'auteur supprime la citation de Paul et ajoute celle de *Matth.* 28, 20).

7. HARNACK, *Marcion*, p. 73*, admet que ce verset avait été conservé par Marcion.

XIII.   1. Aeque et sono nominum duceris, cum uirtutem Damasci et spolia Samariae et regem Assyriorum
sic accipis quasi bellatorem portendant Christum Creatoris,
non animaduertens quid scriptura praemittat : *quoniam*
5 *priusquam cognoscat uocare patrem et matrem, accipiet*
uirtutem Damasci et spolia Samariae aduersus regem Assy-
riorum [a]. **2.** Ante est enim inspicias aetatis demonstra-
tionem, an hominem iam Christum exhibere possit, nedum
imperatorem. Scilicet uagitu ad arma esset conuocaturus
10 infans, et signa belli non tuba sed crepitacillo daturus,
nec ex equo uel de curru uel de muro, sed de nutricis
aut gerulae suae collo siue dorso hostem destinaturus,
atque ita Damascum et Samariam pro mammillis subac-
turus! **3.** Aliud est si penes Ponticos barbaricae gentis
15 infantes in proelium erumpunt, credo ad solem uncti prius,
dehinc pannis armati et butyro stipendiati, qui ante norint
lanceare quam lancinare. Enimuero si nusquam hoc natura

XIII : *Iud.* 9, 4-16 (p. 20, l. 23 – p. 23, l. 4).

XIII, 4 praemittat *Pam.Kr.Mor.Ev.* : promittat θ ‖ 7 inspicias *R₃ edd.* :
-ciat *M γ R₁R₂* ‖ 9 uagitu : uagatu *X* ‖ 14 barbaricae *R Kr.Mor.* : barbariae *M γ Ev.* * ‖ 16 norint : norunt *F*

XIII. a. Is. 8, 4

---

1. Transition qui lie deux cas d'exégèse littéraliste : *sonus* ne s'oppose
pas à *sensus* comme précédemment ; ce mot désigne ici la « lettre »
(opposée à l'« esprit ») dans une exégèse qui s'attache au sens obvie,
au lieu du sens mystique et figuré. Sur l'ensemble du chapitre, ses
sources et son organisation, voir la note complémentaire 37, p. 284.
2. Cf. *supra* 12, 1.
3. La citation d'*Is.* 8, 4, qui suit, est destinée à souligner l'indication
priusquam ... matrem, essentielle pour une exégèse correcte selon Tert.
4. Dérision complaisante, et qui est propre à l'auteur, avec multipli-
cation des détails concrets et recherche rhétorique. *Crepitacillum* provient sans doute de Lucrèce (5, 229) ; voir notre étude « Tertullien et

«Puissance de Damas»
et «dépouilles
de la Samarie»

XIII. 1. Pareillement tu te laisses guider par la littéralité des noms[1] quand tu comprend la «puissance de Damas», les «dépouilles de la Samarie» et le «roi d'Assyrie» comme annonçant que le Christ du Créateur doit être un guerrier[2], sans faire attention à ce que l'Écriture indique juste avant[3]. «Car, avant de savoir appeler son père et sa mère, il recevra la puissance de Damas et les dépouilles de la Samarie contre le roi d'Assyrie[a].» **2.** Il te faut d'abord examiner l'indication d'âge, et voir s'il peut s'agir là d'un Christ déjà homme, bien loin qu'il s'agisse d'un généralissime! Selon toute apparence un bébé, c'est par son vagissement qu'il aurait dû appeler aux armes, et le signal de la guerre, ce n'est pas à la trompette, mais avec un hochet qu'il aurait dû le donner, et ce n'est pas du haut d'un cheval ou d'un char ou d'un rempart, mais perché sur le cou ou le dos de sa nourrice ou de sa bonne qu'il aurait dû viser l'ennemi, et ainsi aurait-il dû soumettre à lui Damas et la Samarie au lieu de mamelles[4]! **3.** A moins bien sûr que, chez les gens du Pont, d'une race barbare[5], on voie les bébés se précipiter au combat, d'abord oints, j'imagine, pour affronter le soleil[6], ensuite ayant leurs langes pour armure et du beurre pour solde, sachant lancer avant de savoir mastiquer[7]. Mais de fait, si nulle part la nature ne concède

les poètes latins», dans *AFLNice* 2, 1967, p. 26-27 (= *Approches de Tertullien*, p. 102-103). Le mot *gerula* (cf. *An.* 19, 8 et 46, 9) désigne la servante qui, à côté de la nourrice, est chargée d'élever l'enfant (cf. *TTL* VI, 2, c. 1 953, l. 34). Pour une comparaison avec *Iud.* 9, 5-6, voir TRÄNKLE, *Éd. Iud.*, p. LXIV (rédaction de *Marc.* III plus serrée).

5. Pour le motif polémique de Marcion «barbare», voir t. 1, p. 60. Pour le texte, voir Notes critiques, p. 237.

6. Cf. *Carn.* 4, 2 où sont évoquées les *unctiones* (huile? pommades?) qui marquent les premiers soins de toilette du bébé dans la maison (opposée au plein soleil des exercices militaires).

7. Voir la note complémentaire 38, p. 286.

concedit, ante militare quam uiuere, ante uirtutem Damasci
sumere quam patris et matris uocabulum nosse[a], sequitur
20 ut figurata pronuntiatio uideatur.

4. Sed et uirginem, inquis, parere natura non patitur,
et tamen creditur prophetae. Et merito. **(4)** Praestruxit
enim fidem incredibili rei, rationem edendo, quod in signo
esset futura. *Propterea*, inquit, *dabit uobis dominus*
25 *signum: Ecce uirgo concipiet in utero et pariet filium*[b].
Signum autem a Deo, nisi nouitas aliqua monstruosa, iam
signum non fuisset. **5.** Denique et Iudaei, si quando ad
nos deiciendos mentiri audent, quasi non uirginem sed
iuuenculam concepturam et parituram contineat, hinc
30 reuincuntur quod nihil signi uideri possit res cotidiana,
iuuenculae scilicet praegnatus et partus. In signum ergo
disposita uirgo mater merito crederetur, infans uero bellator non aeque. Non enim et hic signi ratio uersatur.
6. Sed signo natiuitatis nouae adscripto exinde post
35 signum alius ordo iam infantis edicitur, mel et butyrum

---

18 uiuere θ *Mor.Ev.* : uirum facere *Kr.* (*ex loco gemello*) uirere *Eng.*
* ‖ 21 inquis *scripsi* : inquit *codd. edd.* * ‖ 24 uobis *X R₂R₃ Kr.Mor.Ev.* :
nobis *MF R₁* ‖ 26-27 iam signum *Lat.* (*ex loco gemello*) *Kr.Mor.Ev.* :
tam dignum θ ‖ 29 contineat θ : scriptura contineat *Pam.Kr.Mor.Ev.* (*ex
loco gemello*) * ‖ 32 mater *M Kr.* : et mater β *Mor.Ev.* ‖ crederetur θ
Mor. : creditur *Pam.Ev.* credetur *Kr.* ‖ 34 natiuitatis θ *Mor.Ev.* : -tati
Kr. ‖ 35 alius *Pam.Ev.* : alibi θ *Kr.Mor.* *

---

b. Is. 7, 14

---

1. Voir Notes critiques, p. 238.
2. Sur la correction *inquis,* voir Notes critiques, p. 238.
3. Voir Notes critiques, p. 239.
4. On sait la place qu'a tenue, dans la controverse judéo-chrétienne,
le choix de παρθένος par lequel la LXX, en *Is.* 7, 14, a traduit le terme
hébreu désignant une «jeune femme» : cf. JUSTIN, *Dial.* 43, 8, qui

l'exercice des armes avant celui de la vie[1], ne concède de
s'emparer de la puissance de Damas avant de savoir
nommer son père et sa mère[a], il s'ensuit qu'on est en présence d'une expression figurée.

4. « Mais, dis-tu[2], une vierge non plus, la nature n'admet
pas qu'elle enfante, et cependant on ajoute foi au prophète. » – Et on a raison. (4) Car il nous a préparés à
ajouter foi à cette chose incroyable en nous en présentant
la raison : elle devait servir de signe. « C'est pourquoi,
dit-il, le Seigneur vous donnera un signe : voici qu'une
vierge concevra dans son sein et enfantera un fils[b]. » Or
un signe de Dieu, s'il n'avait pas été une nouveauté
extraordinaire, n'aurait plus été un signe. **5.** Ainsi, quand
il arrive à des juifs, pour abattre notre foi, d'oser prétendre mensongèrement qu'il est écrit[3], non pas qu'une
vierge, mais qu'une jeune femme concevra et enfantera[4],
ils sont réfutés par l'argument suivant : ne saurait passer
pour signe une chose qui arrive tous les jours comme
la grossesse et l'enfantement d'une jeune femme[5]. Donc,
que la maternité d'une vierge fût voulue pour servir de
signe, c'est chose qu'on aurait raison de croire ; mais il
n'en va pas de même pour un bébé guerrier. Car ici, on
ne trouve pas la raison d'être du signe. **6.** Une fois
énoncé par l'Écriture le signe de la naissance nouvelle,
tout de suite après le signe, voilà indiqué un autre ordre
de faits relatifs maintenant au bébé[6] : il mangera le miel

---

signale la traduction νεᾶνις invoquée par Tryphon (qui est aussi celle
d'Aquila et de Théodotion : cf. IRÉNÉE, *Haer.* 3, 21, 1).

5. Cf. JUSTIN, *Dial.* 84, 3 ; IRÉNÉE, *Haer.* 3, 21, 6.

6. Pour refuser le caractère surnaturel d'un *infans* guerrier, Tert.
invoque comme raison essentielle l'absence, dans le texte biblique, de
la mention de « signe » à ce sujet. Par le contexte, il s'attache à montrer
que, après l'énonciation du « signe » de la naissance miraculeuse, sont
présentés des faits ordinaires concernant l'*infans* lui-même, bien dis-
tingué de sa génération. Sur le texte, voir Notes critiques, p. 239.

manducaturi^c (nec hoc utique in signum est), malitiae non assentaturi^d (et hoc enim infantiae est), sed accepturi uirtutem Damasci et spolia Samariae aduersus regem Assyriorum^a.

40   Serua modum aetatis et quaere sensum praedicationis, immo redde euangelio ueritatis quae posterior detraxisti, et tam intellegitur prophetia quam renuntiatur expuncta. Maneant enim orientales illi magi in infantia Christum recentem auro et ture munerantes^e, et accepit infans uir-
45   tutem Damasci^a sine proelio et armis. **7.** Nam praeter quod omnibus notum est, orientis uirtutem, id est uim et uires, auro et odoribus pollere solitam, certe est Creatori uirtutem ceterarum quoque gentium aurum constituere, sicut per Zachariam : *Et Iudas praetendet apud Hierusalem*
50   *et congregabit omnem ualentiam populorum per circuitum, aurum et argentum*^f. **8.** De illo autem tunc auri munere etiam Dauid : *Et dabitur illi ex auro Arabiae*^g; et rursus : *Reges Arabum et Saba munera offerent illi*^h. Nam et magos

---

36-37 manducaturi – sed accepturi *duplicem parenthesin signaui* : *uulgo sic distinguitur* manducaturi. Nec hoc – est; malitiae non assentaturi; et hoc – est; sed accepturi * ‖ est malitiae non assentaturi *secl. Kr.* ‖ enim *secl. Mor.* ‖ infantiae *Vrs. Kr.Mor.Ev.* : infantia θ ‖ sed θ *Mor.Ev.* : sed et *Kr.* ‖ 41 posterior θ *Mor.Ev.* : -riori *Kr.* ‖ 43 enim *M*γ *Kr.Mor.* : autem *R Ev.* ‖ in infantia Christum θ *Mor.Ev.* : infantiam Christi *Kr.* ‖ 44 accepit θ *Kr.Mor.* : acceperit *Pam.Ev.* ‖ 47 Creatori θ *Mor.Ev.* : -oris *N Pam.Kr.* ‖ 50 congregabit *R₂R₃ edd.* : -auit *M*γ *R₁*

---

c. Cf. Is. 7, 15 ‖ d. Cf. Is. 7, 16 (LXX) ‖ e. Cf. Matth. 2, 11 ‖ f. Zach. 14, 14 ‖ g. Ps. 71 (72), 15 ‖ h. Ps. 71 (72), 10

---

1. La concision ici nuit à la clarté. Tert. fait allusion à l'expression ἀπειθεῖ πονηρίᾳ d'Is. 7, 16 (LXX) où il voit un autre trait de l'*infantia* ordinaire. On traduit d'habitude ainsi : « Car avant que le petit enfant connaisse le bien et le mal, il se détournera de la méchanceté pour choisir le bien. » Ce verset est rapporté à la divinité du Christ enfant

et le beurre[c] – chose qui évidemment ne sert plus de signe; il ne consentira pas au mal[d] – et cela aussi relève bien, en effet, de ce qu'il est bébé[1]; mais il recevra la puissance de Damas et les dépouilles de la Samarie contre le roi d'Assyrie[a].

Respecte la limitation de l'âge et cherche le sens de la prédiction; bien mieux, rends à l'évangile de vérité ce que toi qui es venu après lui, tu en as retranché[2], et alors la prophétie se comprend tout autant qu'on en publie l'accomplissement. En effet, que demeurent en place ces mages d'Orient comblant de leur or et de leur encens un Christ bébé nouvellement né[e], et voilà que le bébé a reçu la puissance de Damas[a] sans combat ni armes. **7.** Car, outre qu'il est connu de tous que, s'agissant de l'Orient, sa puissance – sa force ou ses forces – tire d'ordinaire sa valeur de l'or et des parfums, une chose est certaine : pour les autres peuples aussi, le Créateur établit sur l'or leur puissance, ainsi qu'il l'a dit par Zacharie : «Et Juda campera devant Jérusalem, et il rassemblera toute la puissance des peuples d'alentour, l'or et l'argent[f3].» **8.** A propos de cet or offert alors en présent, David également a dit : «Et on lui donnera de l'or d'Arabie[g]», et encore «les rois d'Arabie et de Saba lui offriront des présents[h4].» Car l'Orient eut généra-

par IRÉNÉE, *Haer.* 3, 21, 4, et par ORIGÈNE, *Princ.* 2, 6, 4. Le texte parallèle de *Iud.* 9,9 n'a que *est infantiae :* il y aurait lieu de restituer *malitiae non assentaturum*. Sur la ponctuation adoptée, voir Notes critiques, p. 240.

2. Sur la mutilation de l'évangile par Marcion (suppression des premiers chapitres de *Lc*), voir I, 1, 5; II, 15, 3, etc. Sur sa «postériorité», voir I, 1, 6, etc.

3. D'après la *Biblia Patristica* 1 et 2, Tert. est seul à citer ce texte. Il l'arrête, en fonction de sa démonstration, après *argentum*.

4. Psaume déjà cité comme messianique par JUSTIN, *Dial.* 34, 3 s. et 64, 6.

reges habuit fere oriens, et Damascus Arabiae retro depu-
55 tabatur, antequam transcripta esset in Syrophoenicen ex
distinctione Syriarum. Cuius tunc uirtutem Christus accepit[a],
accipiendo insignia eius, aurum scilicet et odores; spolia
autem Samariae[a] ipsos magos, qui cum illum cognouissent
et muneribus honorassent et genu posito adorassent quasi
60 deum et regem sub testimonio indicis et ducis stellae[i],
spolia sunt facti Samariae, id est idololatriae, credentes
uidelicet in Christum. **9.** Idololatriam enim Samariae
nomine notauit, ut ignominiosae ob idololatriam, qua des-
ciuerat tunc a Deo sub rege Hieroboam[j]. Nec hoc enim
65 nouum est Creatori, figurate uti translatione nominum ex
comparatione criminum. Nam et archontas Sodomorum
appellat archontas Iudaeorum, et populum ipsum populum
Gomorrae uocat[k]. Et idem alibi : *Pater,* inquit, *tuus Amor-*
raeus et mater tua Cethea[l], ob consimilem impietatem;
70 quos aliquando etiam suos filios dixerat : *Filios generaui*
et exaltaui[m]. **10.** Sic et Aegyptus nonnunquam totus
orbis intelligitur apud illum, superstitionis et maledictionis
elogio[n]. Sic et Babylon etiam apud Iohannem nostrum

---

55 esset : erat *R* ‖ 56 Syriarum : *grauius distinxi* *

---

i. Cf. Matth. 2, 9 ‖ j. Cf. III Rois 12, 28-31 ‖ k. Cf. Is. 1, 10 ‖ l. Éz. 16,
3 ‖ m. Is. 1, 2 ‖ n. Cf. Is 19, 1-4

---

1. Premier à donner cette indication, Tert. est à l'origine de la légende
des « rois mages ».
2. La division de la Syrie en Syrie Coelé et Syrie Phénicie eut lieu
sous Septime Sévère, entre 193 et 198 (cf. DION CASSIUS 53, 12). Le
texte de JUSTIN, *Dial.* 78, 10, qui comporte une indication similaire, a-
t-il été interpolé? On pense plutôt que « Syrophénicie » a été de bonne
heure une appellation populaire pour la Syrie. En tout cas, depuis
Trajan, Damas appartenait à la Syrie. Sur cette difficile question, voir
TRÄNKLE, *Éd. Iud.*, p. LX, n. 2. Pour notre ponctuation après *Syriarum,*
voir Notes critiques, p. 240.
3. Exemple pris sans doute à IRÉNÉE, *Haer.* 4, 41, 3.

lement des mages pour rois[1], et jadis Damas était regardé
comme terre d'Arabie avant d'être transféré à la Syrophénicie par suite de la distinction des deux Syries[2]. Cette
puissance de Damas, le Christ l'a donc reçue[a] alors en
en recevant les emblèmes que sont l'or et les parfums;
quant aux dépouilles de la Samarie[a], il les a reçues dans
les mages eux-mêmes : l'ayant reconnu, l'ayant honoré de
leurs présents et l'ayant, le genou à terre, adoré comme
dieu et roi d'après le témoignage de l'étoile annoncia-
trice et guide[i], ils sont bien devenus les dépouilles de
la Samarie, c'est-à-dire de l'idolâtrie, et ce évidemment
en croyant au Christ. **9.** Le Créateur en effet a stigmatisé
l'idolâtrie sous le nom de la Samarie : région ignomi-
nieuse à cause de l'idolâtrie qui l'avait écartée alors de
Dieu sous le roi Jéroboam[j]. Et ce n'est pas non plus une
nouveauté pour le Créateur d'user figurativement de noms
transposés d'après la ressemblance des crimes. Ainsi
appelle-t-il magistrats de Sodome les magistrats des juifs,
et son peuple lui-même, il le nomme peuple de
Gomorrhe[k 3]; c'est lui encore qui dit ailleurs : «Ton père
l'Amorréen et ta mère Céthéenne[l 4]», à cause d'une impiété
toute semblable chez ceux qu'un jour il avait même dits
ses fils : «J'ai engendré des fils et je les ai glorifiés[m 5].»
10. De même encore, chez lui, l'Égypte s'entend parfois
du monde entier, pour faire grief de superstition et de
malédiction[n 6]. De même encore, chez notre apôtre
Jean[7], Babylone est la figure de Rome, ville pareillement

---

4. Exemple pris à Justin, *Dial.* 77, 4. Les bibles modernes traduisent
par «Amorite» et «Hittite» ces noms de peuples étrangers à Israël.

5. Ce verset, qui illustre la filiation divine d'Israël, est souvent cité
par Tert. : *Iud.* 3, 5; *Marc.* III, 24, 11; V, 9, 8.

6. L'Égypte est généralement entendue comme terre d'idolâtrie dans
l'A. T.; voir *Spec.* 3, 8 (associée à l'Éthiopie).

7. Il faut prendre «notre» dans un sens exclusif, le marcionisme
n'admettant qu'un seul apôtre, Paul; voir *infra* 14, 4.

Romanae urbis figura est, proinde magnae et regno
75 superbae et sanctorum Dei debellatricis°. Hoc itaque usu
magos quoque Samaritarum appellatione titulauit, despo-
liatos quod habuerant cum Samaritis, ut diximus, idololatriam. Aduersus regem autem Assyriorum[a] aduersus
Herodem intellige, cui utique aduersati sunt magi tunc
80 non renuntiando de Christo, quem intercipere quaerebat[p].

XIV. 1. Adiuuabitur haec nostra interpretatio, dum et
alibi bellatorem existimans Christum ob armorum quo-
rundam uocabula et eiusmodi uerba, ex reliquorum
quoque sensuum comparatione conuinceris. *Accingere,*
5 inquit David, *ense super femur*[a]. Sed quid supra legis de
Christo? *Tempestiuus decore praeter filios hominum, effusa
est gratia in labiis tuis*[b]. **2.** Rideo si, quem ad bellum
ense cingebat, ei de tempestiuitate decoris et labiorum
gratia blandiebatur. Sic item subiungens : *Et extende et*

XIV, 1-3 (l. 18) : *Iud.* 9, 16-18 (p. 23, l. 5-16).

---

76 titulauit : titulat *X*
XIV, 5 ense θ *Mor.Ev.* : ensem *Pam.Kr.* * ‖ quid supra : *inu. X*

---

o. Cf. Apoc. 14, 8; 17, 5; 18, 10 ‖ p. Cf. Matth. 2, 12
XIV. a. Ps. 44 (45), 4 ‖ b. Ps. 44 (45), 3

---

1. Commenté par *aduersati sunt, aduersus* ne peut signifier que
«contre». La traduction de Tert. force le texte de la LXX qui est ἔναντι
= «devant» (Vulgate : *coram*).

2. Cette exégèse reproduit celle de Justin, *Dial.* 77, 4, mais s'écarte
de celle du passage parallèle de *Iud.* 9, 16 qui comprend «roi des
Assyriens» = «diable». Contre Prigent, *Justin et l'A. T.,* p. 153, qui voit
là l'indice que *Iud.* «est nettement secondaire» par rapport à *Marc.* III,
nous pensons que Tert. avait d'abord cédé au désir de généraliser le
sens (en écrivant *Iud.*) et qu'ensuite, reprenant son texte pour l'utiliser
contre Marcion, peut-être après une relecture de Justin, il a préféré
revenir à l'interprétation de l'auteur grec, plus adéquate aux circonstances de la réalisation de la prophétie. Voir aussi Tränkle, *Éd. Iud.,*
p. LXXXI, qui tient cette variation pour une correction personnelle de

grande, orgueilleuse de son empire et persécutrice des saints de Dieu°. C'est donc en vertu de cet usage qu'il a décoré les mages du titre de Samaritains parce qu'ils avaient été dépouillés de ce qu'ils avaient en commun avec les Samaritains, l'idolâtrie, ainsi que nous venons de le dire. «Contre le roi d'Assyrie[a 1]» : comprends contre Hérode, auquel évidemment les mages se sont opposés alors en ne lui faisant pas leur rapport sur le Christ qu'il cherchait à faire périr[p 2].

Confirmation
par le *Psaume* 44   **XIV. 1.** Voici encore qui aidera notre interprétation[3] : en d'autres endroits aussi où tu estimes avoir affaire à un Christ guerrier à cause des noms de certaines armes et termes de même espèce, tu seras réfuté également par la comparaison avec le reste du sens[4]. «Ceins ton épée sur ta cuisse[a 5]», dit David. Mais que lis-tu juste avant à propos du Christ? «Tu es épanoui de beauté au-dessus des fils des hommes, la grâce est répandue sur tes lèvres[b].» **2.** Je ris[6] si, à celui qu'il était en train de ceindre de son épée pour la guerre, il adressait des compliments pour l'épanouisssement de sa beauté et la grâce de ses lèvres! Et de même, en disant

---

Tert., semblable à celles que C. Becker, *Werden und Leistung,* Munich 1954, p. 199 s., a relevées dans le passage de la rédaction de *Nat.* à *Ap.* Il semble bien d'ailleurs, comme l'a vu aussi Tränkle *(ibid.),* que la première interprétation du Carthaginois (en *Iud.* 9, 16) dépendait elle-même de Justin, *Dial.* 78, 9.

3. Sur ce chapitre, repris en partie de *Iud.,* et sur *Ps.* 44 (45), 3-6, utilisé pour confirmer ce qui précède, voir la note complémentaire 39, p. 288.

4. Rappel du principe d'exégèse posé en 12, 2.

5. Cf. *supra* 7, 5. Pour le texte, voir Notes critiques, p. 240.

6. A l'expression *ualde autem absurdum est* de *Iud.* 9, 17, est substitué *rideo* qui souligne, dans sa brièveté énergique, l'intervention personnelle du polémiste.

10 *prosperare et regna,* adiecit : *propter ueritatem et lenitatem et iustitiam* [c]. Quis enim ense operabitur et non contraria potius, dolum et asperitatem et iniustitiam, propria scilicet negotia proeliorum? Videamus ergo an alius sit ensis ille, cuius alius est actus. **3.** Nam et apostolus Iohannes
15 in Apocalypsi ensem describit ex ore Dei prodeuntem bis acutum, praeacutum [d], quem intelligi oportet sermonem diuinum, bis acutum, duobus testamentis legis et euangelii, acutum sapientia, infestum diabolo, armantem nos aduersus hostes spiritales nequitiae et concupiscentiae
20 omnis [e], amputantem etiam a carissimis ob Dei nomen [f].
4. Quodsi Iohannem agnitum non uis, habes communem magistrum Paulum, praecingentem lumbos nostros ueritate et lorica iustitiae [g], et calciantem nos praeparationem euangelii pacis [h], non belli, adsumere iubentem scutum fidei,
25 in quo possimus omnia diaboli ignita tela extinguere [i], et galeam salutaris, et gladium spiritus, *quod est,* inquit, *Dei sermo* [j]. **5.** Hanc et dominus ipse machaeram uenit

---

11 ense θ *Mor.* : ense ea *Eng.Kr.* ea ense *Lat.Ev.* haec ense *Vrs.*
* ‖ 23 praeparationem *MF Pam.Kr.Mor.Ev.* : -tione *X R*

---

c. Ps. 44 (45), 5 ‖ d. Cf. Apoc. 1, 16; 2, 12; 19, 21; Hébr. 4, 12 ‖
e. Cf. Éphés. 6, 12 ‖ f. Cf. Matth. 19, 29; Mc 10, 29-30; Lc 14, 26 ‖ g.
Cf. Éphés. 6, 14 ‖ h. Cf. Éphés. 6, 15 ‖ i. Cf. Éphés. 6, 16 ‖ j. Éphés. 6,
17

---

1. Voir la dernière partie de la note complémentaire 39, p. 289.
2. Le verbe *prosperari* («être prospère», «réussir») traduit
κατευοδοῦσθαι de la LXX, ici et en II, 19, 3 (pour *Ps.* 1, 3). Il est
employé aussi en *Ap.* 6, 6. La Vulgate traduit par *prospere procede.*
Dans le passage parallèle de *Iud.* 9, 17, la tradition est divisée : *prospera
procede* (ψ), que retient Tränkle; *prospera* (*T* β *N*); *prosperare* (*P*).
3. Voir Notes critiques, p. 241.

tout de suite après : «Étends-toi[1], sois prospère[2], règne», il a ajouté : «pour la cause de la vérité, de la douceur, de la justice[c].» Qui en effet œuvrera par l'épée sans faire même plutôt le contraire : ruse, dureté, injustice, toutes activités qui sont le propre des combats[3]? Voyons donc si cette épée ne serait pas autre chose puisque autre est son action. **3.** L'apôtre Jean aussi[4], dans l'*Apocalypse,* décrit une épée qui sort de la bouche de Dieu, à double tranchant, très effilée[d], et qu'il faut comprendre de la parole divine : avec ses deux tranchants – les deux testaments, la Loi et l'Évangile – tranchante par la sagesse, hostile au diable, nous armant contre les ennemis spirituels faits de toute malice et concupiscence[e], nous amputant même de nos plus chères affections à cause du nom de Dieu[f]. **4.** Que si tu ne veux pas reconnaître Jean[5], tu as un maître qui nous est commun, Paul : celui-ci arme nos reins de la vérité et de la cuirasse de justice[g]; il nous chausse de la volonté de répandre l'évangile de paix[h], non de guerre; il nous invite à prendre le bouclier de la foi grâce auquel nous pourrons éteindre tous les traits enflammés du diable[i], ainsi que le casque du salut et le glaive de l'Esprit, «c'est-à-dire, dit-il, la Parole de Dieu[j][6].» **5.** C'est cette épée aussi, et non pas la paix, que le Seigneur lui-même est venu apporter sur

---

4. La démonstration qui commence ici – originale par rapport à *Iud.* 9 – va s'appuyer, en une progression ascendante, sur trois témoignages tirés de *l'Apocalypse,* de l'*Épître aux Éphésiens,* de l'évangile; Par précaution contre le rejet marcionite de *l'Apocalypse,* Tert. prend soin d'associer déjà à son exégèse du verset de ce livre des textes empruntés à *Éphésiens,* et à l'évangile.

5. Cf. *supra* 13, 10 et p. 129, n. 7.; également *Marc.* IV, 5, 2.

6. Cf. *Cor.* 1, 3 où l'on trouve le même rapprochement entre *Apoc.* 1, 16 et les armes du combat spirituel d'*Éphés.* 6, 14-17. Voir aussi *Marc.* V, 18, 5 et *Fug.* 9, 2.

mittere in terram, non pacem[k]. Si tuus Christus est, ergo
et ipse bellator est. Si bellator non est, machaeram
30 intentans allegoricam, licuit ergo et Christo Creatoris in
psalmo sine bellicis rebus ense sermonis praecingi
figurato[a], cui supradicta tempestiuitas congruat et gratia
labiorum[b], quem tunc iam cingebatur super femur[a] apud
Dauid, quandoque missurus in terram. **6.** Hoc est enim
35 quod ait : *Et extende et prosperare et regna*[c]. Extendens
sermonem in omnem terram ad uniuersarum gentium
uocationem, prosperaturus successu fidei, qua est receptus,
et regnans exinde, qua mortem resurrectione deuicit. *Et
deducet te,* inquit, *mirifice dextera tua*[l], uirtus scilicet
40 gratiae spiritalis, qua Christi agnitio deducitur.
7. *Sagittae tuae acutae*[m], peruolantia ubique praecepta,
et minae et traductiones cordis, compungentes et trans-
figentes conscientiam quamque[n]. *Populi sub te
concident*[m], utique adorantes. Sic bellipotens et armiger
45 Christus Creatoris, sic et nunc accipiens spolia, non solius
Samariae[o], uerum et omnium gentium. Agnosce et spolia

XIV, 5 (l. 30) - 7 : *Iud*. 9, 19-20 (p. 23, l. 16 – p. 24, l. 3).

---

30 et : *om. X* ‖ 31 rebus : armis *X* ‖ ense θ *Kr.Mor.Ev.* : ensem
Pam. ‖ 39 deducet γ *R₁ Pam.Kr.Mor.Ev.* : -cit *M R₂R₃* ‖ 41 ubique :
utique *Lat.* ‖ 44 bellipotens *R edd.* : belli potens *Mγ*

---

k. Cf. Matth. 10, 34 ‖ l. Ps. 44 (45), 5 ‖ m. Ps. 44 (45), 6 ‖ n. Cf.
Hébr. 4, 12 ‖ o. Cf. Is. 8, 4

---

1. En fait, cette parole de Jésus telle que la présente *Lc* 12, 51 ne
porte pas μάχαιραν comme en *Matth*. 10, 34, mais διαμερισμόν *(separationem)*. Cf. *Marc*. IV, 29, 13, où Tert. reproche – injustement selon
HARNACK, *Marcion*, p. 217* – à l'hérétique d'avoir substitué *separationem*
à *machaeram*.
2. Retour à l'exégèse de *Ps*. 44(45), 3-4 et des deux versets suivants,
qui s'éclairent par l'équivalence (au sens figuré) «épée» = «puissance
de la parole divine». Le passage est compris du triomphe de la foi

terre[k][1]. S'il est ton Christ, il est lui aussi un guerrier. S'il n'est pas un guerrier, puisque allégorique est l'épée qu'il brandit, le Christ du Créateur a donc bien eu le droit lui aussi, dans le psaume, de se ceindre, sans appareil guerrier, de l'épée figurée de la Parole[a] : car avec cette parole cadrent l'épanouissement et la grâce des lèvres[b] indiqués juste avant[2] ; et c'est d'elle qu'il se ceignait déjà alors sur sa cuisse[a], chez David, devant l'apporter un jour sur terre. **6.** C'est en effet ce qu'il dit par « étends-toi, sois prospère, règne[c] » : en étendant sa parole sur toute terre pour appeler l'ensemble des nations, en se disposant à prospérer par le succès de la foi là où il a été reçu, et en régnant ensuite là où il a défait la mort par sa résurrection. « Et ta droite, poursuit-il, merveilleusement te conduira[l] » : il s'agit bien sûr de la puissance de la grâce spirituelle par laquelle est conduite la connaissance du Christ. **7.** « Tes flèches tranchantes[m] » : ce sont ses préceptes volant de toutes parts, menaces et blâmes du cœur, poignant et transperçant chaque conscience[n]. « Les peuples tomberont sous toi[m] » : bien sûr en adoration. Voilà dans quel sens le Christ du Créateur est puissant à la guerre[3] et porteur d'armes[4], dans quel sens, encore maintenant, il reçoit les dépouilles non de la seule Samarie[o], mais de toutes les nations aussi[5]. Là encore reconnais des dépouilles figurées puisque tu as appris

dans le Christ, selon une interprétation proche de celle d'Irénée, *Haer.* 4, 33, 11, et d'Origène, *Princ.* 4, 1, 5.

3. Le terme de la langue poétique *bellipotens,* qui se substitue à *bellator* de 13, 1 et 14, 1, a été utilisé en I, 6, 1 (t. 1, p. 124-125, n. 3) pour opposer, selon Marcion, le dieu des juifs au dieu très bon. Il reviendra plus bas, en 21, 3, dans le même contexte qu'ici.

4. Seul emploi, ici et en *Iud.* 9, 20, de l'adjectif *armiger,* mot originaire de la langue poétique et passé dans le langage relevé.

5. Retour à la démonstration du ch. 13, dont celui-ci est la confirmation : en étendant sa souveraineté à toutes les nations, le Christ accomplit et universalise la prophétie sur les mages.

figurata, cuius et arma allegorica didicisti. Figurate itaque
et domino eiusmodi loquente et apostolo scribente, non
temere interpretationibus eius utimur, quarum exempla
50 etiam aduersarii admittunt, atque ita in tantum Esaiae erit
Christus qui uenit, in quantum non fuit bellator, quia non
talis ab Esaia praedicatur.

XV. 1. De quaestione carnis et per eam natiuitatis et
unius interim nominis Emmanuhelis hucusque. De ceteris
uero nominibus et inprimis Christi quid pars diuersa
respondebit? Si proinde commune est apud uos Christi
5 nomen quemadmodum et dei, ut sic utriusque dei filium
Christum competat dici, sicut utrumque patrem deum,
certa ratio huic argumentationi refragabitur. **2.** Dei enim
nomen quasi naturale diuinitatis potest in omnes com-
municari quibus diuinitas uindicatur, sicut et idolis, dicente
10 apostolo : *Nam et sunt qui dicuntur dii siue in caelo siue
in terris* [a]. Christi uero nomen non ex natura ueniens, sed
ex dispositione, proprium eius efficitur a quo dispositum

XV, 5-6 sic … sicut *Kr.*: sicut … sic θ *Mor.Ev.* * ‖ 6 patrem deum
Kr.Mor.: patrem dominum θ   patrem et dominum *Ev.* * ‖ 7 certa *M*γ
R₁R₂ Kr.Mor.: certe *R₃Ev.*

XV. a. I Cor. 8, 5

---

1. Phrase sans correspondant en *Iud.* 9. Sur l'emploi substantivé de
eiusmodi (= rem talem), voir HOPPE, *SuS,* trad. it., p. 199; nous comprenons *eius* comme neutre, renvoyant à *eiusmodi,* et en fonction de
génitif objectif.
2. Transition surprenante qui, par dessus les ch. 13-14, rattache directement le nouveau développement (dénominations de Christ et de Jésus)
à la séquence des ch. 8-12 (chair/naissance/Emmanuel). Voir Introduction,
p. 20.
3. L'expression prolonge la mention des *aduersarii* de la dernière
phrase du ch. 14; elle vise l'ensemble des marcionites; d'où *uos* dans
la phrase suivante. Le retour à un singulier se fera au § 7.

que ses armes également sont allégoriques. Ainsi donc, puisque le langage figuré sert au Seigneur pour parler d'un tel sujet, et à l'Apôtre pour en écrire, il n'est pas téméraire de notre part d'utiliser à ce propos des interprétations dont même nos adversaires admettent des exemples[1]; et ainsi le Christ qui est venu sera bien celui d'Isaïe, dans la mesure précisément où il n'a pas été guerrier, lui qui n'est pas prédit tel par Isaïe.

B) Les deux noms du Christ Jésus

Le nom de Christ   **XV.   1.** Jusqu'ici il a été question de sa chair, par elle de sa naissance, et pour l'instant de son seul nom d'Emmanuel[2]. Mais sur ses autres noms et, en tout premier lieu, celui de Christ, que va nous répondre la partie adverse[3]? Si chez vous le nom de Christ est un nom commun comme l'est aussi celui de dieu, de telle manière que l'appellation de Christ convienne au fils de l'un et de l'autre dieu comme celui de dieu à l'un et l'autre père[4], un raisonnement sûr[5] abattra cette argumentation. **2.** Le nom de dieu, étant comme naturel pour la divinité, peut être appliqué en commun à tous ceux pour lesquels on revendique la divinité, comme c'est aussi le cas pour les idoles puisque l'Apôtre a dit : «Car il y en a qu'on appelle dieux, soit au ciel, soit sur la terre[a].» Par contre, le nom de Christ, lui, ne vient pas de la nature, mais d'une disposition, ce qui le rend propre à celui par qui on le

---

4. Voir Notes critiques, p. 242.
5. Cf. II, 27, 1; III, 9, 5; 20, 10, où est attestée l'expression *certa ratio* : il n'y a aucune raison d'admettre, comme fait Evans, la leçon *certe* de R_3.

inuenitur. Nec in communicationem alii deo subiacet,
maxime aemulo et habenti suam dispositionem, cui et
15 nomina priuata debebit. **3.** Quale est enim quod diuersas
dispositiones duorum commentati deorum societatem
nominum admittunt in discordiam dispositionum, quando
nulla magis probatio assisteret duorum et aemulorum
deorum quam si in dispositionem eorum etiam diuersitas
20 nominum inueniretur? Nullus enim status differentiarum
nonnisi proprietatibus appellationum consignatur.
4. Quibus deficientibus, si quando, nunc Graeca catachresis de alieno abutendo succurrit. Apud Deum autem
deficere, puto, nihil debet, nec de alieno instrui disposi-
25 tiones eius. Quis hic Deus est, qui filio quoque suo
nomina a Creatore uindicat, non dico aliena, sed uetera
et uulgata quae uel sic non competerent deo nouo et
incognito? **5.** Quomodo denique docet nouam plagulam
non adsui ueteri uestimento[b], nec uinum nouum uete-

---

13 inuenitur. Nec *MX R Ev.*: inuenitur, nec *Kr.Mor.* ‖ 17 discordiam
θ *Mor.Ev.*: -dia *Kr.* ‖ 19 dispositionem *M*γ *R₁R₂*: -tione *R₃ Kr.Mor.Ev.*
* ‖ 22 nunc θ *Kr.Mor.Ev.*: tunc *Ciacconius* ‖ 22-23 catachresis *R edd.*:
catachersis *MX* cata chersis *F* ‖ 24-25 dispositiones θ *Mor.Ev.*: dispositio *Kr.*

---

b. Cf. Matth. 9, 16; Mc 2, 21; Lc 5, 36

---

1. Sur l'extension du nom de Dieu comme *nomen naturale* de la
divinité, voir I, 7, 1 (t. 1, p. 128 et n. 1). Le texte biblique qui atteste
cette extension aux idoles revient en *Marc.* V, 7, 9 et 11, 1; il est
aussi dans IRÉNÉE, *Haer.* 3, 6, 5. Le raisonnement ici se fonde sur la
nécessité de distinguer entre le nom de Dieu et celui de Christ qui,
solidaire de l'A. T., est lié à un plan de Dieu sur les hommes, à une
«économie» (*dispositio*) et n'est pas, comme tel, susceptible de n'importe
quelle application.

2. Premier argument pour rejeter toute extension du nom de Christ:
l'antithèse que Marcion établit entre les deux dieux (cf. I, 6, 1; t. 1,

trouve ainsi disposé[1]. Il ne s'offre pas non plus, pour
une application commune, à un autre dieu, surtout un
rival qui a sa propre disposition pour laquelle il devra
avoir aussi des noms particuliers[2]. **3.** N'est-il pas absurde
qu'après avoir inventé les dispositions opposées des deux
dieux, ces gens admettent que les noms soient communs
pour désigner des dispositions qui sont antinomiques?
Alors qu'il n'y aurait pas de meilleur secours, pour prouver
la dualité et rivalité de ces dieux, que de trouver aussi
des noms différents au service de la disposition de chacun
d'eux! Car il n'y a statut de différence que marqué par
des appellations propres. **4.** S'il arrive, d'aventure, que
celles-ci manquent, on trouve alors un secours dans ce
que les Grecs appellent catachrèse : on emploie, par abus,
un terme étranger[3]. Mais en Dieu, je pense, rien jamais
ne doit manquer, et ses dispositions n'ont pas à recevoir
un matériel étranger[4]. Quel dieu, que celui qui, pour son
fils aussi, revendique les noms du Créateur, des noms je
ne dis pas étrangers, mais anciens et rebattus, et qui
peut-être comme tels ne convenaient pas à un dieu
nouveau et inconnu[5]! **5.** Car comment enseigne-t-il
qu'on ne coud pas une pièce neuve à un vieux vêtement[b],

p. 124 et n. 3). Tert. en tire, non sans artifice, que l'antithèse doit se
retrouver dans les dénominations de tout ce qui touche à ces deux
dieux.

3. Cf. QUINTILIEN, *I. O.* 8, 6, 34-36 : la catachrèse, en latin *abusio*,
«consiste à adopter le mot le plus proche pour désigner quelque chose
quand le terme exact n'existe pas»; «elle est employée quand il n'y
a pas de terme spécifique utilisable» (à la différence de la métaphore).

4. Contre l'argument prêté à ses adversaires, Tert. utilise l'idée courante de la plénitude de Dieu «qui n'a besoin de rien», «à qui rien
ne manque» – prédicat exprimé par ἀνεπιδεής, cf. *Deus Christ.*, p. 45,
n. 2.

5. Nouvel argument tiré du fait que le dieu de Marcion se donne
pour un «dieu nouveau et inconnu»: cf. I, 8-9.

30 ribus utribus credi[c], adsutus ipse et inditus nominum
senio? Quomodo abscidit euangelium a lege, tota lege
uestitus, in nomine scilicet Christi? Quis illum prohibuit
aliud uocari, aliud praedicantem aliunde uenientem, cum
propterea nec corporis susceperit ueritatem ne Christus
35 Creatoris crederetur? **6.** Vane autem noluit eum se uideri
quem uoluit uocari, quando et si uere corporeus fuisset,
magis Christus Creatoris non uideretur, si non uocaretur.
At nunc substantiam respuit, cuius nomen accepit, etiam
substantiam probaturus ex nomine. Si enim Christus unctus
40 est, ungui utique corporis passio est. Qui corpus non
habuit, ungui omnino non potuit; qui ungui omnino non
potuit, Christus uocari nullo modo potuit. Aliud est si et
nominis phantasma affectauit. **7.** Sed quomodo, inquit,
irreperet in Iudaeorum fidem, nisi per sollemne apud eos
45 et familiare nomen? Inconstantem aut subdolum deum

---

30 inditus *MX Kr.Mor.* : inclitus *F*   indutus *R Ev.* * ‖ 35 et 37 Creatoris : -tor γ ‖ 42 et : *om.X*

---

c. Cf. Matth. 9, 17; Mc 2, 22; Lc 5, 37

---

1. La parole de Jésus sur la nouveauté de l'Évangile servait de justification à la doctrine de Marcion (cf. HARNACK, *Marcion,* p. 191*). En
Or. 1, 1, Tert. l'uilise pour introduire son analyse de la prière nouvelle
enseignée par le Christ. Par *plagula* (diminutif de *plaga* au sens de
«lé d'étoffe») est traduit ἐπίβλημα du texte biblique; le mot ne se lit
qu'ici et en *Or.* 1, 1 chez l'auteur. Sur le texte *inditus,* voir Notes critiques, p. 243.
2. Sur l'opposition à la loi juive comme caractéristique du dieu de
Marcion, cf. I, 19, 4. Le titre de Messie (grec *Christos*) qui apparaît en
Lév. 4, 3 et *Ex.* 28, 41 et, comme titre royal, à partir de *I Sam.* 2, 10,
est étroitement lié à l'A. T.
3. Sur le dieu de Marcion, non seulement nouveau, mais même
étranger, voir I, 2, 3 (t. 1, p. 109 et n. 5); cf. HARNACK, *Marcion* p. 118.
4. Cf. *supra* 8, 2. Habilement Tert. renoue avec sa précédente critique du docétisme marcionite. En reprenant le motif de *uanus* (cf. 12,
3), il va souligner la contradiction entre le rejet, par le dieu de Marcion,
de toute réalité corporelle pour se révéler, et son adoption du nom

qu'on ne confie pas un vin nouveau à de vieilles outres[c],
lui qui s'est cousu et coulé dans la vieillerie des noms[1]?
Comment a-t-il séparé l'Évangile de la Loi, lui qui s'est
revêtu de toute la Loi – en ce nom de Christ bien sûr[2]?
Qui est-ce qui l'a empêché de prendre un autre nom,
lui qui prêchait autre chose, qui venait d'ailleurs[3], alors
qu'il n'a même pas pris un corps véritable pour éviter
d'être cru Christ du Créateur[4]? **6.** C'est en vain qu'il n'a
pas voulu passer pour celui dont il a voulu porter le
nom; car même avec un corps véritable, il lui eût été
plus facile de ne pas passer pour Christ du Créateur s'il
n'avait pas porté ce nom. Mais maintenant il rejette la
réalité substantielle dont il a accepté le nom : il va prouver,
par ce nom, qu'il avait bien cette réalité substantielle.
Car, si Christ signifie oint[5], l'onction, à coup sûr, affecte
le corps. Celui qui n'avait pas de corps n'a absolument
pas pu être oint; celui qui n'a absolument pas pu être
oint, n'a pu en aucune façon porter le nom de Christ.
A moins bien sûr que, pour le nom aussi, il n'en ait pris
que le fantôme[6]! **7.** Mais comment, dit Marcion[7], se
serait-il glissé dans la foi des juifs sans le faire par un
nom rituel chez eux et familier? Le dieu timoré ou fourbe

de Christ; ce nom, qui signifie «oint», est la preuve même de l'incarnation puisqu'il indique une action physique : voir MORESCHINI, «Temi
e motivi», p. 151 (qui renvoie à V, 4, 15).

5. Cet argument étymologique, soigneusement préparé, reflète une
doctrine souvent exposée par Tert. : en *Nat.* I, 3, 8 et *Ap.* 3, 5 (à
propos du nom de «chrétien»); en *Bapt.* 7, 1-2 (à propos de l'onction
postbaptismale); en *Iud.* 8, 17; en *Prax.* 13, 1-2 et 28, 1-2 (pour
l'altérité Père/Fils).

6. Dérision par rappel d'un motif polémique souvent utilisé dans la
critique du docétisme : cf. 8, 1 et 3.

7. Le singulier (Marcion, à moins qu'il ne s'agisse de l'adversaire marcionite) reparaît brusquement avec cette objection sous forme interrogative, selon les habitudes du style diatribique : *Inquit,* attesté par toute
la tradition, peut être conservé ici (à la différence de 13, 4 où il a
paru indispensable de corriger en *inquis*).

narras; aut diffidentiae aut malitiositatis consilium est fal-
lendo quid promouere. Multo liberius atque simplicius
egerunt pseudoprophetae aduersus Creatorem in sui dei
nomine uenientes[d]. Sed nec effectum consilii huius
50 inuenio, cum facilius aut suum crediderint Christum aut
planum potius aliquem quam alterius dei Christum, sicut
euangelium probabit.

XVI. 1. Nunc si nomen Christi, ut sportulam furunculus, captauit, cur etiam Iesus uoluit appellari, non tam
expectabili apud Iudaeos nomine? Nec enim, si nos per
Dei gratiam intellectum consecuti sacramentorum eius hoc
5 quoque nomen agnoscimus Christo destinatum, ideo et
Iudaeis, quibus adempta est sapientia[a], nota erit res.
Denique ad hodiernum Christum sperant, non Iesum, et
Heliam potius interpretantur Christum quam Iesum[b].
2. Qui ergo et in eo nomine uenit in quo Christus non

d. Cf. III Rois 18, 20-29
XVI. a. Cf. Is. 29, 14 ‖ b. Cf. Mal. 3, 23 (LXX : 3, 22); Matth. 16, 14;
Mc 8, 28; Lc 9, 19

1. Brutale apostrophe de l'adversaire. L'emploi de *narrare,* pris à la
langue des Comiques, contribue à la tonalité sarcastique. La nuance
exacte à donner ici à *inconstans* se tire de *diffidentia* qui suit : le mot
désigne le défaut de fermeté dans les desseins.
2. Le terme *malitiositas* (seulement ici et, dans le même contexte,
en 23, 8) est sans doute un néologisme de Tert. pour désigner une
«malice de nature». La polémique contre le dieu de Marcion prend,
une fois encore, la forme de la rétorsion de griefs faits par l'hérétique
au Créateur.
3. Allusion sans doute à l'affrontement entre Élie et les prophètes de
Baal en *III Rois* 18 : ils sont appelés pseudo-prophètes parce qu'ils
parlent au nom d'un faux dieu.
4. Cf. *supra* 6, 10.
5. Renvoi au livre IV où doit être examiné l'évangile de Marcion.
Mais Tert. ne paraît pas s'être avisé que le passage de *Matth.* (27, 62-

que tu nous contes là[1]! C'est un dessein marqué ou de
défiance de soi ou de malice[2] que d'attendre quelque
succès d'une tromperie! Bien plus francs et simples dans
leur action ont été les faux prophètes, eux qui venaient
s'attaquer au Créateur au nom de leur dieu[d 3]. Mais je
ne découvre même pas de réussite à ce dessein, puisque
les juifs l'ont plus facilement cru soit leur Christ, soit
quelque charlatan[4], que le Christ d'un autre dieu, comme
le prouvera l'évangile[5].

Le nom de Jésus **XVI.** **1.** Et maintenant, s'il s'est
emparé, comme un voleur d'une
sportule[6], du nom de Christ, pourquoi a-t-il voulu aussi
s'appeler Jésus, d'un nom qui n'était pas tellement objet
d'attente chez les juifs[7]? Car si nous, qui avons obtenu
par la grâce de Dieu l'intelligence de ses mystères, nous
reconnaissons que ce nom aussi était destiné au Christ,
la chose pour autant ne sera pas connue également des
juifs, à qui a été enlevée la sagesse[a 8]. De fait, jusqu'à
aujourd'hui, ils espèrent un Christ, non un Jésus, et ils
comprennent ce Christ plutôt comme Élie que comme
Jésus[b 9]. **2.** Celui donc qui est venu en portant aussi le

---

66) où les Pharisiens parlent du Christ comme d'un charlatan, n'a pas
son correspondant en *Lc.* De fait, on ne trouve rien sur cette matière
dans *Marc.* IV.

6. Comparaison familière empruntée à la vie quotidienne (cf. 3, 2 et
p. 63, n. 3). Seul emploi de *sportula* chez Tert. Reprise du thème polémique du dieu marcionite qui «vole» l'homme à son maître, le Créateur
(cf. I, 23, 7-8; 27, 4; 11, 28, 2).

7. Cf. DANIÉLOU, *Sacramentum futuri*, p. 205 (et l'ensemble du ch.
«Le mystère du nom de Jésus»). *Expectabilis* est un néologisme de circonstance, d'emploi unique.

8. Cf. *supra* 6, 4-5.

9. Sur cette attente d'Élie comme Messie, en liaison avec la prophétie
de Malachie, voir aussi *An.* 35, 5-6 et *Marc.* IV, 22, 3.

10 praesumebatur, potuit in eo solo nomine uenisse quod solum praesumebatur. Ceterum cum duo miscuit, speratum et insperatum, expugnatur utrumque consilium eius. Siue enim ideo Christus, ut interim quasi Creatoris irreperet, obstrepit Iesus, quia non sperabatur Iesus in Christo
15 Creatoris : siue <ideo Iesus> ut alterius haberetur, non sinit Christus, quia non alterius sperabatur Christus quam Creatoris. **3.** Quid horum constare possit ignoro. Constabit autem utrumque in Christo Creatoris, in quo inuenitur etiam Iesus.

20 Quomodo, inquis? Disce et hic cum partiariis erroris tui Iudaeis. Cum successor Moysi destinaretur Auses filius Naue, transfertur certe de pristino nomine et incipit uocari Iesus[c]. **4.** Certe, inquis. Hanc prius dicimus figuram futuri fuisse. Nam quia Iesus Christus secundum populum,

---

XVI, 3 (l. 18) - 6 (l. 47) : *Iud.* 9, 21-23 (p. 24, l. 5-24) + 9, 25 (p. 25, l. 9-12).

XVI, 10 non praesumebatur *M R₃ Kr.Mor.Ev.* : praesumebatur γ *R₁R₂ Postea interrogationem sign. Kr.* ‖ 13 ideo *R₃ Kr.Mor.Ev.* : in deo *Mγ R₁R₂* ‖ 14 obstrepit *R₂ (coni.) Vrs.Kr.Ev.* : obrepit θ *Mor.* * ‖ 15 ideo Iesus *add. Vrs.Kr.Mor.Ev.*

---

c. Cf. Nombr. 13, 16; Jos. 1, 1-9

---

1. Littéralement : « l'un et l'autre dessein est pris d'assaut (est détruit) ». Même emploi de *expugnare* en 11, 4. Dans une première argumentation, Tert. va, par le procédé dialectique de l'exclusion, montrer que ces deux noms ne sont pas compatibles ensemble chez un dieu autre que le Créateur.

2. Reprise de l'explication marcionite du chapitre précédent (§ 7).

3. Voir Notes critiques, p. 243.

4. Par cette phrase commence le remploi, avec adaptations et suppressions, de *Iud.* 9, 21-23 (jusqu'à *diuinam uoluntatem*) + 25. Ce remploi se termine au § 6 *(in Christum Creatoris)*. Sur les raisons pour lesquelles Tert. a laissé de côté la longue comparaison avec Jean-Bap-

nom de Jésus, sous lequel on n'attendait pas le Christ, aurait pu venir sous le seul nom de Christ, qui était seul attendu. Mais quand ton Christ mêle ces deux noms, celui qu'on espérait et celui qu'on n'espérait pas, ce peut être dans deux desseins, dont aucun ne résiste à l'assaut[1] : ou bien il s'est fait appeler Christ afin de se glisser pour un temps dans la foi comme émanant du Créateur[2] – mais alors le nom de Jésus s'y oppose[3], car on n'espérait pas ce nom de Jésus dans le Christ du Créateur; ou bien il a pris le nom de Jésus afin de passer pour émaner d'un autre dieu – mais alors le nom de Christ ne le permet pas, car on n'espérait pas de Christ d'un autre que du Créateur. **3.** Lequel de ces noms pourra avoir en lui consistance, je l'ignore. L'un et l'autre l'auront en tout cas dans le Christ du Créateur; car c'est chez le Créateur qu'on trouve aussi le nom de Jésus[4].

Comment cela? dis-tu. Apprends-le en compagnie, ici également, de ceux qui partagent ton erreur, les juifs[5]. Au moment où Ausès, fils de Navé, fut désigné comme successeur de Moïse, pour sûr on le voit abandonner son ancien nom et prendre celui de Jésus (Josué)[c 6]. **4.** Assurément, dis-tu. – Nous disons pour commencer[7] qu'il y avait là préfiguration de l'avenir. Car le second peuple

---

tiste qu'on lit en *Iud.* 9, 23-24 (de *sicuti et praecursorem* jusqu'à *passurum nuntiabat*), voir Tränkle, *Éd. Iud.*, p. XXXVIII s.

5. Cf. *supra* 6, 2 *(cum Iudaico errore sociari)* et 7, 1 *(Discat ...)*. Le terme juridique *partiarius* (déjà en I, 24, 2) signifie «qui partage», «qui a part à», et ne dit rien de plus que *socius*. La traduction d'Evans, (p. 219) «who hold the half of your error», et son commentaire en note («ils dénient la venue du Christ du Créateur, mais n'ont pas inventé un dieu supérieur comme Marcion») paraissent également forcés.

6. Sur l'argumentation scripturaire qui commence ici, voir la note complémentaire 40, p. 290.

7. L'adverbe *prius* distingue nettement les deux temps de la démonstration; le second débute à *Hoc nomen* (§ 5).

25 quod sumus nos nati in saeculi desertis, introducturus
erat in terram promissionis melle et lacte manantem[d], id
est uitae aeternae possessionis, qua nihil dulcius, idque
non per Moysen, id est non per legis disciplinam, sed
per Iesum, per euangelii gratiam, prouenire habebat, cir-
30 cumcisis nobis petrina acie[e], id est Christi <praeceptis>
(*petra enim Christus*[f]), (5) ideo is uir, qui in huius
sacramenti imagines parabatur, etiam nominis dominici
inauguratus est figura, Iesus cognominatus. 5. Hoc
nomen ipse Christus suum iam tunc esse testatus est cum
35 ad Moysen loquebatur. Quis enim loquebatur, nisi spiritus Creatoris, qui est Christus? Cum ergo mandato diceret
populo : *Ecce ego mitto angelum meum ante faciem tuam,
qui te custodiat in uia et introducat in terram quam
paraui tibi, intendite illi et exaudite eum, ne inobaudie-*

---

27 uitae θ *Mor.Ev.* : in uitae *Kr.* (*ex loco gemello*) ‖ 29 per euangelii θ *Mor.Ev.* : id est p. e. *Pam.Kr.* (*ex loco gemello*) ‖ 30 Christi
praeceptis *Pam.Kr.* (*ex loco gemello*) : praeceptis christi *Ev.* Christi θ
Mor. * ‖ 39 intendite ... exaudite ... inobaudieritis θ *Kr.Mor.* : intende
... exaudi ... inobaudieris *Pam.Ev.* *

---

d. Cf. Ex. 3, 8; Nombr. 14, 30-31 ‖ e. Cf. Jos. 5, 2-3 ‖ f. I Cor. 10, 4

---

1. Au lieu de *commorantes ante* de *Iud.* 9, 22, Tert. ici écrit *nati*,
ce qui resserre le parallèle entre les Hébreux de la seconde génération,
nés au désert, et les paganochrétiens (cf. PRIGENT, *Justin et l'A. T.*,
p. 140, n. 2).
2. La caractérisation de la terre promise au moyen d'expressions
bibliques et la qualification correspondante de la « vie éternelle » ne
sont pas dans Justin.
3. Sur le texte adopté, voir Notes critiques, p. 244. L'expression *Christi
praecepta,* fait écho à celle de JUSTIN, *Dial.* 113, 3-4 : Ἰησοῦ... λόγοις.
4. Il s'agit de la pierre d'où jaillit l'eau vive au désert, selon *I Cor.*
10, 4, rappelé par Tert. dès *Pat.* 5, 24 (*post petrae aquatilem sequellam*).
5. Littéralement : « fut consacré par la figure ». Les traducteurs, ordinairement, voient marquée, par *inaugurare,* l'idée de « commencement »,
« inauguration » : « first established in the likeness » (Evans); « a été le
premier qui a porté en figure » (DANIÉLOU, *Sacramentum futuri*, p. 212);

– celui que nous formons, nés que nous sommes dans
les déserts du siècle[1] –, Jésus-Christ devait l'introduire
dans la terre promise, où ruissellent le lait et le miel[d],
c'est-à-dire la possession de la vie éternelle dont rien ne
surpasse la douceur[2], et tout cela devait arriver, non par
Moïse, c'est-à-dire non par la discipline de la Loi, mais
par Jésus, par la grâce de l'Évangile, après notre circoncision par le tranchant de la pierre[e], c'est-à-dire par les
enseignements du Christ[3] – «car la pierre était le
Christ[f 4]» – (5), et c'est pourquoi l'homme que la disposition divine affectait aux images de ce mystère, a reçu
même comme consécration la figure du nom du Seigneur[5], puisqu'il fut appelé Jésus (Josué). **5.** Ce nom,
le Christ lui-même a attesté qu'il était déjà le sien au
moment où il parlait à Moïse. Qui parlait en effet sinon
l'esprit du Créateur qui est le Christ? Ainsi donc quand
il disait au peuple envoyé en mission[6] : «Voici que
j'envoie mon ange devant ta face, pour te garder en
chemin et t'introduire dans la terre que je t'ai préparée.
Prêtez lui attention et écoutez le, ne lui désobéissez pas[7];

«rifatto con la figura» (Moreschini). Nous avons préféré le sens de
consecrare, ordinare (cf. *TLL* VII, 1, c. 839, l. 41). Chez Tert., trois emplois
de ce verbe (*Ap.* 13., 9; 35, 11; *Pud.* 11, 1) répondent au sens, voisin,
de *honorare, glorificare* (*ibid.* l. 81 s.).

6. En fait, ces paroles sont adressées au peuple par l'intermédiaire
de Moïse. Après Kellner, nous comprenons *mandato* comme participe
se rapportant à *populo,* avec le sens de «charger d'une mission» (celle
d'être le peuple de Dieu) : cf. *TLL* VIII, c. 265, l. 42 s. (exemple de
Marc. IV, 19, 7 donné *ibid.* l. 45; peut-être y a-t-il une allusion à
Ex. 23, 22 («tout ce que je te commanderai»). Mais l'interprétation
d'Evans («le peuple auquel il avait donné les commandements») paraît
forcée. Moreschini fait de *mandato* un substantif («nel suo comanda-
mento»).

7. Voir Notes critiques, p. 244. Seul emploi, chez Tert. du verbe
inobaudire (inoboedire), formation secondaire tirée de *inobaudiens;* il
n'est attesté que dans la *Vetus Latina* (cf. *TLL* VII, 1, c. 1 732, l. 34 s.).

40 *ritis eum; non enim celabit te, quoniam nomen meum*
   super illum est [g], angelum quidem eum dixit ob magni-
   tudinem uirtutum quas erat editurus, et ob officium prophetae, nuntiantis scilicet diuinam uoluntatem; Iesum
   autem ob nominis sui futuri sacramentum. **6.** Identidem
45 nomen suum confirmauit quod ipse ei indiderat, quia non
   angelum nec Ausen, sed Iesum eum iusserat exinde
   uocitari.

   Ergo si utrumque nomen competit in Christum Creatoris, tanto utrumque non competit in Christum non Crea-
50 toris, sicut nec reliquus ordo. Facienda est denique iam
   hinc inter nos certa ista et iusta praescriptio et utrique
   parti necessaria, qua determinatum sit nihil omnino
   commune esse debere alterius dei Christo cum Christo
   Creatoris. **7.** Nam et a uobis proinde diuersitas defen-
55 denda est, sicut a nobis repugnanda est, quia nec uos
   probare poteritis alterius dei uenisse Christum, nisi eum

---

40 celabit *Eng.Kr.Mor.Ev.* : celaui θ   celauit *Pam.* * ‖ 41 eum
Pam.Rig.Kr.Ev. (*sec. locum gemellum*) : meum θ *Mor.* * ‖ 44 Identidem
θ *Mor.Ev.* : Id enim *Kr.* (*ex loco gemello*) * ‖ 46 iusserat : iurasset *X* ‖
50 nec : non *F R*

---

g. Ex. 23, 20-21

---

1. Pour le texte, voir Notes critiques, p. 245, et sur le problème de
traduction, voir note complémentaire 41, p. 292.
2. Josué est appelé «prophète» par *Barn.* 12, 8 et qualifié de «prophète puissant et grand» par Justin, *Dial.* 75, 3. Tert. joue sur le sens
étymologique de *angelus :* cf. *An.* 35, 1 (*nos officia diuina angelos cre-
dimus*). Sur le texte du début, voir Notes critiques, p. 245.
3. Voir Notes critiques, p. 245.
4. Retour au texte de *Nombr.* 13, 16 par lequel la démonstration a
commencé : Tert. lui demande la confirmation que Jésus est le nom
du Christ préexistant. Mais le texte biblique est forcé de deux façons :
Moïse, auteur du changement de nom, est interprété comme un simple
agent du Fils Verbe (lequel peut être dit avoir donné lui-même ce

il ne se dérobera pas devant toi, car mon nom est sur lui[81]», sans doute a-t-il appelé ce guide ange à cause de la grandeur des miracles qu'il devait réaliser, et de son office de prophète, c'est-à-dire d'annonceur de la volonté divine[2]; mais il l'a appelé Jésus (Josué) à cause du mystère de son nom futur. **6.** Encore et encore[3] il a confirmé comme étant sien ce nom qu'il lui avait donné lui-même, car à partir de ce moment il lui avait commandé de se faire appeler non pas ange ni Ausès, mais Jésus (Josué)[4].

Conclusion partielle et principe pour la suite   Donc, s'il est vrai que les deux noms conviennent bien au Christ du Créateur, il s'avère dans la même mesure qu'ils ne conviennent pas au Christ de celui qui n'est pas le Créateur; et il en va de même de toute la suite de son histoire[5]. En effet, à partir de maintenant, il faut poser entre nous ce principe préalable, certain, juste et indispensable aux deux parties, par lequel il est arrêté que rien absolument ne doit être commun entre le Christ de l'autre dieu et le Christ du Créateur[6]. **7.** Car vous devez, vous, défendre leur opposition tout autant que nous devons, nous, la repousser; car vous ne pourrez pas, vous, prouver la venue du Christ d'un autre dieu sans démontrer qu'il est tout autre

nom); et d'autre part, le passage en question, s'il indique bien le changement de nom, ne l'assortit pas d'un *ordre*.

5. Conclusion récapitulative et annonce de la section suivante. Sur *ordo Christi,* qui désigne tous les événements, ordonnés en une suite logique, de la vie terrestre du Christ, cf. MOINGT, *TTT* 4, p. 137.

6. Cette *praescriptio* sera reprise en termes analogues, au début de l'argumentation, en IV, 6, 4. Sur ce sens de «principe préalable», voir FREDOUILLE, *Conversion,* p. 201. L'emploi de *utraque pars* restitue le cadre d'un débat et entraîne l'emploi de *uos/nos* dans la phrase suivante. Mais la première personne du singulier reparaît dans la phrase finale, la personnalité du discuteur reprenant le dessus avec éclat.

longe alium demonstraueritis a Christo Creatoris, nec nos
eum Creatoris uindicare, nisi talem eum ostenderimus
qualis constituitur a Creatore. De nominibus iam
60 obduximus. Mihi uindico Christum, mihi defendo Iesum.

XVII. 1. Reliquum ordinem eius cum scripturis conferamus. Quodcumque illud corpusculum sit, quonam habitu
et quonam conspectu fuit? Si inglorius, si ignobilis, si
inhonorabilis, meus erit Christus; talis enim habitu et
5 aspectu adnuntiabatur. Adest rursus Esaias : *Adnun-*
tiauimus, inquit, *coram ipso : uelut puerulus, uelut radix*
in terra sitienti, et non est species eius neque gloria, et
uidimus eum, et non habebat speciem neque decorem, sed
species eius inhonorata, deficiens citra omnes homines[a].
10 Sicut et supra patris ad filium uox : *Quemadmodum*
expauescent multi super te, sic sine gloria erit ab homi-

XVII, 2-3 quonam habitu et quonam conspectu *Kellner Kr.Mor.* :
quoniam habitum et quoniam conspectum θ *Ev.* * ‖ 3 fuit : *interroga-*
tionem sign. Kr.Mor.

XVII. a. Is. 53, 2-3

---

1. Sur ce sens particulier – et propre à Tert. – de *obducere* («fermer
la bouche à», «convaincre», «confondre»), voir HOPPE, *SuS,* trad. it.,
p. 243-244.
2. Sur la structure des §1-4, voir la note complémentaire 42, p. 293.
3. Même nuance péjorative de *corpusculum* qu'en *Res.* 5,2 : sans doute
concession tactique ou ironique à un hérétique contempteur de la
matière ; *quodcumque* marque que Tert. entend ne pas revenir au débat
des ch. 8-11 sur le docétisme.
4. Voir Notes critiques, p. 246.
5. La formule sera reprise au §3; elle a été préparée par la *sen-*
tentia terminale du ch. 16. Mots rares : *inglorius,* qui se lit aussi en

que le Christ du Créateur, et nous ne pourrons pas, nous, le revendiquer comme celui du Créateur sans le montrer tel que l'a institué le Créateur. Concernant les noms, voilà terminée notre réfutation[1]. Le Christ, je le revendique comme mien, Jésus, je le réclame comme mien!

C) Déroulement de l'histoire du Christ

Son aspect ignominieux et souffrant

XVII. 1. Comparons aux Écritures la suite de son histoire[2]. De quelque nature que soit en lui ce pauvre corps[3], quelle est donc l'allure et quel est donc l'aspect qu'il a eus[4]? S'il a bien été sans gloire, ignominieux, déshonorant, il sera mon Christ[5]. Car il a été annoncé tel d'allure et d'aspect. A nouveau[6] Isaïe est à nos côtés : «Nous avons annoncé en sa présence[7] : comme un petit enfant, comme une racine dans une terre desséchée; et il n'a pas d'apparence ni de gloire; et nous l'avons vu, et il n'avait pas d'apparence ni de beauté; mais son apparence était méprisable, plus déficiente que celle de tous les hommes[a].» De même plus haut, la parole du Père au Fils : «De la même façon que beaucoup s'épouvanteront devant toi, tellement ta figure sera privée de gloire de la part des

---

Id. 18, 5 (également en rapport avec *Is.* 53, 2); *inhonorabilis* (seul emploi chez Tert.) qui entre dans la langue ici et est resté très peu employé (cf. *TLL, s. u.*).

6. Cf. *supra* 7, 2.

7. L'expression *coram ipso* est plus exacte (LXX ἐναντίον αὐτοῦ) que *de illo* dans la citation de 7, 2.

nibus forma tua[b]. **2.** Nam etsi *tempestiuus decore* apud
Dauid *supra filios hominum*[c], sed in allegorico illo statu
gratiae spiritalis, cum accingitur ense[d] sermonis, qui uere
15 species et decor et gloria ipsius est. **3.** Ceterum habitu
incorporabili apud eundem prophetam *uermis etiam et
non homo, ignominia hominis et nullificamen populi*[e],
neque interiorem qualitatem eius cuiusmodi adnuntians.
Si enim plenitudo in illo spiritus constitit, agnosco uirgam
20 de radice Iesse[f]. Flos eius meus erit Christus, in quo
requieuit secundum Esaiam *spiritus sapientiae et intellectus, spiritus consilii et uigoris, spiritus agnitionis et pie-
tatis, spiritus timoris Dei*[g]. **4.** Neque enim ulli hominum
diuersitas spiritalium documentorum competebat nisi in
25 Christum, flori quidem ob gratiam spiritus adaequatum,
ex stirpe autem Iesse deputatum per Mariam, inde cen-

XVII, 3 (l. 20) - 5 : *Iud.* 9, 26-31 (p. 25, l. 15 – p. 26, l. 17).

---

13 illo : isto *X* ‖ 14 ense θ *Kr.Mor.Ev.* : ensem *Pam.* ‖ 15-16 habitu
incorporabili θ *Mor.Ev.* : in corporali habitu *Kr.* ‖ 17 populi : *leuius distinxi* ‖ 18 cuiusmodi (=cuiuscuiusmodi) *M*γ *R₁* : eiusmodi *R₂R₃ Kr.Ev.*
eiuscemodi *Pam.Rig.* modi *Mor.* * ‖ adnuntians *scripsi* : adnuntias *MF R
Pam.Mor.* adnuntiās *X* adnuntiant *Rig.* adnuntiat *Ev.* adnuntia sunt
Kr. * ‖ 24 diuersitas θ *Mor.Ev.* : uniuersitas *Kr.* (*ex loco gemello*) ‖ 26-27
censendam θ *Kr.Mor.* : -endum *Pam.Ev.* *

---

b. Is. 52, 14 ‖ c. Ps. 44 (45), 4 ‖ d. Cf. Ps. 44 (45), 4 ‖ e. Ps. 21
(22), 7 ‖ f. Cf. Is. 11, 1 ‖ g. Is. 11, 2

---

1. Dans cette citation incomplète d'*Is.* 52, 14, Moreschini et Evans
comprennent *sic* comme correlatif de *quemadmodum*. Avec ARCHAM-
BAULT, *Éd. Dial.*, t. 1, p. 59, nous lui donnons une valeur exclamative.
La phrase, apparemment, a été interrompue par Tert. pour souligner
les deux points essentiels à ses yeux : l'épouvantement et l'absence de
gloire.
2. Cf. 7, 5 et 14, 1. Le rappel de l'exégèse développée en 14, 2-5
(épée = parole divine) résout l'apparente contradiction.

hommes!... [b1] » **2.** Sans doute est-il chez David « épanoui de beauté au-dessus des fils des hommes[c] », mais c'est dans cet état allégorique de grâce spirituelle, quand il s'est ceint de l'épée[d] de la Parole qui est, en toute vérité, son apparence, sa beauté, sa gloire[2]. **3.** Par contre, sous son aspect promis à l'incarnation[3], chez le même prophète il est même « un ver et non un homme, un opprobre de l'homme et un objet de mépris pour le peuple[e4] », et qui assurément n'annonce pas sa qualité intérieure, de quelque nature qu'elle ait été[5]. Si en effet la plénitude de l'esprit s'est établie en lui, je reconnais là le rameau issu de la racine de Jessé[f] : sa fleur sera mon Christ, en qui a reposé, selon Isaïe, « l'esprit de sagesse et d'intelligence, l'esprit de conseil et de vigueur, l'esprit de connaissance et de piété, l'esprit de la crainte de Dieu[g6]. » **4.** A personne parmi les hommes ne convenait la diversité des manifestations spirituelles, sauf au Christ, assimilé à la fleur à cause de la grâce de l'esprit, réputé issu de la souche de Jessé par Marie qu'on doit en faire des-

3. Sur l'hapax *incorporabilis,* voir *Deus Christ.,* p. 307 et n. 1.

4. Cf. *supra* 7, 2 et p. 87, n. 6.

5. Voir Notes critiques, p. 247. L'expression *cuiusmodi* (= *cuiuscuiusmodi*) fait écho à q*uodcumque* du § 1. Ici non plus, Tert. n'entend pas ouvrir un débat sur l'élément divin *(qualitas interior)* du Christ, élément qui est pour lui l'Esprit. Il s'en tient à son programme présent, qui est l'examen des textes prophétiques ; il oppose à *Ps.* 21 (22), 7 qui prophétise l'abaissement humain du Christ, un autre texte d'Isaïe qui annonce en lui « la grâce de l'Esprit ».

6. Dans le passage parallèle de *Iud.* 9, 26, la citation se termine par *implebit illum,* ce qui est plus littéral. Mais la forme simplifiée adoptée ici (également en Irénée, *Haer.* 3, 17, 3) souligne davantage la notion d'Esprit septuple (plus haut *plenitudo spiritus*). Autres citations d'*Is.* 11, 2 chez Tert. : *Carn.* 21, 5-7 ; *Marc.* IV, 1, 8 ; 36, 11 ; V, 8, 4 ; *Cor.* 15, 2.

sendam. Expostulo autem de proposito : si das ei omnis
humilitatis et patientiae et tranquillitatis intentionem, et
ex his Esaiae erit Christus – *homo in plaga et sciens ferre*
30 *imbecillitatem* [h], qui *tanquam ouis ad uictimam adductus
est, et tanquam agnus ante tondentem non aperuit os* [i],
qui neque contendit neque clamauit nec audita est foris
uox eius [j], qui arundinem contusam, id est quassam
Iudaeorum fidem, non comminuit, qui linum ardens, id
35 est momentaneum ardorem gentium, non extinxit [k] – non
potest alius esse quam qui praedicebatur.

5. Oportet actum eius ad scripturarum regulam recognosci, duplici, nisi fallor, operatione distinctum, praedicationis et uirtutis. Sed de utroque titulo sic disponam,
40 ut, quoniam ipsum quoque Marcionis euangelium excuti

29-35 Christus : *exinde usque ad* extinxit *parenthesin sign.* Kr. ‖ 36
praedicebatur : -cabatur *X* ‖ 37 Oportet θ *Mor.Ev.* : Oportet et *Kr.* ‖ 40
excuti *Mγ R₁R₂ Kr.Mor.* : discuti *R₃ Ev.* *

---

h. Is. 53, 3 ‖ i. Is. 53, 7 ‖ j. Cf. Is. 42, 2 ‖ k. Cf. Is. 42, 3

---

1. Cf. *Carn.* 21, 5 (voir PETITMENGIN, «Citations d'Isaïe», p. 29). Sur
le texte adopté, voir Notes critiques, p. 248.
2. L'expression *de proposito* (sans autre exemple chez Tert.) a été
diversement interprétée : Moreschini comprend «expressément»; Evans
sous-entend *tuo* («I challenge you to say what you have in mind»).
On pourrait comprendre «à dessein». Finalement, nous préférons donner
à *propositum* le sens de «propos» (d'un discours, d'un débat) :
cf. II, 29, 2. Ainsi, après une sorte de digression sur la *qualitas interior*
du Christ, l'auteur revient au sujet : le Christ sans gloire et souffrant.
3. Le mot *tranquillitas* désigne ici la sérénité, l'absence de révolte
et de colère, la douceur et la soumission : ce sont les caractéristiques
mêmes que Marcion attribue à son dieu, opposé au Créateur : cf. 1, 25,
3-4; II, 29, 1.
4. Suite du texte d'Isaïe cité au § 1, et qui a été coupé en deux au
profit d'un exposé distinguant l'aspect souffrant de l'aspect sans gloire.
5. Verset du même passage d'Isaïe, très souvent rappelé depuis JUSTIN,
Dial. 72, 3, etc.; IRÉNÉE, *Dem.* 69 et *Haer.* 3, 12 8. Déjà cité plus haut,

cendre[1]. Mais, concernant notre propos[2], je réclame ceci : si tu lui accordes la volonté d'avoir toute humilité, patience et douceur[3], et s'il est vrai que, par là, il sera le Christ d'Isaïe – «homme de douleur et sachant supporter l'infirmité[h 4]», qui «a été conduit comme une brebis au sacrifice et n'a pas ouvert la bouche comme un agneau devant celui qui le tond[i 5]», qui n'a ni résisté ni crié ni fait entendre sa voix au-dehors[j], qui n'a pas mis en pièces le roseau broyé (c'est-à-dire la foi brisée des juifs), qui n'a pas éteint la mèche en train de brûler[k] (c'est-à-dire l'ardeur temporaire des païens[6]) –, il ne peut être autre que celui qui était prédit.

Son action   **5.** Son action[7], c'est d'après la règle des Écritures qu'il convient de la reconnaître, caractérisée qu'elle est, si je ne m'abuse, par une œuvre double : prédication et miracles. Mais sur l'un et l'autre chef, je vais prendre la disposition suivante : puisque nous avons décidé de passer au crible l'évangile même de Marcion, nous renverrons à ce

en 7, 1, on le retrouve en *Marc.* IV, 40, 1; 42, 3; *Pat.* 3, 7; *Res.* 20, 5.

6. Voir Justin, *Dial.* 123, 8; 135, 2 et Irénée, *Haer.* 4, 20, 10. Même citation chez Tert. en *Pat.* 3, 4 et *Marc.* IV, 23, 8. Les exégèses, qui s'intercalent selon un procédé habituel à l'auteur, paraissent lui être propres; elles sont très différentes des explications de caractère moral qu'on lit chez Jérôme, traduisant Origène, dans *In Matth.* II, 12 (*SC* 242, p. 244).

7. Ce § 5 est une simple transition avant de passer aux prophéties sur la mort du Christ : le développement sur l'*actus Christi* (enseignements et miracles) tourne court, Tert. préférant renvoyer à l'étude détaillée qui sera faite de ces deux formes d'activité dans l'examen de l'évangile, au livre IV. Il se limite donc à présenter deux *testimonia* établissant que ces deux formes d'activité avaient bien été annoncées par Isaïe. Le présent passage remploie *Iud.* 9, 29-31, mais avec d'importantes modifications, notamment pour le dossier scripturaire. Voir Tränkle, *Éd. Iud.*, p. XXXIX-XLI.

placuit, de speciebus doctrinarum et signorum illuc dif-
feramus, quasi in rem praesentem, hic autem generaliter
expungamus ordinem coeptum, docentes praedicatorem
interim adnuntiari Christum per Esaiam – *Quis enim,*
45 inquit, *in uobis, qui deum metuit?* [et] *Exaudiat uocem
filii eius*[1] –, item medicatorem – *Ipse enim,* inquit, *imbe-
cillitates nostras abstulit, et languores portauit*[m].

XVIII. 1. De exitu plane, puto, diuersitatem temptatis
inducere, negantes passionem crucis in Christum Creatoris
praedicatam, et argumentantes insuper non esse credendum ut in id genus mortis exposuerit Creator filium
5 suum quod ipse maledixerat. *Maledictus,* inquit, *omnis
qui pependerit in ligno*[a]. Sed huius maledictionis sensum
differo digne sola praedicatione crucis, de qua nunc

XVIII : *Iud.* 10, 1 (p. 26, l. 18-21) + 10, 5-10 (p. 27, l. 9 – p. 28,
l. 20).

---

41 illuc *R₃ Kr.Mor.Ev.* : illud *Mγ R₁R₂* ‖ 43 expungamus *R Kr.Mor.Ev.* :
expugnamus *Mγ* ‖ 45 metuit : *interrogationem sec. LXX hic signaui, quam
post* eius *sign. edd.* et *secl. Pam.Kr.* ‖ Exaudiat *M Pam.Kr.* (*cf. Marc. IV,
22 10*) : exaudiet β *Mor.Ev.* *

XVIII, 7 digne *Mγ R₁* : dignae *R₂R₃ Ev.*   digne <a> *Kr.Mor.* *

---

l. Is. 50, 10 ‖ m. Is. 53, 4; cf. Matth. 8, 17
XVIII. a. Deut. 21, 23; cf. Gal. 3, 13

---

1. Ce *testimonium* (pour le texte adopté, voir Notes critiques, p. 249)
est tiré d'une exhortation de Yahvé à suivre son Serviteur (sur l'interprétation παῖς = *Filius,* voir *Deus Christ.,* p. 244-246). Il n'est cité que
par Tert., ici et en *Marc. IV,* 22, 8 et 10. Aucune autre citation n'en
est relevée dans les volumes existants de la *Biblia Patristica.* Le *locus
gemellus* de *Iud.* 9, 30 produit, à la place, *Is.* 58, 1-2.
2. Le terme *medicator,* qui apparaît avec Tert., n'est employé chez
lui qu'ici, et est resté très rare par la suite. Il est plus expressif que
medicus et fait jeu avec *praedicator.*
3. Citation tirée du passage d'Isaïe sur le Serviteur souffrant, qui a
été utilisé au début du chapitre. D'après le contexte, il s'agirait d'un
personnage qui *a subi* nos souffrances. Mais le verset est présenté et
compris selon *Matth.* 8, 17 qui l'entend de Jésus guérisseur. Même

moment-là l'examen au cas par cas de ces enseignements et de ces prodiges, comme pour être en présence des faits, et ici nous achèverons la revue commencée par une déclaration générale, en enseignant que, pour le moment, le Christ a été annoncé par l'intermédiaire d'Isaïe aussi bien comme prédicateur – «Quel est parmi vous, dit-il, celui qui craint Dieu? Qu'il écoute la voix de son fils[11]» – que comme guérisseur[2] – «Lui-même, dit-il, a enlevé nos faiblesses et porté nos maladies[m 3].»

XVIII. 1. A propos de sa fin,

Sa fin :
a) Figures de sa croix

assurément, je pense, vous tentez d'introduire une discordance[4] en niant que la passion de la croix ait été prédite pour le Christ du Créateur[5]; vous arguez de plus qu'il n'est pas croyable que le Créateur ait exposé son fils à un genre de mort maudit par lui-même[6]. «Maudit, a-t-il dit, tout homme qui aura été pendu sur le bois[a].» Mais le sens de cette malédiction, j'en diffère l'examen[7], à juste titre,

emploi en *Marc.* IV, 8, 4 et 9, 10. Citation traditionnelle depuis Justin, *Dial.* 126, 1; cf. Irénée, *Dem.* 67 (début) et *Haer.* 4, 33, 11 (*SC* 100, p. 832). Dans le *locus gemellus* de *Iud.* 9, 30 est produit, à la place, *Is.* 35, 4-6.

4. Allusion à l'*antithèse* (cf. I, 19, 4, où *diuersitas* s'associe à *oppositio* pour cette notion) que Marcion avait établie entre le Créateur maudissant les crucifiés et le dieu supérieur qui a accepté ce genre de mort; cf. Harnack, *Marcion*, p. 288*.

5. Sur le matériel scripturaire et son organisation dans ce chapitre, et sur le remploi de *Iud.*, voir la note complémentaire 43, p. 294.

6. Objection juive, présentée par Tryphon chez Justin, *Dial.* 89, 2, et que Marcion avait faite sienne : cf. I, 11, 8 (t. 1, p. 153 et n. 5).

7. En fait, dans la suite, Tert. ne revient pas sur la question. Mais en *Marc.* V, 3, 10, il expliquera cette malédiction d'après *Gal.* 3, 13, et sans se référer à l'explication de Justin, *Dial.* 93, 1-2 (qui y voit une prophétie de ce que les juifs devaient faire au Christ et aux chrétiens en les maudissant). Sur le texte adopté, voir Notes critiques, p. 249.

maxime quaeritur, quia et alias antecedit rerum probatio
rationem. De figuris prius edocebo. **2.** Et utique uel
10 maxime sacramentum istud figurari in praedicatione opor-
tebat, quanto incredibile, tanto magis scandalo futurum si
nude praedicaretur, quantoque magnificum, tanto magis
obumbrandum, ut difficultas intellectus gratiam dei quae-
reret.

15   Itaque inprimis Isaac, cum a patre in hostiam deditus
lignum sibi portaret ipse[b], Christi exitum iam tunc deno-
tabat, in uictimam concessi a patre et lignum passionis
suae baiulantis[c].

3. Ioseph et ipse Christum figuratus, nec hoc solo, ne
20 demorer cursum, quod persecutionem a fratribus passus
est ob Dei gratiam[d], sicut et Christus a Iudaeis carnaliter
fratribus, cum benedicitur a patre etiam in haec uerba :

---

16 portaret ipse *M Kr.* : *inu.* β *Mor.Ev.* ‖ 19 Christum figuratus θ
Mor. (*cf. locum gemellum*) : Christum figuraturus *Eng.Kr.Ev.* in Christum
figuratus *Vrs.* (*prob. TLL VI, 1, c. 744, 42 s.*) * ‖ nec θ *Mor.Ev.* : uel
Kr. (*ex loco gemello*) *

---

b. Cf. Gen. 22, 6 ‖ c. Cf. Jn 19, 17 ‖ d. Cf. Gen. 37, 12-36

---

1. Cette formule, même si elle évoque le schéma de l'antérieur
et du postérieur cher à l'auteur (cf. Fredouille, *Conversion,* p. 275-
277), ne s'intègre pas bien dans la suite des idées, elle paraît n'être
qu'un écho maladroit de celle de *Iud.* 10, 2.

2. Sur cet équivalent de τύπος, qui constitue pour Tert. le terme
herméneutique privilégié, voir Van der Geest, *Le Christ et l'A. T.,*
p. 153-172 et O'Malley, *Tert. and the Bible,* p. 158-164. S'il est vrai
que notre auteur, ordinairement, insiste sur le caractère historique
de la *figura* en tant que *Realprophetie* (E. Auerbach), le terme
cependant peut concerner aussi une image ou un symbole présent
dans une prophétie verbale, comme c'est le cas ci-dessous pour la
figura du taureau de *Deut.* 33, 17 et de *Gen.* 49, 5-6.

3. Justification des figures proche de Justin, *Dial.* 90, 2 (cf. Prigent,
Justin et l'A. T., p. 207).

la prédiction de la croix étant seule en question pour l'heure essentiellement : car ailleurs aussi, il faut prouver les choses avant d'en donner la raison[1]. Je m'expliquerai d'abord sur les figures[2]. **2.** Et assurément, ce mystère, plus que tout autre peut-être, méritait d'être prédit en figures : plus il était incroyable, plus il aurait provoqué de scandale par la nudité d'une prédiction directe; plus il était sublime, plus il fallait le voiler afin que la difficulté de le comprendre cherchât la grâce divine[3].

– Isaac — C'est pourquoi il y eut en premier lieu Isaac : quand, voué en victime par son père, il portait lui-même le bois qui lui était destiné[b], il désignait déjà alors la fin du Christ qui fut concédé comme victime par le Père et a coltiné le bois de sa passion[c 4].

– Joseph — **3.** Joseph lui aussi a pris la figure du Christ, et pas seulement[5], dirai-je pour ne pas retarder ce développement, parce qu'il a subi la persécution de ses frères pour la grâce de Dieu[d], comme le Christ celle de ses frères par la chair, les juifs : quand de son père[6] il reçoit même une bénédiction en

4. En *Iud.* 13, 20-21, est ajouté au même «type», comme préfiguration de la croix, le trait du «bélier qui s'est pris les cornes dans le buisson» (*Gen.* 22, 13); voir Daniélou, *Sacramentum futuri*, p. 105-109. Ici *ipse* souligne le fait – constamment reconnu dans la tradition juive – qu'Isaac s'offrit volontairement au sacrifice (cf. le commentaire d'A. Jaubert dans son édition de Clément, *Épître aux Corinthiens, SC* 167, p. 150, n. 6).

5. Voir Notes critiques, p. 250.

6. Erreur de Tert. qui rapporte à Jacob des paroles prononcées par Moïse : il a confondu la bénédiction terminale du *Deutéronome* et les bénédictions de Jacob à la fin de la *Genèse* (Joseph est béni en *Gen.* 49, 22-26).

*Tauri decor eius, cornua unicornis cornua eius, in eis
nationes uentilabit pariter ad summum usque terrae*[e], non
25 utique rhinoceros destinabatur unicornis nec minotaurus
bicornis, **4.** sed Christus in illo significabatur, taurus ob
utramque dispositionem, aliis ferus ut iudex, aliis man-
suetus ut saluator, cuius cornua essent crucis extima
(4) (nam et in antemna, quae crucis pars est, extremi-
30 tates cornua uocantur), unicornis autem medio stipitis
palus. Hac denique uirtute crucis et hoc more cornutus
uniuersas gentes et nunc uentilat per fidem, auferens a
terra in caelum, et tunc per iudicium uentilabit, deiciens
de caelo in terram.

---

24 nationes uentilabit : *inu. X* ‖ terrae, non : *leuius dist. Kr.Mor.* ‖
28 extima *M Pam.Kr.Mor.Ev.* : extrema β ‖ 29-30 nam – uocantur : *parenthesin signaui* (*sec. locum gemellum, ed. Tränkle, p. 27, l. 22-23*) * ‖
30 medio *Iun.* (*cf. locum gemellum*) : media θ   medius *Vrs.Mor.Ev.*
medias *Eng.Kr.*

---

e. Deut. 33, 17

---

1. Cf. Justin, *Dial.* 91, 1, mais Tert. limite la citation à *Deut.* 33, 17.
Il se conforme à la ponctuation de Justin qui rapporte ταύρου, non
à ce qui précède (πρωτότοκος) comme fait la LXX, mais à ce qui
suit (τὸ κάλλος). La fin du verset est lue, d'après la LXX, ἐπ' ἄκρου,
tandis que Justin lit ἀπ' ἄκρου, ce qui rend douteuse l'hypothèse
d'un emprunt direct (cf. Archambault, *Éd. Dial.*, t. 2, p. 86-87, note).
De plus, l'expression *summum* ne peut signifier que «sommet», le
terme grec désigne l'extrêmité.
2. Remarque ironique qui n'est pas chez Justin.
3. Cf. Justin, *Dial.* 91, 3 (voir Prigent, *Justin et l'A. T.*, p. 208).
Mais la double disposition Juge/Sauveur rappelle la conciliation, en
II, 29, 1, (t. 2, p. 172, l. 6-12), des deux aspects opposés par la théologie marcionite.
4. Cf. Justin, *Dial.* 91, 2 (voir Prigent, *Justin et l'A. T.*, p. 208).
Tert. reprend l'explication en la simplifiant et la clarifiant. Les

ces termes : «Sa beauté est celle du taureau, ses cornes sont celles de la bête à une corne; avec elles, il balayera en même temps les nations jusqu'au sommet de la terre[e 1]», ce n'est pas assurément le rhinocéros à une corne ni le minotaure à deux cornes qui était désigné par là[2]! **4.** Par cet animal était signifié le Christ, taureau à cause de sa double disposition, lui qui est farouche pour les uns en sa qualité de juge, doux pour les autres en sa qualité de sauveur[3]; lui dont les cornes devaient être les extrémités de la croix **(4)** (et effectivement, dans la traverse qui est une partie de la croix, les extrémités s'appellent cornes); quant à la corne unique, elle devait être la barre au milieu du poteau[4]. Car c'est par cette puissance de la croix et en étant pourvu de cette sorte de cornes que le Christ, maintenant balaye toutes les nations par la foi en les enlevant de la terre vers le ciel, et qu'alors, par le Jugement, il les balayera en les jetant du ciel sur la terre[5].

«cornes» sont les extrémités de la croix, c'est le nom qui désigne les extrémités de la traverse horizontale appelée elle-même *antemna;* la saillie du milieu (le reposoir du crucifié) correspond à la corne unique. Voir aussi IRÉNÉE, *Haer.* 2, 24, 4. Autre description de la croix en *Nat.* I, 12, 4 (voir le commentaire de SCHNEIDER, *Éd. Nat.,* p. 251). Sur la ponctuation de cette phrase, voir Notes critiques, p. 251.

5. Cf. JUSTIN, *Dial.* 93, 3, où cependant il n'y a pas l'opposition *nunc/tunc.* Justin ne paraît s'attacher qu'aux résultats des coups de corne, salut pour les uns, ruine pour les autres. Tert., lui, considère le va-et-vient des cornes vers le haut et vers le bas, il y voit préfiguré le mouvement ascensionnel du salut (âmes des fidèles montant au ciel) et le mouvement descensionnel du jugement (retour des âmes dans les corps). L'expression *ad summum* joue un rôle essentiel dans cette exégèse.

35 **5.** Idem erit et alibi taurus apud eandem scripturam,
cum Iacob in Simeonem et Leui, id est in scribas et pha-
risaeos (ex illis enim deducitur census istorum) spiritaliter interpretatur : *Simeon et Leui perfecerunt iniquitatem*
ex sua haeresi, qua scilicet Christum sunt persecuti; *in*
40 *concilium eorum ne uenerit anima mea, et in stationem*
eorum ne incubuerint iecora mea, quia in indignatione
sua interfecerunt homines, id est prophetas, *et in concu-*
piscentia sua ceciderunt neruos tauro[f], id est Christo,
quem post necem prophetarum suffigendo, neruos utique
45 eius clauis desaeuierunt. Ceterum uanum, si post homi-
cidia alicuius bouis illis exprobrat carnificinam.

6. Iam uero Moyses, quid utique tunc tantum, cum
Iesus aduersus Amalech proeliabatur, expansis manibus
orabat residens[g], quando in rebus tam attonitis magis
50 utique genibus depositis et manibus caedentibus pectus
et facie humi uolutante orationem commendare debuisset,
nisi quia illic, ubi nomen domini dimicabat dimicaturi
quandoque aduersus diabolum, crucis quoque erat habitus
necessarius, per quam Iesus uictoriam esset relaturus ?

---

38 interpretatur θ *Mor.Ev.* : imprecatur *Kr.* ‖ 43 neruos θ *Kr.Mor.* (*de*
uerbi desaeuire *usu transitiuo, uide supra I, 24, 4 et TLL V, 1, c. 641,*
14 s.) : in neruos *Vrs.Ev.* ‖ 50 depositis : dispos- γ R_1R_2

---

f. Gen. 49, 5-6 ‖ g. Cf. Ex. 17, 10-13

---

1. Cette référence au «même livre», avant de citer *Gen.* 49, 5-6,
prouve que Tert. croyait précédemment citer la *Genèse* (voir plus
haut, p. 159, n. 6). Sur ce sens de *scriptura,* voir *Deus Christ.,* p. 458.
2. Expression brachylogique, bien dans la manière de Tert., pour
uerba Iacobi ... interpretantur. La correction *imprecatur* de Kroymann
est inutile.
3. *La Bible d'Alexandrie, Genèse,* p. 306, traduit : «par leur propre
choix». Mais il nous paraît indispensable de rendre la nuance péjorative du mot αἵρεσις pour Tert. (cf. II, 2, 7; t. 2, p. 29, n. 3).

– Le taureau de Jacob **5.** Le même taureau on le trouvera ailleurs encore dans le même livre de l'Écriture[1], quand on interprète au sens spirituel les paroles de Jacob contre Siméon et Lévi[2], c'est-à-dire les scribes et les pharisiens (dont l'origine en effet remonte à eux deux) : « Siméon et Lévi ont consommé l'iniquité par leur hérésie[3] » – entendons celle qui leur a fait persécuter le Christ. « Que mon âme n'entre pas en leur conseil et que mon cœur ne s'unisse pas à leur assemblée, parce que, dans leur colère, ils ont tué des hommes » – c'est-à-dire les prophètes – « et, dans leur convoitise, ils ont tailladé les muscles du taureau[f] » – c'est-à-dire du Christ qu'ils ont crucifié après le meurtre des prophètes, bien sûr en criblant ses muscles de clous. Autrement, il serait bien vain de leur reprocher, après des homicides, l'abattage d'un simple bœuf[4].

– Moïse **6.** Voici maintenant Moïse[5]. Pourquoi est-ce seulement lors du combat de Josué (Jésus) contre Amalech qu'il priait les mains étendues et assis[g], alors que dans une situation aussi affligeante il aurait dû bien plutôt recommander sa prière en fléchissant les genoux, en se frappant la poitrine de ses mains, en se prosternant face contre terre[6] ? La seule raison, c'est que, là où combattait le nom du Seigneur appelé un jour à combattre le diable[7], indispensable aussi était l'attitude de la croix par laquelle Jésus

---

4. Observation sarcastique, comme plus haut au § 3.

5. Développement inspiré de Justin (cf. PRIGENT, *Justin et l'A. T.*, p. 210-211), qui s'organise en trois phrases interrogatives, d'où le tour plus rhétorique de cette fin de chapitre.

6. Description de la prière ordinaire, qui fait écho à JUSTIN, *Dial.* 90, 3.

7. La correspondance Amalech combattu par Josué/diable combattu par Jésus sur la croix n'est pas dans Justin.

55 **7.** Idem rursus Moyses, post interdictam omnis rei simi-
litudinem[h], cur aereum serpentem ligno impositum pen-
dentis habitu in spectaculum salutare proposuit[i]? An et
hic dominicae crucis uim intentabat, qua serpens diabolus
publicabatur, et laeso cuique a spiritalibus colubris, intuenti
60 tamen et credenti in eam, sanitas morsuum peccatorum
et salus exinde praedicabatur[j]?

XIX. 1. Age nunc, si legisti penes Dauid : *Dominus
regnauit a ligno*[a], expecto quid intellegas. Nisi forte
lignarium aliquem regem significari Iudaeorum, et non
Christum, qui exinde a passione ligni superata morte
5 regnauit. Et si enim mors ab Adam regnauit usque ad
Christum[b], cur Christus non regnasse dicatur a ligno, ex
quo crucis ligno mortuus regnum mortis exclusit?

2. Proinde et Esaias : *Quoniam,* inquit, *puer natus est
uobis* (quid noui, si non de filio Dei dicit?) *et datus est*

XIX : *Iud.* 10, 11-16 (p. 28, l. 21 – p. 30, l. 4).

---

61 salus : sanitas γ R_1R_2
XIX, 3 significari : putes *add. Kr. (ex loco gemello)* ‖ 5 et si enim
M*γ Mor.* : Etsi enim *R Ev.*   Etenim si *Kr.* ‖ 6 regnasse dicatur : *inu.*
X ‖ 8 natus est *M Kr.Mor.* : *inu.* β *Ev.* ‖ 9 et 10 uobis *M (cf. locum
gemellum)* : nobis β *Kr.Mor.Ev.* *

---

h. Cf. Ex. 20, 4 ‖ i. Cf. Nombr. 21, 9 ‖ j. Cf. Jn 3, 14-15
XIX. a. Ps. 95 (96), 10 ‖ b. Cf. Rom. 5, 14

---

1. Cf. II, 22, 1 (t. 2, p. 132, n. 2).
2. Pour *an = nonne,* voir II, 25, 6 (t. 2, p. 155, n. 3); également
II, 27, 3.
3. Sur le matériel scripturaire des § 1-5, voir la note complémentaire 44, p. 296.
4. Nous avons traduit *a ligno* en faisant apparaître la valeur temporelle de *a(b)* qu'explicite le commentaire : *exinde a passione ligni, ab*
Adam, ex quo. L'expression grecque correspondante est traduite par
«du haut du bois» (ARCHAMBAULT, *Éd. Dial.,* t. 1, p. 351) ou par «au
moyen du bois» (A. WARTELLE, éd. de JUSTIN, *I Apologie,* p. 153).

devait remporter la victoire.   **7.** Le même Moïse encore,
pourquoi, après avoir interdit toute représentation
figurée[h 1], a-t-il offert en spectacle pour être sauvé un
serpent d'airain qui était fixé sur un bois dans l'attitude
d'un pendu[i]? Ici encore, n'avait-il pas[2] en vue la puissance de la croix du Seigneur? C'est elle qui assujettissait
au peuple le diable serpent et annonçait à tout homme
blessé par les vipères spirituelles, à condition toutefois
qu'il la regardât et crût en elle, la guérison des blessures
des péchés et, à partir de là, le salut[j].

**b) Prédictions
de sa croix
– Ps 96, 10**

XIX. 1. Eh bien, maintenant[3], si
tu as lu dans David : «Le Seigneur
a régné depuis le bois[a 4]», j'attends
ton interprétation. Mais peut-être
vois-tu[5] signifié par là un roi des juifs menuisier[6], et non
le Christ qui a établi son règne en triomphant de la mort
à partir de sa passion sur le bois! Et si en effet la mort
a régné depuis Adam jusqu'au Christ[b], pourquoi ne dirait-
on pas que le Christ a régné depuis le bois, puisque
c'est en étant mort par ce bois de la croix qu'il a supprimé le règne de la mort[7]?

– Is. 9, 5

2. Pareillement Isaïe aussi a dit :
«Car un enfant vous est né»
– quelle nouveauté s'il ne parle pas du fils de Dieu?

---

5. Expression elliptique, où il est facile de sous-entendre *intellegis* :
il n'est donc pas nécessaire de corriger en ajoutant *putes,* comme fait
Kroymann d'après *Iud.* 10, 11 *(ne ... putetis).*
6. Seul emploi, ici et en *Iud.* 10, 11, du terme technique *lignarius*
(cf. *TLL* VII, 2, c. 1382, l. 83 s.) qui souligne le ton sarcastique de la
remarque. Observation très neutre dans Justin, *Dial.* 73, 2 (aucun juif
n'a régné comme Seigneur et Dieu sinon le crucifié).
7. La référence implicite au bois du paradis et le rappel de *Rom.* 5, 14
ne sont pas dans Justin. Cette phrase a été rajoutée à *Iud.* 10, 11.

10 *uobis cuius imperium factum est super humerum ipsius*[c].
Quis omnino regum insigne potestatis suae humero
praefert, et non aut capite diadema aut manu sceptrum
aut aliquam propriae uestis notam ? **3.** Sed solus nouus
rex aeuorum nouorum Christus Iesus nouae gloriae et
15 potestatem et sublimitatem suam humero extulit, crucem
scilicet, ut secundum superiorem prophetiam exinde
dominus regnaret a ligno[a].

Hoc lignum et Hieremias tibi insinuat, dicturis prae-
dicans Iudaeis : *Venite, iniciamus lignum in panem eius*[d],
20 utique in corpus. **4.** Sic enim dominus in euangelio
quoque uestro reuelauit, panem corpus suum appellans[e],
ut et hinc iam eum intellegas corporis sui figuram pani
dedisse, cuius retro corpus in panem prophetes figurauit,
ipso domino hoc sacramentum postea interpretaturo.

25 **5.** Si adhuc quaeris dominicae crucis praedicationem,
satis iam tibi potest facere uicesimus primus psalmus,
totam Christi continens passionem, canentis iam tunc
gloriam suam : *Foderunt,* inquit, *manus meas et pedes*[f],
quae propria atrocia crucis. Et rursus, cum auxilium patris

---

14 aeuorum nouorum *M* : *inu.* β *Kr.Mor.Ev.* ‖ 19 iniciamus : mit-
tamus *G R₃* ‖ 20 dominus *Kr.Mor.* : deus θ *Ev.* ‖ 22 pani : panis *R* ‖
24 interpretaturo *R edd.* : -turos *MF* -turus *X* ‖ 26 uicesimus *M*γ
Kr.Mor. : uigesimus *R₂R₃ Ev.* ‖ 29 atrocia *R Mor.* : atrocias *M* attrocia
γ atrocitas *Pam. Ev.* atrocia sunt *Eng.Kr.*

---

c. Is. 9, 5 ‖ d. Jér. 11, 19 ‖ e. Cf. Lc 22, 19 ; Matth. 26, 26 ; Mc 14, 22 ‖
f. Ps. 21 (22), 17

---

1. Sur la leçon *uobis,* ici retenue, voir Notes critiques, p. 251.
2. Le commentaire souligne l'étroite solidarité des deux premières
prophéties de la croix.
3. Les bibles sur l'hébreu traduisent autrement : « Détruisons l'arbre
plein de sève » *(TOB)*. Il s'agit du prophète rapportant les menaces des
Juifs à son endroit.
4. Cf. *Marc.* IV, 40, 3, d'où il ressort que Marcion conservait *Lc* 22, 19a

– « et vous a été donné celui sur l'épaule de qui l'empire a été établi[c][1]. » A-t-on jamais absolument vu un des rois porter l'insigne de sa puissance sur son épaule, au lieu d'avoir un diadème sur la tête ou un sceptre à la main ou quelque costume qui le distingue? **3.** Mais seul le nouveau roi des siècles nouveaux, le Christ Jésus, a porté sur son épaule la puissance et la sublimité de sa gloire nouvelle, c'est-à-dire la croix, pour permettre au Seigneur, d'après la prophétie précédente, de régner à partir du bois[a][2].

– Jér. 11, 19   Ce bois t'est encore indiqué par Jérémie dans sa prophétie aux juifs qui diraient : « Venez, jetons du bois sur son pain[d][3] » : comprenons sur son corps. **4.** Car dans votre évangile aussi, le Seigneur a bien révélé cette interprétation quand il appelle pain son corps[e], pour faire comprendre par là aussi qu'il avait déjà donné au pain la figure de son corps, lui dont jadis le prophète avait représenté le corps sous la figure du pain, le Seigneur lui-même devant plus tard nous expliquer ce mystère[4].

– Psaume 21   **5.** Cherches-tu encore une prédiction de la croix du Seigneur? Le psaume vingt et un peut maintenant te satisfaire, car il contient toute la passion du Christ qui déjà alors y prophétise sa gloire. « Ils ont percé, dit-il, mes mains et mes pieds[f] », ce qui constitue en propre les atrocités de la croix[5]. Et encore, quand il implore le secours de son

---

(cf. HARNACK, *Marcion*, p. 233*) : comme ici, Tert. éclaire la révélation du Christ par la prophétie de Jérémie qui proposait déjà l'équivalence bois = croix/pain = corps. Deux adaptations et rajouts marquent le remploi de *Iud.* 10, 12.

5. Même explication dans JUSTIN, *I Apol.* 35, 5.7; 38, 4; *Dial.* 97, 3-4; 104, 1.

30 implorat : *Saluum,* inquit, *fac me ex ore leonis,* utique
mortis, *et de cornibus unicornis humilitatem* [g], de api-
cibus scilicet crucis, ut supra ostendimus. Quam crucem
nec ipse Dauid passus est, nec ullus rex Iudaeorum, ne
putes alterius alicuius <quam eius> qui solus a populo
35 tam insigniter crucifixus est [h].

6. Nunc et si omnes istas interpretationes respuerit et
inriserit haeretica duritia, concedam illi nullam Christi
crucem significare meum Creatorem, quia nec ex hoc probabit alium esse qui crucifixus est. **7.** Nisi forte osten-
40 derit hunc exitum eius a suo deo praedicatum, ut diuersitas passionum, ac per hoc etiam personarum, ex
diuersitate praedicationum uindicetur. Ceterum nec ipso
Christo praedicato, nedum cruce ipsius, sufficit in meum
Christum solius mortis prophetia. Ex hoc enim quod non

---

31 humilitatem : meam *add. Kr.* (*ex loco gemello*) ‖ 34 quam eius
addidi : prophetari passionem quam eius *add. ex loco gemello Pam.*
(*unde Kr.Ev.*) *om.* θ *Mor.* * ‖ 38 significare meum Creatorem *scripsi* :
significare me a creatore *MF R₁R₂* significare in ea creatore *X* significatam a creatore *R₂* (*coni.*) *R₃ Ev.* significari a creatore *R₁* (*coni.*)
Eng.Kr.Mor. * ‖ 42 nec *R edd.* : ne *Mγ*

---

g. Ps. 21 (22), 22 ‖ h. Cf. Matth. 27, 35; Mc 15, 24; Lc 23, 33; Jn 19,
18

---

1. Cf. Justin, *Dial.* 98, 5; 105, 2. En *Iud.* 10, 13, Tert. suit plus fidèlement le texte de la LXX et de Justin : *unicornuorum* reflète
μονοκερώτων. Le singulier employé ici est plus proche de l'expression
de *Deut.* 33, 17.
2. Voir *supra* 18, 3-4.
3. Sur le texte de cette phrase conclusive du développement, voir
Notes critiques, p. 251.
4. Cette dernière partie du chapitre conclut le développement sur
l'*exitus Christi*. En une argumentation de «repli» ou de «marche arrière»,
selon un procédé qui lui est familier (cf. t. 1, p. 49), Tert. concède à
son adversaire qu'il abandonne tous les témoignages sur la crucifixion
du Christ, il se limitera à prouver que sa mort a été annoncée. Il

Père : «Sauve-moi, dit-il, de la gueule du lion» – comprenons de la mort – «et ma faiblesse des cornes de la bête à une corne[g]», c'est-à-dire des pointes de la croix[1], comme nous l'avons montré plus haut[2]. Cette croix, ni David lui-même ni aucun roi des juifs ne l'a soufferte, pour t'interdire de penser qu'elle soit celle de quelque autre que celui qui seul a été crucifié par le peuple d'une façon aussi remarquable[h][3]!

c) **Prédiction
de sa mort
et de sa résurrection
par Isaïe**

6. Maintenant[4], si dans son endurcissement l'hérétique repousse et raille toutes ces interprétations, je peux bien lui concéder que mon Créateur n'annonce aucune croix du Christ[5], car même cette concession ne lui permettra pas de prouver que celui qui a été crucifié est autre que le Christ du Créateur. **7.** A moins que peut-être il ne démontre que cette fin du Christ a été prédite par son dieu à lui, pour pouvoir ainsi revendiquer, par la différence dans les prédictions, la différence dans les passions et, par là, même dans les personnes de ces Christs! Mais son Christ même n'a pas été prédit non plus, loin que sa croix l'ait été[6]! Il suffit donc pour mon Christ que seule sa mort ait été prophétisée. Car cette mort, du

reprend alors, non sans ironie, les thèmes de sa polémique contre le dieu de Marcion qui n'a jamais rien prédit, même pas son Christ, et contre ce Christ qui, n'étant pas né, ne devait pas non plus être soumis à la mort. Il termine en produisant un double *testimonium, Is.* 57, 2 et *Is.* 53, 12, qui établit que la mort du Christ a bien été prophétisée, en même temps que son ensevelissement et sa résurrection. Ce développement remploie *Iud.* 10, 14 b-16, avec d'importants aménagements : addition des lignes 37-50 et retranchement de la longue citation d'*Is.* 53, 8-10. Pour une comparaison de deux passages parallèles, voir Prigent, *Justin et l'A. T.,* p. 181 (qui conclut à l'antériorité de *Iud.* sur *Marc.* III).
   5. Voir Notes critiques, p. 252.
   6. Cf. *supra,* ch. 2.

est edita qualitas mortis, potuit et per crucem euenisse,
45 tunc alii deputandam si in alium fuisset praedicata.
8. Nisi si nec mortem uolet Christi mei prophetatam, quo
magis erubescat, si suum quidem Christum mortuum
adnuntiat, quem negat natum, meum uero mortalem negat,
quem nascibilem confitetur. Et mortem autem et sepul-
50 turam et resurrectionem Christi mei una uoce Esaiae uolo
ostendere dicentis : *Sepultura eius sublata de medio est*[i].
9. Nec sepultus enim esset nisi mortuus, nec sepultura
eius sublata de medio nisi per resurrectionem. Denique
subiecit : *Propterea multos ipse hereditati habebit et mul-*
55 *torum diuidet spolia, pro eo quod tradita est anima eius*
in mortem[j]. Ostensa enim causa gratiae huius, pro iniuria
scilicet mortis repensandae, pariter ostensum est haec
illum, propter mortem consecuturum, post mortem, utique
per resurrectionem consecuturum.

---

46 deputandam *scripsi* : -tanda *codd. edd.* * || praedicata *Eng.Mor.* :
-catum θ *Kr.Ev.* * || 55 multos ipse *M Kr.Mor.* : ipse multos *F R Ev.*
multos *X* || 57 Ostensa *M Kr.Mor.* : ostensa est β *Ev.* (*qui ante* pariter
grauius dist.) || 58 repensandae : -ande γ -anda *M* (*dubie*) || 59 propter
mortem consecuturum θ *Mor.* : *secl. Iun.Kr.Ev.* * || 60 consecuturum
Pam.Kr.Mor.Ev. : -turus θ *

---

i. Is. 57, 2 || j. Is. 53, 12

---

1. Voir Notes critiques, p. 252.

2. Cf. *supra* 11, 1. Dans tout ce développement, les oppositions
meus/suus soulignent le tour polémique.

3. *Testimonium* emprunté à Justin (*Dial.* 16, 5; 97, 2; 118, 1) qui
lit *Is.* 57, 2 sous cette forme (avec ἦρται rapporté à ἡ τάφη) et qui
l'applique à la résurrection. Cf. Quispel, *Bronnen*, p. 66, et Petitmengin,
«Citations d'Isaïe», p. 38. Même texte et même application en *Marc.*
IV, 43, 2. Mais en *Scor.* 8, 2, Tert. présente une lecture différente
d'*Is.* 57, 1-2 (retour à la ponctuation de la LXX). Voir aussi Irénée,
Dem. 72 (qui s'écarte également de la lecture de Justin).

moment que la nature n'en a pas été énoncée, a pu
aussi bien se produire par la croix, laquelle alors ne
devrait être assignée à un autre que si elle avait été
prédite pour un autre[1]. **8.** Mais peut-être que même la
mort de mon Christ, l'hérétique ne voudra pas qu'elle ait
été prophétisée – pour rougir d'autant plus d'annoncer
la mort de son Christ auquel il refuse la naissance, et
inversement de refuser la mortalité au mien qu'il reconnaît
soumis à la naissance[2]! Mais la mort et la sépulture et
la résurrection de mon Christ, c'est par une seule parole
d'Isaïe que je veux les montrer; il dit : «Sa sépulture a
été enlevée du milieu[i3].» **9.** Il n'aurait pas reçu une
sépulture s'il n'était pas mort, et sa sépulture n'a été
enlevée du milieu que par la résurrection. Car Isaïe a
ajouté[4] : «C'est pourquoi il aura en héritage une multitude et il partagera les dépouilles d'une multitude parce
que son âme a été livrée à la mort[j5].» Est montrée en
effet la raison de cette grâce, qui devait être donnée en
compensation, bien sûr, pour l'offense de sa mort. Il est
montré pareillement que, devant obtenir ces récompenses
à cause de sa mort, il les obtiendrait après sa mort, par
sa résurrection évidemment[6].

---

4. Pour introduire *Is.* 53, 12 (antérieur à 57, 2), *subiecit* est un lapsus
de l'auteur. Le passage parallèle de *Iud.* 10, 16 se sert pareillement de
subiungit, mais peut-être ce verbe se justifie davantage, l'auteur pouvant
penser à la longue citation d'*Is.* 53, 8-10 qui précède et dont la nouvelle constitue la suite. Mais ici, où cette citation a été supprimée, c'est
par inadvertance qu'il a écrit *subiecit.*

5. Texte extrait du «quatrième chant du Serviteur de Yahvé», souvent
utilisé dans une application christique : *Is.* 53, 8-12 est donné comme
prophétie du Christ dans Justin, *I Apol.* 51, 1-5. La traduction de τῶν
ἰσχυρῶν par *multorum* surprend. Tert. a soin d'arrêter sa citation sur
mortem, le terme décisif pour sa démonstration.

6. Voir Notes critiques, p. 253.

XX. 1. Sufficit hucusque de his interim ordinem Christi decucurrisse, quo talis probatus qualiter adnuntiabatur non alius haberi debeat quam qui talis adnuntiabatur, ut iam ex ista consonantia rerum eius et scripturarum Creatoris
5 illis etiam restituenda sit fides ex praeiudicio maioris partis quae ad diuersas sententias uel in dubium deducuntur uel negantur. Amplius nunc superstruimus ea quoque paria ex scripturis Creatoris quaeque post Christum futura praecinebantur. **2.** Nec enim dispositio expuncta inue-
10 niretur, si non ille uenisset post quem habebat euenire.

Aspice uniuersas nationes de uoragine erroris humani exinde emergentes ad Deum Creatorem, ad Deum Christum, et, si audes, nega prophetatum. **3.** Sed statim tibi in psalmis promissio patris occurret : *Filius meus es*
15 *tu, ego hodie generaui te : postula de me, et dabo tibi gentes hereditatem tuam et possessionem tuam terminos*

XX, 1-5 (l. 27) : *Iud.* 11, 11-12 (p. 32, l. 16-23) + 12, 1-2 (p. 32, l. 23 – p. 33, l. 7); 14, 11-12 (p. 40, l. 10 – p. 41, l. 5).

XX, 2 decucurrisse : decurrisse γ ‖ 6 ad diuersas sententias θ *Mor.Ev.* : a diuersa sententia *Kr.* * ‖ 8 quaeque θ : quaequae R_2 *Oehler Ev.* quae *Kr.Mor.* * ‖ 14 occurret *M Pam.Kr.Mor.Ev.* : occurrit β ‖ 15 generaui : genui γ ‖ de me θ *Kr.Mor.* : a me *Pam.Ev.* *

---

1. Cf. *supra* 17, 5 (renvoi au livre IV d'un examen plus détaillé de l'*ordo Christi*). Sur le matériel scripturaire du chapitre et sur le remploi de passages de *Iud.,* voir la note complémentaire 45, p. 297.
2. Par cet argument tiré d'un principe de logique est justifié l'abrègement imposé à l'exposé. Pour le texte, voir Notes critiques, p. 254.
3. Verbe imagé, déjà chez Tacite, dont Tert. a plusieurs autres exemples. La phrase *(Amplius – praecinebantur)* n'est pas dans les deux passages parallèles de *Iud.*

D) Ce qui devait suivre

Transition **XX.** **1.** Jusqu'ici il suffit d'avoir parcouru provisoirement[1] sur ces faits l'histoire du Christ pour établir que celui-ci, étant prouvé tel qu'il était annoncé, ne doit pas être tenu pour un autre que celui qui était annoncé tel : de sorte que dès lors la concordance entre les faits le concernant et les Écritures du Créateur devra, en vertu de la présomption favorable qui ressort de la majorité des cas, rendre aussi leur crédit à ceux qui sont ou mis en doute ou niés au profit de thèses opposées[2]. Voici maintenant un étage supplémentaire à notre édifice[3] : les faits analogues tirés aussi des Écritures du Créateur et qui étaient prédits[4] comme devant se produire après le Christ. **2.** Effectivement la disposition ne s'en trouverait pas acomplie si n'était pas venu celui après qui elle devait se produire.

L'appel des nations **a) Promesses du Père** Regarde toutes les nations émergeant du gouffre de l'erreur humaine pour se tourner, à partir de là, vers le Dieu Créateur, vers le Christ Dieu, et si tu l'oses, nie[5] que la chose ait été prophétisée. **3.** Mais immédiatement, dans les psaumes, te fera face la promesse du Père : «Tu es mon fils; aujourd'hui je t'ai engendré; demande moi et je te donnerai les nations pour ton héritage, et pour

---

4. La forme *praecinere* ne se rencontre qu'ici chez Tert. (ailleurs *praecanere*) : cf. *TLL* X, 2, c. 439, l. 3. Sur le texte adopté, voir Notes critiques, p. 254.

5. Appel à l'adversaire, accompagné d'un défi *(nega)* qui reviendra plus bas (21, 4).

terrae[a]. Nec poteris magis Dauid filium eius uindicare quam Christum, aut terminos terrae Dauid potius promissos qui intra unicam Iudaeorum gentem regnarit, quam
20 Christo qui totum iam orbem euangelii sui fide cepit.
4. Sic et per Esaiam : *Ecce dedi te in dispositionem generis, in lucem nationum, aperire oculos caecorum,* utique errantium, *exsoluere de uinculis uinctos,* id est de delictis liberare, *et de cella carceris,* id est mortis, *sedentes in*
25 *tenebris*[b], ignorantiae scilicet. **5.** Quae si per Christum eueniunt, non in alium erunt prophetata quam per quem eueniunt.

Item alibi : *Ecce testimonium eum nationibus posui, principem et imperantem nationibus; nationes, quae te*
30 *non sciunt, inuocabunt te, et populi confugient ad te*[c]. Nec enim haec in Dauid interpretaberis, quia praemisit : *Et disponam uobis dispositionem aeternam, religiosa et fidelia Dauid*[d]. **6.** Atquin hinc magis Christum intel-

---

19 regnarit θ : regnauit *Pam.Kr.Mor.Ev.* * ‖ 24 sedentes *R edd.* : sedentis *M*γ

XX. a. Ps. 2, 7-8 ‖ b. Is. 42, 6-7 ‖ c. Is. 55, 4-5 ‖ d. Is. 55, 3; Cf. Act 13, 34

---

1. Versets compris, selon l'exégèse prosopographique, comme promesse du Père au Fils : cf. *Marc.* IV, 16, 12; 22, 8; 25, 9; 39, 11; V, 17, 6. Le v. 7, seul, témoignera de l'altérité des personnes divines en *Prax.* 7, 2; 11, 1; 11, 3. Sur le texte adopté, voir Notes critiques, p. 257.

2. Voir Notes critiques, p. 257.

3. En *Iud.* 12, 2, on lit *generis mei.* Pamelius rétablit ici le possessif *mei.* Mais tous les mss de la LXX n'ont pas μου, et c'est aussi le cas de la citation de Justin, *Dial.* 26, 2.

4. Cf. *Marc.* IV, 11, 1, et, pour *posui in lumen nationum, Marc.* V, 2, 5; 6, 1; 7, 1. Au lieu de *de cella carceris,* le texte parallèle de *Iud.* 12, 2 porte *de domo carceris* qui est plus exact (grec ἐξ οἴκου); cf. PETIT-

ta possession les confins de la terre[a][1].» Tu ne pourras pas prétendre reconnaître son fils en David plutôt que dans le Christ, ou mettre la promesse des confins de la terre au compte de David – lequel n'a régné[2] que sur la nation juive – plutôt que du Christ qui a pris désormais le monde entier par la foi en son Évangile. **4.** De même encore il dit par Isaïe : «Je t'ai établi en alliance du peuple[3], en lumière des nations, pour ouvrir les yeux des aveugles» – évidemment des égarés –, «pour arracher les captifs à leurs liens» – c'est-à-dire les délivrer de leurs péchés – «et au cachot de leur prison» – c'est-à-dire de la mort – «ceux qui sont assis dans les ténèbres[b]» – bien évidemment celles de l'ignorance[4]. **5.** Si ces événements se produisent par le Christ, c'est qu'ils n'ont pas été prophétisés pour un autre que celui qui les fait se produire.

b) L'alliance éternelle par le Christ issu de David De même ailleurs : «Voici que je l'ai placé comme témoignage pour les nations, prince et souverain des nations; les nations qui ne te connaissent pas t'invoqueront et les peuples se réfugieront auprès de toi[c].» Ce passage non plus, tu ne l'interpréteras pas comme se référant à David, car juste avant il a dit : «Et j'établirai pour vous une alliance éternelle, réalités sacrées et fidèles de David[d][5].» **6.** Ce texte au

---

MENGIN, «Citations d'Isaïe», p. 28, n. 37, qui voit là, après Säflund, une modification apportée par l'auteur en fonction de son idéal stylistique et sans faire violence au contenu. Comme il aime à le faire, Tert. insère ses interprétations exégétiques dans la citation même.

5. Présentation originale qui donne plus de relief à l'expression *religiosa et fidelia Dauid* sur laquelle le commentaire reviendra plusieurs fois. La LXX et Justin lisent τὰ ὅσια Δαυίδ τὰ πιστά; la traduction de Tert. suppose καί entre les deux adjectifs. Le texte hébreu signifie :

legere debebis ex Dauid deputatum carnali genere ob
35 Mariae uirginis censum. De hoc enim promisso iuratur in
psalmo ad Dauid : *Ex fructu uentris tui collocabo super
thronum tuum* [e]. Quis iste uenter est? Ipsius Dauid? Vtique
non. Neque enim pariturus esset Dauid. **7.** Sed nec
uxoris eius. Non enim dixisset : *Ex fructu uentris tui* [e],
40 sed potius : Ex fructu uentris uxoris tuae. Ipsius autem
dicendo uentrem superest ut aliquem de genere eius
ostenderit cuius uentris futurus esset fructus caro Christi,
quae ex utero Mariae floruit. Ideoque et fructum uentris
tantum nominauit, ut proprie uentris, quasi solius uentris,
45 non etiam uiri; et ipsum uentrem ad Dauid redegit, ad
principem generis et familiae patrem. **(8)** Nam quia uiro
deputare non poterat uirginis eum uentrem, patri depu-
tauit. **8.** Ita quae in Christo noua dispositio inuenitur
hodie, haec erit quam tunc Creator pollicebatur, religiosa
50 et fidelia Dauid [d] appellans, quae erant Christi, quia
Christus ex Dauid : immo ipsa erit caro eius religiosa et
fidelia Dauid [d], iam sancta religione et fidelis ex resurrectione.

---

35 promisso : promissio *X* ‖ 48 Ita quae *Vrs.Kr.Mor.Ev.* : Itaque θ ‖
51-53 immo – resurrectione : *secl. ut interpolata Kr.Mor.* * ‖ 52 fidelia :
-lis γ ‖ iam *Rig.Mor.Ev.* : tam θ *Kr.* *

---

e. Ps. 131 (132), 11

«Oui, je maintiendrai les bienfaits de David» *(TOB)*. Comme Justin,
Tert. l'entend de la nouvelle alliance conclue en Jésus descendant de
David par Marie (cf. *Marc.* IV, 1, 7).

1. Cf. *supra* 17, 4.
2. Cf. *Carn.* 21, 6; 22, 6.
3. Cette démonstration de caractère très didactique, bien dans la
manière de Tert. n'échappe pas cependant au reproche de pesanteur.

contraire devra t'amener davantage à comprendre que le
Christ est censé issu de David, dans l'ordre de la chair,
par l'ascendance de la Vierge Marie[1]. Concerne en effet
cette promesse le serment fait à David dans le psaume :
«Je placerai sur ton trône un fruit de ton ventre[e][2].» Quel
est ce ventre? Celui de David lui-même? Évidemment
non! Ce n'est pas David qui aurait pu enfanter! **7.** Mais
ce n'est pas non plus celui de sa femme. Car il n'aurait
pas dit «un fruit de ton ventre[e]», mais plutôt «un fruit
du ventre de ta femme». En parlant de son ventre à lui,
David, il ne laisse subsister qu'une possibilité, qu'il a
désigné quelqu'un de sa lignée, parce que de son ventre
le fruit devait être la chair du Christ qui a fleuri du sein
de Marie. C'est pourquoi aussi il l'a appelé seulement
«fruit du ventre» comme étant en propre celui du ventre,
en tant que du seul ventre, sans la participation de
l'homme; et il a rapporté ce ventre même à David, au
principe de la lignée et au père de la famille. **(8)** Car,
ne pouvant attribuer à un homme ce ventre d'une vierge,
il l'a attribué au père[3]. **8.** Ainsi la nouvelle alliance que
l'on trouve aujourd'hui dans le Christ sera bien celle que
promettait alors le Créateur, en désignant par «réalités
sacrées et fidèles de David[d]» l'appartenance au Christ
parce que le Christ descend de David. Bien plus c'est sa
chair elle-même qui sera ces «réalités sacrées et fidèles
de David[d]», elle qui est désormais sanctifiée par la religion
et fidèle du fait de la résurrection[4].

---

4. Cette interprétation, qui fait référence au Christ ressuscité, paraît
dépendante de celle qu'en donne Paul, selon *Act.* 13, 34. Par *caro*,
employé avec la valeur de *corpus* dans l'expression *corpus Christi* (désignant l'Église), elle prend une dimension ecclésiologique. La phrase ne
doit pas être tenue pour interpolée, voir Notes critiques, p. 255.

Nam et Nathan propheta in prima Basiliarum profes-
55 sionem ad Dauid facit semini eius, *quod erit,* inquit, *ex
uentre ipsius* [f]. Hoc si in Salomonem simpliciter edisseres,
risum mihi incuties. Videbitur enim Dauid peperisse Salomonem. An et hic Christus significatur, ex eo uentre
semen Dauid qui esset ex Dauid, id est Mariae? **9.** Quia
60 et aedem Dei magis Christus aedificaturus esset [g], hominem
scilicet sanctum, in quo potiore templo inhabitaret Dei
spiritus [h], et in Dei filium magis Christus habendus esset [i]
quam Salomon filius Dauid. Denique et thronus in aeuum
et regnum in aeuum [j] magis Christo competit quam
65 Salomoni, temporali scilicet regi. Sed a Christo misericordia Dei non abscessit [k], Salomoni uero etiam ira Dei
accessit post luxuriam et idololatriam [l]. Suscitauit enim illi
Satan hostem Idumaeum [m]. **10.** Cum ergo nihil horum
competat in Salomonem, sed in Christum, certa erit ratio
70 interpretationum nostrarum, ipso etiam exitu rerum probante quas in Christum apparet praedicatas. Et ita in hoc
erunt sancta et fidelia Dauid [d]. Hunc Deus testimonium

XX, 9 (l. 63-65) : *Iud.* 14, 13 (p. 41, l. 5-7).
XX, 10 (l. 75-77) : *Iud.* 14, 13 (p. 41, l. 7-9).

---

54 prima θ *Mor.Ev.* : secunda *Pam.Kr.* * ‖ Basiliarum *R Kr.Mor.Ev.* :
basilicarum *M*γ ‖ 54-55 professionem *R edd.* : -ione *M*γ ‖ 59 semen
β *Kr.Mor.Ev.* : sanctum (sc̄m) *M* ‖ 62 et : *om.* β ‖ 65 regi. Sed β *Mor.* :
regis. ed *M* regi. Sed et *Rig.Kr.Ev.* ‖ 70 exitu rerum *: inu.* X

---

f. II Sam. 7, 12 ‖ g. Cf. II Sam. 7, 13 ‖ h. Cf. I Cor. 3, 16 ‖ i. Cf.
II Sam. 7, 14 ‖ j. Cf. II Sam. 7, 16 ‖ k. Cf. II Sam. 7, 15 ‖ l. Cf. III Rois
11, 1-11 ‖ m. Cf. III Rois 11, 14

---

1. Désignation habituelle en Afrique, sous l'influence de la LXX, des
Livres des Rois. C'est par inadvertance encore que Tert. attribue au
premier livre un texte provenant en fait du second; voir Notes critiques, p. 255.

**c) Prophétie
de Nathan**

Le prophète Nathan aussi, au premier livre des *Règnes*[1], fait à David une proclamation concernant sa semence «qui sera, dit-il, issue de son ventre[f]». Si tu donnes de ce passage une interprétation obvie qui l'applique à Salomon, tu provoqueras mon rire[2]. Car on verra David avoir enfanté Salomon! N'est-ce pas[3] ici aussi le Christ qu'on trouve signifié, semence de David issue de ce ventre qui était issu de David, c'est-à-dire de Marie? **9.** Car c'est le Christ qui devait édifier la maison de Dieu[g], c'est-à-dire l'homme saint[4], temple préférable à tout autre pour être habité par l'esprit de Dieu[h], et c'est le Christ qui devait être tenu pour fils de Dieu[i] – bien plus que Salomon fils de David! En définitive, ce trône pour l'éternité et ce royaume pour l'éternité[j] conviennent plus au Christ qu'à Salomon qui fut évidemment un roi temporaire. Tandis que la miséricorde divine ne s'est pas retirée du Christ[k], Salomon, lui, s'est attiré même la colère divine après être tombé dans la luxure et l'idolâtrie[5] Dieu en effet suscita contre lui un Satan, l'ennemi iduméen[m]. **10.** Donc, comme rien de cela ne convient à Salomon, mais au Christ, le bien-fondé de nos interprétations sera assuré puisqu'elles sont prouvées par la réalisation même de ces faits qui ont été, c'est manifeste, prédits pour le Christ. Et ainsi c'est en lui qu'on aura les réalités saintes et fidèles de David[d], c'est lui que Dieu

---

2. Cf. *supra* 14, 2 *(rideo)*. L'expression *incutere risum* est originale (seul exemple relevé par *TLL* VII, 1, c. 1101, l. 32), le verbe s'employant d'ordinaire pour un sentiment qu'on inspire à quelqu'un.

3. Sur *an = nonne,* voir *supra* 18, 7 (p. 164, n. 2).

4. L'image du temple prolonge celle du corps du Christ, au § 8, avec même valeur ecclésiologique. Interprétation semblable en *Barn.* 16, 6-8 *(SC* 172, p. 192-193, notes).

5. Cf. II, 23, 1, et V, 9, 13. On rapprochera aussi de Justin, *Dial.* 34, 7-8 (à propos de *Ps.* 71) : cf. Prigent, *Justin et l'A. T.,* p. 88-89. Mais Justin ne parle pas de l'ennemi iduméen.

nationibus[n] posuit, non Dauid; principem et imperantem
nationibus[n], non Dauid, qui soli Israheli imperauit.
75 Christum hodie inuocant nationes quae eum non sciebant,
et populi ad Christum hodie confugiunt[o], quem retro
ignorabant. Non potest futurum quod uides fieri.

XXI. 1. Sic nec illam iniectionem tuam potes sistere
ad differentiam duorum Christorum, quasi Iudaicus quidem
Christus populo soli ex dispersione redigendo destinetur
a Creatore, uester uero omni humano generi liberando
5 conlatus sit a deo optimo, cum postremo priores inue-
niantur Christiani Creatoris quam Marcionis, exinde uocatis
omnibus populis in regno eius ex quo Deus regnauit a
ligno[a], nullo adhuc Cerdone, nedum Marcione.

2. Sed et reiuctus de nationum uocatione conuertere
10 iam in proselytos quaeris qui de nationibus transeunt ad

---

77 futurum $M\gamma$: futurum dici R $Kr.Mor.Ev.$ *
XXI, 9 Sed et θ $Mor.Ev.$: Sed $Kr.$ ‖ 10 proselytos (-litos MX) quaeris
(-ritis M) $Kr.$: proselytos. Quaeris $cett.$ * ‖ transeunt $M\gamma$ R_1 $Kr.Mor.$:
transeant R_2R_3 $Ev.$ *

---

n. Cf. Is. 55, 4 ‖ o. Cf. Is. 55, 5
XXI. a. Cf. Ps. 95 (96), 10

---

1. Voir Notes critiques, p. 256. Tout en concluant le chapitre, cette
phrase sert de transition avec le suivant qui, en son début, mentionne
la croyance juive en un Messie à venir.

2. Nous traduisons *iniectio* d'après *TLL* VII, 1, c. 1618, l. 15 s. (= *oppo-
situm*, εἰσβολή); mais le mot reste marqué de sa valeur péjorative ordinaire («imagination», «conception arbitraire»); cf. I, 21, 1. L'équivalence avec ἔννοια, νόημα, est attestée en *An.* 34, 3 et *Pud.* 13, 3 Tert.
est le premier à utiliser ce terme technique du droit et de la médecine
en un sens figuré (cf. *TLL, ibid.*, c. 1618, l. 8 s.). Sur l'organisation et
l'argumentation du chapitre, voir la note complémentaire 46, p. 298.

3. Cf. *infra* 24, 1 et IV, 6, 3. Il s'agit probablement d'une «antithèse» de Marcion (cf. QUISPEL, *Bronnen*, p. 84; HARNACK, *Marcion*,
p. 283*s. et 289*). Sur l'œuvre du *deus optimus* qui délivre les hommes
de l'emprise du Créateur, voir I, 19, 2.

a placé comme témoignage pour les nations[n], et non David; comme prince et souverain des nations[n], et non David qui a commandé au seul peuple d'Israël. Le Christ est aujourd'hui invoqué par les nations qui ne le connaissaient pas et les peuples se réfugient auprès de lui[o] qu'ils ignoraient auparavant. Ne peut être à venir ce que tu vois en train de se réaliser[1].

Réponse à une objection
a) L'événement est antérieur à Marcion

XXI. 1. De même non plus, tu ne saurais donner consistance, en faveur de la distinction des deux Christs, à l'objection[2] que tu fais en prétendant que le Christ des juifs serait destiné par le Créateur à rassembler de la dispersion son peuple uniquement, tandis que le vôtre aurait été accordé par le dieu tout bon pour la délivrance du genre humain tout entier[3]. Car enfin, on trouve les chrétiens du Créateur[4] antérieurement à ceux de Marcion, puisque tous les peuples ont été appelés dans le royaume du Christ à partir du moment où Dieu a régné depuis le bois[a][5], quand il n'existait pas encore de Cerdon[6], et encore moins de Marcion!

b) et ne concerne pas les prosélytes

2. Mais une fois réfuté à propos de l'appel des nations[7], tu cherches maintenant à te tourner du côté des prosélytes qui passent des nations au Créateur : alors que,

---

4. Désignation habituelle des fidèles de la Grande Église par les marcionites.

5. Cf. *supra* 19, 1.

6. Cf. I, 2, 3 (t. 1, p. 110 et n. 1).

7. Transition qui rattache, par dessus le § 1, le nouveau développement au précédent chapitre (preuve d'un ajout?). Sur le texte et l'organisation de la phrase, voir Notes critiques, p. 256.

Creatorem, quando et proselyti diuersae et propriae condicionis seorsum a propheta nominentur – *Ecce,* inquit
Esaias, *proselyti per me accedent ad te*[b], ostendens ipsos
quoque proselytos per Christum accessuros ad Deum –,
15 et nationes, quod sumus nos, proinde suam habeant nominationem sperantes in Christum : *Et in nomine,* inquit,
eius nationes sperabunt[c]. **3.** Proselyti autem, quos in
nationum praedicatione substituis, non in Christi nomine
sperare solent, sed in Moysei ordine, a quo institutio
20 illorum est. Ceterum allectio nationum a nouissimis diebus
exorta est. Iisdem uerbis Esaias : *Et erit,* inquit, *in nouis-*
simis diebus manifestus mons domini, utique sublimitas
Dei, < *et* > *aedes Dei super summos montes,* utique Christus,
catholicum Dei templum[d], in quo Deus colitur, consti-
25 tutum super omnes eminentias uirtutum et potestatum[e] :
et uenient ad eum uniuersae nationes, et ibunt multi et
dicent : Venite, ascendamus in montem domini et in aedem

12-14 ecce – ad deum : *parenthesin sign. Kr.Mor.* * ‖ 15 habeant *MF*
R Kr.Mor. : habent *X*   habebant *Pam.Ev.* * ‖ 19 Moysei *M Kr.Mor.* :
Moysi β *Ev.* ‖ 23   et aedes *Pam.Kr.Ev.* : aedes θ *Mor.* ‖ 25 omnes
Gel.Kr.Mor.Ev. : omnes enim θ

b. Is. 54, 15 (LXX) ‖ c. Is. 42, 4 (LXX) ‖ d. Cf. Jn 2, 19 ‖ e. Cf.
Éphés. 1, 20-21

1. Même citation en *Iud.* 4, 4 (avec *ibunt* au lieu de *procedunt*) ; elle
est faite fidèlement d'après la LXX, qui s'écarte beaucoup du texte
hébreu. D'après la *Biblia Patristica* I et II, Tert. est seul à citer ce
passage.
2. Comme en *Iud.* 4, 4, et conformément à l'exégèse prosopographique, Tert. entend ici la voix du Fils s'adressant au Père.
3. Le texte d'*Is.* 42, 1-4 a été christianisé dès *Matth.* 12, 18-21. Le
v. 4, selon la LXX, s'écarte du texte hébreu, rendu par *et legem eius*
insulae exspectabunt dans Jérôme, In *Is.* 12 (*CCL* 73 A, p. 478). Cf. Justin,
Dial. 123, 8 ; 135, 2 ; Irénée, *Haer.* 3, 11, 6. Tert. reprend ce v. 4 en
Marc. V, 2, 5 ; 4, 4 et 11 ; *Res.* 59, 5.
4. Cf. *Ex.* 12, 48 s. L'obligation faite par Yahvé à Moïse et Aaron de
circoncire les étrangers en résidence s'ils voulaient célébrer la Pâque
juive, a préparé le statut des prosélytes d'époque hellénistique.

d'une part, les prosélytes, personnes d'une condition différente et particulière, font l'objet de la part du prophète
d'une mention séparée – «Voici, dit Isaïe, que les prosélytes s'approcheront par moi de toi[b 1]», montrant ainsi
que les prosélytes eux-mêmes s'approcheront aussi de
Dieu par le Christ[2]! –, et que d'autre part, les nations
que nous sommes, nous, sont pareillement l'objet d'une
mention spécifique comme mettant leur espérance dans
le Christ : «Et les nations, dit-il, espéreront en son nom[c 3].»
3. Or les prosélytes que dans la prédiction concernant
les nations, tu substitues à celles-ci, n'ont pas l'habitude
d'espérer dans le nom du Christ, mais dans l'ordre de
Moïse à qui remonte leur institution[4]. L'élection des nations
au contraire est un phénomène des derniers jours. C'est
en se servant de ces mots précisément qu'Isaïe a dit[5] :
«Et se manifestera dans les derniers jours[6] la montagne
du Seigneur» – évidemment la sublimité de Dieu – «et
la maison de Dieu sur le sommet des monts» – évidemment le Christ, temple universel de Dieu[d 7] où Dieu
est honoré et qui est établi sur toutes les éminences des
Vertus et Puissances[e] – «et toutes les nations viendront
à lui et beaucoup iront et diront : Venez, montons à la
montagne du Seigneur et à la maison du Dieu de Jacob,

---

5. La longue citation d'*Is.* 2, 2-4 qui suit, se trouve, avec des variantes
textuelles, mais la même exégèse, en *Iud.* 3, 8-9. Les v. 3-4 sont cités
par JUSTIN, *I Apol.* 39, 1, comme prophétiques de la prédication apostolique.

6. L'expression correspond à la LXX et se lit aussi dans la Vulgate.
Les Bibles sur l'hébreu traduisent : «dans l'avenir» *(TOB)*. Manifestement
Tert. attache beaucoup d'importance à trouver chez Isaïe l'annonce des
derniers temps du monde, qui sont pour lui ceux du Christ jusqu'à
son retour.

7. Même conception (du Christ comme temple de Dieu dont les chrétiens forment le corps mystique) qu'en 20, 8-9 (voir *supra* p. 177, n. 4
et p. 179, n. 4; cf. aussi *infra* 24, 10 et *Pud.* 16, 8 (en liaison avec
I Cor. 6, 15). Cf. IRÉNÉE, *Haer.* 5, 6, 2.

Dei Iacob, et adnuntiabit nobis uiam suam, et incedemus
in ea; ex Sion enim exibit lex, et sermo domini ex Hie-
30 *rusalem* (haec erit uia nouae legis euangelium, et noui
sermonis in Christo, iam non in Moyse); *et iudicabit inter*
nationes, de errore scilicet earum; *et reuincet populum*
amplum, ipsorum inprimis Iudaeorum et proselytorum; *et*
concident machaeras suas in aratra et zibinas in falces,
35 id est animorum nocentium et linguarum infestarum et
omnis malitiae atque blaphemiae ingenia conuertent in
studia modestiae et pacis; *et non accipiet gens super*
gentem machaeram, utique discordiae; *et non discent*
amplius bellare [f] *,* id est inimicitias perficere, ut et hic
40 discas Christum non bellipotentem, sed paciferum repro-
missum. **4.** Haec aut prophetata nega, cum coram
uidentur, aut adimpleta, cum leguntur, aut si non negas
utrumque, in eo erunt adimpleta in quem sunt prophetata.

XXI, 4 : *Iud*. 14, 14 (p. 41, l. 9-11).

---

31 Moyse *MG R₃ Kr.Mor.Ev.* : Moysen γ *R₁R₂* ‖ 34 zibinas *M Kr.Mor.* :
libinas γ *R₁*   sibynas *R₂R₃ Ev.* ‖ 41 aut *M Rig.Kr.Mor.Ev.* : autem β

---

f. Is. 2, 2-4

---

1. Verset compris comme annonce de la loi nouvelle se substituant
à l'ancienne : cf. JUSTIN, *Dial.* 24, 1; 34, 1; 43, 1; IRÉNÉE, *Dém.* 86. Il
sera repris par Tert. plus bas (22, 1) et en IV, 1, 4; V, 4, 3.
2. En *Iud*. 3, 9, la première partie du v. 4 est omise. L'interprétation
selon laquelle le peuple juif sera confondu se lit aussi chez JÉRÔME,
In Is. 1, (*CCL* 73, p. 29-30).
3. Ce v. 4 sera repris en *Marc*. IV, 1, 4; mais l'interprétation ne
limitera pas aux juifs le peuple nombreux qui doit être confondu;
nations et juifs seront jugés sur la loi nouvelle de l'Évangile, dans la
mesure où ils croient et transforment leur cœur. Le mot *zibina* (seulement ici et en IV, 1, 4 pour Tert.) désigne un *genus uenabulorum*
comme il l'explique dans le deuxième emploi; c'est un emprunt à la
LXX : ζιβύνη ou σιβύνη désigne un épieu ou une javeline pour la chasse

et il nous annoncera sa voie et nous nous avancerons
en elle, car la Loi sortira de Sion, et de Jérusalem la
parole de Dieu[1]» (ce sera la voie de la loi nouvelle,
l'Évangile, et de la parole nouvelle, donnée dans le Christ,
et non plus dans Moïse), «et entre les nations il sera
juge» – bien sûr de leur égarement – «et il confondra
un peuple très nombreux» – en premier lieu celui des
juifs eux-mêmes et des prosélytes[2] – «et ils martèleront
leurs épées pour en faire des socs et leurs hallebardes
pour en faire des faux» – c'est-à-dire qu'ils convertiront
en goûts de douceur et de paix leurs machinations
d'esprits malfaisants, de langues hostiles, de toute espèce
de méchanceté et de blasphème – «et ils ne lèveront
plus, nation contre nation, l'épée» – évidemment celle
de la discorde – «et ils n'apprendront plus à faire la
guerre[f]» – c'est-à-dire à accomplir des actes hostiles[3];
pour que, par là aussi, tu apprennes que ne nous a pas
été promis un Christ puissant à la guerre mais porteur
de paix[4]. **4.** Ces événements, nie donc[5] qu'ils aient été
prophétisés, lorsque nous les avons sous les yeux, ou
qu'ils se soient accomplis, lorsque nous les lisons! Ou
alors, si tu ne nies aucune de ces deux choses, c'est
donc qu'ils se seront accomplis en celui pour qui ils ont
été prophétisés[6].

(Chantraine, *Dictionnaire étymologique*, s. u.); notre traduction par «hal-
lebarde» est une approximation, visant à rendre la couleur de ce mot
rarissime. En *Iud.* 3, 9, on trouve la traduction habituelle *lanceas*.

4. Retour du thème polémique sur le Christ guerrier que promettrait
le Créateur (cf. *supra* 14, 7). Le terme poétique *pacifer* (emploi unique
chez Tert.; cf. *TLL* X, 1, c. 12, l. 37) est symétrique de *armiger* (cf. *supra*,
p. 135, n. 4).

5. Défi faisant écho à celui qui a ouvert le développement en 20, 2.

6. Clausule formée de crétique + trochée. Sur la séparation des ch. 21
et 22 que nous établissons ici, voir Notes critiques, p. 257.

XXII. 1. Inspice enim adhuc etiam ipsum introgressum atque decursum uocationis in nationes a nouissimis diebus adeuntes ad Deum Creatorem, non in proselytos, quorum a primis magis diebus adlectio est. Etenim fidem istam
5 apostoli induxerunt. (**XXII. 1**) Habes et apostolorum opus praedicatum : *Quam tempestiui pedes euangelizantium pacem, euangelizantium bona* [a], non bellum nec mala. Respondit et psalmus : *In omnem terram exiuit sonus eorum et in terminos terrae uoces eorum* [b], circum-
10 ferentium scilicet legem ex Sion profectam et sermonem domini ex Hierusalem [c], ut fieret quod scriptum est : *Longe quique a iustitia mea appropinquauerunt iustitiae meae et ueritati* [d].

2. Cum huic negotio accingerentur apostoli, renun-
15 tiauerunt presbyteris et archontibus et sacerdotibus Iudaeorum, an non ? Vel maxime, inquit, ut alterius dei

---

XXII, 4 adlectio est : est allectio *Rig.* ‖ 8 mala *M Rig.Kr.Mor.Ev.* : malum β ‖ respondit θ *Mor.Ev.* : -det *Kr.* ‖ 11-12 longe quique θ *Mor.Ev.* : inu. *Kr.* * ‖ 15 archontibus *R Mor.Ev.* : archontis *Mγ Kr.* * ‖ 16 Iudaeorum, annon ? *Kr.Mor.* : Iudaeorum. An non *R Ev.* (*qui interrogationem post* praedicatores *posuerunt*)

XXII. a. Is. 52, 7 ; Rom. 10, 15 ‖ b. Ps. 18 (19), 5 ‖ c. Cf. Is. 2, 3 ‖ d. Is. 46, 12-13

---

1. Rappel récapitulatif du ch. 21. Le mot *introgressus* (hapax) est repris par *induxerunt* dans la phrase suivante. Sur l'argumentation et le matériel scripturaire, voir la note complémentaire 47, p. 300.
2. Cf. *Marc.* IV, 34, 16 ; V, 2, 5 ; 5, 1, sous la même forme et avec la même interprétation. En *Marc.* IV, 13, 2, le même verset est cité selon la LXX, à propos de l'évangélisation. Le commentaire ironique qui suit ici prolonge la polémique de 21, 3.
3. Cf. *Marc.* IV, 43, 9 ; V, 19, 2 ; *Iud.* 7, 3 : variantes textuelles légères, mais même application aux apôtres.
4. Cf. *supra* 21, 3. Citation associée aux deux précédentes chez Irénée, *Dém.* 86.

**Prédication
apostolique
et assemblées
chrétiennes
a) Œuvre des apôtres**

XXII. 1. Regarde encore en effet comment a débuté et s'est développé l'appel à ces nations qui, depuis les derniers jours, vont vers le Dieu Créateur – et qui ne sont pas les prosélytes dont l'élection est plutôt des premiers jours[1]. Et de fait, ce sont les apôtres qui ont introduit notre foi. **(XXII. 1.)** Tu trouves prédite aussi l'œuvre des apôtres : «Qu'ils sont beaux les pieds de ceux qui annoncent la bonne nouvelle de la paix, annoncent la bonne nouvelle des biens[a 2]», non la guerre et les maux! Le psaume aussi a fait écho : «Leur bruit s'est répandu sur toute la terre, et jusqu'aux extrémités de la terre leurs voix[b 3]», celle évidemment des hommes qui répandent partout la loi partie de Sion et la parole du Seigneur issue de Jérusalem[c 4], pour accomplir ce qui est écrit : «Ceux qui étaient loin de ma justice se sont approchés de ma justice et de ma vérité[d 5].»

b) Rejet du judaïsme

2. En se préparant à cette entreprise, les apôtres ont-ils renoncé aux anciens, aux magistrats et aux prêtres[6] des juifs, oui ou non? – Et peut-être surtout, dit l'adversaire, parce qu'ils

---

5. Verset cités aussi en V, 17, 4; voir Notes critiques, p. 258. Citation aberrante par rapport à la LXX qui a ἤγγισα τὴν δικαιοσύνην μου : le texte sous-jacent doit être ἤγγισαν τῇ δικαιοσύνῃ μου, qui n'est pas attesté par ailleurs. L'addition *et ueritati* qu'on trouve ici, peut-être tirée d'*Is.* 45, 19, correspond à une variante d'un ms. de la LXX; cf. PETIT-MENGIN, «Citations d'Isaïe», p. 36-37. L'exégèse présentée par Tert. (appel des nations qui étaient loin de Dieu) diffère de celle de JÉRÔME, *In Is.* 13 (*CCL* 73 A, p. 519-520), pour qui ce texte vise le peuple juif dans son infidélité.

6. Voir Notes critiques, p. 259.

praedicatores. Atquin ipsius eiusdem cuius scripturam cum
maxime implebant : *Diuertite, diuertite,* inclamat Esaias,
excedite illinc, et immundum ne attigeritis, blasphemiam
20 scilicet in Christum; *excedite de medio eius,* utique syna-
gogae; *separamini, qui dominica uasa portatis* [e]. **3.** Iam
enim secundum supra scripta reuelauerat dominus brachio
suo sanctum, id est uirtute sua Christum, coram nationibus ut uiderint uniuersae nationes et summa terrae
25 salutem quae erat a Deo [f]. Sic et ab ipso Iudaismo diuer-
tentes, cum legis obligamenta et onera euangelica iam
libertate mutarent, psalmum exsequebantur : *Disrumpamus
uincula eorum et abiciamus a nobis iugum eorum* [g] *;*
postea certe quam *tumultuatae sunt gentes et populi*
30 *meditati sunt inania; adstiterunt reges terrae, et principes*
congregati sunt in unum aduersus dominum et aduersus
Christum eius [h].

4. Quae dehinc passi sunt apostoli? Omnem, inquis,
iniquitatem persecutionum, ab hominibus scilicet Creatoris,
35 ut aduersarii eius quem praedicabant. Et quare Creator,

---

21 dominica uasa *Lat.Kr.Mor.Ev.* : domini causam θ ‖ 24 uiderint θ
Mor.Ev. : uiderent *Kr.* * ‖ 35 praedicabant *R₁(coni.) R₂(coni.)*
Gel.Rig.Kr.Mor.Ev. : praedicabas Mγ *R₁R₂* praedicabat *R₃* ‖ Et quare
Oehler Ev. : et quae Mγ *R₁R₂* At creator *R₂(coni.)* Et quî *R₃* Et qui
Kr.Mor. Ecquid *Lat.* *

---

e. Is. 52, 11 ‖ f. Cf. Is. 52, 10 ‖ g. Ps. 2, 3 ‖ h. Ps. 2, 1-2

---

1. Procédé diatribique du dialogue avec l'adversaire, qui donne plus
de vivacité à la polémique. Sur la thèse marcionite d'un Christ rompant
avec les juifs qui suivent un «autre» dieu, le Créateur, voir I, 20-21.
2. Le texte *de medio eius* est conforme à la LXX (αὐτῆς, qui désigne
Babylone, comme traduisent les Bibles modernes sur l'hébreu). En
Marc. V, 18, 6 et *Pud.* 18, 4, la même citation sera faite d'après
II *Cor.* 6, 17 *(de medio eorum).*
3. Citation également aberrante, qui suppose une leçon grecque non
attestée ailleurs (τῷ βραχίονι) : cf. PETITMENGIN, «Citations d'Isaïe», p. 37.
L'interprétation repose sur une équivalence *brachium* = «puissance

étaient les prédicateurs d'un autre dieu[1]! – Que non, ils prêchaient le même dieu, dont alors précisément ils accomplissaient l'Écriture : « Détournez-vous, détournez-vous, s'écrie Isaïe, allez-vous en d'ici et ne touchez pas à la chose impure » – comprenons le blasphème contre le Christ –, « allez-vous en du milieu d'elle » – comprenons de la Synagogue –, « séparez-vous d'eux, vous qui portez les vases du Seigneur[e 2]. » **3.** Car déjà, selon ce qui est écrit juste avant, le Seigneur avait révélé par son bras son Saint – c'est-à-dire par sa puissance le Christ – à la face des nations, de façon que toutes les nations et les extrémités de la terre aient vu le salut qui venait de Dieu[f 3]. C'est ainsi que, se détournant du judaïsme même parce qu'ils échangeaient désormais les obligations[4] et fardeaux de la Loi contre la liberté évangélique, les apôtres se conformaient au psaume : « Brisons leurs liens et rejetons leur joug loin de nous[g] », et cela assurément après que « les nations se sont soulevées et les peuples ont ourdi de vains complots, les rois de la terre se sont dressés et les princes se sont rassemblés contre le Seigneur et contre son Christ[h 5] ».

c) **Souffrances des apôtres**

4. Quelles souffrances les apôtres ont-ils subies à partir de là? Tu dis : toute l'iniquité des persécutions, de la part évidemment des hommes du Créateur, qui lui-même est l'adversaire de celui qu'ils prêchaient! Et

---

divine » (cf. *TLL* II, c. 2159, l. 37 s., et, chez Tert., *Pat.* 5, 23 ; *Iei.* 5, 2). L'interprétation que donne JÉRÔME, *In Is.* 14 (*CCL* 73 A, p. 582-583), repose sur l'équivalence *brachium = Filius Dei,* que connaît aussi notre auteur (cf. *Prax.* 11, 8 et 13, 3). Sur la leçon *uiderint* des mss, voir Notes critiques, p. 259.

4. Le mot *obligamentum,* très rare, apparaît avec la *Vetus Latina* et Tert.; celui-ci en a 4 occurrences.

5. Cf. I, 21, 1 (t. 1, p. 196, n. 1).

si aduersarius erat Christi, non modo praedicat hoc passuros apostolos eius, uerum et exprobrat? **5.** Nam neque
praedicaret alterius dei ordinem, quem ignorabat ut uultis,
neque exprobrasset quod ipse curasset : *Videte quomodo*
40 *perit iustus, nec quisquam excipit corde, et uiri iusti aufe-*
rentur, nec quisquam animaduertit : a persona enim inius-
titiae sublatus est iustus[i]. Quis, nisi Christus? *Venite,*
inquiunt, *auferamus iustum, quia inutilis est nobis*[j]. Prae-
mittens itaque et subiungens proinde passum etiam
45 Christum, aeque iustos eius eadem passuros tam apostolos quam et deinceps omnes fideles prophetauit, signatos
illa nota scilicet de qua Ezechiel : *Dicit dominus ad me :*
Pertransi medio portae in media Hierusalem, et da signum
Tau in frontibus uirorum[k].

---

39 Videte *R edd.* : uidet *Mγ* ‖ 40 perit *R₂R₃ edd.* : erit *Mγ R₁* ‖
quisquam *R edd.* : quisque *Mγ* ‖ 40-41 auferentur θ (*cf. infra* passuros) : auferuntur *Pam.Kr.Mor.Ev.* * ‖ 41-42 iniustitiae *Pam.Kr.Mor.Ev.* :
iustitiae θ * ‖ 48 medio *M Kr.Mor.* : in medio β *Ev.* ‖ signum *M*
Pam.Kr.Mor.Ev. : signa β

---

i. Is. 57, 1 ‖ j. Is. 3, 10 (LXX) ‖ k. Éz. 9, 4

---

1. Voir Notes critiques, p. 259. Même procédé du dialogue avec l'adversaire qu'au début du § 2.
2. Cf. I, 11, 9; II, 26, 1; 28, 1.
3. Nous comprenons *perit* comme parfait contracte (cf. *Res.* 34, 6-8,
avec plusieurs emplois), correspondant à ἀπώλετο de la LXX. En *Marc.*
IV, 21, 9, *periit,* leçon de *M,* est adopté par Kroymann et Moreschini.
4. Voir Notes critiques, p. 260.
5. La *TOB* traduit : « C'est sous les coups de la méchanceté que le
juste est raflé », et signale la difficulté grammaticale, la préposition
pouvant avoir un sens causal ou local. Nous pensons que Tert. a
compris *a persona iniustitiae* comme complément d'agent, cette « personne d'iniquité » s'incarnant pour lui en Israël; cf. *Deus Christ.*, p. 219,
n. 1.
6. Texte de la LXX, très différent de l'hébreu et de la Vulgate, et
qui a laissé un écho en *Sag.* 2, 12; mais Tert. s'attache à la leçon
ἄρωμεν de Justin (voir la note complémentaire 47, p. 301) qui présente,

pourquoi[1] alors, si le Créateur était l'adversaire du Christ, le voit-on non seulement prédire ces souffrances que subiront les apôtres, mais même en faire reproche? **5.** Car il ne pouvait ni prédire l'histoire de l'autre dieu ignoré de lui d'après vous[2], ni faire reproche de ce qu'il aurait lui-même mis en œuvre. «Voyez comme le juste a péri[3], et personne n'en prend souci; et les hommes justes seront enlevés[4], et personne n'y fait attention; car le juste a été supprimé par la face de l'injustice[i5].» Quel est ce juste sinon le Christ? «Venez, disent-ils, enlevons le juste, car il nous est nuisible[j6].» Commençant par dire, et disant tout de suite après[7], que le Christ aussi a souffert pareillement, il a prophétisé que les mêmes souffrances seraient subies également par ses justes, tant les apôtres que tous les fidèles à leur suite[8], ayant tous été marqués bien sûr du signe dont parle Ézéchiel : «Le Seigneur me dit : Passe par le milieu de la porte, au milieu de Jérusalem, et marque le signe Tau sur le front des hommes[k9].»

à ses yeux, l'intérêt d'établir un rapport étroit avec *Is.* 57, 1, cité juste avant, où ce verbe revient deux fois. JÉRÔME, *In Is.* 2 (*CCL* 73, p. 52), qui traduit ce texte avec la leçon habituelle (*alligamus*), l'applique aussi à la passion du Christ. Pour *inutilis* au sens fort de *noxius, perniciosus* (LXX δύσχρηστος), voir *TLL* VII, 2, C. 278, l. 62 s.

7. Non sans artifice, Tert. souligne que, dans ces deux prophéties, l'annonce de la passion du Christ encadre celle du martyre de ses disciples.

8. Élargissement du thème des apôtres à l'ensemble des chrétiens.

9. Cf. *Iud.* 11, 8; mais la présente citation est moins exacte; ainsi *ad me* (*ad eum* en *Iud.*) n'est pas conforme à la Bible (où il s'agit de l'homme que la gloire de Dieu a appelé); *medio portae* (sans correspondant en *Iud.*) fait peut-être écho au texte hébraïque («au milieu de la ville» *TOB*; *per mediam ciuitatem* Vulgate). la précision *Tau* (absente en *Iud.* comme dans la LXX et dans Cyprien) se trouve dans la Vulgate. En revanche *da* (*scribe* en *Iud*) est plus fidèle à la LXX (δός).

50 **6.** Ipsa est enim littera Graecorum Tau, nostra autem
T, species crucis quam portendebat futuram in frontibus
nostris apud ueram et catholicam Hierusalem, in qua
fratres Christi, filios scilicet Dei, gloriam fore Deo relaturos psalmus uicesimus primus canit ex persona ipsius
55 Christi ad patrem : *Enarrabo nomen tuum fratribus meis,
in medio ecclesiae hymnum tibi dicam*[1]. Quod enim in
nomine et spiritu ipsius hodie fieri habebat, merito a se
futurum praedicabat. Et paulo infra : *A te laus mihi in
ecclesia magna*[m]. Et in sexagesimo septimo : *In ecclesiis
60 benedicite dominum deum*[n]; ut pariter concurreret et
Malachiae prophetia : *Non est uoluntas mea, dicit dominus,
et sacrificia uestra non excipiam; quoniam ab ortu solis
usque in occasum nomen meum gloriatum est in nationibus, et in omni loco sacrificium nomini meo offertur,*
65 *et sacrificium mundum*[o], gloriae scilicet relatio et benedictio et laus et hymni.   **7.** Quae omnia cum in te quoque
deprehendantur, et signaculum frontium et ecclesiarum
sacramenta et munditiae sacrificiorum, debes iam erumpere
uti dicas spiritum Creatoris tuo Christo prophetasse.

---

53 fore *MX Kr.Mor.* : forte *F R₁R₂*   patri *R₃ Ev.* * ‖ 53-54 relaturos
R₁ (*coni.*) *R₂R₃ Kr.Mor.Ev.* : -turus *Mγ R₁* * ‖ 54 uicesimus primus
Kr.Mor. : uigesimus primus *R Ev.*   XXI *MX* XXXI *F* ‖ 59 sexagesimo
septimo *Pam.Kr.* : quinquagesimo septimo β *Mor.* LVII° *M* * ‖ 61 Mala-
chiae *Pam.Ev.* : Micheae θ *Kr.Mor.* * ‖ 62 excipiam *Mγ Kr.Mor.* : accipiam
R Ev. * ‖ 63 gloriatum θ (*usu passiuo*) : glorificatum *Pam.Kr.Mor.Ev.* *

---

l. Ps. 21 (22), 23 ‖ m. Ps. 21 (22), 26 ‖ n. Ps. 67 (68), 27 ‖ o. Mal. 1, 10-
11

---

1. Sur le rite de la signation qui est intégré au baptême et «marque»
les disciples du Christ, cf. DEKKERS, *Tertullianus,* p. 200-201.
2. Nouvel exemple d'exégèse prosopographique. Sur le texte, voir
Notes critiques, p. 260.
3. Voir Notes critiques, p. 260.
4. Voir Notes critiques, p. 261.
5. La proposition est un peu ambiguë, et on peut se demander s'il
n'y aurait pas lieu de restituer *in uobis* après *mea* (cf. *Iud.* 5, 7; *Marc.*

**d) Culte spirituel
de l'Église**

6. Il s'agit de la lettre grecque Tau, de notre lettre T, en forme de croix, cette croix dont il annonçait qu'elle serait sur nos fronts[1] dans la Jérusalem véritable et universelle où les frères du Christ – les fils de Dieu – rendront gloire à Dieu selon la prophétie du psaume vingt et un, par la bouche du Christ s'adressant à son Père[2] : «J'annoncerai ton nom à mes frères; au milieu de l'assemblée je t'adresserai un hymne[l].» Car une pratique qui devait se faire aujourd'hui en son nom et par son esprit, il prédisait à bon droit qu'elle se ferait par lui. Et un peu plus bas : «Par toi louange à moi dans la grande assemblée[m].» Et dans le psaume soixante-sept[3] : «Dans les assemblées bénissez le Seigneur Dieu[n]», cela afin que soit pareillement en accord la prophétie de Malachie[4] : «Ce n'est pas ma volonté[5], dit le Seigneur, et je ne recevrai pas vos sacrifices; car du levant au couchant mon nom est glorifié dans les nations, et en tout lieu un sacrifice est offert à mon nom, et c'est un sacrifice pur[o]», c'est-à-dire hommage à sa gloire, bénédiction, louange et hymnes. **7.** Comme toutes ces pratiques se rencontrent chez toi aussi – signation des fronts, sacrements des assemblées, pureté des sacrifices[6] –, il faut maintenant que de ta bouche jaillisse l'affirmation que l'esprit du Créateur a prophétisé pour ton Christ[7]!

IV, 1, 8; LXX: ἐν ὑμῖν, «Ma volonté n'est point en vous»). Mais l'expression peut se comprendre comme marquant le refus de ce qui est précisé ensuite, c'est-à-dire les sacrifices anciens; et Tert. a pu remodeler dans ce sens l'énoncé.

6. Cf. I, 14, 3 (t. 1, p. 164, n. 3); I, 23, 9 (t. 1, p. 212); I, 28, 3 (t. 1, p. 236).

7. Finale sarcastique qui accule Marcion à reconnaître sa défaite. En IV, 29, 14, la même expression est reprise à propos du prophète Michée. Sur l'emploi figuré de *erumpere* pour des paroles, emploi aimé de Tert. (cf. *An.* 41, 3; *Res.* 49, 13, etc.), voir *TLL* V, 2, c. 840, l. 19 s., et pour la construction avec *ut(i), ibid.,* c. 841, l. 29.

XXIII. 1. Nunc, quia cum Iudaeis negas uenisse
Christum eorum, recognosce et exitum ipsorum quem post
Christum relaturi praedicabantur, ob impietatem qua eum
et despexerunt et interemerunt. Primum enim ex die qua
5 secundum Esaiam proiecit homo aspernamenta sua aurea
et argentea, quae fecerunt adorandis uanis et nociuis[a], id
est ex quo genus hominum dilucidata per Christum ueritate
idola proiecit, uide an quod sequitur expunctum sit.
2. Abstulit enim dominus Sabaoth a Iudaea et ab Hie-
10 rusalem inter cetera et prophetam et sapientem archi-
tectum[b], spiritum scilicet sanctum, qui aedificat ecclesiam,
templum scilicet et domum et ciuitatem Dei. Nam exinde
apud illos destitit Dei gratia, et mandatum est nubibus
ne pluerent imbrem super uineam Sorech[c], id est cae-
15 lestibus beneficiis ne prouenirent domui Israhelis. **3.**
Fecerat enim spinas[d], ex quibus dominum coronauerat[e],
et non iustitiam, sed clamorem[f] quo in crucem eum extor-

XXIII, 1-4 : *Iud.* 13, 24-27 (p. 37, l. 1 – p. 38, l. 4).

XXIII, 4 et[1] : *om.* β ‖ 14 Sorech : Soreth *F R*

XXIII. a. Cf. Is. 2, 20 ‖ b. Cf. Is. 3, 1-3 ‖ c. Cf. Is. 5, 6 ‖ d. Cf. Is.
5, 4 ‖ e. Cf. Matth. 27, 29; Mc 15, 17; Jn 19, 2 ‖ f. Cf. Is. 5, 7

---

1. Cf. *supra* 7, 1. Sur l'organisation, le matériel scripturaire et le
remploi de l'*Aduersus Iudaeos* dans les § 1-4, voir la note complémentaire 48, p. 302.
2. Cf. *Ap.* 21, 5.
3. Citation faite d'après un Vieille Latine qui suit la LXX : *nociuis*
(aberrant par rapport à ταῖς νυκτέρισιν «chauves-souris» de la LXX),
que garantit le texte parallèle de *Iud.* 13, 24, est une erreur «pan-
latine» pour *noctuis* : cf. R. GRYSON, «Les anciennes versions latines
du livre d'Isaïe», *Revue théologique de Louvain* 17, 1986, p. 27 et n. 7;
PETITMENGIN, «Citations d'Isaïe», p. 35 et n. 52. Le mot *aspernamentum*
(plusieurs occurrences chez Tert.) est propre aux Vieilles Latines (LXX
βδέλυγμα); dans le texte parallèle de *Iud.* 13, 24, il est remplacé par
abominamentum de la Vulgate, qui ne se rencontre pas ailleurs chez

La dispersion des juifs   **XXIII.** **1.** Maintenant puisque,
a) Accomplissement en compagnie des juifs[1], tu nies que
des prophéties soit venu leur Christ, reconnais aussi
la fin de ce peuple[2], fin que les
prophéties annonçaient qu'ils recevraient après le Christ
pour prix de l'impiété qui leur a fait et mépriser et mettre
à mort le Christ. D'abord, à partir du jour où, selon Isaïe,
l'homme a rejeté les abominations d'or et d'argent qu'il
avait fabriquées pour adorer les êtres vains et nuisibles[a][3],
c'est-à-dire dès le jour où le genre humain, dans le rayon-
nement de la vérité par l'œuvre du Christ, a rejeté les
idoles, regarde si ne s'est pas accomplie la suite de la
prédiction. **2.** Le Seigneur Sabaoth en effet, de la Judée
et de Jérusalem, a retiré entre autres le prophète et le
sage architecte[b][4], c'est-à-dire l'esprit saint qui édifie l'Église
– temple, maison et cité de Dieu bien sûr[5]. Car à partir
de là, chez eux a cessé la grâce de Dieu, et il a été
ordonné aux nuages de ne plus faire tomber la pluie sur
la vigne de Sorech[c], c'est-à-dire aux bienfaits célestes de
ne plus s'approcher de la maison d'Israël[6]. **3.** Elle avait
en effet produit des épines[d] – celles dont elle avait cou-
ronné le Seigneur[e] – et au lieu de la justice, le cri[f] par
lequel elle l'avait arraché à Pilate pour le mettre en

Tert. (indice d'une révision du texte de *Iud.* sous l'influence de la
Vulgate?).

4. Cf. V, 6, 10 et 8, 5; également Ps.-Cyprien, *Adu. Iud.* 57. Le v. 3
a été utilisé en *I Cor.* 3, 10 pour le rôle de prédicateur de l'apôtre.

5. Cf. *supra* 20, 9; 21, 3; 22, 6. L'expression «cité de Dieu» provient de *Ps.* 86, 3. Même interprétation d'ensemble chez Jérôme, *In Is.*
2 (*CCL* 73, p. 46).

6. «Sorech» est un emprunt direct à la LXX, qui revient en IV, 29,
15 (Cf. *Is.* 5, 2). Tert. y voyait sans doute un nom propre (peut-être
celui d'un cépage?). En fait, ce mot hébreu désigne une qualité particulièrement belle de raisin («rouge vermeil» *TOB*); cf. Jérôme, *In Is.* 2
(*CCL* 73, p. 64). La Vulgate traduit par *electam* («de choix»), comme
Symmaque.

serat[g]. Et ita subtractis charismatum roribus lex et prophetae usque ad Iohannem[h]. Dehinc cum ea perseue-
20 rantia furoris et nomen domini per ipsos blasphemaretur,
sicut scriptum est : *Propter uos nomen meum blasphe-*
matur in nationibus[i] (ab illis enim coepit infamia), et
tempus medium a Tiberio usque ad Vespasianum non
paenitentiam intellexissent, facta est terra eorum deserta,
25 ciuitates eorum exustae, regionem eorum sub ipsorum
conspectu extranei deuorant, derelicta filia Sion et tanquam
specula in uinea uel in cucumerario casula[j], ex quo scilicet Israhel dominum non cognouit, et populus eum non
intellexit, sed dereliquit, et in indignationem prouocauit
30 sanctum Israhelis[k]. **4.** Sic et machaerae condicionalis
comminatio : *Si nolueritis nec audieritis me, machaera uos*
comedet[l], probauit Christum fuisse quem non audiendo
perierunt. Qui et in psalmo quinquagesimo octauo dispersionem eis postulat a patre : *Disperge eos in uirtute*
35 *tua*[m]. Qui et rursus per Esaiam in exustionem eorum

---

19 ea θ *Mor.Ev.* : ex *Pam.Kr.* * ‖ 21 nomen meum blasphematur *M*
Kr.Mor. : b. n. m. β *Ev.* ‖ 24 paenitentiam θ *Mor.Ev.* (*cf. Thörnell II,*
p. 61) : in paenitenti *Kr.* paenitentiae *Lat.* ‖ 26 et θ *Ev.* : est *Kr.Mor.*
om. *Pam.* (*qui* est *post* derelicta *add.*) * ‖ 32 probauit θ *Mor.Ev.* : probabit *Kr.* ‖ 33 quinquagesimo octauo *Pam.Kr.Ev.* : quinquagesimo
septimo *X R Mor.* LVII *MF* * ‖ 34 disperge *Pam.Kr.Mor.Ev.* : disperde
θ * ‖ 35 in : om. γ

g. Cf. Matth. 27, 23; Mc 15, 14; Lc 23, 23 ‖ h. Cf. Matth. 11, 13; Lc
16, 16 ‖ i. Is. 52, 5 ‖ j. Cf. Is. 1, 7-8 ‖ k. Cf. Is. 1, 3-4 ‖ l. Is. 1, 20 ‖ m.
Ps. 58 (59), 12

1. Regroupant les indications des v. 4 et 7 (plaintes du maître contre
sa vigne), Tert. en trouve subtilement la vérification dans des détails
de la Passion. Au lieu de *spinas* (LXX : ἄκανθας), la Vulgate a *labruscas*
(« raisins sauvages »). Exégèse morale d'*Is.* 5, 4-6 chez ORIGÈNE, *Hom*
Jér. 1, 4. Pour *Is.* 5, 7, on trouve chez JÉRÔME, *In Is.* 2 (*CCL* 73, p. 68,
l. 40 s.), le même rapprochement et la même interprétation qu'ici.
2. Citation conforme à la LXX (la *TOB* traduit : « sans cesse, à longueur de jour, mon nom est bafoué »), qui revient en *Marc.* IV, 4, 16;

croix[g][1]. Ainsi, une fois retirées les rosées des charismes, la Loi et les prophètes n'ont pas dépassé Jean[h]. Après quoi, comme cette persévérance dans la folie faisait que par eux on blasphémait le nom du Seigneur, ainsi qu'il est écrit : «A cause de vous mon nom est blasphémé parmi les nations[i][2]» (car c'est par eux qu'a commencé la diffamation de Dieu[3]), comme d'autre part ils n'avaient pas compris que le temps intermédiaire de Tibère à Vespasien[4] était leur pénitence, voilà que leur terre a été désertifiée, leurs cités brûlées, que leur contrée, sous leurs yeux, est dévorée par des étrangers, la fille de Sion même étant abandonnée comme une guette dans la vigne ou une cabane dans un champ de concombres[j][5], cela évidemment depuis qu'Israël n'a pas reconnu son Seigneur et que le peuple ne l'a pas compris, mais l'a abandonné et a provoqué l'indignation du Saint d'Israël[k][6]. **4.** De même, la menace de l'épée, faite sous condition par ces mots : «Si vous ne voulez pas de moi et si vous ne m'écoutez pas, l'épée vous mangera[l]», a prouvé que c'est bien pour n'avoir pas écouté le Christ qu'ils ont péri. Lui qui, dans le psaume cinquante-huit aussi, demande à son Père leur dispersion : «Disperse les dans ta puissance[m][7]», lui qui, à nouveau par Isaïe, parlant des flammes de leur

V, 13, 7; *Id.* 14, 2. Sur le texte du début de la phrase, voir Notes critiques, p. 262.

3. Comprenons : les juifs ont précédé les marcionites pour diffamer le Créateur. Sur *infamia* (= *infamatio, uituperatio* comme en II, 10, 2; IV, 30, 6; *Val.* 22, 1), voir *TLL* VII, 1, c. 1 338, l. 36 s.

4. C'est-à-dire de la mort du Christ à la destruction du Temple en 70.

5. Cf. *Iud.* 3, 4 (citation explicite); *Marc.* IV, 25, 11; 31, 6; 42, 5. Sur le texte, voir Notes critiques, p. 262.

6. Cf *supra* 6, 7.

7. Pour l'interprétation, qui sera aussi celle d'Augustin et de Jérôme, voir notre étude «Le témoignage des Psaumes», p. 160-161. Sur le texte, voir Notes critiques, p. 263.

perorans : *Propter me haec,* inquit, *facta sunt uobis, in anxietate dormietis*[n].

5. Satis uane, si haec non propter eum passi sunt qui propter se passuros pronuntiarat, sed propter Christum
40 dei alterius. Atquin Christum, inquam, alterius dei dicitis a Creatoris uirtutibus et potestatibus, ut aemulis, in crucem actum. Sed ecce defensus ostenditur a Creatore : *Et dati sunt pessimi pro sepultura eius,* qui scilicet subreptam eam asseuerauerant, *et locupletes pro morte eius*[o], qui scilicet
45 et a Iuda traditionem redemerant[p], et a militibus falsum testimonium cadaueris subrepti[q]. **6.** Igitur aut non propter illum acciderunt ista Iudaeis — sed reuinceris

---

XXIII, 6-7 (l. 58) : *Iud.* 13, 28-29 (p. 38, l. 5-12).

---

41 aemulis *M Kr.Mor.* : ab aemulis β *Ev.*

---

n. Is. 50, 11 ‖ o. Is. 53, 9 ‖ p. Cf. Matth. 26, 14-16; Mc 14, 10-11; Lc 22, 3-6 ‖ q. Cf. Matth. 28, 12-13

---

1. Littéralement : « s'exprimant dans le sens *(in)* de leur embrasement ». Pour *perorare* = « s'exprimer », « discourir », cf. *Ap.* 12, 6; 18, 6; *Res.* 20, 8, etc. La leçon de γ (*in* omis après *Isaiam*) n'est pas impossible, *perorare* s'employant aussi transitivement (cf. *Pat.* 1, 5; *Spec.* 12, 7; 24, 1; *Marc.* II, 7, 5; *Carn.* 4, 1, etc.). Moreschini traduit : « aveva insistito perché fossero bruciati » et Evans : « ending his discourse of their being consumed with fire ».

2. La traduction (personnelle?) de ἐν λύπῃ (= *in maerore*) par *in anxietate* sert la démonstration. Pour Jérôme, *In Is.* 14 (*CCL* 73 A, p. 557, l. 22), ce texte signifie également *Iudaici populi uastitatem.* Origène, *Princ.* 2, 10, 4, applique la première partie du verset à la mort des pécheurs.

3. Ce nouveau développement, original par rapport à *Iud.* 13 (dont seuls les § 28-29 fournissent quelques éléments ici aux § 6-7), vise à montrer les inconséquences et absurdités de la thèse marcionite sur la crucifixion du dieu supérieur dans le domaine du Créateur. *Satis uane* reprend une critique souvent faite (cf. *supra* 4, 3 et 5; 11, 4; 15, 6; et I, 28, 1-3).

embrasement[1], leur dit : «Tout cela vous est arrivé à cause de moi, et vous vous endormirez dans la torture[n2].»

b) Absurdité de la thèse adverse **5.** Bien vain serait[3] que, de ce châtiment qu'ils ont subi, le responsable ne fût pas celui qui avait proclamé qu'ils le subiraient à cause de lui, mais le Christ d'un autre dieu! Eh bien, le Christ – je dis celui de l'autre dieu –, vous affirmez[4] qu'il a été mis en croix par les Vertus et Puissances du Créateur, parce qu'étant ses rivales. Mais voici que l'Écriture nous le montre défendu par le Créateur : «Et ont été échangés contre sa sépulture les méchants» – ceux évidemment qui avaient affirmé l'enlèvement du corps enseveli – «et contre sa mort les riches[o5]» – ceux évidemment qui avaient acheté à Judas sa trahison[p] et aux soldats le faux témoignage de l'enlèvement du cadavre[q]. **6.** Donc ou bien ce n'e.t pas à cause de lui que tous ces malheurs sont arriv.s aux juifs – mais tu sera confondu par l'accord entre le

---

4. Pour Marcion, s'appuyant sur *I Cor.* 2, 8, la crucifixion était l'œuvre des puissances terrestres, aveugles et jalouses, commandées par le Créateur : cf. *Marc.* V, 6, 5; ADAMANTIUS II, 9. Voir HARNACK, *Marcion*, p. 132-133; BLACKMAN, p. 102. Ces deux phrases (de *Atquin* à *subrepti*), où est utilisée une deuxième personne du pluriel, interrompent le fil du raisonnement, et *igitur,* au début du § 6, se rattache à ce qui les précède. Elles pourraient bien être un ajout dans un développement qui interpelle l'adversaire à la deuxième personne du singulier.

5. Citation adaptée (avec *dati sunt* au lieu de *dabo*), utilisée sous sa forme exacte en *Iud.* 10, 15 comme prophétie de la mort et de l'ensevelissement du Christ : cf. *supra* 19, 8, où Tert. l'avait écartée de sa reprise de *Iud.*, peut-être pour la réserver à son emploi ici. Ce texte prophétique est cité dans le même sens par JUSTIN, *I Apol.* 51, 1 et *Dial.* 97, 2. Mais les explications exégétiques sur «méchants» et «riches» sont propres à Tert.; elles servent à appuyer l'argument, proche de celui de 22, 4-5, selon lequel le Créateur, par son prophète, s'est fait le défenseur et le vengeur du Christ crucifié, ce qui est inconciliable avec la thèse marcionite.

conspirante et sensu scripturarum cum exitu rerum et
ordine temporum – aut si propter illum acciderunt, non
50 potuit Creator ulcisci nisi suum Christum, remuneraturus
potius Iudam si aduersarium domini sui peremissent. Certe
si nondum uenit Christus Creatoris, propter quem haec
passuri praedicantur, cum uenerit ergo, patientur. Et ubi
tunc filia Sion derelinquenda, quae nulla hodie est?
55 **(7)** Vbi ciuitates exurendae, quae iam in tumulis? Vbi
dispersio gentis, quae iam extorris? **7.** Redde statum
Iudaeae, quem Christus Creatoris inueniat, et alium
contende uenisse. Iam uero quale est ut per caelum suum
admiserit quem in terra sua esset interempturus, hones-
60 tiore et gloriosiore regni sui regione uiolata, ipsa aula
sua et arce calcata? An hoc magis affectauit? Plane deus
zelotes. **8.** Tamen uicit. Erubesce, qui uicto deo
credis. **(8)** Quid sperabis ab eo qui se protegere non
ualuit? Aut enim per infirmitatem oppressus est a uirtu-
65 tibus et hominibus Creatoris, aut per malitiositatem, ut
tantum illis sceleris patientia infigeret.

---

51 domini sui β *Mor.Ev.* : dominum sui *M* sui *Kr.* ‖ 62 zelotes.
Tamen *M Kr.* : zelotes, tamen *X R Mor.Ev.*

---

1. Cf. *Iud.* 13, 28.
2. Allusion au suicide de Judas qui est interprété comme sa punition
(cf. *Matth.* 27, 3-4).
3. Tout l'argument (de *Certe* à *uenisse*) remploie *Iud.* 13, 29.
4. Sur l'expression *in tumulis esse,* qu'on retrouve dans la Vulgate,
voir Forcellini, *Dictionnaire, s. u. tumulus.* Cf. Tränkle, *Éd. Iud.,* p. 113.
5. Impératifs qui soulignent ironiquement l'absurdité de la thèse
adverse.
6. Argument de raison, qui sera repris en IV, 7, 1 : le dieu supérieur, pour «libérer» l'homme , a dû descendre de son ciel dans celui
du Créateur. L'affrontement est présenté de façon réaliste et imagée, et
les dieux assimilés à des monarques de la terre.
7. Cette nouvelle supposition (le Créateur a même voulu que le dieu
supérieur traverse son ciel et descende dans son domaine) est destinée
à préparer le rappel sarcastique du nom biblique dont Marcion se sert
pour dénigrer le Créateur : cf. I, 28, 1 ; II, 29, 4. A la suite de Kroymann,

sens des Écritures et la réalisation des faits comme la chronologie[1] –, ou bien ils sont arrivés à cause de lui, et dans ce cas le Créateur n'a pas pu venger d'autre Christ que le sien : il aurait plutôt récompensé Judas si les juifs avaient fait périr l'adversaire de leur Seigneur[2]! Certes, si l'on admet que le Christ du Créateur n'est pas encore venu, lui à cause de qui, selon les prédictions, ils doivent subir ces souffrances, c'est donc qu'ils les subiront quand il sera venu[3]. Mais alors, où devra être abandonnée la fille de Sion, elle qui n'existe plus aujourd'hui? **(7)** Où devront être embrasées les cités, elles qui sont déjà sous la cendre[4]? Où se fera la dispersion du peuple, lui qui est déjà banni? **7.** Rétablis l'état de Judée pour que le Christ du Créateur le trouve en place, et prétends alors que c'est un autre qui est venu[5]! Mais de plus, quelle extravagance que le Créateur ait admis à traverser son ciel celui qu'il devait tuer sur sa terre, en laissant violer la partie la plus noble et la plus glorieuse de son royaume, fouler au pied son palais même et sa citadelle[6]! Ou peut-être est-ce là plutôt ce qu'il a recherché ? Assurément, il est le dieu jaloux[7]! **8.** Quoi qu'il en soit, il a vaincu. Rougis donc d'accorder ta foi à un dieu vaincu. **(8)** Qu'espèreras-tu de lui, qui n'a pas eu la force de se protéger? Car, s'il a été écrasé par les Vertus et les hommes du Créateur, c'est l'effet ou de son impuissance ou alors de sa malice, ayant voulu river sur eux, par sa patience, un si grand crime[8]!

---

il nous a semblé plus clair de mettre une ponctuation forte après *zelotes;* nous faisons commencer là le § 8.

8. Ironique conclusion (le dieu supérieur de Marcion vaincu par le Créateur!). Les deux explications de cette défaite visent à infirmer les qualificatifs que l'hérétique donne à son dieu : d'une part *potior* ou *sublimior* (cf. I, 6, 3; II, 2, 3; 27, 2), d'autre part *bonus atque optimus* (cf. I, 6, 1; 17, 1, etc.). Sur *malitiositas* et le procédé de la rétorsion, cf. *supra* 15, 7 et p. 142, n. 2.

XXIV. 1. Immo, inquis, spero ab illo, quod et ipsum
faciat ad testimonium diuersitatis, regnum Dei aeternae et
caelestis possessionis. Ceterum uester Christus pristinum
statum Iudaeis pollicetur ex restitutione terrae, et post
5 decursum uitae apud inferos in sinu Abrahae refrigerium[a].
– Deum optimum, si reddit placatus quod et abstulerat
iratus! O deum tuum, qui et caedit et sanat[b], condit mala
et facit pacem[c]! O deum etiam ad inferos usque misericordem! **2.** Sed de sinu Abrahae suo tempore. De res-
10 titutione uero Iudaeae, quam et ipsi Iudaei ita ut des-
cribitur sperant locorum et regionum nominibus inducti,
quomodo allegorica interpretatio in Christum et ecclesiam
et habitum et fructum eius spiritaliter competat, et longum
est persequi et in alio opere digestum, quod inscribimus
15 DE SPE FIDELIVM, et in praesenti uel eo otiosum quia non
de terrena sed de caelesti promissione sit quaestio.

XXIV, 5 refrigerium : *Post Marcionis uerba mutatam personam sign.
Kr.* (*Kellner*) * ‖ 6 Deum θ *Mor.Ev.* : O deum *Kr.* * ‖ 11 sperant
R₁ (*coni.*) *R₂R₃ edd.* : separant *Mγ R₁* ‖ 12 ecclesiam *M* : in ecclesiam
β *Kr.Mor.Ev.* ‖ 16 terrena β *Kr.Mor.Ev.* : terra *M*

XXIV. a. Cf. Lc 16, 22 ‖ b. Cf. Deut. 32, 39 ‖ c. Cf. Is. 45, 7

---

1. Habilement raccordé au chapitre précédent, ce chapitre utilise à
nouveau le procédé du dialogue avec l'adversaire : celui-ci répond à
la question posée par l'avant-dernière phrase. Tert. met dans sa bouche
des éléments d'une «antithèse» marcionite : récompense sur terre ou
aux enfers chez le Créateur, au ciel chez le dieu supérieur (cf. *Marc.*
IV, 14, 8; 34, 11, et HARNACK, *Marcion,* p. 289*). L'ensemble du chapitre porte sur l'espérance eschatologique de Marcion, c'est-à-dire
l'éternité dans le royaume des cieux.

2. Sur cette phrase, faite d'une triple exclamation, et que nous comprenons comme un ironique commentaire par l'auteur du rôle prêté au
Christ du Créateur par Marcion, voir Notes critiques, p. 263.

3. Cf. IV, 34, 10-17 où est discuté *Lc* 16, 19-21.

E) L'espérance eschatologique du royaume céleste

L'antithèse de Marcion   **XXIV. 1.** Mais non, dis-tu, j'espère de lui ce qui, précisément aussi, doit contribuer à attester sa différence : le royaume de Dieu éternellement possédé au ciel. Votre Christ, lui, promet aux juifs leur ancien état par la restitution de leur terre et, une fois leur vie achevée, le rafraîchissement aux enfers dans le sein d'Abraham[a][1]. – Le dieu de toute bonté qui rend, apaisé, ce qu'il avait enlevé en colère! O le dieu qui est tien : il frappe et guérit[b], crée le mal et fait la paix[c]! O le dieu plein d'une miséricorde qui s'étend jusqu'aux enfers[2]! **2.** Mais pour le sein d'Abraham, nous verrons la chose à son heure[3]. Quant à la restitution de la Judée – que les juifs aussi, illusionnés par les noms de lieux et de pays, espèrent sous la forme décrite –, comment l'interprétation allégorique l'applique spirituellement au Christ et à l'Église, à l'aspect comme aux fruits de celle-ci, ce serait trop long à développer et nous en avons traité dans un autre ouvrage intitulé *L'espoir des fidèles*[4]; et pour le moment, ce serait oiseux, ne fût-ce que pour cette raison qu'ici est en question non la promesse terrestre, mais la promesse céleste.

---

4. Ouvrage perdu, qui était encore reproduit dans l'*Agobardinus* avant sa mutilation. Il n'est mentionné par Tert. qu'ici. D'après JÉRÔME qui le cite pour en critiquer la thèse (*In Éz.* 36, 1; *CCL* 75 p. 500, l. 659, où il est rapproché de LACTANCE, *D.I.* 7, 22-24; cf. aussi *Vir. ill.* 18 et *In Is.* 18, praef.; *CCL* 73 A, p. 741, l. 18), on admet qu'il exposait la théorie du règne millénariste, en même temps qu'il expliquait allégoriquement du Christ et de l'Église les prophéties sur la restauration de la Judée (sans doute *Jér.* 31 et *Éz.* 28, 24-26). Cet ouvrage avait dû être composé vers la fin de la période «catholique» de Tert.

3. Nam et confitemur in terra nobis regnum repro-
missum, sed ante caelum, sed alio statu, utpote post resurrectionem, in mille annos in ciuitate diuini operis Hieru-
20 salem caelo delata[d], quam et apostolus matrem nostram
sursum designat[e]; et politeuma nostrum, id est munici-
patum, in caelis esse pronuntians[f] alicui utique caelesti
ciuitati eum deputat.   **4.** Hanc et Ezechiel nouit[g], et apostolus Iohannes uidit[d], et qui apud fidem nostram est
25 nouae prophetiae sermo testatur, ut etiam effigiem ciui-
tatis ante repraesentationem eius conspectui futuram in
signum praedicarit. Denique proxime expunctum est
orientali expeditione. Constat enim ethnicis quoque testibus in Iudaea per dies quadraginta matutinis momentis
30 ciuitatem de caelo pependisse, omni moeniorum habitu

---

20 delata θ *Mor.Ev.*: delatum *Kr.* ‖ 24 qui *R₂ (coni.) R₃ Kr.Mor.Ev.*:
quia *Mγ R₁R₂* ‖ 25 testatur *R₃ edd.*: testatus *Mγ R₁R₂* ‖ 27 proxime
M R₃ Kr.Mor.Ev.: *om.* γ *R₁R₂ nescio an recte, ut a Tertulliano ipso in
tertia recensione deletum*

---

d. Cf. Apoc. 21, 2 ‖ e. Cf. Gal. 4, 26 ‖ f. Cf. Phil. 3, 20 ‖ g. Cf. Éz. 48, 30-
35

---

1. La croyance juive qu'il combat amène l'auteur à exposer, en une
sorte de digression, la croyance chrétienne qui s'était généralisée au
IIe siècle, d'après l'*Apocalypse* de Jean, celle d'un *regnum iustorum* de
mille ans (cf. *Spec.* 30, 1) qui aurait lieu dans la Jérusalem d'en haut
descendue sur terre (cf. JUSTIN, *Dial.* 80-81; IRÉNÉE, *Haer.* 5, 35, 2 -
36, 2); cf. Y. DE ANDIA, *Homo uiuens,* Paris 1986, p. 300 (et n. 4 et 7)
et p. 317-319. Les anti-millénaristes du IVe siècle, comme Jérôme, repro-
cheront à cette conception d'être «judaïsante». Voir M. DULAEY, «Jérôme
'éditeur' du Commentaire sur l'Apocalypse de Victorin de Poetovio»,
REAug 37, 1991, p. 199-236. Sur la croyance millénariste de Tert. voir
A. d'ALÈS, *La théologie de Tertullien,* p. 446-448 ; J. DANIÉLOU, *Théologie
du Judéo-christianisme,* Tournai 1958, p. 341-366; C. TIBILETTI, «Inizi del
millenarismo di Tertulliano», *AFLM* 1, 1968, p. 193-213 [= *Raccolta di
studi,* Macerata 1989, p.(191)-(205)], qui a montré, contre WASZINK

Le royaume céleste succèdera au règne millénaire   **3.** Car nous professons aussi[1] qu'un royaume nous a été promis sur la terre, mais avant le ciel, mais dans un autre état, parce que venant après la résurrection, pour mille ans, dans une cité produite par l'œuvre divine, la Jérusalem descendue du ciel[d]; c'est elle que l'Apôtre appelle notre mère d'en haut[e], et quand il déclare que notre *politeuma,* c'est-à-dire notre droit de cité, est dans les cieux[f], il le rapporte évidemment à une cité céleste. **4.** Ézéchiel l'a connue[g], l'apôtre Jean l'a vue[d], et la parole de la Nouvelle Prophétie, qui a place dans notre foi[2] l'atteste au point d'avoir prédit que même l'image de cette cité, avant sa réalisation, s'offrirait à nos yeux en manière de signe[3]. Or la chose vient de s'accomplir pendant la campagne d'Orient. Il ressort du témoignage des païens eux-mêmes qu'en Judée, durant quarante jours, aux heures matinales, une cité était suspendue au ciel : tout l'aspect de ses

---

(*Comm. An.*, p. 591-592), que Tert. était chiliaste avant son adhésion au montanisme (le présent texte est cité et commenté p. 196-198). Voir également R.L. WILKIN, « Early Christian chiliasm, Jewish messianism and the idea of the Holy Land », *Harvard Theological Review* 79, 1986, p. 298-307; S. HEID, *Chiliasmus und Antichrist-Mythos. Eine frühchristliche Kontroverse um das Heilige Land* (*Hereditas* 6), Bonn 1991.

2. Sur l'adhésion de Tert. au montanisme où il voit la foi même de l'Église, cf. Introduction, p. 9.

3. Cet oracle montaniste » n'est connu que par l'analyse ici donnée; cf. LABRIOLLE, *Crise montaniste,* p. 105 s.; 331 s.; K. ALAND, « Bemerkungen zum Montanismus und zur frühchristlichen Eschatologie », *Kirchengeschichtliche Entwürfe,* Gütersloh 1960, p. 105-148 (l'oracle ici analysé porte le n° 23 de l'Appendice, p. 143-148; il est considéré comme peut-être authentique, mais sans possibilité de contrôle).

euanescente de profectu diei, et alias de proximo nullam.
5. Hanc dicimus excipiendis resurrectione sanctis et
refouendis omnium bonorum utique spiritalium copia in
compensationem eorum quae in saeculo uel despeximus
35 uel amisimus a Deo prospectam. Siquidem et iustum et
Deo dignum illic quoque exultare famulos eius ubi sunt
et afflicti in nomine ipsius.   **6.** Haec ratio regni caelestis :
post cuius mille annos, intra quam aetatem concluditur
sanctorum resurrectio pro meritis maturius uel tardius
40 resurgentium, tunc et mundi destructione et iudicii conflagratione commissa demutati in atomo in angelicam substantiam, scilicet per illud incorruptelae superindumentum[h], tranferemur in caeleste regnum, de quo nunc
sic ideo retractatur, quasi non praedicato apud Creatorem,

---

32 resurrectione θ *Mor.Ev.* : de r. *Kr.* ‖ 37 caelestis θ *Mor.Ev.* : subcaelestis *Kr.* ‖ 40-41 conflagratione R_3 *edd.* : confragatione $M\gamma$ R_1R_2 ‖
44 ideo θ (*M in marg.*) *Mor.Ev.* : *secl. Kr.*

---

h. Cf. I Cor. 15, 52-53

---

1. Aucun autre témoignage, malgré l'affirmation de Tert., ne confirme
cette apparition merveilleuse (effet de mirage?) qui aurait eu lieu pendant
l'expédition d'Orient de Septime Sévère (197-198). LABRIOLLE (*Crise Montaniste*, p. 331-332) pense que la réalisation de cette prophétie montaniste a rendu l'adhésion de l'auteur plus inébranlable. Sans qu'on doive
cependant admettre qu'il ait, dès lors, tenu le *millenium* pour imminent :
cf. V.C. DE CLERCQ, «The expectation of the second Coming of Christ
in Tertullian, *Studia Patristica* 11 (*TU* 108), Berlin 1972, p. 146-151; G.
SCHÖLLGEN, «Tempus in collecto est», *JbAC* 27/28, 1984-1985, p. 74-96
(et nos remarques dans «Chronica Tertullianea, 1985, n° 46», *REAug*
32, 1986, p. 277).
2. Ce *regnum iustorum,* terrestre, mais accompli dans une image de
la Jérusalem céleste, ne comporte de biens que spirituels – à la différence des conceptions millénaristes habituelles; cf. D.H. WILLIAMS, «The
origins of the montanist Movement», *Religion* 19, 1989, p. 335 (et notre
compte rendu dans «Chronica Tertullianea, 1989, n° 65», *REAug* 36,
1990, p. 351).
3. Reprise du motif de θεοπρεπές : cf. *supra* 9, 4; 10, 2.4-5; et t. 1,
p. 46.

remparts s'évanouissait avec l'avancement du jour, et d'ailleurs, de tout près, elle disparaissait totalement[1]. **5.** Voilà la cité que nous affirmons prévue par Dieu pour accueillir les saints à la résurrection et pour les choyer dans l'abondance de toutes sortes de biens, évidemment spirituels[2], en compensation de ceux que nous avons méprisés ou perdus en ce monde; car il est tout à la fois juste et digne de Dieu[3] que ses serviteurs exultent ici-bas également, là où ils ont été affligés en son nom. **6.** Tel est le processus rationnel du royaume céleste : après ses mille années[4] – et c'est dans les limites de cette période que s'enferme la résurrection des saints qui ressusciteront plus tôt ou plus tard, chacun selon ses mérites[5] –, alors se produiront la destruction du monde et l'embrasement[6] du Jugement : en un instant, nous serons transformés en substance d'ange, bien sûr en revêtant l'incorruptibilité[h], et transférés dans ce royaume des cieux qui est ainsi l'objet du présent débat parce qu'il n'aurait pas été prédit chez le Créateur et prouverait

---

4. Cette phrase fait bien apparaître le caractère particulier et ambigu du *regnum iustorum* millénaire, qui n'est qu'une première étape du *regnum caeleste* (*cuius,* qui renvoie à ce dernier terme, est un génitif d'appartenance) : ces mille ans relèvent déjà du règne céleste dont ils sont une anticipation sur terre; comme disait IRÉNÉE (*Haer.* 5, 32, 1), ils sont le *principium incorruptelae.* Nous avons traduit *ratio* par «processus rationnel» pour exprimer les deux idées («plan», «organisation» et «rationalité») inhérentes au terme ici, Tert. s'attachant à montrer le développement progressif par lequel se réalisera le *regnum caeleste.* La correction par Kroyman de *caelestis* en *subcaelestis* (mot non attesté chez notre auteur) provient d'une incompréhension de l'idée selon laquelle ce *millenium* anticipe le royaume céleste en en faisant partie.

5. L'idée d'une résurrection graduelle, échelonnée, selon les mérites de chacun des «justes», paraît être propre à Tert.

6. Pour *conflagratione* (correction qui s'impose de la leçon des mss), cf. *An.* 54, 1 et 3 (à propos de l'ἐκπύρωσις), et également *Spec.* 30, 2 et 4.

45 ac per hoc alterius dei Christum probante, a quo primo
et solo sit reuelatum.

7. Disce iam hinc illud et praedicatum a Creatore et
sine praedicatione credendum apud Creatorem. Quid tibi
uidetur? cum Abrahae semen, post primam promissionem
50 qua in multitudinem arenae repromittitur, ad instar quoque
stellarum destinatur[i], nonne et terrenae et caelestis dis-
positionis auspicia sunt?

Cum Isaac benedicens Iacob filium suum : *Det,* ait, *tibi
Deus de rore caeli et de opimitate terrae*[j], nonne utriusque
55 indulgentiae exempla sunt? **8.** Denique animaduertenda
est hic etiam structura benedictionis ipsius. Nam circa
Iacob, qui quidem posterioris et praelatioris populi figura
est, id est nostri, prima promissio caelestis est roris,
secunda terrenae opimitatis. Nos enim primo ad caelestia
60 inuitamur, cum a saeculo auellimur, et ita postea inue-
nimur etiam terrena consecuturi. Et euangelium uestrum
quoque habet : *Quaerite primum regnum Dei, et haec adi-
cientur uobis*[k]. **9.** Ceterum ad Esau praemittit benedictionem terrenam et subicit caelestem : *De opimitate terrae,*

---

50 qua *Rig.Kr.Mor.Ev.* : quam θ ‖ 58 roris *R edd.* : oris Mγ ‖ 61-62
uestrum quoque : *inu.* X R ‖ 63 praemittit *Kr.Mor.* : promittit θ *Ev.* •

---

i. Cf. Gen. 22, 17 ‖ j. Gen. 27, 28 ‖ k. Lc 12, 31

---

1. Après un long détour, nous revenons à l'objet du chapitre : établir
contre Marcion, que les Écritures du Créateur ont prophétisé le royaume
des cieux comme récompense eschatologique.
2. Annonce des deux parties constitutives du développement (§ 7-11
et § 12-13).
3. Sur le dossier de textes mis en œuvre dans les § 7-11, et sur
l'exégèse qu'en fait Tert., voir la note complémentaire 49, p. 303.
4. On ne trouve qu'ici et en I, 9, 4 cette formation de comparatif
praelatior (= potior, praestantior) qui n'est pas attestée avant Tert. et
sera très rare ensuite (cf. *TLL* X, 2, c. 618, l. 2 s.).

par là l'existence du Christ d'un autre dieu, le premier et le seul à l'avoir révélé[1].

Il a été promis par le Créateur : a) La postérité d'Abraham

7. Apprends dès maintenant ces deux choses : il a été prédit par le Créateur, et même sans prédiction, c'est chez lui qu'il mérite qu'on y croie[2]. Que t'en semble[3] ? Lorsque la postérité d'Abraham, après avoir reçu d'abord la promesse de s'étendre en multitude comme le sable, est encore appelée à égaler le nombre des étoiles[i], n'y a-t-il pas là des annonces en faveur de la disposition terrestre et de la disposition céleste ?

b) Jacob et Ésaü

Lorsque Isaac bénit son fils Jacob en disant : «Que Dieu te donne de la rosée du ciel et de la richesse de la terre[j]!», n'y a-t-il pas là exemples des deux ordres de grâce ? **8.** Car ici il faut prêter attention même à l'agencement de sa bénédiction. Avec Jacob, figure du second peuple, du préféré[4], c'est-à-dire nous autres, la première promesse est celle de la rosée céleste, la seconde celle de la richesse terrestre. Car nous, nous sommes en premier lieu invités aux choses célestes lorsque nous sommes arrachés à ce monde, et c'est ainsi que par la suite il se découvre que nous obtiendrons même les choses terrestres. Votre évangile aussi porte : «Cherchez d'abord le royaume de Dieu, et ces biens vous seront accordés en plus[k][5].» **9.** Inversement, à Ésaü, Isaac donne en premier lieu[6] la bénédiction terrestre et il y ajoute la bénédiction céleste

---

5. Cf. IV, 29, 5, et Harnack, *Marcion* p. 214*. Avant d'examiner de près le corpus scripturaire marcionite, Tert. avait dû y faire quelques vérifications (cf. *supra* 19, 4)

6. Voir Notes critiques, p. 265.

65 dicens, *erit inhabitatio tua et a rore caeli*[1]. Iudaeorum
enim dispositio in Esau, priorum natu et posteriorum
affectu filiorum, a terrenis bonis imbuta per legem, postea
ad caelestia per euangelium credendo deducitur.

Cum uero Iacob somniat scalas obfirmatas in terra ad
70 caelum et angelos alios ascendentes et alios descendentes,
innixum desuper dominum[m], temere, si forte, interpreta-
bimur scalis his iter ad caelum demonstrari, quo alii perueniant, unde alii decident, domini constitutum esse
iudicio? **10.** Cur autem, ut euigilauit et primum loci
75 horrore concussus est, conuertitur ad interpretationem
somnii? Cum enim dixisset : *Quam terribilis locus iste!
Non est,* inquit, *aliud sed aedes Dei, et haec porta caeli*[n].
Christum dominum enim uiderat, templum Dei[o] et portam
eundem[p], per quem aditur in caelum. Et utique portam
80 caeli non nominasset, si caelum non aditur apud Creatorem. Sed est et porta quae recipit, et quae perducit,

---

70 et[2] : *post* descendentes *transt. Kr.* || 73 decident *Mγ* : decidant *R
Kr.Mor.Ev.* * || 73-74 esse iudicio *Vrs.Ev.* : esse iudicium θ *Kr.* (*qui post*
decident *lacunam sign.*) iudicio *Mor.* * || 76 somnii *MX Pam.Kr.Mor.Ev.* :
somni *R* sompni *F* || terribilis *M Kr.Mor.* : terribilis est β *Ev.* * || 79
in *M Kr.Mor.* : *om.* β *Ev.* || 81 et quae θ *Kr.Mor.* : et uia quae *Ev.*

---

l. Gen. 27, 39 || m. Cf. Gen. 28 12-13 || n. Gen. 28, 17 || o. Cf. Jn 2, 19-
21 || p. Cf. Jn 10, 7-9

---

1. Tert. – où la version qu'il suit –, rendant ἀπό de la LXX par *de,*
puis par *a,* donne à cette préposition sa valeur de provenance. La *Bible
d'Alexandrie, Genèse,* p. 218, lui donne sa valeur d'éloignement («Voici
que ta demeure sera loin de l'opulence de la terre et loin de la rosée
du ciel d'en haut»), mais indique en note, p. 220, qu'il y avait deux
interprétations possibles du texte massorétique («loin de» = «privé de»
et «parmi»). La Vulgate rejoint la version de Tert. (*In pinguetudine
terrae et in rore caeli desuper*).

quand il dit : « De la richesse de la terre sera ta demeure, et de la rosée du ciel[11]. » Car Ésaü représente l'économie du peuple des juifs ; fils aînés par la naissance et cadets par l'affection ; comblés de biens terrestres par la Loi, ils sont conduits aux biens célestes par l'Évangile en y croyant[2].

c) L'échelle de Jacob et autres prophéties D'autre part, lorsque Jacob voit en songe une échelle fixée de la terre au ciel, avec des anges les uns montant, les autres descendant, et le Seigneur appuyé sur elle tout en haut[m], ce sera témérité peut-être de comprendre que par cette échelle il nous est montré que le chemin vers le ciel où parviennent les uns et d'où tomberont les autres[3], est établi par le jugement du Seigneur[4] ? **10.** Pourquoi aussi, dès son réveil, et d'abord frappé d'effroi à cause du lieu, Jacob passe-t-il à l'interprétation de son rêve ? Après avoir dit : « Que ce lieu est terrible ! » il ajoute : « Il n'est rien d'autre que la maison de Dieu, et voilà la porte du ciel[n]. » Il avait vu en effet le Christ Seigneur, temple de Dieu[o] et en même temps porte de Dieu[p], lui par qui on a accès au ciel[5]. Et assurément il n'aurait pas parlé de la porte du ciel si, chez le Créateur, on n'a pas accès au ciel. Chez lui il y a à la fois la porte qui accueille et, conduisant à travers elle,

---

2. Tout en dépendant de la tradition chrétienne qui fait d'Ésaü la préfiguration du peuple juif disgracié, Tert. évite de dévaloriser l'alliance ancienne pour ne pas faire le jeu du marcionisme.

3. Voir Notes critiques, p. 265.

4. Voir Notes critiques, p. 265.

5. Dans le commentaire, le terme non équivoque de *templum* se substitue à *aedes* (LXX οἶκος) = « maison ». Sur le Christ édifiant le temple de Dieu en lui par l'Église, voir *supra* 20, 9. La conception du Christ comme porte du ciel est soulignée aussi par HERMAS, *Pasteur*, Simil. IX, 89, 12 (*SC* 53, p. 317-319).

strata uia a Christo. De quo Amos : *Qui aedificat in
caelum ascensum suum* [q]*,* utique non sibi soli, sed et
suis, qui cum illo erunt. **11.** *Et circumdabis enim illos*
85 *tibi,* inquit, *tanquam ornamentum sponsae* [r]. Ita per illum
ascensum ad caelestia regna tendentes miratur spiritus
dicens : [*Volant uelut*] *Qui sunt hi qui ut nubes uolant,
et uelut pulli columbarum ad me* [s]*,* scilicet simpliciter ut
columbae. *Auferemur* enim *in nubes obuiam domino* [t]*,*
90 secundum apostolum, illo scilicet filio hominis ueniente
in nubibus [u], secundum Danihelem, et ita semper cum
domino erimus, eatenus dum et in terra et in caelo, qui
ob utriusque promissionis ingratos ipsa etiam elementa
testatur : *Audi, caelum, et in aures recipe, terra* [v].

95   **12.** Et ego quidem, etiam si nullam spei caelestis
manum mihi totiens scriptura porrigente, satis haberem

---

82 strata uia *Lat.Mor.* : strata iam θ *Ev.*   uia strata iam *Kr.* * ‖ 87
Qui sunt hi qui *scripsi (cf. Is. 60, 8)* : Volant uelut qui sunt milui *codd.*
edd. * ‖ 89 auferemur *R edd.* : auferamur *M*γ ‖ 94 recipe *M Kr.Mor.* :
percipe β *Ev.*

---

q. Amos 9, 6 ‖ r. Is. 49, 18 ‖ s. Is. 60, 8 ‖ t. I Thess. 4, 17 ‖ u. Cf. Dan.
7, 13 ‖ v. Is. 1, 2

---

1. Voir Notes critiques, p. 266. Sur l'équivalence Christ/porte/voie,
cf. *Matth.* 17, 13-14.
2. Cf. IV, 34, 13. 16 et V, 15, 4 (avec référence erronée à Osée dans
ces passages); également *Scor.* 10, 7 (citation du verset entier). La *TOB*
traduit : «celui qui dresse son escalier dans le ciel». Mais *ascensus,* qui
traduit ἀνάβασις de la LXX, est un abstrait. Ici, comme dans les citations de *Marc.* IV et V, le commentaire souligne que l'action du Christ
s'effectue dans l'intérêt des «siens».
3. En fait, le texte est d'Isaïe. Est-il rapporté par erreur à Amos, et
dans ce cas, la confusion ne s'expliquerait-elle pas par le fait qu'Isaïe
est «fils d'Amos» (*Is.* 1, 1)? Ou faut-il comprendre *inquit* au sens, possible, de «dit l'Écriture»? Le même passage est cité en *Marc.* IV, 11,
7 (avec variantes textuelles, mais interprétation identique). JÉRÔME, *In
Is.* 13 (*CCL* 73 A, p. 542-543), le comprendra aussi de la *congregatio
sanctorum.*

la route frayée par le Christ[1] dont Amos dit : «Celui qui construit son ascension vers le ciel[q]», non pas pour lui tout seul assurément, mais aussi pour les siens qui seront avec lui[2]. **11.** «Et tu t'envelopperas d'eux, dit-il, comme de la parure de l'épouse[r][3].» Ceux qui ainsi, par cette ascension, se dirigent vers les royaumes célestes, l'Esprit les admire en disant : «Qui sont-ils, ceux-ci qui volent, comme des nuées et comme les petits des colombes, vers moi[s]?», c'est-à-dire avec simplicité comme les colombes[4]. Car selon l'Apôtre, «nous serons emportés dans les nuées au-devant du Seigneur[t]», lorsque, bien sûr, ce fils de l'homme viendra sur les nuées[u], selon Daniel[5]; et ainsi nous serons toujours avec le Seigneur, aussi longtemps qu'il sera et sur terre et au ciel, lui qui à cause des ingrats de sa double promesse[6], prend à témoins les éléments eux-mêmes : «Ciel, écoute, et toi, terre, prête l'oreille[v].»

Il n'est à espérer que du Créateur   **12.** Quand à moi[7], même si l'Écriture ne me tendait pas si souvent la main[8] pour me présenter la promesse d'une espérance céleste, je trouverais suf-

---

4. *Cf.* V, 15, 4. Pour le texte, voir Notes critiques, p. 266. Sur le thème de la simplicité de la colombe, cf. *Val.* 2, 1 (*SC* 281, p. 182 s.)

5. Cf. *supra* 7, 4.

6. Sur l'ingratitude des marcionites envers le Créateur, cf. II, 18, 2 et également, de façon indirecte, *Ap.* 42, 2.

7. La seconde partie du développement consiste en un argument de repli (cf. t. 1, p. 49) qui a été annoncé au début du § 7 : après le catalogue de *testimonia* scripturaires, cette mise en œuvre de *sensus communes* prend un ton nettement personnel et polémique, et servira de conclusion au livre.

8. Littéralement : «... même si je n'avais aucune promesse d'espérance céleste, alors que l'Écriture me tend si souvent la main...», tour très fortement elliptique, où il faut, avant *manum*, restituer *promissionem haberem* à tirer de la principale (*haberem huius ... promissionis praeiudicium*). L'ablatif absolu a valeur d'opposition. Sur l'expression

huius quoque promissionis praeiudicium, quod iam terrenam gratiam teneam; expectarem aliquid et de caelo a
deo caeli sicut et terrae; ita crederem Christum subli-
100 miora pollicentem eius esse qui et humiliora promiserat,
qui et experimenta maiorum de paruulis fecerat, qui hoc
inauditi, si forte, regni praeconium soli Christo reser-
uauerat, ut per famulos quidem terrena gloria, caelestis
uero per ipsum Deum adnuntiaretur. **13.** At tu hinc
105 quoque alium argumentaris Christum quod regnum nouum
adnuntiet. Prius est aliquod exemplum indulgentiae pro-
feras, ne merito dubitem de fide tantae promissionis quam
sperandam didici; immo ante omnia est ut, quem caelestia praedicas repromittere, aliquod caelum probes eius.
110 At nunc uocas ad cenam, nec domum ostendis; adlegas
regnum, nec regiam monstras. An quia Christus tuus caeleste regnum repromittit non habens caelum, quomodo
et hominem praestitit non habens carnem? O phantasma
omne! O praestigia magnae etiam promissionis!

---

104 deum θ *Ev.* : dominum *Kr.Mor.* * ‖ 108 sperandam didici *scripsi* :
spero, nam didici *Mγ R₁R₂ Kr.Mor.*   sperandam dicis *R₃Ev.* * ‖ 111
quia θ *Mor.Ev.* : qui *Kr.* ‖ 114 omne θ *Kr.Mor.Ev.* : inane *Vrs.* hominis
R₂(coni.) ‖ magnae θ *Mor.Ev.* : magna *Kr.*

ADVERSVS MARCIONĒ LIB̄ TERCIVS EXPLICAT *M*   EXPLICIT LIBER
TERCIVS *F om. X*

---

imagée *porrigere manum* (également en *An.* 43, 11), voir *TLL* VIII,
c. 362, l. 11 (mais *spei caelestis* ne dépend pas de *manum*).
    1. Cf. I, 16, 4 et IV, 14, 8.
    2. Cf. *supra* 3, 3 et p. 64, n. 1.
    3. Cf. I, 11, 5.
    4. Voir Notes critiques, p. 267.
    5. Sur *an* = *nonne,* cf. *supra* 18,7 et p. 164, n. 2. La correction de
Kroymann *quī* (= *quomodo)* est arbitraire et désavouée par l'*usus auctoris;* cf. Notes critiques, p. 259.

fisant, pour préjuger aussi de cette promesse, d'avoir déjà
la possession d'une grâce terrestre : j'attendrais aussi
quelque chose de céleste de la part d'un dieu qui est
celui du ciel comme de la terre. Ainsi je croirais qu'un
Christ auteur des promesses les plus sublimes relève bien
du dieu qui avait fait aussi les promesses les plus
modestes, qui s'était servi des petites choses comme essais
des plus grandes[1], qui avait réservé au Christ seul cette
annonce d'un royaume dont peut-être on n'avait pas
entendu parler, afin que, la gloire terrestre étant annoncée
par les serviteurs, la gloire céleste le fût par Dieu lui-
même[2]. **13.** Mais toi, du fait aussi que le Christ annonce
un royaume nouveau, tu argumentes qu'il est un autre.
La première chose à faire, c'est de me présenter un
exemple quelconque de sa bonté[3], si tu ne veux pas
que, à bon droit, j'hésite à croire en cette si grande promesse qu'on m'a appris à espérer[4]. Que dis-je? Ce que
tu dois faire avant tout, c'est me prouver que celui dont
tu proclames qu'il promet les choses célestes, a bien
quelque ciel à lui. Mais pour le moment, tu invites au
banquet sans montrer la maison! Tu allègues le royaume
sans faire voir le palais! N'est-ce pas[5] parce que ton
Christ promet le royaume céleste sans avoir de ciel, de
la même façon qu'il s'est présenté homme sans avoir de
chair? Fantôme que tout cela! Jongleries jusque dans sa
grande promesse[6]!

---

6. Pour *phantasma,* cf. *supra* 8, 7 ; 15, 6. Pour *praestigia,* cf. *supra*
11, 1 et p. 110, n. 4. Cette forme est-elle un neutre pluriel ou un féminin
singulier ? La deuxième possibilité est la plus probable (cf. *TLL* X, 2,
c. 936, l. 26 s.).

NOTES CRITIQUES

III, 1, 2 *Decet ueritatem – occurrere* (l. 17-20)

Le texte traditionnel, reflet des mss, que suit Evans du moins pour le latin, comporte trois phrases, avec deux ponctuations fortes : après *laborantem* et après *uincit.* A la rigueur, on pourrait admettre une rupture de construction après les mots *non ut laborantem* qui resteraient sans suite, l'auteur déviant alors vers une remarque incidente par *Ceterum – uincit,* et revenant ensuite à son sujet à partir de *Sed.* Mais comment comprendre la troisième proposition? Holmes traduit : «But I have resolved, like an earnest man, to met my adversary...» Outre l'étrangeté de l'accusatif *gestientem,* on relèvera contre cette interprétation le fait que Tert. n'a aucun emploi absolu de *gestire :* ce verbe, chez lui, est toujours complété, le plus souvent par un infinitif. La même objection vaudra dans le cas de la conjecture de Van der Vliet (cité dans l'apparat de Kroymann) qui propose un changement radical dans l'ordre des mots : *Sed decretum est, non ut laborantem <sed> ut gestientem ubique aduersario occurrere.* La solution adoptée par Kroymann consiste à donner d'une part une structure unitaire à l'énoncé en faisant une parenthèse de *Ceterum ... uincit,* et d'autre part à retrancher *decretum est.* Certes le sens devient clair et satisfaisant, avec le parallélisme *non ut laborantem ... sed ut gestientem,* et cette solution est adoptée par Evans dans sa traduction, et approuvée par TRÄNKLE (p. 173). Sa hardiesse cependant paraît avoir heurté Moreschini qui, s'il admet la parenthèse, opte pour le maintien de *decretum est;* mais il ne le justifie pas et sa traduction, assez lointaine, ne semble pas tenir compte de ce verbe. Pour venir à bout de la difficulté, nous avons, pour notre part, adopté la mise entre parenthèse de *Ceterum – uincit,* mais nous avons transporté le second *ut* devant *decretum est* qui devient ainsi une incise («comme la chose a été décidée»), *gestientem* restant sur le même plan grammatical que *laborantem* (la reprise d'un *ut* causal devant *gestientem* n'est en rien nécessaire). Nous pensons que *decretum est* se réfère à la décision prise par Tert. de réfuter exhaustivement la doctrine de Marcion, et corrige en quelque sorte ce qu'on pourrait percevoir de fougue incontrôlée dans *gestire* (= *uebementer cupere*). L'altération du texte original tel que nous proposons de le restituer serait sans doute due à un copiste mal inspiré qui aurait déplacé le second *ut* pour souligner la construction en parallèle des deux participes présents.

III, 2, 2 *a regula rerum, quae principales gradus* (l. 14-15)

Le texte des mss porte *rerumque*, que *R* a conservé, et *principales*, que *R₁* a proposé de corriger en *principalis*, d'où le texte adopté dans les éditions anciennes : *a regula, rerumque principalis gradus*. Holmes et Evans s'y tiennent. Le premier traduit : «Everything will be open to suspicion which transgresses a rule. Now the primary *order* of all things will not allow...» Le second traduit : «Anything that diverges from the rule is bound to be suspect : and the primary *rule* of all is that which...». Mais ces traductions où *gradus* est rendu par *rule* ou *order* comme s'il était un synonyme de *regula*, méconnaissent la signification exacte de ce terme qui désigne un échelon dans un alignement ou une hiérarchie (cf. MOINGT, *TTT* 4, p. 102-103), ainsi que le sens chronologique de *principalis*. A Kroymann revient le mérite d'avoir rendu le texte pleinement satisfaisant par la simple correction de *rerumque* en *rerum, quae* : ce qui lui a permis de revenir à la leçon *principales* des mss. On remarquera que, à la fin de cette même phrase, le texte transmis comporte une autre altération : *Christum post Deum* des mss a été heureusement corrigé à partir de *R₃* en *Deum post Christum*.

III, 3, 1 *<ad> auersionem* (l. 7)

Les mss ont seulement *auersionem*, et MORESCHINI s'y tient, faisant de cet accusatif un attribut des compléments d'objet précédents *(signa, uirtutes);* il traduit (p. 407) : «come traviamento anche degli eletti». Mais cette construction attributive du substantif abstrait *auersio* («action de détourner») ne manque pas de surprendre en face du texte de *Matth.* 24, 24 (ὥστε πλανῆσαι). Evans, quoiqu'il garde aussi la leçon des mss, a conscience de la difficulté : il propose en note de lire *< usque ad >* auersionem, et c'est ce texte que suppose sa traduction. Avec Kroymann, nous pensons qu'il suffit de restituer *ad* devant l'accusatif pour éliminer toute difficulté, la préposition ayant pu facilement disparaître par haplographie dans la tradition manuscrite (cf. Tränkle, p. 169).

III, 3, 3 *fidem cludet* (l. 20)

C'est le texte de *M* et *R,* suivis par les éditions anciennes (contre *eludet* de *F* et *X*). Comme Moreschini («Per una nuova lettura», p. 5), nous l'adoptons ici. Ce doublet de *claudere* est attesté 11 fois chez Tert. (contre 14 pour la forme à diphtongue). Avec le sens d'«enfermer» (cf. I, 7, 7), il convient très bien ici : il reprend, en la précisant, la métaphore du § 2, *fidem occupare.* On paraphrasera ainsi : le fait de venir en premier et de se proclamer seul crédible enferme la foi comme dans une citadelle et coupe court à toute croyance en d'autres (cf. au § 2 : *posteris quibusque praeripuit).* Sur cette valeur militaire de *claudere,* cf. *TLL* III, c. 1307, l. 18-68. Parfaitement inutile est donc l'hypercriticisme de Kroymann qui, entre *fidem* et *cludet,* met une *crux desperationis;* son apparat propose une conjecture *excludet* (expliquée par «hervorbringen») et en rappelle une autre, d'Engelbrecht, *cudet* (= «prägen»). Mais ces interprétations qui s'accordent sur l'idée de «produire la foi» tournent le dos aux intentions du passage, qui ne fait que reprendre la pensée énoncée au § 2 avec *occupare* et *praeripere.* Quant à Evans, il adopte la correction *excludet* de Kroymann, mais en donnant à ce verbe un sens tout autre («discredit in advance»).

III, 3, 3 *nullo posterior non potuit.* (l. 23)

La tradition manuscrite est unanime à donner ce texte,

qu'admet R_1. La double négation qu'il comporte devient suspecte avec R_2 qui conjecture *innotuit* au lieu de *non potuit;*
et c'est cette correction qu'adopte MORESCHINI, quoique sa traduction (p. 408) rende le passage par «il quale non fu poste-
riore a nessuno». Dans R_3 apparaît une autre conjecture : *esse*
(au lieu de *non*); et c'est cette normalisation qu'admet Evans.
Kroymann, selon son habitude, préfère supposer une lacune
entre *posterior* et *non* (celle de *praedamnari*). Pour notre part,
nous avons tenu pour parfaitement acceptable le texte transmis.
Le tour grammatical avec deux négations surabondantes qui ne
se détruisent pas est attesté en latin ancien et tardif, et on en
a même un exemple chez Cicéron à condition de ne pas corriger le témoignage des mss (cf. *LHS* § 43, p. 804). Il n'est pas
non plus sans autre exemple chez Tert. puisque, en *Pat.* 4, 5,
les mss donnent *numquam impatiens obsequitur aut patiens
quis non obluctatur* (où il n'y a pas lieu de retrancher *non*
comme font les derniers éditeurs). Dans notre passage, ce tour,
combiné avec l'ellipse de *esse,* confère une solennité particulière à l'affirmation de l'antériorité absolue du Créateur.

III, 3, 3 *Christum <tuum>* (l. 28)

Dans la protase de cette longue phrase, le Christ de Marcion
a été opposé au Christ du Créateur *(Christo tuo ... Christum
suum).* Il paraît nécessaire ici d'admettre, comme fait Kroymann,
la restitution de *tuum* qui permet une opposition symétrique
dans l'apodose *(Christum <tuum> ... Christum suum).* La disparition de *tuum* est aisément admissible, comme due à un
phénomène d'haplographie. Moreschini et Evans, qui n'accueil-
lent pas cette addition dans leur texte, semblent cependant la
juger indispensable, comme la chose ressort de leurs traductions respectives.

III, 3, 3 *quanto illae non alterius quam Creatoris inter-
pretari potuissent, ut respondentes uirtutibus Creatoris*
(l. 29-30)

Le texte de la tradition manuscrite au lieu de *illae* porte
illum, il est admis par les trois derniers éditeurs. Kroymann,

dans son apparat, indique qu'il faut comprendre *interpretari* au sens de *probare;* et c'est ainsi qu'Evans, faisant de *illum* (= *Christum)* le complément d'objet de *interpretari* et sous-entendant *uirtutes* comme sujet de *potuissent,* peut traduire : «the more so as those miracles would have been capable of *proving* that Christ belongs to the Creator and no other, since they correspond...». Mais il n'y a aucune trace de ce sens de *probare* pour *interpretari* qui signifie seulement *explicare, intellegere, accipere* (quand il n'a pas le sens spécial de *uertere* = «traduire»). Moreschini, qui garde aussi le texte sans changement, sous-entend *homines* comme sujet de *potuissent* («in quanto gli uomini avrebbero potuto intenderlo come appartenente a nessuno altro se non al creatore»); mais la suite de sa traduction («in quanto quei miraculi corrispondevano...») suppose une incohérence syntaxique dans la phrase latine puisque *ut respondentes* ne peut se rapporter ni à *homines* sous-entendu, ni à *uirtutibus*. Dans sa troisième édition, B. Rhenanus avait introduit une correction de *respondentes* en *respondentem* qui ne règle pas non plus au mieux la difficulté en se rapportant à *illum;* car ce n'est pas le Christ, mais les miracles du Christ qui répondent aux miracles du Créateur. Il nous a donc paru que la meilleure solution était d'admettre une suggestion faite par Kroymann dans son apparat : corriger *illum* en *illae* (renvoyant à *uirtutibus* de la ligne précédente) et entendre *interpretari* avec une valeur passive. Le sens et la construction sont alors très satisfaisants. L'emploi de *interpretari* comme passif est largement attesté chez Tert. (cf. *TLL* VII, 1, c. 2257, l. 80 s.); quant à la correction de *illum* en *illae,* elle est légère : on peut penser que *illae,* écrit *ille* (cf., en III, 2, 2, la faute *rerumque* pour *rerum quae*), a été altéré en *illum* par un copiste mal inspiré.

III, 4, 2   *post Christus* (l. 7)

Le texte transmis est *post Christum.* Il a été accueilli tel quel jusqu'à Kroymann qui, tout en l'admettant, propose (dans l'apparat) d'ajouter *meum.* Evans fait de même, et suggère en note de lire *post < Creatoris > Christum.* Tränkle (p. 169) se prononce en faveur d'une addition de *nostrum* ou de *Crea-*

toris. De fait, le texte manque de clarté sans cette précision puisque le sujet de *uenerit* ne peut être que le Christ (de Marcion), dont il est question dans la phrase précédente ; et c'est évidemment lui qui est repris par *eius* au début de la phrase suivante (*deum eius ;* cf. III, 2, 1 *dei sui filius*). Il nous a paru toutefois qu'on pouvait corriger plus simplement que par une addition le texte des mss ; nous avons été mis sur la voie d'une autre solution par la façon dont MORESCHINI, quoiqu'il ait défendu son texte sans ajout clarificateur (« Per una nuova lettura », p. 5-6) rend le passage dans sa traduction (p. 409) : « il motivo per cui Cristo non sia venuto dopo », ce qui suppose évidemment une lecture *post Christus*. C'est elle que nous adoptons en donnant à *post* sa valeur adverbiale (21 occurrences chez notre auteur, dont 5 dans *Marc.*). Avec cette correction (aisément justifiable, *post* suivi du nominatif ayant pu surprendre un copiste qui a cru devoir corriger une faute), le nouveau développement s'articule mieux sur la phrase précédente : ce Christ qui est venu avant *(ante)* même qu'on le sache existant, pourquoi même ne serait-il pas venu *après, plus tard* encore ? – et la phrase suivante précisera ce qu'il faut entendre par là : après la réalisation définitive des plans du Créateur et la venue de son propre Christ.

III, 4, 2 *superinduceret*. (l. 15)

La leçon généralement admise ici est *superduceret,* celle de *F* et de *R;* mais *M* a *super duceret* (avec deux lettres manquantes, probablement effacées) et *X* lit *superinduceret*. Nous avons opté pour cette dernière leçon. Sans doute ce verbe sur-composé ne se rencontre chez Tert. qu'en *Herm.* 26, 1 (encore y est-il douteux, n'étant attesté que par R_3), la forme *superduco* étant habituelle (28 occurrences). Mais notre auteur connaît l'adjectif dérivé *superinducticius,* qu'il emploie en *Marc.* V, 3, 3 (pour rendre παρείσακτος de *Gal.* 2, 4). On ne peut donc exclure ici l'hypothèse qu'il ait voulu faire choix d'un verbe plus expressif par son procédé de formation, et qui appartient à la langue des *Veteres Latinae :* il l'a senti peut-être comme mieux adapté pour énoncer une action prêtée au dieu de Marcion dans une argumentation qui n'est pas exempte de sarcasme.

III, 4, 3   *paenitentia tantae patientiae fecit quod* (l. 15-16)

Le texte des mss ne pose pas de problème, comme l'a bien vu Tränkle (p. 170-171), que l'on donne *paenitentia* pour sujet à *fecit* («le repentir ... a fait que...») ou que, comprenant *paenitentia* comme ablatif de cause, on voie dans le dieu de Marcion le sujet du verbe (comme dans la phrase précédente pour *ratione fecit*). Sur la construction de *quod* (avec subjonctif ou indicatif) après *facere*, voir *TLL* VI, 1, c. 106, l. 84 – c. 107, l. 14 où le présent exemple est cité. Sont donc inutiles les corrections de Kroymann, qui ajoute *si* devant *paenitentia* (il suffit de mettre une ponctuation forte après *perseuerauerit*) et de Moreschini qui écrit *paenitentia< m >* (cf. «Osservazioni», p. 13; mais cet auteur renonce à sa correction dans «Per una nuova lettura», p. 6).

III, 4, 4   *ne illum quidem ... sustinuisse, istum ... inquietasse* (l. 24-25)

Les mss sont d'accord pour lire *sustinuisse ... inquietasset,* ce qui est, bien sûr, incohérent. Rhenanus a corrigé le second verbe en *inquietasse.* Nous adoptons cette correction après Evans, mais en ponctuant autrement que lui qui met un point après *nondum* et un point d'exclamation après *inquietasse.* A notre avis, une seule phrase se déroule de *Alterum* à *utrubique :* les verbes *sustinuisse* et *inquietasse* dépendent étroitement de *debuerat,* et la négation *ne ... quidem* (= non plus) articule le nouveau membre sur le précédent. Kroymann, après Engelbrecht, préfère corriger *sustinuisse* en *sustinuisset,* de façon à conserver le *inquietasset* des mss. Il est suivi par Moreschini dont la traduction («per non tollerare che l'uno incrudelisse così a lungo e per non tormentare l'altro...», p. 409) fait voir que *ne* est compris comme conjonction finale. Mais la présence de *quidem* après *illum* et les subjonctifs au plus-que-parfait rendent douteuse une telle interprétation. D'autre part, dans la séquence *inquietasse circa,* on pourra facilement expliquer, par une dittographie du *c* initial de la préposition (*c* se confondant souvent avec *t* dans les mss), la corruption en *inquietasset.*

III, 5, 1 *commixta* (l. 10)

Les mss ont *commixtae;* MORESCHINI conserve cette leçon,
sans que sa traduction («dovendo difendere insieme se stesse
e le loro cause», p. 410) laisse voir comment il interprète exactement ce participe, qu'il faut alors rapporter à *scripturae,* sujet
de *obtundant.* Mais il semble bien que ce sont non les *scripturae,* mais les *defensiones* qui se trouvent, en fait, mêlées et
confondues. C'est pourquoi nous avons préféré adopter, comme
fait Evans, la correction, au demeurant légère, proposée par
Kroymann, et qui consiste à lire *commixta,* en rapportant ce
participe à *defensione.*

III, 5, 3 *nec terram audimus ... ut ... credas* (l. 30-31)

Les mss portent *et terram audimus ... ut ... credas.* Ce
texte, reçu par R_1 et R_2, est corrigé par R_3 sur le modèle
de la phrase précédente, en *et terram audimus ... non
tamen ut ... credas,* que tous les éditeurs, depuis, ont
adopté. Il nous a paru cependant qu'il était plus simple
de corriger le *et* initial en *nec.* Il est plus facile de
concevoir une altération de *nec* en *et* que la disparition
des huit lettres de *non tamen* devant *ut.* D'autre part la
restitution de R_3 crée, entre les deux premières phrases,
un strict parallélisme qui ne manque pas d'être suspect
si l'on se rappelle le goût de Tert. pour les dissymétries.
Enfin cette liaison *nec,* introduisant le second exemple,
trouve une confirmation dans celle qui introduit le troisième *quia nec.*

III, 6, 6 *obtusionem* (l. 36)

Faut-il lire *obtusionem* avec *M,* que suivent Kroymann et
Moreschini? ou *obtunsionem* selon le texte de β adopté par
Evans? Tert. est le premier auteur à attester ce dérivé abstrait
de *obtundere.* Le *TLL* IX, 2, c. 301, l. 23 s., tout en se prononçant
en faveur de la forme *obtusio* en ce qui concerne notre auteur,
invite à réexaminer la tradition manuscrite. En dehors du présent
passage, on relève deux autres occurrences du mot chez lui,

dont une seule est sûre. a) En *Res.* 57, 3, la forme *obtusio* est donnée par *M P X,* la forme *obtunsio* par *T ;* c'est cette dernière que choisit Borleffs, mais à tort pensons-nous, car ce ms. du XIIe siècle n'a pas une autorité déterminante contre l'accord de *M P X*. ~ b) En *Exh.* 10, 6, c'est la forme *obtusio* qui est garantie par l'accord de *N F X* et de *A*, ce ms., qui est le plus ancien, l'écrivant sous la forme à assimilation *optusio*. L'édition de C. Moreschini adopte *obtusio* (*SC* 319, p. 106, l. 34) et il en est de même de la dernière édition parue, celle de V.H. FRIEDRICH, Stuttgart 1990, p. 82, l. 1. Toutefois, l'emploi n'est pas sûr, puisque le traducteur de *SC* 319, J.C. FREDOUILLE, a préféré suivre la correction *obfusio* de Semler et Kroymann (cf. *ibid.*, p. 179). Quoi qu'il en soit, il résulte de ce réexamen qu'il convient d'adopter le texte de *M* contre celui de β.

III, 6, 6 *condente spiritum ... secundum Iobelem ... ne dicam* (l. 39-42)

La tradition manuscrite est corrompue sur deux points, semble-t-il : a) Pour la citation, nos mss ne portent pas *condente*, mais *concludente,* que conservent *R* et *Evans*. Ce dernier traduit : « closeth up the spirit ». Mais ce sens n'est guère satisfaisant (enfermer l'esprit ?). Les deux autres citations que Tert. a faites de ce texte biblique donnent *condit spiritum :* en *Herm.* 32, 2 , où la tradition est unanime (le commentaire, *ibid.* 32, 3, fait apparaître que *spiritus* doit être compris au sens de « souffle » : *eum spiritum ... de quo etiam uenti constiterunt),* et en *Prax.* 28, 9. Cette cohérence invite à penser que, dans le présent passage, l'archétype a subi une corruption, le copiste ayant peut-être gardé en tête le *concluserunt* de la l. 34. Il faut donc rétablir *condente* en conformité avec le texte de la LXX (κτίζων). ~ b) Au lieu de *ne dicam,* la tradition manuscrite porte *nedum dicam. R* et Pamelius ont conservé cette leçon, mais Junius l'a corrigée en *ne dicam,* qu'adoptent les trois derniers éditeurs. Certes *nedum* n'est pas absolument inintelligible (= « loin que je parle même... »). Mais l'*usus auctoris* plaide contre ce maintien : l'examen des 54 occurrences de *nedum* relevées par l'*Index Tertullianeus* de Claesson montre qu'il ne s'agit jamais de la conjonction introduisant un verbe exprimé au subjonctif

(«loin que»), mais toujours de l'adverbe («à plus forte raison»)
selon l'usage régulier depuis Cicéron (cf. *LHS* § 331, p. 618). On
corrigera donc en *ne dicam*. La production de *dum* devant
dicam par dittographie est aisément admissible. A remarquer
aussi que la même expression *ne dicam etiam* se retrouvera
plus bas, en 7, 6.

La référence biblique, *secundum Iohelem,* donnée par tous
les mss, a éveillé également des doutes, vu que le texte cité
est en réalité d'Amos et qu'il est rapporté nommément à ce
prophète *(De spiritu aeque Amos)* en *Herm.* 32, 2. Pamelius
n'hésite pas à écrire ici *secundum Amos,* mais les derniers éditeurs ne l'ont pas suivi. Quoique, les sept autres fois où Tert.
a cité Joël *(Marc.* IV, 39, 8; V, 4, 2; 8, 6; 17, 4; *Res.* 10, 2;
22, 5; *Iei.* 16, 4), ce soit toujours à bon escient, nous pensons
qu'ici, citant de tête, il s'est trompé sur le nom du «petit prophète» qu'il alléguait. A moins que la citation lui soit parvenue
par l'intermédiaire d'un recueil de *testimonia* où l'erreur d'attribution était déjà commise. On observera que CLÉMENT
D'ALEXANDRIE *(Prot.* 79, 2 et *Strom.* 5, 126, 3) cite ce même
texte prophétique en l'attribuant à Osée.

III, 6, 7 *Sed et cum exprobrat ... intellexit, nos quidem*
(l. 52-56)

Comment faut-il ponctuer après *intellexit,* c'est-à-dire après la
citation d'*Is.* 1, 2-3? A la suite des éditions anciennes, Kroymann
et MORESCHINI mettent une ponctuation forte, sans s'en expliquer.
La traduction du second, cependant, montre bien que la première proposition du § 7 est comprise comme prolongement de
la phrase précédente («*E* quando li rimprovera...», p. 414). Mais
en fait, la conjonction *sed* utilisée ici impose l'idée d'un nouveau
développement qui commence avec ces reproches *per Esaiam*
(le sujet de *exprobrat* étant *Deus* ou *Creator* implicite dans le
contexte). Il s'agit donc d'une nouvelle phrase, qui se terminera
seulement avec la citation de *Is.* 1, 4 b. Evans a bien compris
ainsi : son texte porte après *intellexit* un point et virgule, dont
sa traduction ne tient pas compte. Pour plus de clarté, nous
avons préféré mettre une simple virgule après ce qui est la
protase d'une longue phrase unitaire.

III, 6, 7   *personam ... Christum dominum* (l. 58)

Le texte des mss présente une incohérence manifeste avec *persona ... Christum dominum*. R_3 a corrigé en *Christus dominus* pour accorder à *persona*, et tous les éditeurs récents l'ont suivi. Quispel cependant a proposé l'harmonisation inverse *(personam ... Christum dominum)* qui a le double mérite d'être moins coûteuse (la corruption de *personam*, écrit *personā*, en *persona* est des plus admissibles) et de mieux intégrer le souvenir biblique à la phrase. Sur toutes les corrections et interprétations dont a été l'objet ce passage biblique, voir notre *Deus Christ.*, p. 587-591 et 722-724.

III, 6, 9   *quia nec extraneum ... cum intellegere potuissent* (l. 75-77)

Le texte des mss porte *non* au lieu de *cum*. Avec cette seule correction, il est parfaitement intelligible, et c'est celui qu'adopte Kroymann, suivi par Moreschini. R_3 qui a introduit cette correction de *non* en *cum*, ne s'en est pas malheureusement contenté ; il a mis une ponctuation forte, lu ensuite : *Qui enim extraneum ... cum intellegere non potuissent* et placé un point d'interrogation après *praedicatum*. Cet aménagement radical du texte est adopté par Evans qui traduit ainsi : « For how could they have taken for a stranger one of whom no annoncement had ever been made, when they had been incapable of understanding him who had at all times been the subject of prophecy ? » Selon cette forme de texte sont opposées la possibilité de comprendre un Christ étranger et l'incapacité à comprendre un Christ annoncé. Mais le contexte et la suite du raisonnement font bien apercevoir que ce qui est en question, c'est la possibilité *(potuissent)* qu'ont eue les juifs de comprendre le Christ parce que son annonce par les prophéties offrait une prise à la compréhension ou à l'erreur. La leçon des mss cadre parfaitement avec l'idée. L'interprétation d'Evans se heurte, d'autre part, à une sérieuse difficulté grammaticale : elle suppose un emploi de *qui* adverbial au sens de *quomodo*. Or il n'y a pas d'exemple sûr d'un tel *qui* chez Tert. (voir *infra*, p. 259, la note critique à 22, 4, l. 35).

III, 7, 5 *tunc scilicet habiturus et* (l. 31-32)

La conjonction *et,* transmise par les mss, adoptée par les éditions anciennes, a été corrigée en *est* par Kroymann qui, suivant Engelbrecht, s'autorise du passage parallèle de *Iud.* 14, 5 où on lit *habiturus est* (du moins d'après θ). Mais cette correction, nullement nécessaire (notre texte pouvant s'expliquer comme retouche rédactionnelle), n'est admise ni par Moreschini ni par Evans. Ces éditeurs sont partagés en ce qui concerne la ponctuation. Pour notre part, à la différence de Kroymann et de Moreschini, nous pensons que Tert. a voulu faire une seule phrase des § 4 et 5, le développement qui commence à *tunc scilicet* restant solidaire du précédent. Si nous avons cru bon de les fractionner dans notre traduction, c'est par souci d'allègement. Nous avons donc mis simplement un point et virgule devant *tunc.* Quant à la citation de *Ps.* 44 (45), 3-5, qui vise à justifier *speciem honorabilem* et *decorem indeficientem supra filios hominum,* elle s'insère comme une parenthèse dans la phrase où *tunc* (l. 31) appelle *cum* (l. 37), ce qu'a gravement méconnu Evans. Elle doit être mise entre tirets, comme ont fait Kroymann et Moreschini.

III, 7, 5 *supra filios* (l. 33)

Nous adoptons ici, avec Moreschini, la leçon des mss conservés, *supra,* tandis que Kroymann et Evans suivent *R* pour écrire *super.* Le passage parallèle de *Iud.* 14, 5 confirme *supra* (seul *T* a *super*).

III, 7, 5 *potens, tempestiuitate* (l. 36)

Dans cette citation de *Ps.* 44 (45), 4, nous avons mis une virgule après *potens,* pour rapporter les deux ablatifs qui suivent au verbe principal *accingere.* Nous nous conformons à la ponctuation de *M,* à celle de la LXX (éd. Rahlfs) et à la même citation chez IRÉNÉE, *Haer.* 4, 33, 11 (cf. *SC* 100, p. 828, l. 215, et traduction, p. 829). Les éditeurs rapportent habituellement les deux ablatifs à *potens* (ainsi Evans traduit «O most mighty in the worshipfulness and thy beauty»). Cependant ce rattachement des deux substantifs à *potens* (ou *potentissime*) ne semble pas attesté ailleurs. La Vulgate coupe après *potentissime* et rapporte *specie tua et pulchritudine tua* à *intende* (v. 5). AUGUSTIN, *Enarr. Ps.* 44, 13-14 (*CCL* 38, p. 503), fait de même.

III, 7, 6 *exornatus podere et mitra et cidari munda* (l. 51)

Confirmé par *Iud.* 14, 7, ce texte peut provoquer quelque suspicion à cause de la double traduction *mitra et cidari* qui correspond à χίδαριν de la LXX : les deux mots latins ont même signification et désignent le turban, emblême du grand-prêtre des juifs. La Vulgate a simplement *cidarim*. Le passage parallèle de l'*Aduersus Iudaeos* interdit de penser à une interpolation ancienne ici. Plus probablement Tert. a donné une double traduction du terme grec où l'équivalent latin ordinaire *(mitra)* précède et éclaire l'emprunt *(cidaris)*. Cf. JÉRÔME, *in Zach.* 1, 3, 1-5 (*CCL* 76 A, p. 771, l. 55 s.) : « *Pro cidari in Hebraeo legimus Saniph quae mitra* a plerisque dicitur.» *Cidaris* ne se rencontre pas chez Tert. ailleurs qu'ici et en *Iud.* 14, 7. Quant à la leçon de *M, cidarim mundam,* il faut y voir une altération provoquée à l'origine par la dittographie du *m* initial de l'adjectif.

III, 7, 7 *propter eundem dominum conspectum* (l. 55-56)

Ce texte est celui de la tradition manuscrite et de *R.* Latinius a corrigé *dominum* en *domini* d'après le passage parallèle de *Iud.* 14, 9, où cependant on observera que *domini,* retenu par Tränkle, n'est attesté que par deux mss. La correction est adoptée par Kroymann et par Moreschini. Evans est revenu au texte traditionnel, mais il traduit comme s'il tenait compte du texte corrigé («because the Lord's is one and the same *aspect*»). Pourtant, le tour participial (au lieu du substantif) peut parfaitement se justifier comme variante rédactionnelle et constitue même une expression moins banale. Récemment, dans son étude du passage (citée *supra,* p. 92, n. 3), P.A. GRAMAGLIA a fait valoir la nécessité de prendre *conspectus* avec une valeur passive et a défendu la leçon des mss (p. 1 386-1 387), mais la traduction qu'il donne de ces mots (p. 1 417 : «in funzione del fatto che a manifestarsi sarebbe stato sempre il medesimo Signore») nous paraît forcée (ajout de «sempre») et inexacte : *conspici* (= «être vu») ne peut se rendre par «se manifester», et surtout *eundem,* pensons-nous, doit être compris en fonction attributive, comme en *Scor.* 10, 5 *(ne ipso quidem ... bomine conspecto).* C'est parce que le Seigneur *est vu identique* en son premier comme en son deuxième avènement que les deux boucs sont choisis *pares* et *consimiles.*

III, 7, 7 *consputatus* (1. 58)

C'est la leçon de *M,* et elle est garantie par *Iud.* 14, 9 (ensemble de la tradition). Le second rameau présente *consputus,* qui passe dans *R.* Les éditeurs se divisent. Kroymann choisit *consputatus,* Evans et Moreschini *consputus.* Il est vrai que Tert. a un emploi de *conspuere,* au sens figuré *(An.* 50, 2). Mais il a fort bien pu vouloir employer, dans un passage où intervient le sens propre, le verbe fréquentatif qui, quoique rare, est attesté chez Cicéron (cf. *TLL* IV, *s.u.).* Outre l'ancienneté de *M* et la concordance avec *Iud.* 14, 9, on retiendra en faveur de *consputatus* des raisons stylistiques (isosyllabisme) : succession de quatre participes, les deux premiers de quatre syllabes, les deux derniers de trois. Observations similaires de P.A. GRAMAGLIA, *l.c.* *(supra, p. 92, n. 3),* p. 1 385, n. 2 et p. 1 390.

III, 7, 7 *sacerdotibus <tantum> templi* (1. 62)

La tradition manuscrite porte *sacerdotibus templi.* Mais dans la formulation parallèle de *Iud.* 14, 10, on lit : *sacerdotibus tantum templi* (attesté par tous les mss). Aucun éditeur ne s'est semble-t-il, interrogé sur cette divergence. Remployant une précédente rédaction, Tert. aurait-il volontairement retranché l'indication restrictive fournie par cet adverbe – et qui remonte à sa source (cf. note complémentaire 34, p. 276)? Et cela alors que, un peu plus bas, dans l'explication typologique, les mots *ieiunantibus ceteris a salute* ne peuvent se comprendre que par la limitation aux seuls prêtres de la nourriture procurée par la chair du bouc sacrifié? Il nous paraît plus judicieux d'admettre que la rédaction de *Marc.* III, 7 ne différait pas ici de celle de *Iud.* 14, mais que seul un accident dans la transmission du texte – un banal saut du même au même – a fait disparaître de l'archétype cet adverbe *tantum,* indispensable au sens et à l'équilibre de l'exégèse.

III, 8, 1 *aborsiuos* (l. 5)

Les mss sont partagés : *M* porte *auorsiuos; F* et *X* ont *abortiuuos,* qui est accueilli par *R* sous la forme corrigée *abortiuos.* Cette dernière leçon est adoptée par les récents éditeurs. Nous pensons cependant qu'il faut, sur la foi du plus ancien ms., restituer une forme *aborsiuos,* quoique cet adjectif ne soit pas enregistré par le *TLL.* Mais ceci se déduit de l'usage de Tert. concernant le subtantif *(actus aboriendi).* Sans doute, en *Val.* 30, 1, il utilise la forme *abortus,* de même qu'en *Val.* 14, 1, il emploie l'adjectif *abortiuus.* Mais dans des ouvrages postérieurs, il a préféré pour le substantif la forme *aborsus* dont il a été, avec le jurisconsulte Paul, le premier témoin (cf. *TLL* I, c. 127, l. 3 s.) c'est ce que nous trouvons en *An.* 37, 2 et en *Fug.* 9, 4 (pour ce dernier emploi, les mss *N* et *X* donnent une leçon *auorsibus,* tout-à-fait parallèle à celle que présente ici *M* pour l'adjectif). On est donc en droit de penser que Tert., après avoir utilisé la forme en *-t-* pour le nom comme pour l'adjectif, a privilégié ensuite dans les deux cas une forme en *-s-,* plus récente. Établissait-il une distinction de sens entre *aborsus* et *abortus,* en rapportant le premier à un avortement des premier mois, le second à un avortement plus tardif, selon les définitions de Nonius Marcellus (cf. *TLL, ibid.*)? Voir la discussion de Waszink (*Comm. An.,* p. 426-427) qui conclut à un stricte équivalence de ces deux formes pour notre auteur.

III, 8, 3 *ueritatem spiritus, fallaciam carnis confundens* (l. 22-23)

Tel est le texte des mss et de R_1. Avec R_2 apparaît une leçon *fallacia,* qui s'est imposée ensuite dans les éditions. Mais Kroymann, suivi par Moreschini, est revenu au texte transmis, tandis qu'Evans adopte celui de R_2. Certes le sens n'est pas altéré par cette variante. Il faut néanmoins, croyons-nous, garder *fallaciam.* En effet, si *confundere* (= *commiscere, coniungere*), suivi d'un accusatif et d'un ablatif *(rem re)* est une construction latine (cf. *TLL* IV, c. 265, l. 29 qui renvoie à Tite-Live, Stace, etc.), ce tour ne paraît pas appartenir à l'usage de Tert. D'autre part, la tournure formée de deux accusatifs en groupement asyndétique, que présente le texte transmis, s'impose d'autant plus que la suite de la phrase reprend les deux termes *ueritatem* et *fallaciam* en les mettant au génitif pour compléter *communicationem* (lui-même prolongement de *confundens*). Le souci du parallélisme est plus net avec le texte des mss. Sur l'asyndète de type A, B, chez Tert., voir V. BULHART, *CSEL* 76, § 86 a (p. XL).

III, 8, 3   *fallaciae, id est tenebrarum, ... communicationem?* (l. 24-25)

Ce texte, qui est celui de toute la tradition manuscrite, a été corrigé par Kroymann d'après *II Cor.* 6, 14 que Tert. rappelle ici. Le critique allemand a rétabli l'ordre logique : *tenebrarum, id est fallaciae.* Mais ni Moreschini ni Evans ne l'ont suivi. A bon droit, pensons-nous, car on peut parfaitement admettre que l'auteur s'est permis, par jeu stylistique, une permutation de termes qui crée un effet de chiasme et clôt la phrase sur les «ténèbres», assimilées au mensonge.

III, 8, 4   *mendacium deprehenditur Christus caro* (l. 25-26)

Ce texte, donné par les mss, a été corrigé par Ursinus qui a proposé de lire *Christi* au lieu de *Christus.* Kroymann a adopté la correction, mais n'est suivi par aucun des deux derniers éditeurs. Il faut effectivement comprendre la tournure *Christus caro* comme une sorte d'ellipse («le fait que le Christ soit chair»), et l'expression est conforme aux habitudes de Tert. Elle fait écho d'ailleurs à celle qui est employée au § 1 du présent chapitre : *incredibile ... deum carnem.*

III, 8, 6   *deuertentis in terram* (l. 45)

Toute la tradition manuscrite est d'accord sur *deuertentis,* que

Latinius a corrigée en *reuertentis*. Cette correction est admise par Kroymann et par Moreschini, sans doute parce qu'elle souligne la notion de retour. Mais le texte de *Gen.* 3, 19 (ἀποστρέ-ψαι ... εἰς τὴν γῆν), auquel il est fait référence ensuite, se trouve plus exactement rendu par *deuertere* (du fait de l'équivalence ἀπό / *de*). On remarquera d'autre part que, sur les 5 emplois de *deuertere* par Tert., 3 sont en rapport avec la mort de l'homme (*An.* 53, 1 ; *Val.* 32, 5 ; *Res.* 43, 4). Il convient donc, avec Evans, de garder la leçon des mss.

III, 9, 4 *unde sumptam* (l. 25-26)

Ici comme plus bas, au § 5 (l. 30) et au § 7 (l. 48), *unde,* donné par toute la tradition manuscrite et par *R,* a été corrigé de bonne heure en *undeunde,* qu'adoptent Kroymann et Evans. Mais Moreschini a eu raison de revenir dans ces trois cas au texte transmis. Il est reconnu maintenant que Tert. peut employer la forme du relatif simple, pronom comme adverbe, à la place du relatif de la généralité : cf. V. Bulhart, *Tertullian-Studien* § 68, et *CSEL* 76, § 30 (p. XXI).

III, 9, 6 *sed ediscentis iam inter homines conuersari* (l. 44)

Le texte des mss porte *sed et discentis,* qu'adoptent Moreschini et Evans. Kroymann avait corrigé en *sed ediscentis :* il rapprochait des passages de *Marc.* II, 27, 4 (*ediscens ... quod erat futurus in fine*) et de *Carn.* 6, 8 (*alloqui et liberare et iudicare humanum genus ediscebat*). Il s'agit de l'apprentissage que le Fils-Verbe, Christ préexistant, faisait de sa future mission auprès des hommes dans l'incarnation. On pourra y ajouter *Prax.* 16, 3, où le même thème ramène par deux fois *ediscere.* Dans tous les cas, la tradition manuscrite est unanime à attester ce composé de *discere* qui équivaut, pour le sens, à un intensif. Il nous paraît plausible d'admettre, avec Kroymann, qu'ici aussi Tert. utilisait ce verbe rare, et que *ediscentis* aura été corrompu et banalisé en *et discentis* par une faute ancienne de copiste. ~ Evans, dans son apparat, propose de corriger le génitif en nominatif, sans doute pour rapporter le participe au sujet de la propositon *(Christus),* plutôt qu'à *carnis.* Mais la symétrie des

deux *sed* qui se répondent anaphoriquement invite à écarter
une telle correction.

III, 10, 4   *Deum non eguisse ... carnis paraturae.* (l. 22-23)

En face de la leçon *paraturae,* qui est celle de la tradition
manuscrite (suivie par Kroymann et Moreschini), *R* porte *para-*
tura, qu'Evans adopte. Mais la construction de *egere* avec un
génitif est ancienne, et également fréquente dans le latin post-
classique (cf. *LHS* § 60 d, p. 83). Tert. en a plusieurs exemples :
Herm. 8, 1 *(cuius substantiae eguit)*; 18, 3 *(sui magis quam*
alieni egens); 18, 5 *(nullius eguit auctoris)*; *Val.* 11, 4 *(egentium*
perpetuitatis); *Scap.* 2, 8 *(eget odoris)*. Sans doute connaît-il aussi
la construction avec l'ablatif, dont il a précisément un exemple
juste avant, au § 3. On peut se demander si ce n'est pas par
volonté d'harmonisation que Rhenanus ici a écrit *paratura*. Quoi
qu'il en soit, il est préférable de s'en tenir au témoignage des
mss existants dès lors qu'il n'est pas en désaccord avec l'*usus*
auctoris. Peut-être même des raisons stylistiques (souci d'expressivité en fin de phrase) expliquent qu'ici Tert. ait choisi une
construction sentie comme archaïsante, même si c'était au prix
d'une séquence de deux génitifs.

III, 11, 4   *uane natiuitatis fidem ... expugnandam putauit.* (l. 22-24)

Ce texte est garanti par l'ensemble de nos mss et par *R₁ :*
il est adopté par Kroymann et par Moreschini. Au lieu de *expu-*
gnandam, *R₂* présente une conjecture, déjà proposée par *R₁,*
expungendam, laquelle est passée dans *R₃;* Evans la fait sienne
en notant dans son apparat que ce verbe doit être compris au
sens de *eiciendam,* non de *perficiendam.* Mais il n'y a pas de
raison valable de corriger le texte de la tradition manuscrite :
expugnandam est tout à fait admissible au sens de *tollere, des-*
truere, perdere, (cf. *TLL* V, 2, c. 1 809, l. 54 s.), sens largement
attesté chez Cicéron, Sénèque, etc., et dont Tert. a plusieurs
occurrences (deux plus bas au § 9 et une en III, 16, 2). La traduction littérale serait : « Il a vainement pensé que la croyance
en une naissance devait être supprimée par le moyen d'une

chair imaginaire. » On remarquera que la connotation militaire de *expugnare* convient parfaitement dans ce contexte polémique. Quant à la correction de R_2, elle s'appuie sans doute sur le goût de notre auteur pour le verbe *expungere;* mais il l'emploie soit au sens propre de « rayer le nom de » (ainsi en *Ap.* 2, 15), soit dans son sens dérivé de « exécuter », « accomplir » (cf. HOPPE, *SuS,* trad. it., p. 240).

III, 11, 5 *deum tuum honoras fallaciae titulo* (l. 26-27)

Ce passage n'a pas suscité la critique de nos prédécesseurs, même s'ils ne sont pas d'accord sur la traduction à en donner. MORESCHINI donne à *titulus* un sens affaibli (« au titre de ») et à l'ablatif une valeur causale ; il traduit « allora tu onori oramai il tuo dio *per* un suo inganno » (p. 426). EVANS considère, semble-t-il, le génitif comme équivalent à un adjectif, puisqu'il traduit : « you are now honouring your god with an ascription falsely applied » (p. 203). KELLNER rend ainsi : « so heisst das so viel, als Deinen Gott sofort *mit dem Titel eines Betrügers beehren* » (p. 229), comme s'il lisait *fallacis* au lieu de *fallaciae.* Pour notre part, nous pensons que l'ablatif a ici valeur d'instrumental, et que *titulus* doit être pris dans son sens plein : « inscription indiquant le motif de la condamnation », d'où « grief », « chef d'accusation » (cf. BLAISE, *Dictionnaire, s.u.),* sens souvent attesté chez Tert. (notamment *Ap.* 1, 4 ; 2, 4, etc. ; cf. WALTZING, *Comm. Ap.,* p. 26). Dès lors, cette *iunctura* de *honorare,* mot à sens laudatif, et de *titulus,* à sens péjoratif, peut surprendre, et on est en droit de se demander, en rapprochant de *Vx.* II, 3, 2 *(contumaciae crimine oneratur)* et de *Ap.* 1, 4 *(idem titulus et onerat et reuincit),* si *honoras* n'est pas ici une corruption de *oneras,* selon le type de faute que nous avons déjà rencontré en *Marc.* II, 24, 2 (t. 1, p. 140, l. 9). La confusion de ces deux verbes est fréquente dans les mss de Tert. En voici quelques exemples : en *Nat.* 1, 7, 14 *onerare* est une restitution de Kroymann (suivi par Schneider) là où on lit *honorare* dans *A; en Carn.* 2, 2, au lieu de *oneret* (de *A, R, B),* qui est sans aucun doute le bon texte, on trouve *honeret* en *M* et *P, honoret* en *F* et *X; en Scor.* 5, 8, *A* présente une leçon *honerando* au lieu de *onerando.* On pourrait donc être tenté, devant de telles fautes qui reviennent justement avec régularité dans *M, F, X,* de corriger le passage pour lire *deum tuum oneras fallaciae titulo* («tu charges ton dieu du grief de fourberie»). Mais, malgré les arguments que nous venons de présenter en faveur de la correction, nous avons préféré garder le texte transmis : il reste parfaitement compréhensible, et on peut même y voir un oxymore (*honorare* étant antithétique de *titulus* au sens indiqué ci-dessus). L'affirmation énoncée prend alors la forme d'un sarcasme.

III, 11, 7 *tanti animalis, id est bominis* (l. 39-40)

Les trois mots *id est bominis,* attestés par toute la tradition, admis par tous les éditeurs, ont été retranchés par MORESCHINI qui y a vu une glose, en contradiction avec l'emphase asianique du passage («Osservazioni», p. 14). Cependant le goût de Tert. pour ce type de périphrase avec *id est* – reconnu d'ailleurs par ce même critique (*ibid.*) – se combine avec la volonté appuyée d'insistance, qui caractérise toute la phrase, pour militer en faveur du maintien de ces trois mots. On remarquera, en outre, que MORESCHINI les a maintenus dans sa traduction (p. 426).

III, 12, 2 *exinde quod* (l. 14)

Ici *quod* est la leçon de toute la tradition manuscrite. Kroymann le conserve (quoique avec hésitation, son apparat portant : «exinde quo *fort.*»), Moreschini aussi. Mais Oehler avait proposé une correction *quo* qu'Evans adopte. Sans doute l'expression *exinde quo* est-elle fréquente chez Tert. (cf. *TLL* V, 2, c. 1 508, l. 84 s.). Cependant, il y a lieu de maintenir ici la forme transmise, que l'on rencontre aussi dans le passage parallèle de *Iud.* 9, 3 (où Tränkle choisit *exinde quod* donné par une partie de la tradition). D'ailleurs, en *Iud.* 13, 3, où Tränkle opte pour *exinde quo* sur la foi du seul ms. *T,* le reste de la tradition (θ) porte *exinde quod.* Le rédacteur de *TLL* V, 2, c. 1 509, l. 4, après avoir attribué ces exemples à une faute de transmission, suggère de les expliquer en y voyant un sens causal, comme en *Paen.* 3, 8 où *exinde ... quod* veut dire «du fait que» (cf. *TLL, ibid.,* c. 1 511, l. 48 s. où sont cités d'autres exemples de cette expression : AMMIEN 16, 12, 38; etc.). Notre traduction par «du moment que» vise à rendre la double valeur, causale et temporelle, qui nous paraît justifier la préférence donnée ici par l'auteur à *quod* sur l'habituel *quo*.

III, 12, 3   *utpote qui et ipse dicas, Deus nobiscum [dicitur], id est Emmanuhel.* (l. 16-17)

Kroymann, le premier, s'est avisé de retrancher ici *dicitur* donné par toute la tradition. Moreschini le suit. Mais Evans revient au texte transmis qu'il traduit ainsi : «in that you yourself say, He is called God-with-us, and that is Emmanuel». Il comprend les mots, de *Deus* à *Emmanuhel,* comme étant l'énoncé de l'adversaire *(dicas),* rapporté en style direct; et il suppose que *Christus,* à tirer de la phrase précédente, est le sujet de *dicitur.* On n'échappe pas à l'impresson d'une grande maladresse devant la séquence de *dicas* et de *dicitur,* ce que masque d'ailleurs la traduction d'Evans. L'examen de la phrase suivante fait apparaître que l'argument revient sous la forme *quia penes te Nobiscum deus dicitur* où, cette fois, *dicitur* a tout son sens : accompagné de *penes te, dicitur* est en effet ici une variante de *dicas.* Il paraît probable que la réduplication de *dicitur,* à une ligne d'intervalle dans le texte, est le produit d'une faute de l'archétype (un rajout marginal de *dicitur,* ayant été ensuite mal réinséré).

III, 12,3   *pronuntiabit* (l. 24)

La tradition manuscrite porte *pronuntiauit.* Rigault le premier a corrigé en *pronuntiabit,* Kroymann fait de même, ainsi que Moreschini. Evans revient à la leçon des mss et de *R.* Cependant tout le contexte suggère cette correction, au demeurant légère. Après *inuenies,* de la proposition principale (exemple des chrétiens et marcionites de langue hébraïque), on admettra mieux un futur aussi pour la généralisation à l'ensemble des peuples et des langues.

III, 13, 3   *barbaricae gentis* (l. 14)

Nos mss ont *barbariae,*—qu'adopte Evans. *R* porte *barba-*

ricae, qui est sans doute une correction de l'éditeur humaniste : Kroymann et Moreshini le suivent. Il n'existe pas en
effet, en latin, d'adjectif *barbarius;* ce vocable n'est attesté
que comme gentilice en épigraphie (cf. *TLL* II, c. 1 744, l. 60).
Tert. a deux autres occurrences de l'adjectif *barbaricus* (*Id.* 18, 3
; *Virg.* 2, 1). Il faut donc le rétablir dans ce tour où l'on
attend un adjectif. L'interprétation de *barbariae* comme génitif
du subtantif *barbaria* (= pays barbare) serait forcée. Evans lui-
même traduit comme s'il voyait en *barbariae* un adjectif. D'autre
part, faut-il rapporter ces deux mots à *Ponticos* ou à *infantes?*
La deuxième solution paraît être celle de Moreschini et d'Evans.
Nous avons, pour notre part, préféré la première : comme
détermination de *Ponticos, barbaricae gentis* nous paraît
prendre plus de relief.

III, 13, 3 *ante militare quam uiuere* (l. 18)

Tel est le texte de toute la tradition manuscrite : Moreschini
et Evans s'y tiennent. Kroymann a cru bon de corriger *uiuere*
en *uirum facere* («faire l'homme», «jouer le rôle d'un homme»)
d'après le passage parallèle de *Iud.* 9, 6. Mais *uiuere* est parfaitement intelligible : on peut y voir un aménagement apporté
par Tert. au texte remployé; car plus saisissant est le contraste
qui s'établit entre le métier de soldat et l'apprentissage de la
vie, évoqué justement par le début d'*Is.* 8, 4 («dire papa et
maman»). Dans son apparat, Kroymann signale aussi la correction *uirere,* proposée par Engelbrecht (= *uires habere*). Il faudrait alors comprendre : «manier les armes avant d'être
vigoureux». Mais, outre que l'antithèse perdrait de sa force,
cette conjecture a contre elle que Tert. n'a qu'un emploi de
uirere, et dans son sens propre (= «être vert»), en *Id.* 15, 11.

III, 13, 4 *inquis* (l. 21)

La tradition manuscrite porte *inquit,* généralement adopté par
les éditeurs. Cependant, MORESCHINI traduit : «tu dici» (p. 429).
Nous n'avons pas hésité à corriger en *inquis,* en nous auto-
risant du fait que, précédemment aussi (l. 7), la tradition se
révèle fautive dans la leçon *inspiciat,* qui a été corrigée en *ins-*

picias à partir de R_3. Il est vrai sans doute que *inquit* peut servir à introduire une objection de l'adversaire, présenté à la troisième personne. Mais tout ce chapitre est construit sur le schéma du dialogue avec Marcion, qui est interpellé à la deuxième personne : *duceris* (l. 1); *inspicias* (l. 7); *serua ... quaere ... redde* (l. 40-41); *intellige* (l. 79).

III, 13, 5   *contineat* (l. 29)

Cette leçon, qui est celle des mss et de *R,* a été corrigée par Pamelius d'après le passage parallèle de *Iud.* 9, 8, en *scriptura contineat,* qu'adoptent tous les éditeurs. Mais on remarquera que, dans ce passage de *Iud., scriptura* n'est attesté que par une partie de la tradition : *Q* (recension de Fulda) a seulement *contineat.* Nous pensons qu'il y a lieu de s'en tenir au témoignage de nos mss et de *R.* En effet, l'emploi impersonnel de *continet* (= «il est écrit») est bien attesté dans le latin tardif, sur le modèle de *habet, dicit,* etc. (cf. *LHS* § 221 c, p. 416, et V. VÄÄNÄNEN, *Introduction au latin vulgaire,* Paris 1967, p. 136, § 296). On rapprochera de l'emploi impersonnel de *capit,* qui entre dans la même catégorie, emploi bien connu de Tert. (cf. HOPPE, *SuS,* trad. it., p. 98 s.). La substitution de l'impersonnel *contineat* au tour, plus normal, avec *scriptura* est peut-être ici un aménagement de remploi pour une expression plus ramassée (cf. TRÄNKLE, *Éd. Iud.,* p. LVII-LVIII).

III, 13, 6   *alius ordo iam infantis edicitur* (l. 35)

Au lieu de *alibi,* transmis par la tradition, conservé par Kroymann et Moreschini, nous accueillons ici, avec Evans, la correction *alius,* due à Pamelius, et qui nous paraît indispensable au sens. Moreschini traduit : «si parla *altrove* del bambino» (p. 429) : mais les textes allégués à propos de l'*infans* (Is. 7, 15 et 16) sont la suite même de *Is.* 7, 14. Pour Tert. d'ailleurs, comme pour Justin, *Is.* 8, 4 est bloqué avec *Is.* 7, 14-16. Il nous paraît donc qu'il faut lire *alius ordo infantis,* cette expression opposant à la naissance merveilleuse *(signum)* toutes les *autres* réalités de l'*infantia* énoncée par la prophétie et rappelée ensuite par l'auteur.

III, 13, 6   *manducaturi ... sed accepturi* (l. 36-37)

Nous avons ponctué cette phrase d'une autre manière qu'on l'a fait généralement. Tert. énumère ici, en s'appuyant sur le texte d'Isaïe, les deux traits qui lui paraissent marquer le caractère commun, ordinaire, de l'*infans* en question (opposé au caractère *monstruosus* de sa naissance); à chaque fois, il apporte au moyen d'une parenthèse un commentaire dans ce sens, d'abord sous une forme négative *(nec ... in signum),* ensuite sous une forme positive *(infantiae est).* Il peut ensuite revenir au texte de *Is.* 8, 4 qui fait l'objet du débat : à la lumière des précisions qu'il vient d'apporter à partir du texte isaïen, l'*infans* destiné à recevoir la «puissance de Damas» et les «dépouilles de la Samarie» apparaîtra nécessairement comme un enfant ordinaire, et non un *bellator.*

III, 13, 8   *Syriarum. Cuius tunc uirtutem* (l. 56)

Toutes les éditions portent une virgule après *Syriarum.* MORESCHINI dans sa traduction, met deux points («... due Sirie : di Damasco dunque...», p. 431). Il nous paraît préférable de ponctuer fortement devant *Cuius,* à entendre comme relatif de liaison renvoyant à *Damascus.* La nouvelle phrase introduite par ce relatif joue le rôle de transition : elle résume le développement précédent sur l'interprétation de «puissance de Damas» (= or et parfum des mages), elle introduit ensuite le développement sur ce qu'il faut entendre par «dépouilles de la Samarie» (= les mages eux-mêmes).

III, 14, 1   *Accingere ... ense* (l. 4-5)

Toute la tradition manuscrite donne *ense,* que conservent Moreschini et Evans. Kroymann, à la suite de Pamelius, corrige en *ensem,* apparemment pour harmoniser avec la même citation psalmique, telle qu'on la lit plus haut, en 7, 5 *(accingere ensem)* et avec l'allusion qu'on trouve ici même, plus bas au §5 *(ense ... quem cingebatur).* Mais cet argument ne saurait prévaloir sur le témoignage de la tradition manuscrite, lequel est d'ailleurs renforcé par la forme de la même citation en *Iud.* 14, 16 (où Tränkle a choisi la leçon de ψ *ense* de préférence à *ensem* de θ, sans chercher à harmoniser avec *accingere ensem tuum* de *Iud.* 14, 5). On pourra aussi remarquer que, dans le présent chapitre, l'ablatif se rencontre au §2 *(ense cingebat)* et au §5 *(ense sermonis praecingi figurato);* et également ailleurs : *accingitur ense* (III, 17, 2); *succinctus gladio* (IV, 18, 5). Il serait arbitraire de vouloir imposer une cohérence dont Tert. ne semble pas avoir eu cure : selon sa fantaisie, ou des critères de choix très subjectifs, il a recouru soit à l'ablatif soit à l'accusatif (sur cet usage du double accusatif pour les verbes «vêtir», «revêtir», etc., voir *LHS* § 43 d α, p. 45).

III, 14, 2 *Quis enim ense operabitur et non contraria potius* (l. 11-12)

Tel est le texte des mss et de *R.* Moreschini l'a maintenu à bon droit contre des aménagements divers. Ainsi Latinius (suivi par Evans) avait ajouté *ea* devant *ense;* Ursinus *haec* devant le même mot; Engelbrecht (suivi par Kroymann) préfère ajouter *ea* après *ense.* Toutes ces corrections procèdent d'une même intention, donner à *operabitur* un complément, qui renvoie à *ueritatem et lenitatem et iustitiam,* et qui s'oppose au terme suivant *(et non contraria potius).* Il faudrait traduire : «Qui en effet opérerait ces choses par l'épée et non pas plutôt les choses contraires?» (traduction adoptée aussi par MORESCHINI, p. 412). Cependant, le texte parallèle de *Iud.* 9, 17 recommande de ne rien changer ici. On y lit en effet : *Quis ense operabitur et non contraria lenitati et iustitiae exercet, id est dolum* («Qui œuvrera par l'épée sans exercer des activités contraires à la douceur et à la justice, c'est-à-dire la ruse?»). Récrivant ce texte avec le souci d'une rédaction plus condensée, Tert. élimine ce qui n'est pas indispensable : les compléments de *contraria,* faciles à sous-entendre d'après la fin de la phrase précédente, et le verbe *exercet* qui double *operabitur.* On comprendra alors ainsi le texte transmis : «Qui en effet œuvrera par l'épée sans faire même plutôt le contraire?» Après un emploi absolu de *operari,* ce même verbe est sous-entendu en une construction transitive (cf. plus haut 9, 1 et *TLL* IX, 2, c. 693, l. 3-15). Cette variation syntaxique ne constitue pas une grande hardiesse, tout en rendant l'expression plus ferme.

III, 15, 1 *ut sic utriusque dei filium Christum competat dici, sicut utrumque patrem deum* (l. 5-6)

La tradition manuscrite et les éditions anciennes s'accordent sur deux points : 1) *ut sicut ... sic;* 2) *patrem dominum*.

1) Kroymann le premier a corrigé en *ut sic ... sicut* la leçon traditionnelle; et nous avons cru devoir le suivre. KELLNER aussi a compris de même dans sa traduction (p. 235). En effet le raisonnement marcionite rapporté par le texte vise à justifier *Christus* comme nom commun en s'appuyant sur le cas de *deus* qui a même valeur. La proposition introduite par *ut* en tire la conséquence pour légitimer la dénomination de Christ donnée au fils de chacun des deux dieux dans ce système, dénomitation qui prend modèle sur celle de dieu de leurs pères respectifs. L'idée s'obscurcit dès lors que l'on s'en tient à la leçon traditionnelle qui inverse les termes de la comparaison. On remarquera d'ailleurs que MORESCHINI et EVANS qui ont gardé cette leçon contre Kroymann, donnent des traductions conformes, en fait, au texte corrigé («in modo che tanto il filio del dio vestro quanto quello del nostro debbano essere ugualmente chiamatri Cristo, *e così* l'uno e l'altro padre deve essere chiamati dio», p. 433; «with the result that it is permissible for the sons of each of two gods to be called Christ, *as also* for each <of those gods> to be called father <and> lord», p. 215). La correction de Kroymann, au demeurant, est des plus faciles à admettre paléographiquement : des facteurs de trouble dans la transmission ont pu être créés par les syllabes avoisinantes (*ut* devant *sic; utriusque/utrumque* après *sic* et *sicut*).

2) Quoique *dominus* («Seigneur») soit une dénomination divine courante chez les marcionites (cf. *Marc.* I, 27, 3, t. I, p. 232 et n. 2), nous avons accueilli aussi la correction de Kroymann (suivi par Moreschini) qui rétablit *deum* à cause de la logique du raisonnement (comparaison *Christus/deus*). Là encore, il s'agit d'une correction légère, *dm̄* et *dn̄m* étant très souvent confondus dans les mss. Evans, qui maintient *dominum*, ajoute *et* devant, mais cette conjecture aboutit à une interprétation compliquée et nuit à la clarté du texte où *Christus/deus* et *filius/pater* sont conçus comme des binômes.

III, 15, 3 *in dispositionem eorum ... inueniretur?* (l. 19-20)

Au lieu de *dispositionem,* leçon des mss et de R_1 et R_2, R_3 lit *dispositione* qui est manifestement une correction. A la différence de nos trois derniers prédécesseurs, nous sommes revenus à la forme d'accusatif : il est bien établi que ce cas, au lieu de l'ablatif, est usuel après *in* (pour les compléments de la question *ubi*) chez Tert. (cf. HOPPE, *SuS,* trad. it., p. 85-86, et BULHART, *CSEL* 76, p. XXI, § 59 d).

III, 15, 5 *adsutus ipse et inditus nominum senio?* (l. 30-31)

La leçon *inditus* est celle des mss *M* et *X,* elle est confirmée indirectement par *F* (dont la lecture *inclitus* est erronée). *R* ici porte *indutus* (= «revêtu»), qu'adopte Evans. Avec Kroymann et Moreschini, nous avons préféré *inditus,* qui s'appuie sur la tradition manuscrite subsistante, et convient mieux pour le sens. En effet, avec la signification de «mettre dans» (cf. *TLL* VII, 1, c. 1213, l. 54 et c. 1214, l. 15), ce verbe, composé de *dare,* dont Tert. a 8 autres occurrences (4 au participe passé passif), est tout à fait à sa place ici ; *adsutus* reprend l'image du vêtement, et *inditus* celle des outres où l'on *met* le vin ; ce terme fait jeu avec *credi,* les grammairiens latins ayant considéré *credere* comme composé de *dare* (cf. *TLL* IV, c. 1129, l. 50 s.). La leçon de *R* a toutes chances d'être une correction de l'éditeur, correction malheureuse puisque *indutus* prolonge la seule image du vêtement et rompt l'effet recherché par l'auteur (reprise de deux images du texte évangélique).

III, 16, 2 *obstrepit Iesus* (l. 14)

La tradition manuscrite porte *obrepit* au lieu de *obstrepit* qui est une conjecture de R_2, confirmée par Ursinus et adoptée par Kroymann comme par Evans. MORESCHINI revient à la leçon des mss, mais rend ainsi le passage : «con questo nome *contrasta* quello di Gesù» (p. 436). Or ce verbe *obrepere,* utilisé ailleurs par Tert. (*Paen.* 6, 10.13 ; *An.* 47, 3) ne se présente qu'avec le sens de «se glisser», «s'insinuer», «venir furtivement». Sens qui, de toute évidence, ne convient pas dans le présent contexte. La correction en *obstrepit* («contredire», «s'opposer à») s'impose d'autant plus que ce verbe appartient à l'usage de l'auteur (14 autres occurrences d'après l'*Index* de Claesson) et que la suggestion verbale de *irreperet* (qui précède immédiatement) peut expliquer la faute de l'archétype.

III, 16, 4 *petrina acie, id est Christi <praeceptis>* (l. 30)

Les mss subsistants et *R* omettent *praeceptis,* que Pamelius a restitué d'après *Iud.* 9, 22, où il est attesté par toute la tradition (le même emploi de *praecepta* se lit plus haut, en 14, 7, dans une exégèse figurative). Après Kroymann, nous admettons cette restitution, que PRIGENT, (*Justin et l'A. T.,* p. 141, n. 1) qualifie d'évidente. Moreschini s'en tient au texte des mss. Mais il est difficile d'en rendre compte. Il faudrait sous-entendre *acie* après *Christi* et traduire : «c'est-à-dire par le tranchant du Christ», ce qui n'est guère satisfaisant. MORESCHINI (p. 436) rend ainsi : «con la punta della pietra, cioè della pietra di Cristo», ce qui suppose un tour plus compliqué, avec rupture du parallélisme pierre/Christ (*Christi = petrae Christi*). La restitution de *praeceptis* est d'autant plus plausible qu'un banal phénomène d'haplographie a pu faire disparaître ce mot devant *petra* (qui suit immédiatement). Sans tenir compte de cette considération, Evans rétablit à tort *praeceptis,* non après *Christi,* mais devant ce mot.

III, 16, 5 *intendite ... exaudite ... inobaudieritis* (l. 39-40)

Ces secondes personnes du pluriel sont données par l'ensemble de la tradition et par *R*. Le texte parallèle de *Iud.* 9, 23 confirme du moins les deux impératifs *(intendite ... audite)*. Avec Kroymann et Moreschini, nous pensons que, pour cette citation d'*Ex.* 23, 21, il n'y a pas lieu de modifier le texte transmis comme a fait Pamelius (suivi par Evans) en rétablissant des singuliers conformes au texte de la LXX. Tert. – ou une ancienne traduction qu'il utilise – a pu passer sans difficulté d'un singulier (désignant un être collectif, Israël) à un pluriel, selon une syliepse très habituelle, et dont la LXX elle-même offre un exemple juste après, en *Ex.* 23, 22.

III, 16, 5 *non enim celabit te* (l. 40)

Les mss et *R* ont *celaui.* Pamelius a corrigé en *celauit;* Engel-brecht a proposé *celabit,* d'après le texte parallèle de *Iud.* 9, 23 (*celabit* est la leçon de *T,* admise par Tränkle). Avec nos trois derniers prédécesseurs, nous avons accueilli cette correction qui assure une cohérence avec le texte d'*Ex.* 23, 21 cité d'après la LXX. Sur le sens du passage et la valeur de *celare,* voir la note complémentaire 41, p. 292. On pourra certes remarquer que le texte des mss n'est pas inintelligible («je ne t'ai pas caché que mon nom est sur lui»), et c'est sans doute ce qui a favorisé l'implantation de la leçon *celaui te,* explicable au départ par deux fautes banales (confusion de *b* et *u,* simplification de deux *t* se faisant suite). Mais outre l'argument du texte parallèle, nous ne pensons pas que Tert. aurait pu déformer aussi radi-calement un passage scripturaire qu'il cite avec précision.

III, 16, 5 *angelum quidem eum dixit* (l. 41)

Au lieu de *eum,* les mss et *R* ont *meum* que Pamelius a corrigé d'après *Iud.* 9, 23 (*eum* pour toute la tradition). Kroymann et Evans adoptent cette correction, tandis que MORESCHINI revient à *meum.* Sa traduction («egli disse 'il mio angelo'», p. 437) laisse entendre que Tert. ici reprendrait l'expression même d'*Ex.* 23, 20 (*angelum meum*). Mais on voit mal, dans cette interprétation, pourquoi le nom et le possessif auraient été séparés par *quidem.* Si l'on considère l'ensemble de la phrase, avec ses deux membres parallèles *(angelum quidem ... dixit ob ...; Iesum autem ob),* on s'aperçoit qu'elle suppose un com-plément d'objet commun pour les deux attributs que sont *angelum* et *Iesum :* ce qui rend indispensable de lire *eum* (dési-gnant Josué) qui constitue le complément d'objet requis par la construction. Là encore, une simple faute mécanique (ditto-graphie du *m* final de *quidem*) expliquera aisément la cor-ruption du texte originel.

III, 16, 6 *Identidem nomen suum confirmauit* (l. 44-45)

Ce texte, donné par toute la tradition manuscrite, est admis

par Moreschini comme par Evans. L'adverbe initial a été corrigé
par Kroymann en *Id enim* d'après *Iud.* 9, 25. Mais on comprend mal comment ces deux mots auraient pu s'altérer en
identidem, forme rare dont Tert. n'offre que trois autres exemples
(*Vx.* II, 8, 5 ; *An.* 35, 1 ; *Marc.* V, 16, 1). L'interprétation, d'autre
part, n'est pas aisée. Moreschini comprend : «Confermò *pari-
menti...*», tandis qu'Evans traduit : «Again and again...» Des
deux sens de *identidem* (l'un *de iteratione,* l'autre *de simili-
tudine,* cf. *TLL* VII, 1, c. 210, l. 47 s. et c. 211, l. 46 s.), Tert.
ne paraît connaître que le premier (cf. *ibid.* c. 211, l. 25 où est
cité l'exemple de *Marc.* V, 16, 1). C'est donc l'insistance ité-
rative que cet adverbe marque pour lui. Mais veut-il dire ici
que le Verbe Christ a multiplié les confirmations de son nom ?
Nous ne le pensons pas, ce serait en contradiction avec l'Écriture.
L'idée de répétition, selon nous, doit viser la reprise de ce qui
a été dit par l'auteur plus haut, au § 5 *(Hoc nomen ipse Christus
suum tunc esse testatus est).* On pourrait traduire ainsi : «Je le
répète encore et encore», ou «J'y reviens encore». De plus,
d'après cette même phrase, nous comprenons *suum* comme
attribut.

III, 17, 1 *quonam habitu et quonam conspectu fuit ?*
(l. 2-3)

La tradition manuscrite et *R* portent *quoniam habitum et
quoniam conspectum,* avec virgule après *fuit.* Mais l'interprétation est malaisée : on ne voit pas bien le sens à donner aux
deux propositions qui ne peuvent être que causales (et pourquoi
quoniam est-il doublé ?), on comprend mal ce que voudrait
dire *habitum fuit* (avec *corpusculum* comme sujet). La traduction de Holmes («because it was an object of touch») n'est
pas possible ; celle d'Evans («in whatever condition it was, and
however regarded») est en désaccord avec le seul sens admissible pour *quoniam* («puisque»). Il faut donc ici, avec Moreschini, suivre Kroymann qui le premier a su trancher la difficulté en coupant la phrase de la suivante, en corrigeant les
deux fois *quoniam* en *quonam* (adjectif interrogatif dont Tert.
a 22 autres emplois et dont la reprise anaphorique est justifiée) et en lisant *habitu/conspectu* au lieu de

habitum/conspectum (ces deux substantifs revenant, juste après, avec une légère variante). Le sujet de *fuit* est évidemment *Christus* (et non *corpusculum*), comme dans la phrase suivante. En revanche, dans le même passage, tout à fait arbitraire est la transposition, proposée par Kroymann, des mots *quodcumque – adnuntiabatur* après les deux citations d'Isaïe (l. 5-9) : aucun de nos deux prédécesseurs ne l'a suivi.

III, 17, 3 *neque interiorem qualitatem eius cuiusmodi adnuntians.* (l. 18)

Passage diversement établi et interprété. D'une part, la tradition manuscrite et les éditions mettent une ponctuation forte avant *neque,* coupant cette proposition de la citation biblique qui précède. D'autre part, la leçon des mss *cuiusmodi* et *adnuntias* a donné lieu à plusieurs corrections chez les éditeurs : ainsi *cuiusmodi* est devenu *eiusmodi* en R_2 et R_3, puis *eiuscemodi* chez J. de Pamèle et N. Rigault. Ce dernier, en outre, corrige *adnuntias* en *adnuntiant;* une lecture *adnuntiat* apparaît chez Holmes et Evans, sans aucune indication dans l'apparat. Les interprétations varient aussi. Kellner, qui semble suivre le texte de Rigault, traduit : «Dergleichen Prophezeiungen gehen nicht etwa auf seine innere Beschaffenheit»; il paraît comprendre *eius(ce)modi* au sens de *res tales,* comme sujet de *adnuntiant.* Les traductions respectives de Holmes et d'Evans, d'après un texte portant *adnuntiat* (rapporté au Christ), ont l'inconvénient de supposer que *eius* prend la place de *suus* (BULHART, *CSEL* 76, p. XXI, § 29, ne cite qu'un exemple, où *eius* d'ailleurs remplace *suo* en proposition complétive). Quant à Kroymann, il admet la correction *eiusmodi* et corrige le verbe final en *adnuntia sunt.* Solution peu satisfaisante, vu que *adnuntius* est étranger à la langue de Tert.; et l'on voit mal comment il faut comprendre l'accusatif *qualitatem* (acc. de relation?). MORESCHINI («Osservazioni», p. 15) revient pour sa part à *adnuntias* des mss et corrige *cuiusmodi* en retranchant *cuius* où il voit une dittographie de *eius*. Il comprend *eius [cuius] modi* comme ayant la valeur de *res eiusmodi* et il fait de *interiorem qualitatem* l'attribut du complément d'objet *(eiusmodi),* d'où sa traduction «tu non pronunci parole di tal

genere quali sue doti interiori» (= «quando tu fai questa affer-
mazione, tu non manifesti una sua dote interiore»). Mais, outre
la complication du tour, on s'étonnera que *adnuntiare* soit
rapporté ici à Marcion (ou au marcionite), alors que tout le
développement réserve ce terme à l'annonce prophétique (ou
au Christ qui en est l'auteur, ou aux figures sous lesquelles
il se manifeste). La solution du problème textuel nous paraît
résider : 1. dans le rattachement de ces six mots à la phrase
précédente; 2. dans le maintien du texte transmis, avec une
seule correction, très simple et facile à admettre, celle de
adnuntias en *adnuntians* (d'ailleurs *X* a gardé un vestige du
tilde, qui a disparu ailleurs par un phénomène banal). Nous
avons ainsi un participe *adnuntians* qui, dans le prolongement
de *Ps.* 21 (22), 7 qui vient d'être cité, se rapporte à *uermis* ...
ignominia hominis et nullificamen populi. Tert. souligne ironiquement que cette image ne saurait *annoncer* l'être intime
du Christ, sa divinité. Quant à *cuiusmodi,* attesté par toute la
tradition, nous l'interprétons au sens de *cuiuscuiusmodi,* selon
l'usage du relatif simple au lieu du relatif de la généralité,
dont nous avons des exemples en 9, 4-7 (Voir Notes critiques,
p. 233).

III, 17, 4 *deputatum per Mariam, inde censendam*
(l. 26-27)

Ce texte est celui de toute la tradition manuscrite et de *R.*
Pamelius a corrigé *censendam* en *censendum,* pour rapporter
cette forme verbale à *Christum* (comme *deputatum*) : «Christ
réputé issu de la souche de Jessé, qu'on doit en faire descendre par Marie.» Mais, contre Evans qui adopte cette correction, nous avons suivi, comme Kroymann et Moreschini, le
texte des mss qui a pour lui l'autorité du *locus gemellus* de
Iud. 9, 27 : *per Mariam, scilicet inde censendam* (leçon de *T,*
admise par TRÄNKLE, *Éd. Iud.,* p. 87). Ainsi est mieux soulignée
la succession «biologique» : *stirps* (ou *radix*) = Jessé; *uirga* =
Marie; *flos* = Christ (cf. *Carn.* 21, 5-7 et *Marc.* IV, 1, 8 : *eundem
in uirga, ex radice Iesse processura).* On rapprochera aussi ce
qui est dit plus bas, en 20, 6 : *Christum ... ex Dauid deputatum carnali genere ob Mariae uirginis censum.*

III, 17, 5   *euangelium excuti placuit* (l. 40)

Au lieu de *excuti,* leçon de tous les mss et des deux premières éditions de Rhenanus, R_3 introduit une correction *discuti,*
qu'Evans a retenue. Mais, avec Kroymann et Moreschini, nous
préférons la leçon transmise : au sens figuré de *examinare, per-
quirere, explorare,* le verbe *excutere* est tout à fait classique
(cf. *TLL* V, 2, c. 1312, l. 79 s., avec nombreux exemples de
Cicéron, Sénèque, etc.).

**III, 17, 5   *Quis enim, inquit, in uobis, qui deum metuit?
[et] Exaudiat uocem filii eius*** (l. 44-46)

Tous les mss ont *et* après *metuit; exaudiat* est la leçon de
M, exaudiet celle de β. Moreschini et Evans adoptent cette dernière leçon, en maintenant *et* et en considérant que l'on a
affaire à une même phrase interrogative; ils traduisent : « Chi
c'è tra di voi che teme Dio e ascolti la voce del suo Figlio? »;
« Who is these among you who feareth God and will hear he
voice of his Son? » Cette interprétation est sans doute conforme
à la Vulgate *(Quis ex uobis timens Dominum, audiens uocem
serui sui).* Mais nous avons préféré admettre, avec Kroymann, la
leçon de *M,* en supprimant, comme fait aussi ce critique, la
conjonction *et* (qui a pu s'introduire par dittographie devant *ex-).*
A la différence de Kroymann, nous ponctuons après *metuit,* faisant
de la première proposition seule une interrogative et de *exaudiat*
un subjonctif d'ordre. Avec ces aménagements, la citation d'*Is.* 50,
10 que nous avons ici est conforme à celle de *Marc.* IV, 22,
10 : *Quis in uobis metuens? Exaudiat uocem filii eius* (éd. Moreschini, p. 242; Kroymann et Evans lisant *metuens <deum>).* Elle
est en accord avec la LXX, comme avec le contexte (invitation
faite aux fidèles d'écouter le Fils Verbe).

**III, 18, 1   *huius maledictionis sensum differo digne sola
praedicatione crucis, de qua*** (l. 6-7)

Tel est le texte des mss et nous nous y tenons. A la place
de *digne, R_2* introduit une correction *dignae* qui passe dans R_3
et se généralise ensuite. Mais les éditeurs ou traducteurs qui

l'adoptent (Evans, Holmes, Kellner), obligés de rapporter *dignae* à *maledictionis,* aboutissent à des interprétations peu satisfaisantes, voire acrobatiques. Kroymann, suivi par Moreschini, revient à la leçon des mss, *digne,* mais en ajoutant la préposition *a* devant *sola praedicatione* sur le modèle de *Ap.* 40, 15. Mais *sola* se comprend mal («dal *simplice* annuncio della croce», traduit MORESCHINI, p. 439). Pourtant, sans aucune correction, le texte transmis est parfaitement intelligible, à condition d'entendre *sola praedicatione crucis* comme ablatif absolu (à verbe copule sous-entendu). Ainsi, après l'adverbe *digne* très usuel cher Tert. (= *iure,* cf *TLL* V, 1,c. 1 153, l. 19 s.), la justification du renvoi énoncé *(differo)* est donnée au moyen d'une proposition participiale à valeur causale : «la prédication de la croix étant la seule dont il soit question pour l'heure essentiellement». Une raison générale *(et alias)* est introduite ensuite par *quia,* pour englober le cas présent dans une loi générale.

III, 18, 3 *Ioseph et ipse Christum figuratus, nec hoc solo* (l. 19)

Tel est le texte de toute la tradition manuscrite : avec Moreschini, nous le suivons sans changement. Deux points ont suscité des corrections.

1. L'expression *Christum figuratus,* étrange d'aspect (passif, suivi d'un complément d'objet) a été corrigée en *<in> Christum figuratus* par Ursinus (cf. *TLL* VI, 1, c. 744, l. 42 qui rapproche de *Id.* 24, 4) ou en *Christum figurat<ur>us* (Engelbrecht, Kroymann, Evans). Cependant elle se rencontre identique dans le passage parallèle de *Iud.* 10, 6, où elle est donnée par la quasi-totalité des mss (*T* a *figurat,* mais deux lettres ont été effacées après le *t*) et où Tränkle l'admet. Il faut donc, ici aussi, admettre cette cette *lectio difficilior* (= «ayant pris la figure du Christ») qu'on expliquera par l'influence analogique de *Christum indutus,* comme fait BLAISE, *Dictionnaire,* s.u. *figuro.*

2. Au lieu de *nec,* de toute la tradition, on lit *uel* dans le passage parallèle de *Iud.* 10, 6 (*uel hoc solo* = «quand ce ne serait que pour cette seule raison»). Kroymann corrige *nec* en *uel.* Mais ni Moreschini ni Evans ne prennent ce parti, car la présente leçon peut fort bien remonter à l'auteur lui-même, se

corrigeant dans son remploi de *Iud.* En effet *nec hoc solo* («et pas seulement pour cette raison») diminue l'importance accordée dans la rédaction primitive à la persécution des frères de Jacob et réserve la place principale au symbole du taureau de la bénédiction paternelle. Autre retouche rédactionnelle : les trois phrases successives de *Iud.* 10, 6-7 *(Ioseph ... traditur. Nam et ... terrae. Non utique ...)* sont ramenées à une seule (de *Ioseph* à *palus*) dans le présent passage (§ 3-4).

III, 18, 4   *(nam et – uocantur)* (l. 29-30)

A la différence des éditeurs, dont les trois derniers, nous avons adopté, pour cette fin de la longue phrase des § 3-4, la ponctuation du passage parallèle de *Iud.* 10, 7, telle qu'on la trouve dans l'édition de Kroymann (*CCL* 2, p. 1 376) et dans celle de Tränkle. Nous avons fait notamment une parenthèse des mots *nam et – uocantur,* qui apportent l'explication de *cornua – crucis extima.* Il nous paraît évident que la proposition relative introduite par *cuius* (antécédent *taurus*) se développe d'abord avec *cornua – extima,* ensuite, après la parenthèse, avec *unicornis autem – palus.*

III, 19, 2   *natus est uobis ... et datus est uobis* (l. 8-10)

Tel est le texte de *M.* A *uobis* les autres mss substituent *nobis* qui est en accord avec la forme généralement reçue de cette citation d'*Is.* 9, 5. Mais on trouve *uobis* par trois fois en *Iud.* 10, 11, ou Tränkle l'a retenu d'après le plus grand nombre des mss ; on le rencontre également chez Novatien, *Trin.* 28, 156 : *quia puer ... natus est uobis* (éd. Loi, p. 168, l. 24 ; éd. Diercks, *CCL* 4, p. 66, l. 27). Il est donc possible que la citation de Tert. ait été faite d'après une variante ὑμῖν (attestée dans la LXX de Rahlfs). La normalisation sur le texte le plus habituel *(nobis)* a dû intervenir ensuite.

III, 19, 5   *ne putes alterius alicuius <quam eius> qui solus ... crucifixus est.* (l. 33-35)

Dans le texte parallèle de *Iud.* 10, 14, on lit, après *alicuius,* les quatre mots *prophetari passionem quam eius* qui sont absents aussi bien de nos mss que de *R*. Pamelius le premier a restitué ces quatre mots après *alicuius,* Kroymann et Evans font de même. Mais Moreschini revient au texte des mss et de *R*. Texte pourtant difficilement admissible : il faudrait supposer une très forte anacoluthe, le pronom relatif *qui* n'ayant aucun antécédent dans la phrase. Pour notre part, nous avons adopté une solution intermédiaire en admettant la nécessité d'une restitution, mais en limitant celle-ci aux deux seuls mots indispensables *quam eius*. La disparition de ces deux mots par haplographie (saut d'un *q* a un autre *q*) deviendra plus plausible. On admettra aussi que Tert., comme il l'a fait généralement, ait voulu condenser la phrase de *Iud*. qu'il remployait. On comprendra : «pour que tu ne penses pas que cette croix (*quam crucem,* du début de la phrase) est celle de quelque autre que celui...».

III, 19, 6 *nullam Christi crucem significare meum Creatorem* (l. 37-38)

Après les quatre premiers mots qu'ils attestent tous, les mss se divisent : *me a creatore* dans *M* et *F* (que suivent *R₁* et *R₂*), *in ea creatore* dans *X*. Manifestement corrompu, ce texte a été corrigé de deux manières. Ainsi, selon une conjecture marginale de *R₁* Engelbrecht, Kroymann et Moreschini lisent *nullam Christi crucem significari a creatore; R₃* que suit Evans, corrige en *nullam Christi crucem significatam a creatore*. Ces aménagements ont le tort, pensons-nous, d'altérer l'infinitif *significare* et de ne pas tenir compte de l'élément *me*. On restera plus près du témoignage des mss en corrigeant seulement *me a creatore* (de *M* et *F*) en *meum Creatorem*. Il est facile d'expliquer l'altération de *meũ creatorẽ* en *me a creatore* (disparition de tildes, mécoupures). D'autre part, le contexte polémique, où s'opposent les possessifs (*suo deo,* l. 40/*meum Christum,* l. 43-44; *Christi mei,* l. 47/*suum Christum,* l. 48, etc.), justifie pleinement l'emploi de l'expression *meus Creator* (*meus* marquant un rapport d'appartenance : cf. *Deus Christ.,* p. 373 et n. 4).

III, 19, 7 *potuit et per crucem euenisse, tunc alii deputandam si in alium fuisset praedicata.* (l. 45-46)

Les mss et *R* ont *deputanda* au lieu de *deputandam* et *prae-*

dicatum au lieu de *praedicata*. Engelbrecht le premier a proposé la correction *praedicata*, qui a le mérite de rapporter ce participe à *crux*, suivant le sens. Moreschini l'a accueillie. Nous avons fait de même; mais il nous a paru indispensable de corriger aussi le nominatif *deputanda* en un accusatif, pour l'accorder à *crucem*. Le sujet de *potuit* est *mors*, à tirer de *qualitas mortis*. Mais il résulte du raisonnement que c'est la croix (non la mort) qu'il faudrait assigner à *un autre* si elle avait été prédite pour *un autre*. Comme il fait souvent, Tert. ici, reprend, sous forme d'irréel, ce qu'il a dit juste avant : « nec ... probabit *alium* esse qui *crucifixus est* », et « nisi forte ostenderit *hunc exitum* (= *crucem*) eius a suo deo praedicatum. » La traduction de Moreschini (p. 443) confirme que tel est bien le sens : « per mezzo della croce, la quale invece dovrebbe essere attribuita ad un altro Cristo solo se fosse stata predetta per un altro ». Il en est de même de la traduction de Kellner (p. 243) : « und wäre *diese* Todesart ... ».

III, 19, 9 *propter mortem consecuturum, post mortem, utique per resurrectionem consecuturum.* (l. 59-60)

Le dernier mot, dans toute la tradition, se présente au nominatif *(consecuturus)*. Pamelius le premier a jugé nécessaire, à cause du tour à l'infinitif (sujet *illum*), de corriger en *consecuturum,* admis par tous les autres éditeurs. Mais la répétition de ce participe futur a paru suspecte : Junius a proposé de retrancher *propter mortem consecuturum;* Kroymann et Evans prennent le même parti. Pour notre part, comme Moreschini, nous pensons que le texte transmis doit être maintenu avec la correction de Pamelius seulement. Après avoir produit *Is.* 53, 12, et en avoir tiré un premier enseignement (sur l'héritage promis au Christ en récompense de sa mort), Tert. maintenant en dégage un second enseignement : cette récompense, occasionnée par sa mort *(propter mortem),* ne peut que suivre cette mort *(post mortem),* la résurrection intervenant après celle-ci. Avec une pesanteur didactique qui ne lui est pas étrangère, il entend montrer que ce texte isaïen apporte bien aussi un témoignage sur la mort et la résurrection du Christ.

III, 20, 1   *ad diuersas sententias* (l. 6)

A cette leçon des mss et des éditions, Kroymann a substitué *a diuersa sententia,* pour en faire le complément d'agent des deux verbes de la phrase (« par la partie adverse »). Correction peu coûteuse certes, mais sans aucune nécessité, et qui contraint même à prendre ce mot dans un sens inhabituel. Ni Moreschini ni Evans n'ont souscrit à cette lecture. *Ad diuersas sententias* est à maintenir, comme signifiant : « dans le sens des opinions (des thèses) opposées (à celles de l'Église) ».

III, 20, 1   *ea quoque paria ex scripturis Creatoris quaeque post Christum futura praecinebantur.* (l. 7-9)

La leçon *quaeque,* que nous avons adoptée, est celle des mss et de R_1. Avec R_2 apparaît un variante *quaequae,* qu'Oehler a admise, et après lui Evans. Kroymann préfère retrancher *-que* et lire *quae;* il est suivi par Moreschini. Mais le texte transmis nous semble parfaitement intelligible et même satisfaisant. Pour désigner le matériel prophétique qu'il va utiliser maintenant, Tert. marque d'abord ce en quoi, par son origine, il est analogue au matériel précédent *(ea ... paria ex scripturis Creatoris),* et ensuite, cette fois au moyen d'une relative coordonnée par *-que,* ce en quoi il s'en distingue chronologiquement *(post Christum futura).* La dissymétrie entre les deux déterminations met en relief la seconde, soulignant ainsi la progression du plan chronologique.

III, 20, 3   *postula de me* (l. 15)

Ce texte, qui est celui des mss et de *R,* a été corrigé par Pamelius qui, au lieu de *de me,* lit *a me* en se fondant sur un *Codex Vaticanus.* Il est suivi par Evans. Mais l'accord qu'on rencontre pour la même forme de citation de *Ps.* 2, 8, en *Marc.* IV, 39, 11 et V, 17, 6 garantit l'authenticité de *de me* ici.

III, 20, 3   *regnarit* (l. 19)

Leçon des mss et de *R, regnarit* a été corrigé en *regnauit* par Pamelius, qu'on a généralement suivi. Mais nous ne pensons pas que cette correction ait un caractère indispensable. Du point de vue morphologique, même si l'on rencontre la forme pleine *regnauerit* en *Res.* 47, 3 et *Mon.* 14, 5, on pourra trouver des parallèles à cette forme syncopée : *animarit* et *exsuscitarit* en *An.* 23, 1; *amputarit* en *Pat.* 12, 2; et la forme *regnasset* est attestée en *Ap.* 26, 3. Du point de vue syntaxique, *regnarit* ne soulève non plus aucune difficulté, qu'on y voie un subjonctif (à valeur d'opposition, «lui qui pourtant a régné») ou un futur antérieur («lui qui aura régné»). Le style même y trouve son compte, avec l'effet de dissymétrie qui se crée ainsi entre les deux relatives, l'une avec *regnarit* (pour David), l'autre avec *cepit* (pour le Christ).

III, 20, 8 *immo ipsa erit caro eius religiosa et fidelia Dauid, iam sancta religione et fidelis ex resurrectione.* (l. 51-53)

Transmise par tous les mss et les anciennes éditions (seul *iam* est une correction de Rigault pour *tam*), cette phrase a été suspecte à Kroymann, qui l'a retranchée. Moreschini a fait de même. Evans cependant la maintient. A juste titre, pensons-nous, car l'expression, avec ses reprises de termes, est caractéristique de Tert. Son sens non plus n'est pas difficile à saisir dès lors qu'on a reconnu que l'auteur lit *Is.* 55, 3 à travers *Act.* 13, 34 (où le verset isaïen est appliqué à la résurrection du Christ) et qu'il voit les chrétiens *(quae erant Christi)* comme le corps mystique, formant l'Église (cette Église qui sera évoquée au §9, à propos de l'édification de l'homme saint, temple de Dieu). Les termes mêmes de la prophétie *(religiosa, fidelia)* l'ont mis sur la voie d'une application ecclésiologique : l'Église des saints et des fidèles s'étant constituée à partir de la résurrection.

III, 20, 8 *in prima Basiliarum* (l. 54)

Si le texte des mss *Basilicarum* a été corrigé sans problème en *Basiliarum* dès R_1 (altération d'une forme rare en une forme usuelle à l'époque du copiste), on peut se demander aussi s'il ne faut pas également corriger *prima,* la prophétie citée figurant au second livre des Rois. Pamelius écrit *secunda,* Kroymann également. Moreschini et Evans sont revenus à *prima*. Nous pensons, avec eux, qu'ici l'erreur de référence est imputable à Tert. qui a cité de mémoire, et sans contrôler la provenance exacte de ce qu'il citait.

III, 20, 10 *Non potest futurum quod uides fieri.* (l. 77)

Cette phrase est celle des mss. Mais *R* ajoute *dici* après *futurum,* et cette forme du texte s'est imposée dans toutes les éditions. Sans doute peut-on la croire confirmée par le passage parallèle de *Iud.* 14, 13 : *Non potes futurum contendere quod uides fieri.* Mais, à comparer ces deux rédactions, on peut fort bien admettre que Tert., une fois encore, a recherché un énoncé plus ferme. En retranchant le verbe énonciatif *contendere* et en changeant *potes* en *potest,* il donne plus de généralité à l'idée et plus de relief à l'antithèse *futurum/fieri.* C'est sur une *sententia* de vigueur accrue que se termine le chapitre («Ne peut être à venir ce que tu vois en train de se réaliser»). Il n'y a donc aucune raison de privilégier le texte de Rhenanus, en face de celui – bien meilleur – des mss subsistants.

III, 21, 2 *conuertere iam in proselytos quaeris qui ... transeunt ad Creatorem, quando et proselyti ... nominentur – Ecce, inquit Esaias, ... ad deum – , et nationes ... habeant nominationem* (l. 9-16)

Pour cette longue phrase, nous avons adopté le texte de Kroymann, tel qu'il l'a notamment ponctué et interprété, texte qui a le mérite de rester très proche des mss et d'offrir un sens très satisfaisant. La première proposition énonce (à la deuxième personne) la nouvelle tentative *(quaeris)* d'explication de Marcion (les «nations» sont à comprendre des «prosélytes»). L'emploi de *quaerere* avec l'infinitif est très habituel (ainsi *Prax.* 27, 1) et *conuertere* est un actif à sens pronominal («se tourner»; cf. *Val.* 10, 2; *Virg.* 5, 4 et *TLL* IV, c. 858, l. 35 s., où n'est toutefois pas donné d'exemple de Tert.). La proposition suivante, introduite par *qui,* est une relative déterminative (verbe à l'indicatif *transeunt*) qui a pour objet de rappeler la condition habituelle des prosélytes (l'antécédent étant *proselytos*). Avec *quando* (suivi du subjonctif, à valeur adversative, cf. HOPPE, *SuS*, trad. it., p. 152) commence la réponse apportée à l'exégèse de l'adversaire : elle consiste à souligner la nette distinction établie dans le langage d'Isaïe entre prosélytes et nations ; d'où le parallélisme *et proselyti ... seorsum nominentur/et nationes suam habeant nominationem,* l'un et l'autre termes étant illustrés d'une citation biblique appropriée qu'il conviendra de mettre entre parenthèses (*Is.* 54, 15 et *Is.* 42, 4).

Selon la ponctuation traditionnelle (Moreschini, Evans), la phrase initiale se termine à *proselytos, conuertere* étant compris comme deuxième personne de l'impératif (Moreschini) ou de l'indicatif (Evans) du médio-passif *conuerti. Quaeris* alors commande la proposition interrogative *qui de nationibus transeunt ad Creatorem,* et a le sens de «demander». Grammaticalement, l'indicatif *transeunt,* en interrogative indirecte, est défendable (exemples relevés par HOPPE, *SuS*, trad. it., p. 140-141) et la correction *transeant* de R_2 (adoptée par Evans) n'est pas nécessaire. Mais on ne voit pas l'intérêt de cette question prêtée à l'adversaire : l'identité des hommes passant du paganisme au Créateur n'est pas en cause. Marcion n'interroge pas à leur sujet, il se contente de substituer, pour interpréter cet appel des nations, *proselyti* à *nationes,* comme avait fait le judaïsme quand il avait été confronté à pareils textes (cf. JUSTIN, *Dial.* 122, 1.3). La considération du contexte impose donc la lecture de Kroymann qui rattache *conuertere* à *quaeris.* Pour la suite aussi, la cohérence du raisonnement est obscurcie quand on n'admet pas les parenthèses marquées par ce critique. Elles ont d'ailleurs été adoptées par Moreschini.

III, 22, 1 *Inspice enim adhuc ...* (l. 1)

Il est traditionnel, depuis J. de Pamèle, d'incorporer au ch. 21 cette phrase, ainsi que la suivante, et de faire commencer le ch. 22 plus bas, à *Habes et ...* Mais il nous semble préférable de marquer ici le début du nouveau chapitre qui va porter sur les prophéties concernant la mission apostolique et les premiers développements de l'Église des nations persécutée par la Syna-

gogue. Cette phrase, en effet, introduit le thème de façon
précise : *introgressum* (le mot est un hapax), que va expliciter
la phrase suivante *(Etenim – induxerunt)*, annonce la mission
des apôtres en rupture avec le judaïsme (22, 1-3), et *decursum*
vise la suite de l'évangélisation des païens (22, 4-6). Deux autres
arguments militent en faveur du découpage que nous proposons.
D'abord, la phrase *Haec aut – prophetata* (21, 4) constitue une
excellente conclusion pour le ch. 21 (voir p. 185, n. 6), ce qui
n'est pas le cas pour *Etenim – induxerunt*. Ensuite, on observera
que l'impératif *Inspice* est symétrique de *Aspice* qui, en 20, 2,
ouvre le développement sur l'appel des nations ; et c'est un
autre impératif de sens analogue, *recognosce*, qui introduira, en
23, 1, le chapitre sur la dispersion des juifs : ces trois inter-
pellations de l'adversaire scandent donc la progression sur « ce
qui devait suivre le Christ ». Quant à la mention des prosélytes
des premiers temps, opposés aux nations des derniers, elle
s'explique comme un simple rappel récapitulatif du ch. 21,
moyen de souder les pièces de la démonstration. C'est peut-
être là ce qui a trompé J. de Pamèle : il a cru y voir un indice
de conclusion. Mais il est clair qu'on ne peut logiquement
séparer, comme il l'a fait, l'énoncé de la mission apostolique
(Etenim – induxerunt) et celui des prédictions dont elle a été
l'objet *(Habes – praedicatum)*.

III, 22, 1 *Longe quique a iustitia mea* (l. 11-12)

Ce texte, des mss et des éditions, est corrigé par Kroymann
en *quique longe a iustitia mea,* apparemment pour mettre en
accord cette citation d'*Is.* 46, 12 (LXX οἱ μακρὰν ἀπὸ τῆς
δικαιοσύνης) avec *Marc.* V, 17, 14 où on lit : *qui longe erant
a me.* Mais, dans cette dernière forme de citation, Tert. rend
le tour grec par une proposition relative. Ici il utilise, plus hardiment, le tour avec le pronom *quisque* (au pluriel) où l'adjectif
habituel est remplacé par un adverbe *(longe),* par imitation du
grec : littéralement « tous les (étant) loin de ma justice ». Inverser
les deux premiers mots, comme fait Kroymann, aboutit à supprimer une hyperbate, sans doute voulue par Tert. pour donner
plus de relief à *longe*. Ni Moreschini ni Evans n'ont admis cette
correction.

III, 22, 2 *presbyteris et archontibus et sacerdotibus* (l. 15)

Dans cette énumération, toute la tradition manuscrite donne *archontis*, tandis que *R* a *archontibus*. Kroymann choisit la leçon des mss, Moreschini et Evans celle de *R*. C'est cette dernière que nous adoptons aussi. La forme de datif-ablatif *archontis* n'est pas attestée (cf. *TLL s.u.*) et Tert. lui-même, en *Marc.* V, 6, 8 (citation d'*Is.* 3, 13-14) utilise *archontibus*, d'après l'ensemble des mss. De ce mot dont il a 14 occurrences, il présente des formes toujours régulières *(archon, archontes, archontas)*. Ce qui rend suspect ici l'emploi d'une forme anormale. On l'expliquera mieux par la faute d'un copiste subissant l'écho de la finale *-is* du terme précédent.

III, 22, 3 *ut uiderint uniuersae nationes* (l. 24)

Le subjonctif parfait est attesté par toute la tradition et les éditeurs. Kroymann l'a corrigé en *uiderent*, sans doute par souci de normalisation grammaticale. Comme Moreschini et Evans, nous n'adoptons pas cette correction sans nécessité : *ut* peut en effet être compris au sens consécutif, et le subjonctif parfait est alors tout à fait régulier.

III, 22, 4 *Et quare Creator* (l. 35)

Les mss et les deux premières éditions de Rhenanus portent *Et quae creator,* leçon dénuée de sens. *R₂* a conjecturé en note *At creator* et *R₃* a introduit, au lieu de *quae,* la correction *qui* : elle est adoptée par Kroymann et Moreschini comme étant l'adverbe interrogatif *quī* (= *quare, quomodo*). Mais cet adverbe n'est pas attesté indubitablement chez Tert. Sans doute l'*Index* de Claesson en relève-t-il dix occurrences (en plus du présent passage). Mais, après vérification de chaque cas, nous pouvons affirmer qu'il s'agit soit d'indications erronées, soit d'emplois douteux, soit de corrections ou interprétations de Kroymann qui n'ont pas été ratifiées par les éditeurs suivants. Pour cette raison, nous préférons, comme Evans, admettre la correction *quare,* proposée par Oehler ; elle est la moins coûteuse et la plus conforme à l'*usus auctoris* (30 occurrences d'après l'*Index Tertullianeus*).

III, 22, 5   *et uiri iusti auferentur* (l. 40-41)

Tel est le texte de tous nos mss et de *R*. Pamelius a introduit une correction *auferuntur,* destinée à normaliser cette citation d'*Is.* 57, 1 sur le texte biblique habituel (LXX αἴρονται). Les éditeurs ont suivi Pamelius. Cependant le commentaire que Tert. donne à la suite de sa citation oppose *passum Christum* à *passuros... apostolos ... fideles :* ce qui laisse penser qu'il voyait déjà indiquée par les temps (parfait/futur) du texte biblique la séquence qu'il met en relief : passion du Christ/martyres de ses disciples. Cet argument nous dissuade donc de chercher, au prix d'une correction du texte, un accord entre cette forme de citation et celles qu'on lit ailleurs chez Tert. : *Marc.* IV, 21, 9 et *Scor.* 8, 2 (qui portent *auferuntur,* et dont le contexte de discussion est différent). En revanche, à la fin du même texte scripturaire, nous avons admis, comme allant de soi pour le sens, la correction de *iustitiae* en *iniustitiae,* introduite aussi par Pamelius. Voir PETITMENGIN, « Citations d'Isaïe », p. 33.

III, 22, 6   *fore deo relaturos* (l. 53-54)

Le texte des mss est partiellement corrompu. Tous ont *relaturus,* inadmissible, et corrigé en *relaturos* à partir de *R₂*. *M* et *X* ont *fore,* tandis que *F* lit *forte,* leçon qui est passée dans *R₁* et *R₂* avant d'entraîner une correction drastique *(patri)* en *R₃* qu'Evans suit. Mais, comme l'ont bien vu Kroymann et Moreschini, *M* et *X* offrent un texte sûr : l'emploi du participe futur avec le futur (indicatif ou infinitif) de *sum* est bien attesté à l'époque tardive (cf. *LHS* § 175 a, p. 312 : exemples de Tert.).

III, 22, 6   *in sexagesimo septimo* (l. 59)

M a LVII°, *F* et *X,* ainsi que *R, quinquagesimo septimo.* C'est Pamelius qui a reconnu l'erreur de référence, pour cette citation de *Ps.* 67, 27. Il a corrigé en *sexagesimo septimo.* Mais l'erreur ne serait-elle pas imputable à l'auteur lui-même? Moreschini le pense, il conserve le texte transmis. Avec Kroymann et Evans, nous avons préféré admettre plutôt une faute dans la transmission du chiffre LXVII.

III, 22, 6 *Malachiae prophetia* (l. 61)

Ici également, toute la tradition manuscrite est d'accord, avec R, pour lire *Micheae :* indication erronée puisqu'il s'agit d'une prophétie de Malachie. Pamelius là encore a corrigé. Kroymann, que suit Moreschini, revient à la leçon transmise en faisant observer que Tert. confond « assez souvent » les prophéties. Ce qui est vite dit. Pour *Marc.* I et II, nous n'avons relevé qu'une erreur de ce genre, dans un catalogue de *testimonia* apparentés par le sujet (cf. t. I, p. 52 et n. 1; p. 193, n. 4). Ici une confusion ne paraît guère possible : car *Mal.* 1, 10-11 a joué un très grand rôle dans la controverse avec le judaïsme : ce texte est cité comme de Malachie par Justin (*Dial.* 28, 5 et 41, 2) comme par Irénée (*Haer.* 4, 17, 5). De plus, Tert. lui-même l'attribue convenablement à son auteur en *Iud.* 5, 4 et – ce qui est notable – en *Marc.* IV, 1, 8. D'autre part, quand notre écrivain a fait référence nommément à Michée (en *Marc.* IV, 10, 2; 29, 14; 36, 6), c'est toujours à bon escient. Enfin on peut remarquer que Michée n'a aucun développement sur le culte spirituel qui aurait pu être à l'origine de cette confusion. Dans ces conditions, il paraît plus plausible d'admettre un accident de la transmission.

III, 22, 6 *sacrificia uestra non excipiam* (l. 62)

La leçon *excipiam,* donnée par tous nos mss, devra prévaloir, comme l'ont bien vu Kroymann et Moreschini, sur celle de *R, accipiam,* qui est accueillie par Evans. Elle est d'ailleurs confirmée par la forme de la même citation en *Marc.* IV, 1, 8 (où d'ailleurs Evans lit bien *excipiam*).

III, 22, 6 *nomen meum gloriatum est in nationibus* (l. 63-64)

La leçon de toute la tradition manuscrite et de R est *gloriatum,* que nous adoptons de préférence à la correction *glorificatum,* introduite par Pamelius et reçue par nos trois derniers prédécesseurs. Certes en *Marc.* IV, 1, 8, où revient le même texte scripturaire, la tradition manuscrite est non moins unanime

pour *glorificatum*. Mais il n'est pas nécessaire d'harmoniser entre
elles les diverses formes de citations présentées par Tert. Ainsi,
en *Iud.* 5, 4 et 7, il se sert de *clarificatum*. Rien ici, ni pour
le sens ni pour la forme, n'interdit de maintenir *gloriatum*. Le
sens passif de *glorior* est très largement attesté dans l'usage des
chrétiens (cf. *TLL* VI, 2, c. 2 099, l. 10 s.). Certes Tert. paraît ne
connaître que le sens pronominal («se glorifier»); mais il a fort
bien pu ici, soit qu'il traduise lui-même, soit qu'il suive une traduction établie, accueillir un emploi que les premières versions
latines de la Bible avaient mis en circulation.

III, 23, 3　*ea perseuerantia furoris* (l. 19)

Les mss et *R* ont *ea,* que Pamelius a corrigé en *ex* d'après
le texte parallèle de *Iud.* 13, 26. Kroymann le suit. Mais, comme
l'ont reconnu Moreschini et Evans, cette correction n'est pas
nécessaire : *ea* peut très bien renvoyer aux exactions contre le
Christ, évoquées juste avant (l. 16-17) et un simple ablatif causal
est parfaitement de mise ici.

III, 23, 3　*derelicta filia Sion et tanquam specula* (l. 26-27)

Tel est le texte des mss et de *R*, et il convient, pensons-
nous, de le maintenir ici, comme a fait Evans, mais en l'inter-
prétant autrement. La conjonction *et* a fait difficulté en face du
texte parallèle de *Iud.* 13, 26 : *derelicta est filia Sion tanquam
specula* (tradition manuscrite unanime). C'est ce dernier texte
qu'a adopté Pamelius, c'est celui que traduit Evans. Kroymann
s'en est inspiré pour corriger *et* en *est,* mais sans changer l'ordre
des mots. Moreschini fait de même. Mais la comparaison avec
le passage parallèle met sur la voie d'une solution plus simple.
Dans le texte de l'*Adversus Iudaeos* en effet, les quatre éléments retenus d'*Is.* 1, 7-8 (terre, cités, contrée, fille de Sion)
sont présentés au moyen d'une structure grammaticale qui, par
souci de *uariatio,* place le troisième en ablatif absolu *(regionem
ipsorum ... extraneis deuorantibus).* On voit alors comment Tert.
a remodelé sa phrase quand il la remploie : il fait du troisième
élément une proposition à verbe personnel *(regionem ...
deuorant)* et réserve l'ablatif absolu pour l'élément final. Il

conviendra donc de comprendre *derelicta filia...* comme une participiale, sur laquelle se clôt l'énumération, et de donner à *et* une valeur adverbiale (= même) : la place inhabituelle de *et* ici soulignera encore le crescendo.

III, 23, 4   *quinquagesimo octauo* (l. 33)

La tradition manuscrite et *R* donnent une indication fautive : *quinquagesimo septimo* (*LVII* dans *M* et *F*). Il s'agit en effet du *Ps.* 58. L'erreur remonte-t-elle à Tert.? C'est ce qu'admet Moreschini. Mais comme précédemment (voir Notes critiques pour III, 22, 6, p. 260), nous pensons, avec Kroymann et Evans, qu'un accident de transmission est responsable de la faute : la transcription chiffrée LVIII a dû s'altérer par simplification en LVII dans l'archétype.

III, 23, 4   *Disperge* (l. 34)

Les mss et *R* lisent *disperde,* que Pamelius a corrigé en *diperge* généralement adopté par la suite. Cette leçon est d'ailleu s celle du texte parallèle de *Iud.* 13, 27, et c'est la forme hab.tuelle de *Ps.* 58 (59), 12 dans la Vulgate (LXX διασκόρπισον). La correction de Pamelius est d'autant plus légitime que Tert. distingue avec soin *dispergere* et *disperdere :* le premier correspond à (δια)σπείρω et (δια)σκορπίζω (ainsi en *Marc.* IV, 24, 11 ; 39, 9) et le second à ἐκτρίβω (*Marc.* II, 26, 3-4 pour *Ex.* 32, 10) ou à ἀπόλλυμι (*Scor.* 2, 6 pour *Deut.* 12, 3) ou à συγχέω (*Prax.* 16, 2 pour *Gen.* 11, 7). Ici donc, après *dispersionem eis postulat* qui précède, il est hautement improbable qu'étant aussi averti de la valeur de ces termes, il ait écrit *disperde.*

III, 24, 1   – *Deum optimum ...! O deum tuum, qui ...! O deum ... misericordem!* (l. 6-9)

Le chapitre a commencé par une nouvelle *iniectio* (cf. 21, 1) de Marcion : une «antithèse» entre le dieu supérieur et le Christ du créateur *(uester)* concernant l'eschatologie ; cette «antithèse» est placée dans la bouche même de l'adversaire *(inquis)*. Immédiatement après vient la triple exclamation rap-

portée ci-dessus. Le problème est de déterminer s'il faut y
voir le prolongement des paroles de Marcion ou, au contraire,
la réplique de l'auteur du traité. Moreschini et Evans prennent
le premier parti : ils traduisent comme si les guillemets, ouverts
devant *Immo,* se refermaient après *misericordem.* Voici la traduction de MORESCHINI (p. 453-454) : «O dio ottimo, se resti-
tuisce placato che aveva portato via adirato! Che dio è il tuo,
se colpisce e garisce, crea il male e fa la pace : O dio mise-
ricordioso anche fine agli inferi!» Toutes ces remarques
concernent le Créateur comme restaurateur du peuple juif après
l'avoir frappé, et comme consolateur des âmes dans le «sein
d'Abraham». Mais on comprend mal qu'elles soient placées
dans la bouche de Marcion, car elles sont manifestement iro-
niques : on y trouve évoquées les vertus mêmes du dieu supérieur (*optimum, misericordem*); comment admettre que Marcion
ironise là-dessus? Comment surtout admettre qu'après avoir dit
dans son «antithèse» : *uester Christus,* il s'écrie maintenant :
O deum tuum? C'est pourquoi, avec Kroymann et Kellner,
nous pensons que c'est Tert. qui reprend la parole à partir
de *Deum* pour répliquer à Marcion. D'où la nécessité d'un
tiret. Sous la forme d'une triple exclamation, l'auteur se livre
à un commentaire ironique de l'image du Christ du Créateur
telle que Marcion la conçoit d'après le judaïsme et vient de
la présenter. Il fait valoir, pour se moquer, les ressemblances
avec le dieu de Marcion dont la toute-bonté et la miséricorde
sont les traits essentiels. Il va jusqu'à qualifier ce dieu Créateur
de *tuum* («qui est le tien», c'est-à-dire «tout à fait identique
au tien») et il s'amuse à reprendre, pour caractériser l'attitude
généreuse à l'égard des juifs, les expressions de *Deut.* 32, 39
et d'*Is.* 45, 7 que l'hérétique relevait pour flétrir les contradictions du «dieu des juifs» (cf. I, 16, 4; II, 13, 4; 14, 1;
IV, 1, 10; V, 11, 4), ce qui est une manière de montrer aussi
les incohérnces de l'adversaire. Cette série de propositions
exclamatives est donc à comprendre comme une charge sarcastique dont Tert. accable l'*iniectio* marcionite. Kroymann avait
cru devoir ajouter *O* devant *deum optimum.* Il n'a pas été
suivi; l'accusatif absolu seul se suffit, et il y a lieu de penser
que, ici aussi, la dissymétrrie (par rapport aux deux autres
exclamatifs) a été voulue par Tert.

III, 24, 9   *praemittit benedictionem terrenam* (l. 63-64)

La tradition manuscrite porte ici *promittit*, que Kroymann le premier a corrigé en *praemittit*. Moreschini le suit, mais Evans revient à *promittit*, il est vrai avec hésitation. De fait, tout le contexte (*structura benedictionis*, l. 56; *subicit caelestem*, l. 64) suggère que Tert. veut exprimer ici l'idée de «mettre en premier» (sens habituel de *praemittere* chez lui). Il est hautement probable que, originel, *praemittit* s'est ensuite corrompu en *promittit* (fragilité du tilde, influence de *promissio* qui revient deux fois dans le passage).

III, 24, 9   *quo alii perueniant, unde alii decident* (l. 72-73)

Tel est le texte des mss subsistants. Au lieu de *decident, R* porte *decidant*. Cette dernière leçon est adoptée par nos trois prédécesseurs. Nous avons préféré revenir à la leçon des mss, en pensant que *decidant* est une correction de Rhenanus pour harmoniser les modes des deux relatives juxtaposées. Ici encore, Tert. a pu vouloir une dissymétrie : indicatif pour la chute des réprouvés, subjonctif (à valeur potentielle) pour l'ascension des justes.

III, 24, 9   *scalis his iter ad caelum demonstrari, ... domini constitutum esse iudicio?* (l. 72-74)

Les mss et *R* portent *iudicium* à la fin de la phrase. La correction *iudicio* a été introduite par Ursinus. Kroymann maintient *iudicium,* mais suppose une lacune. Pourtant cette correction légère (la confusion entre *ū* et *o* est facile) rend le texte intelligible il faut y voir une première proposition infinitive (*scalis his demonstrari* = «il est démontré par cette échelle») qui commande une seconde proposition infinitive (*iter ad caelum domini constitutum esse iudicio),* avec cette particularité que le sujet de la seconde infinitive (*iter ad caelum)* est anticipé par une prolepse qui n'est pas d'une hardiesse inadmissible. Le goût de Tert. pour de tels déplacements est bien établi : la présente phrase se termine sur l'hyperbate de *domini.* Dans ces conditions, la conjecture de MORESCHINI («Osserva-

zioni», p. 15), qui retranche *esse* pour faire de *domini consti-*
tutum iudicio un élément participial apposé à *iter ad caelum,*
semble inutile.

III, 24, 10   *Quam terribilis locus iste* (l. 76)

Ce texte est celui de *M.* Le second rameau ajoute *est* après
terribilis. Kroymann et Moreschini ont eu raison, pensons-nous,
de privilégier le témoignage de *M* à cause de sa fidélité à la
LXX, qui n'a pas non plus de verbe exprimé dans ce verset
(*Gen.* 28, 17).

III, 24, 10   *et porta quae recipit, et quae perducit, strata*
uia a Christo. (l. 81-82)

Dans les mss et *R,* on lit *iam* au lieu de *uia,* ce qui n'est
pas intelligible : car on attend un élément nominal répondant
à *porta.* Latinius a corrigé *iam* en *uia,* et le mécanisme de la
faute est facile à concevoir (VIA > VIAM > IAM). Moreschini s'en
est tenu à cette simple correction : à juste titre, pensons-nous ;
la phrase est tout à fait compréhensible, avec son chiasme
(*porta : recipit/perducit : uia*) et l'hyperbate de *a Christo* (complément de *strata*). Bien inutiles et compliquées sont les resti-
tutions de Kroymann (*iam* maintenu devant *strata uia*) et d'Evans
(*uia quae perducit strata iam*).

III, 24, 11   *Qui sunt hi qui* (l. 87)

Mss et éditions portent, pour cette citation qui ne peut être
qu'*Is.* 60, 8, un texte *uolant uelut qui sunt milui* dont nous
avons fait la critique dans notre étude «De quelques corrections», p. 53-54. Nous en maintenons les conclusions. La correction que nous avons proposée est garantie, pensons-nous,
par *Marc.* V, 15, 4. Voir aussi PETITMENGIN, «Citations d'Isaïe»,
p. 31.

III, 24, 12   *per ipsum Deum adnuntiaretur.* (l. 104)

Tel est le texte de toute la tradition, et qui est accepté aussi
par Evans. Kroymann, suivi par Moreschini, corrige *deum* en

dominum, sans doute pour mieux souligner l'antithèse avec *per famulos.* Quoique les confusions entre les formes de *deus* et de *dominus* soient fréquentes dans les mss, ce n'est pas une nécessité, ici, de corriger le texte : l'idée s'exprime avec autant de force si, aux serviteurs, est opposée la divinité du Christ, agent d'une révélation supérieure à celle de l'ancienne alliance.

III, 24, 13   *de fide tantae promissionis quam sperandam didici* (l. 107-108)

Nos mss et les deux premières éditions de Rhenanus, après *promissionis,* ont *quam spero nam didici.* Avec R_3 apparaît une leçon *sperandam dicis* qui est sans doute une conjecture de l'éditeur. C'est celle que conserve Evans. Kroymann et Moreschini reviennent au texte des mss qu'ils ponctuent : *quam spero (nam didici).* Mais on ne peut manquer de trouver étrange cette parenthèse qui rompt le mouvement dans cette phrase de caractère rhétorique. Ces deux éditeurs ne comprennent pas, d'ailleurs, de la même manière. Kroymann indique qu'il faut sous-entendre *mihi cauere* après *didici,* ce qui est surprenant. Moreschini traduit : «infatti, l'ho appresa» (p. 458, en sous-entendant *promissionem*). Le texte des mss est sans aucun doute corrompu, et nous pensons que *spero nam,* comme l'a bien vu Rhenanus, est une altération d'un originel *sperandam.* Mais il n'y a pas de raison de corriger *didici* de la tradition. Nous proposons donc de lire *quam sperandam didici,* comme relative déterminant *promissionis.* Le tour est grammaticalement correct (sur *disco* + proposition infinitive, cf. *TLL* V, 1, c. 1 334, l. 9 s., avec plusieurs exemples de Tert., dont *Pud.* 13, 21 où se rencontre, comme ici, un adjectif verbal en *-ndus*). Pour ce qui est du sens, on comprendra que le polémiste se donne, par jeu, le rôle du candidat à l'initiation marcionite et rappelle que le «maître» lui a appris à mettre son espoir dans cette «grande promesse». Au fond, *didici* exprime la même idée que *dicis,* mais en faisant référence à l'enseignement reçu par le disciple dont Tert., sarcastiquement, affecte de tenir le rôle.

NOTES COMPLÉMENTAIRES

31. egentia experimentis fidei uictricis uetustatis
(III, 3, 4)

Cette périphrase détermine les *documenta ... tantummodo noua* constituées par les miracles, seule preuve que Marcion admet de la divinité de son Christ. Elle a été diversement entendue par les traducteurs, du moins pour les trois derniers mots. L'idée générale cependant n'est pas douteuse : seule une foi assez ancienne pour être victorieuse détient des preuves qui lui sont assurées par l'expérience même. HOLMES (p. 122) traduit : «... new proofs, such as are wanting in the *evidences of that antiquity* which wins the assent of faith», et EVANS (p. 175) le suit : «... new things, such as have not been submitted to the *test of that antiquity* which gives faith its victory». Tous deux semblent avoir construit *uetustatis* comme complément de *experimentis* et fait de *fidei uictricis* le complément de *uetustatis* : cette construction serait bien compliquée et artificielle! KELLNER (p. 216) traduit : «... neue Beweismittel, welche selber erst noch der Glaubenbeweise bedürfen, durch welche sie die alten zu überwinden imstande sind», en faisant, semble-t-il de *uetustatis* le complément de *uictricis* rapportée à *fidei*. Il est suivi sur ce point par MORESCHINI (p. 408) qui traduit : «... le nuove (prove) le quali hanno bisogno di documenti di una fede che posse vincere il trascorrere del tempo». Il semble qu'il donne à *uetustas* le sens de «viellissement», «âge»; mais le mot s'oppose ici à *nouitas*, que suggère *noua*, et désigne l'ancienneté, par opposition à la nouveauté, selon l'usage habituel de Tert. (cf. I, 8, 2; t. I, p. 136, n. 2; voir aussi FREDOUILLE, *Conversion*, p. 271 s.). Contre la construction commune à Kellner et Moreschini, qui fait de *uetustatis* un génitif objectif complément de *uictricis,* on peut faire valoir le fait que *uictrix,* dans l'autre occurrence qu'en présente Tert. (*Fug.* 2, 2 « par la foi des élus, victorieuse dans l'épreuve »), ne comporte pas de détermination au génitif ; et c'est aussi le cas pour les huit emplois de *uictor* chez l'auteur. Ce qui nous conduit à comprendre *uictricis uetustatis* comme un groupe (épithète + nom) et à y voir un génitif de qualité se rapportant à *fidei :* des preuves uniquement nouvelles « ont besoin des expériences d'une foi à l'ancienneté victorieuse ». Cette interprétation se conforme à l'ordre naturel des mots comme à l'*usus auctoris.*

32. Les deux formes du langage prophétique (III, 5, 2-4)

Ce développement a été rapproché de Justin, *Dial.* 114, 1-2, par Moreschini (« Temi e motivi », p. 184) qui juge le contact assez « significatif », tout en reconnaissant que Tert. suit un ordre inverse et ne recourt pas aux mêmes exemples. En fait dans ce passage du *Dialogue,* Justin distingue la production (πράττεσθαι) par l'Esprit d'« une chose qui est une figure typique (τύπος) de l'avenir », et l'énoncé d'un événement futur comme s'il était déjà arrivé. Ce n'est que dans la suite (§ 2-3) qu'il donne à propos du Christ ou du Verbe, des exemples d'expression figurées (ἐν παραβολῇ, ἐν τροπολογίᾳ). De son côté, O'Malley, *Tert. and the Bible,* p. 137 (et n. 2), juge l'exposé de Tert. beaucoup plus systématique que celui de ses prédécesseurs, et admet que la doctrine aurait des racines juives.

La première forme d'énoncé prophétique (§ 2-3 a) concerne l'emploi du passé pour un événement futur (cf. Justin, *I Apol.* 42 ; Irénée, *Dem.* 67). Tert. en donne deux explications conjointes, qu'il appuie d'un rapprochement étymologique un peu factice entre *diuinitas* et *diuinatio.* La première explication est tirée de considérations sur la nature divine, dont il a montré en I, 3, 2 (t. I, p. 112), qu'elle est « établie dans l'éternité » (cf. aussi I, 9, 3 et II, 3, 5). Cette éternité fait qu'il n'y a ni passé, ni présent, ni futur. Elle n'est pas, à proprement parler, négation du temps, mais uniformisation de celui-ci : cf. I, 8, 3 (t. I, p. 136), où la formule *omne tempus ipsa est* corrige la précédente *non habet tempus aeternitas.* A cette explication théologique, qui

paraît lui être personnelle, Tert. en associe une autre, plus traditionnelle : l'acte de prophétie est analysé comme vision anti-
cipée (*prospiciat*) d'un événement à venir, par conséquent vu
comme déjà réalisé (*expunctum*). Cette double analyse marque
un progrès par rapport à *Ap.* 20, 5 où il indiquait simplement
que, pour la prophétie, «le temps est un», alors que les hommes
distinguent passé, présent, futur. Voir aussi VAN DER GEEST, *Le
Christ et l'A. T.*, p. 101.

A propos de ce type d'énoncé, un seul exemple est allégué :
Is. 50, 6, cité selon le texte de la LXX, et interprété de la
passion du Christ, conformément à la plus ancienne tradition
chrétienne (cf. *Matth.* 26, 67; 27, 30). Ce texte est cité aussi
par JUSTIN, *I Apol.* 38, 1 (comme exemple des passages ou
l'Esprit fait parler le Christ) et par IRÉNÉE (*Dem.* 34 et 68;
Haer. 4, 33, 12). Tert. en donne une citation accommodée en
Fug. 12, 2 et en *Res.* 20, 5.

La seconde forme de langage prophétique (§ 3 b-4) concerne
l'expression figurée ou typologique, c'est-à-dire tout ce qui doit
être compris autrement qu'au sens littéral. Là encore Tert. dépend
d'une tradition exégétique ancienne qui apparaît dès le N. T.
(Voir O'MALLEY, *Tert. and the Bible*, p. 127 s. et 141-166 (où sont
étudiés *aenigma allegoria, figura*, tous termes qui sont utilisés
sans grande différence pour le langage figuré de l'Écriture);
VAN DER GEEST, *Le Christ et l'A. T.*, p. 146 s. et 201 s; A.G.
HAMMAN, «La typologie biblique et sa formulation chez Tert.»,
dans *Eulogia* (= Mélanges A. Bastiaensen), La Haye 1991, p. 137-
146.

Ce type d'énoncé, à la différence du précédent, est abon-
damment illustré de deux séries symétriques de quatre exemples
chacune. La première série comprend quatre exemples vétérotestamentaires choisis pour faire apparaître – non sans humour –
que dans de pareils cas, l'exégèse littéraliste aboutit à une véritable absurdité. Sur l'absurdité comme signe de l'allégorie, voir
J. PÉPIN, dans *Studia Patristica* I (*TU* 63), Berlin 1957, p. 395-
413, et O'MALLEY, *Tert. and the Bible*, p. 127-128. Cette considération est importante, le principe essentiel de l'exégèse pour
Tert. étant d'atteindre à la certitude et à l'intelligibilité, d'où son
désir d'étendre aussi loin que possible l'interprétation littérale
(*simplex intellectus*) et de définir les cas où celle-ci n'est pas

tenable, où s'impose par conséquent l'exégèse figurative :
cf. J. WASZINK, «Tertullian's principles and methods of exegesis», dans *Early Christian Literatur and the Classical Intellectual Tradition* (= Mélanges R.M. Grant) Paris 1979, p. 9-31.
Les quatre citations bibliques rapprochées en § 3 b constituent
des cas, humoristiquement soulignés, où l'exégèse littérale heur-
terait la raison. Sont présentés successivement :

a) *Joël* 4, 18, que Tert. est seul à citer à date ancienne (LACTANCE,
D. I. 7, 24, 7 et *Epit.* 67, 5, y fait allusion à propos de l'avènement eschatologique de la cité céleste).

b) *Ex.* 3, 8 (*Deut.* 26, 9. 15) : ces expressions étaient typologiquement comprises des chrétiens comme désignation du baptême; d'où l'utilisation sacramentelle du lait et du miel, connue
aussi des marcionites (cf. I, 14, 3 et t. 1, p. 165, n. 3). Par cet
exemple, Tert. ne suggère-t-il pas que ces hérétiques eux-mêmes
devraient admettre la valeur imagée et spirituelle de ces expressions?

c) *Is.* 41, 18-19, citation contaminée avec *Is.* 43, 19 (cf. PETIT-
MENGIN, «Citations d'Isaïe», p. 40) et pour laquelle Tert. est isolé
dans *Bibl. Patr.* I. *Buxum* correspond à πύξον de la LXX. On
rapprochera de JÉRÔME, *In Is.* 12, 41, 17-20 (*CCL* 73 A, p. 473-
475) qui interprète le passage en un sens christique (promesse
de l'eau vive dont le Seigneur irriguera les âmes).

d) *Is.* 43, 20 (une seule autre citation, d'après *Bibl. Patr.* I, chez
Clément d'Alexandrie) : Tert cite selon la LXX. La Vulgate traduit :
Glorificabit me bestia agri, dracones et struthiones. Les bibles
françaises (Dhorme, *TOB, BJ*) traduisent : «Les bêtes sauvages
me rendront gloire, les chacals et les autruches». Comme Tert.,
JÉRÔME appliquera ces paroles à la conversion des païens et
des idolâtres (*In Is.* 12, 43, 16-21; *CCL* 73 A, p. 493, l. 44 s.).

La seconde série de quatre exemples (§ 4) est empruntée au
N. T. ou, plus exactement, aux épîtres pauliniennes. Habilement,
l'auteur souligne que le seul apôtre reconnu par les marcionites, Paul, cautionne lui-même la pratique de cette sorte
d'exégèse quand il s'agit de types ou d'expressions figurées de
l'A. T. Par là aussi, il suggère l'idée d'une étroite liaison entre
les deux alliances, dont l'hérétique n'a pas pu effacer la trace,
et il marque que l'interprétation typologique est inhérente à
l'histoire chrétienne du salut. Sont allégués successivement :

a) *I Cor.* 9, 9-10, qui interprète «spirituellement» un point de la loi mosaïque (cf. *Marc.* V. 7, 10-11). Sur la Loi comme «prophétie» du Christ et de la nouvelle alliance, cf. II, 19, l. (t. 2, p. 119 et n. 4).

b) *I Cor.* 10, 4, qui assimile au Christ le rocher d'eaux vives de Mériba (cf. *Ex.* 17, 1-7; *Nombr.* 20, 8; c'est d'après une tradition rabbinique que Paul l'a présenté comme ayant accompagné les Israélites à travers le désert). Ce rocher a pris place de bonne heure parmi les figures du baptême (cf. DANIÉLOU, *Sacramentum futuri*, p. 131-177). Tert. l'évoque aussi en *Pat.* 5, 24 et *Marc.* V, 5, 9 et 7, 12.

c) *Gal.* 4, 22-25 où l'histoire des deux fils d'Abraham, nés l'un d'Agar et l'autre de Sara (*Gen.* 16, 15; 21, 2), est allégoriquement expliquée des deux alliances; cf. *Marc.* V, 4, 8 (HARNACK, *Marcion*, p. 76*, rappelle en note que l'hérétique n'avait pas mutilé le passage).

d) *Éphés.* 5, 31-32, qui donne une interprétation spirituelle (union mystique du Christ et de l'Église) de *Gen.* 2, 24 (prononcé de l'homme et de la femme); cf. *Marc.* V, 18, 9-10 (où il est déduit que l'A. T. n'est pas séparable du N. T.); HARNACK, *Marcion*, p. 120*, rappelle en note que des commentateurs (Origène, Jérôme) ont souligné l'inconséquence de l'hérétique.

Équilibre de la composition, fermeté et concision de l'exposé caractérisent l'ensemble de ce développement où, d'autre part, tout en héritant d'une tradition ecclésiastique, Tert. sait renouveler explications et exemples en l'adaptant à ses propres idées comme à son objet présent qui est de réfuter une hérésie négatrice des liens entre A. T. et N. T.

33. L'aveuglement des juifs (III, 6, 4b-7)

Le dossier scripturaire destiné à prouver que l'aveuglement des juifs, cause de leur méconnaissance du Christ qu'ils ont fait périr, a été prophétisé par l'A.T., est constitué uniquement de textes isaïens. Selon PRIGENT (*Justin et l'A. T.*, p. 245-246), il proviendrait soit du *Dialogue* de Justin, soit d'une source s'inspirant de cet écrit. Mais ce qui est sûr, c'est que Tert. en a organisé la présentation en l'adaptant aux idées qu'il voulait souligner.

Il produit d'abord, successivement, *Is.* 29, 14 et *Is.* 6, 9-10.
Il rappelle ensuite *Is.* 29, 13 qui en est la justification (les juifs
se sont détournés de Dieu). Le premier texte, *Is.* 29, 14, a déjà
été utilisé par Paul (*I Cor.* 1, 19), mais pas dans un sens antijudaïque. Une telle orientation, en revanche, est celle de Justin,
Dial. 78, 11, où les v. 13-14 sont associés. Le v. 14 reviendra
plusiers fois dans la suite de *Marc.* (II, 16, 1; IV, 25, 4. 14;
26, 6; V, 5, 5; 6, 1; 11, 9; 19, 8). Le second texte, *Is.* 6, 9-
10, déjà utilisé par *Matth.* 13, 14-15 contre les juifs, pourrait
provenir de cet évangile. Justin n'a que des allusions à ce
passage (*Dial.* 12, 2; 33, 1; 69, 4). Mais il est familier à notre
auteur : *Nat.* II, 1, 3; *Marc.* IV, 19, 2; 31, 4; V, 11, 9; *An.* 9,
8; *Res.* 33, 2; *Iei.* 6, 4. Quant à *Is.* 29, 13, cité indirectement,
il a été l'objet de nombreuses citations au IIᵉ siècle : Justin,
Dial. 27, 4; 39, 5; 48, 2; 78, 11; 80, 4; 140, 2; Irénée, *Haer.*
4, 12, 4. Tert. le reprendra dans la suite de *Marc.* (IV, 12, 13;
17, 13; 27, 7 et 9; 28, 1; 41, 2; V, 11, 9; 14, 8). On remarquera qu'il répond par *diligere* (ou *amare*) au verbe τιμᾶν de
la LXX (la Bible de Cyprien se sert de *honorificare*, la Vulgate
de *glorificare*), sans qu'on puisse expliquer cette particularité
(version latine qu'il suit? traduction personnelle?).

Le groupement de ces trois textes vise à mettre en relief le
caractère global *(omnem uim intellectus)* de l'aveuglement des
juifs, avant de démontrer qu'il devait s'appliquer tout particulièrement au Christ. Déjà dans *Ap.* 21, 16, Tert. résumait
l'argument par ces mots : «Ils (= les juifs) lisent eux-mêmes dans
l'Écriture qu'ils ont été privés, par châtiment, de la sagesse et
de l'intelligence et de l'usage des yeux et des oreilles.»

Dans la suite du §6, et après avoir précisé, en s'appuyant
sur *Amos* 4, 13, que toute l'ancienne alliance est orientée vers
l'annonce du Christ, et que par conséquent, l'aveuglement prophétisé des juifs devait particulièrement concerner le Christ,
notre auteur donne un commentaire des textes isaïens précédemment cités. Avec un soin démonstratif extrême, il en reprend
les mots (*auferre, sapientia, prudentia, sapientes, prudentes,* etc.);
il souligne que le premier texte vise les élites pensantes (scribes,
pharisiens), le second l'ensemble du peuple; enfin il applique
la distinction «oreilles/yeux» aux deux aspects de l'œuvre du
Christ enseignement/miracles (cf. plus bas 17, 5).

La mention de cette surdité et de cette cécité fait surgir un nouveau texte, qui illustre la même association de termes, *Is.* 42, 19. Cité par Justin, *Dial.* 123, 2 et 3, il reviendra, du moins pour sa partie initiale, en *Marc.* V, 17, 5. Tert. suit le texte de la LXX, en en normalisant le pluriel par *qui dominatur* (il n'y a aucune raison de corriger en *dominantur* comme le suggère Kroymann dans son apparat); le génitif *eorum* est un hellénisme familier aux *Veteres Latinae.* La Vulgate traduira différemment : *Quis caecus nisi seruus meus? et surdus nisi ad quem nuntios meos misi?* (cf. Jérôme, *In Is.* 12, 42, 18-25; *CCL* 73 A, p. 485-486).

Le § 7 apporte le dernier texte du dossier : *Is.* 1, 2-3, qui sera suivi du v. 4 b. Pièce capitale dans le débat avec les juifs, le début d'Isaïe a été fréquemment cité : on le trouve dans Justin, *I Apol.* 37,1 et 63, 2. 12 (mais il est absent du *Dialogue*), ainsi que chez Irénée, *Haer.* 4, 2, 1; 41, 2. Notre auteur cite *Is.* 1, 2 en *Iud.* 3, 5 et 9, 14, en *Marc.* III, 13, 9; 24, 11; V, 9, 8. Il cite *Is.* 1, 3-4 en *Iud.* 13, 26 et *Marc.* III, 23, 3. Il cite *Is.* 1, 3 (seul) en *Marc.* IV, 25, 10 et V, 14, 8. Il cite *Is.* 1, 4 en *Iud.* 3, 5. S'il fait, de ces versets, le couronnement de sa démonstration, c'est parce qu'il entend, dans ces reproches, la voix même du Christ-Fils, s'exprimant *per Esaïam.* Cette interprétation est conforme à la tradition d'exégèse prosopographique de l'Église, dont il rappelle la doctrine. Dans cette citation, *me non cognouit* et *me non intellexit* suivent la LXX (cf. Jérôme, *In Is.* 1, 1, 3; *CCL* 73 A, p. 8-9). Les Bibles modernes traduisent : «Israël ne connaît rien, mon peuple ne comprend rien».

Le dossier se termine sur le rappel de *Is.* 1, 4 b (ce verset est cité en entier en *Iud.* 3, 5). Notre auteur, ici, l'a disjoint, semble-t-il, de façon à mieux distinguer d'une part les reproches *(exprobat ... exprobrantis)* du Christ-Verbe à Israël, et d'autre part la faute elle-même, qui justifiera cette réprobation *(commissuri in illum).* Dans la citation, la deuxième personne du pluriel est conforme à la LXX (Vulgate : *blasphemauerunt*). Au lieu de *iram,* les autres citations de ce texte chez Tert. *(Iud.* 3, 5; 13, 26; *Marc.* III, 23, 3) présentent *indignationem.*

Ainsi, à ce dossier isaïen – quelle qu'en soit l'origine – Tert. a su imprimer sa marque personnelle : il l'a vigoureusement distribué en fonction d'une démonstration de plus en plus pres-

sante où l'aveuglement des juifs concerne toujours plus directement le Christ : celui-ci finit par être celui qui, à travers le
prophète, l'a lui-même annoncé et dénoncé.

34. Les deux avènements du Christ (III, 7)

Repris de *Iud.* 14, 1-10 (dont seul a été laissé de côté le
§ 8 portant sur une interprétation juive particulière qui n'avait
pas d'intérêt pour le propos), ce développement vise à expliquer
plus précisément, par la doctrine chrétienne des deux avènements, pourquoi les juifs n'ont pas reconnu le Christ. Cette
théorie d'une double parousie, d'humilité d'abord, de gloire à
la fin des temps, a été inaugurée par Justin, *I Apol.* 52, 3-10
et *Dial.* 14, 8 et 31-40. On la retrouve chez Irénée, *Haer.* 4,
33, 1 et Origène, *C. Cels.* 1, 56; 2, 29. Tert. lui-même en a
présenté une première et rapide esquisse en *Ap.* 21, 15-16. Sur
ce thème doctrinal, dont la fonction ne s'est pas limitée à la
polémique antijuive, voir B. Dehandschutter, « Le Messie est
déjà venu », *Bijdragen, tijdschrift voor filosofie en theologie* 50,
1989, p. 314-321.

Ici, Tert. s'appuie sur un matériel scripturaire qui lui vient
de la tradition sans qu'on puisse reconnaître une source unique
dont il serait tributaire. Il entrecoupe les *testimonia* de courts
commentaires explicatifs, qui précèdent ou suivent, et de rappels
de textes cités pour souligner des oppositions. Il organise
l'ensemble du développement avec fermeté : d'abord l'avènement
d'humilité (§ 1 b-2), ensuite l'avènement de gloire (§ 3-6 a), enfin
les prophéties et types qui associent l'un et l'autre (§ 6 b-7).

A) L'avènement d'humilité (§ 1-2)

Sont utilisées successivement cinq prophéties du Christ souffrant :

a) *Is.* 53, 7 (la célèbre comparaison avec l'agneau sacrifié), texte
qui a été l'objet d'une interprétation christique depuis *Act.* 8, 32-
35, souvent cité par Justin, Irénée, Méliton et notre auteur lui-
même.

b) *Is.* 53, 2-3, sur le défaut de prestance qui met le Christ au-
dessous des hommes : cette citation textuelle forme le noyau
de l'évocation de ce premier avènement. Elle se rencontre aussi
chez Justin, *Dial.* 13, 3-4, 14, 8; 32, 2, etc. et chez Irénée,

Haer. 3, 19, 2. La variante *filios hominum* là où la LXX parle simplement de «tous les hommes», qui paraît rapprocher Tert. de Justin, n'est pas vraiment significative (cf. PETITMENGIN, «Citations d'Isaïe», p. 38).

c) Trois textes juxtaposés : *Is.* 8, 14 (28, 16), sur la «pierre d'achoppement et le roc qui fait trébucher» (entré dans la tradition chrétienne par *Rom.* 9, 33 et *I Pierre* 2, 6-7); *Ps.* 8, 6 sur «l'abaissement au-dessous des anges» (texte cité par *Hébr.* 2, 7, absent de Justin et d'Irénée, mais rappelé par Tert. avec une particulière fréquence dans cette application christique); *Ps.* 21 (22), 7, où le Christ se désigne lui-même comme «ver et non pas homme» (selon l'interprétation habituelle depuis JUSTIN, *Dial.* 98, 3 et 101, 2).

B) L'avènement de gloire (§ 3-5)

Le second volet du dossier est introduit par une opposition à la «pierre d'achoppement et de scandale» du paragraphe précédent.

a) *Ps.* 117 (118), 22 et *Dan.* 2, 34-35 mettent en œuvre les deux images de la «pierre d'angle du temple» et de la «pierre détachée de la montagne pour abattre les royaumes». Le premier de ces textes, utilisé dans le N. T. (*Act.* 4, 11; *Éphés.* 2, 20; *I Pierre* 2, 4 s.), se rencontre chez JUSTIN (*Dial.* 126, 1) et IRÉNÉE (*Haer.* 3, 12, 4; 4, 33, 1). Pour le deuxième texte, notre auteur paraît s'accorder non avec JUSTIN, qui ne cite pas le v. 35 et voit là l'annonce de la naissance virginale (*Dial.* 70, 1 et 76, 1), mais avec IRÉNÉE (*Haer.* 4, 20, 11 rapproche ces v. 34-35 de *Dan.* 7, 13-14; également *Haer.* 5, 26, 1).

b) *Dan.* 7, 13-14 est l'objet d'une citation textuelle (§ 4). Là encore, Tert. paraît dépendre plus d'Irénée que de Justin. L'ensemble de la prophétie (*Dan.* 7, 9-28) sert bien à JUSTIN pour expliquer la parousie glorieuse (*Dial.* 31; 86, 1 et 106, 2). Mais notre auteur se limite ici, comme IRÉNÉE, *Haer.* 4, 20, 11, au passage le plus explicite.

c) *Ps.* 44(45), 3-4 sert à évoquer ensuite (§ 5) la gloire et la beauté du Christ triomphant. Ce texte, chez JUSTIN, en dehors de la citation globale du psaume (*Dial.* 38, 3-5), n'est pas repris. IRÉNÉE en a fait état dans une série de prophéties sur le Christ roi et juge (*Haer.* 4, 33, 11).

d) *Ps.* 8, 6 b-7 prolonge l'évocation précédente. Tert. n'y paraît pas tributaire de ses prédécesseurs. Son originalité a consisté à opposer au v. 6 a (rapporté à l'incarnation) les v. 6 b - 7 qu'il rapporte au retour glorieux.

e) *Zach.* 12, 10 et 12, traditionnellement associé à la parousie de gloire (cf *Jn.* 19, 37 ; Justin, *I Apol.* 52, 12, *Dial.* 64, 7 ; Irénée, *Haer.* 4, 33, 11), évoque une circonstance particulière de ce retour.

f) Les deux brefs *testimonia* de *Jér.* 17, 9 (selon la LXX) et d'*Is.* 53, 8 forment une conclusion qui ramène le lecteur au premier avènement en en soulignant le caractère obscur et mystérieux. On les trouve associés, dans l'ordre inverse, chez Irénée, *Haer.* 3, 19, 2. Le second est entré dans la tradition par *Act.* 8, 33.

C) Prophéties et types associant les deux avènements (§ 6 b-7)
a) *Zach.* 3, 1-5 (§ 6 b) : La vision par Zacharie du grand prêtre Josué (= Jésus), qui lui est montré se tenant devant l'ange de Yahvé en présence de Satan, d'abord en vêtements sales, puis en vêtements somptueux, préfigure les deux «aspects» du Christ, c'est-à-dire ses deux avènements. L'interprétation de Justin est différente. S'il a vu énoncé en *Zach.* 2, 10-3, 2 le «mystère du Christ» (*Dial.* 115-117), du moins n'a-t-il pas appliqué ce texte aux deux parousies : ainsi les vêtements sales devenus beaux sont interprétés des péchés purifiés par le Christ (*Dial.* 116, 2-3). Prigent, *Justin et l'A. T.,* p. 142-144, admet que Tert. est tributaire de la source dont s'inspire Justin. Ce qui est sûr, c'est que notre auteur est original en voyant dans ce texte une figure du Christ humilié et en lutte à l'hostilité du diable (au désert et au jardin des oliviers), et une figure du Christ glorifié. Irénée, pour sa part, n'utilise pas ce texte.

b) Les deux boucs de la fête des expiations (§ 7) : Le bouc émissaire et le bouc offert en sacrifice (cf. *Lév.* 16, 5-10 ; 15-22 ; 27) ont été mis en rapport par Justin, *Dial.* 40, 4, avec les deux parousies du Christ. Toutefois ce qu'en dit Tert. ici mérite d'être rapproché de *Barn.* 7, 4-11 (qui n'établit pas de relation avec les deux parousies). Voir Prigent, *Éd. Barn.,* p. 130-137, qui conclut que «nos trois auteurs ont utilisé des traditions judéo-chrétiennes parallèles. Il s'agit de commentaires sur le rituel juif des expiations qui groupent avec plus ou moins de bonheur deux interprétations. La première voit dans les deux boucs semblables l'annonce des deux venues du Christ. La deuxième repose sur une typologie plus élaborée : le bouc émissaire prophétise la Crucifixion, le bouc sacrifié la présence salutaire du Christ dans la Cène».

Voici quelques points qui méritent d'être relevés :

– Tert. est seul à expliciter le sens de la similitude totale *(pares atque consimiles)* des deux boucs. Il la met en liaison avec la prophétie de *Zach.* 12, 10 rappelée au § 6, selon laquelle les juifs reconnaîtront celui qu'ils ont maltraité. Ce rappel était déjà chez Justin, mais il n'était pas rapporté à la similitude des deux boucs.

– Dans la description du bouc émissaire, on rapprochera *circumdatus coccino* de *Barn.* 7, 8 a (et de *Mishnah,* Yoma 4, 2 : le grand prêtre attachait un ruban de laine écarlate sur la tête du bouc), *maledictus* de *Barn.* 7, 6 b, *consputatus* et *compunctus* de *Barn.* 7, 8 a ; *conuulsus* (de *conuellere* à prendre au sens propre de «tirer les poils» et non dans le sens métaphorique qu'il a en *Pat.* 12, 3) présente une remarquable coïncidence avec *Misnah,* Yoma 6, 4 (Les Babyloniens avaient coutume de tirer le poil du bouc au moment de le chasser : cf. Prigent, *Éd. Barn.*, p. 133, n. 5). Ce détail n'étant ni chez le Pseudo-Barnabé, ni chez Justin, ni chez Philon, il s'ensuit que notre auteur a une source indépendante, reposant sur une tradition judéo-chrétienne.

– Les mots *a populo extra ciuitatem abiciebatur in perditionem* rappellent *Lév.* 16, 10 et *Barn.* 7, 8 a ; *a populo* souligne la responsabilité du peuple tout entier ; *in perditionem* est peut-être une interprétation de Azazel de *Lév.* 16, 10 (démon des terres inhabitées).

– Dans la description du bouc sacrifié pour les péchés, l'indication selon laquelle seuls le mangeaient les prêtres ne vient pas de la Bible : on trouve mention de ce rituel chez Philon, *Spec.* I, 190 ; *Barn.* 7, 4 a ; *Mishnah,* Menahoth 11, 7. L'interprétation de Tert. souligne l'opposition entre les prêtres qui bénéficient seuls de ce repas et le peuple qui jeûne (cf. *Barn.* 7, 5 a et *SC* 172, p. 132, n. 1). Les premiers symbolisent les chrétiens «prêtres» du «temple spirituel», l'Église, et les seconds tous les infidèles. Ceux-ci seront privés du salut, tandis que ceux-là participeront au banquet de la grâce du Christ (sur *uisceratio,* voir *supra,* p. 92, n. 3). Cette interprétation

eschatologique déjudaïse complètement l'allégorie des deux
boucs du *Lévitique*.

Au total, l'exégèse de Tert. est très différente de celle de
Justin. On remarquera en outre que la correspondance entre
les deux boucs et les deux parousies ne se retrouve pas ailleurs
au IIe/IIIe siècle. Ainsi ORIGÈNE (*Hom. Lév.* 10, 2, *SC* 287, p. 135)
verra dans les deux boucs Barabbas relâché et Jésus offert en
victime propitiatoire.

Le § 8 apporte au développement une conclusion qui ramène
à l'incompréhension des juifs. Les obscurités et le caractère
humiliant de la première venue expliquent leur attitude négative.
Ils n'ont eu d'yeux que pour la venue glorieuse, qu'ils attendent
encore.

Outre des interprétations qui paraissent bien lui être propres
(ainsi pour *Ps.* 8, 6-7, pour la vision de Zacharie, pour le bouc
de l'offrande), Tert. a affirmé son originalité par la manière
vigoureuse dont il a élaboré un matériel scripturaire reçu de la
tradition. Même netteté et fermeté dans l'exposition.

35. L'argument marcionite tiré des « anges du Créateur »
(III, 9)

Ce chapitre mérite d'être rapproché de *Carn.* 6 – qu'on estime
maintenant antérieur à l'état définitif de *Marc.* III – et qui est
consacré à l'examen d'une *quaestio* d'Apellès, disciple dissident
de Marcion. Les apelleïaques soutenaient, en s'appuyant sur le
même exemple des anges du Créateur, que le corps du Christ
était fait d'une chair « non née », et empruntée à la substance
des astres.

Ces anges sont ceux qui interviennent en *Gen.* 18-19. L'épisode
met en scène « trois hommes » mystérieusement apparus à
Abraham au chêne de Mambré, dont deux, appelés anges par
le texte biblique (*Gen.* 19, 1), vont ensuite à Sodome trouver
Loth. La tradition juive a vu là trois anges, la tradition chrétienne le Verbe divin ou Christ préexistant – celui des trois
« voyageurs » qui s'adresse à Abraham et lui promet la naissance d'Isaac – accompagné de deux anges. C'est à cette dernière que se réfère Tert. ici, au § 6, et en *Carn.* 6, 7. Voir là-
dessus *La Bible d'Alexandrie, Genèse,* p. 173 et 179 ; JUSTIN, *Dial.*

56, 5 et 9 (interprétation de Tryphon); 56, 11 (interprétation chrétienne); IRÉNÉE, *Dem.* 44; *Haer.* 4, 7, 4, etc.

Mais le problème qui se pose ici est de savoir si cet exemple des anges de *Gen.* 18-19 était réellement invoqué par Marcion, qui peut paraître interpellé ici par la seconde personne (utilisée jusqu'à § 5 a). L'attribution de l'argument à cet hérétique est admise par HARNACK, *Marcion*, p. 185 s. et 286*, qui s'appuie sur le présent passage et rapproche d'Éphrem, *Expositio concordantis euangelii* (*translatio* Aucher-Moesinger, p. 255); le savant allemand est suivi par BLACKMANN (p. 101) et, plus récemment, par ORBE, «Marcionitica», p. 221 (qui pense que, pour Marcion, ces anges n'avaient pas assumé la substance humaine, mais pris simplement la figure et les propriétés extérieures de l'homme).

Que faut-il penser de cette attribution? On remarquera d'abord que Marcion n'est pas, ici, nommément désigné comme l'auteur de l'objection et que celle-ci est présentée comme une possibilité *(putaueris)*. On n'en sera que plus disposé à admettre le bien fondé des conclusions de MAHÉ («Traité perdu», p. 6-12, et *Éd. Carn.*, p. 92) selon qui Tert. aurait adapté à la thèse marcionite d'une chair illusoire *(putatiua)* l'argument qu'Apellès avait tiré de l'exemple des anges en faveur d'une chair «non née» et empruntée aux astres.

Trois considérations vont dans ce sens:

a) C'est avec *Carn.* 6, spécialement consacré à l'argumentation d'Apellès, que le texte d'Éphrem, invoqué par Harnack, présente le plus de points communs (Cf. MAHÉ, *Éd. Carn.*, p. 92).

b) En *Carn.* 3, 5-7, où Tert. polémique contre Marcion à propos de l'incarnation, il allègue bien le même exemple des anges du Créateur pour démontrer que «Dieu peut à la fois se changer en toute chose et rester tel qu'il est». Mais précisément la façon dont il en parle («Il fut un temps, dit-il à Marcion, où *tu lisais* et *tu croyais* que les anges du Créateur changés en une forme humaine portèrent un corps») fait voir clairement que ce n'est pas l'*hérétique* Marcion qui recourait de son chef à ce type d'argument.

c) Le glissement qui s'opère, au § 5 b de notre chapitre, d'une deuxième personne à d'autres hérétiques *(alii haeretici)* rend manifeste que le problème agité ici concerne moins les marcionites que les apelléïaques, comme l'a bien vu MAHÉ («Traité perdu », p. 8). Ce sont ces derniers en effet qui soutenaient que, si la chair des anges était humaine, elle devait résulter d'une naissance, puisqu'il s'agissait pour eux de prouver l'existence, dans ces anges comme dans le Christ, d'une chair soustraite à toute naissance et tirée des astres.

On tiendra donc pour établi que, dans ce chapitre, Tert. a remployé, en l'adaptant de façon à ruiner la thèse marcionite d'une *caro putatuia* du Christ, une argumentation qui était, dans son état original, dirigée contre un groupe particulier d'hérétiques, les partisans d'Apellès, dont la doctrine avait fait l'objet d'un traité spécial, l'*Aduersus Apelleiacos,* cité en *Carn.* 8, 3, et qui se situe au tout début de l'activité antignostique du Carthaginois.

36. L'Emmanuel d'Isaïe (III, 12)

C'est dans Justin sans doute que Tert. a trouvé rapprochés les deux textes messianiques qui servent ici de support à la critique marcionite. JUSTIN en effet, en *Dial.* 43, 5-6, présente, bloqués en une seule citation, les versets de *Is.* 7, 10-16 a ; 8, 4 ; 7, 16 b-17, qu'il rapportait au Christ alors que, disait-il (*ibid.* 8), les juifs les rapportaient à Ézéchias (voir PRIGENT, *Justin et l'A. T.,* p. 144-157). Mais c'est Tert., selon toute apparence, qui a isolé dans cet ensemble deux textes, *Is.* 7, 14 b et *Is.* 8, 4, servant à appuyer chacun une objection. La première objection met en avant le fait que Jésus-Christ n'a pas été dénommé Emmanuel (elle est examinée en 12, 2-4), la seconde le fait qu'il ne s'est pas présenté sous l'aspect d'un guerrier (elle est examinée au ch. 13).

Le texte d'*Is.* 7, 14 b n'est pas explicitement rappelé ici. Mais en *Iud.* 9, 1, il est cité ainsi : *et uocabitis nomen eius Emmanuhel quod interpretatur nobiscum Deus.* La même forme de citation se retrouve chez NOVATIEN, *Trin.* 63 (éd. Loi, p. 94). Chez Tert. lui-même, le même verset ne se rencontre que dans des citations indirectes et adaptées : en *Carn.* 17, 1 (*peperit Emmanuhel quod est nobiscum deus*) et *Res.* 20, 3 (*peperit Emmanuhelem nobiscum deum*). La LXX ne présentant aucune addition après Εμμανουηλ, on est amené à se poser la question : le groupe *quod interpretatur nobiscum Deus* s'était-il introduit

dans la Bible suivie par Tertullien (sous l'influence de *Matth.*
1, 23), comme le pensent Kroyman et Tränkle? Il paraît plutôt
que, comme l'admettent O'MALLEY (*Tert. and the Bible,* p. 150)
et PETITMENGIN («Citations d'Isaïe, p. 26), on doive voir dans
quod interpretatur nobiscum Deus une remarque glissée dans la
citation, à la lumière de *Matth.* 1, 23, par Tert. qui se réfé-
rerait à *Is.* 8, 8 (ou 10), où l'on trouve effectivement cette traduction d'Emmanuel. Dans cette interprétation *quod interpretatur* ne fait pas partie du texte biblique cité. Deux considérations
militent dans ce sens. D'abord, l'argument du § 2 (*Subiuncta
est interpretatio*) n'aurait guère de sens si *nobiscum Deus* était
lu dans le verset isaïen lui-même; et c'est bien en examinant
les *cohaerentia capituli* (en l'occurrence le ch. 8 d'Isaïe qui fait
corps, à ses yeux, avec le ch. 7) que notre auteur découvre le
moyen, par l'interprétation *nobiscum Deus,* de répondre à
l'objection. D'autre part PETITMENGIN *(ibid.)* a bien mis en lumière
le goût de Tert. pour ces citations composites de versets isaïens,
où s'entrecroisent deux textes bibliques (ou même plus).

A l'objection que Jésus-Christ n'a pas porté la dénomination
d'Emmanuel, Tert. répond par un argument «grammatical» qui
consiste à substituer la signification *(sensus)* au vocable pris
dans sa texture phonique *(sonus) :* avatar de l'argument rhétorique qui énonce la supériorité de la *res* sur le *uerbum* (ou
nomen). Si le Christ, dit-il, n'a pas porté ce nom, du moins en
a-t-il réalisé la signification par son incarnation, en étant Dieu
avec nous et même en nous (selon *Gal.* 3, 27). Quelle est
l'origine de cette argumentation? On ne trouve aucune attache
sur ce point dans le *Dialogue* de Justin qui n'inclut pas la traduction d'Emmanuel dans sa citation d'*Is.* 7, 14. Toutefois, en
I Apol. 33, 1, dans la citation du même verset, «Dieu avec
nous» remplace Emmanuel. Peut-être dans son *Syntagma,* Justin
était-il allé plus loin; c'est ce que pense PRIGENT, *Justin et
l'A. T.,* p. 155 (qui conclut qu'«on ne s'avancera pas beaucoup»
en disant que Tert. a trouvé ce développement dans le *Syntagma*). Quoi qu'il en soit de cette hypothèse, il reste que
l'argument sur l'Emmanuel ne se rencontre pas non plus chez
IRÉNÉE, du moins sous la forme que le Carthaginois lui a donnée :
Dem. 54 apporte deux interprétations de ce nom hébreu
(expression d'un souhait «Dieu soit avec nous» et annonce de

l'avenir «Dieu sera avec nous»), et *Haer.* 3, 21, 4 oppose simplement l'Emmanuel (signifiant Dieu) à l'humanité du Christ
(annoncée par *Is.* 7, 15-16). Il paraît certain en tout cas que
l'argument, avec l'opposition *sonus/sensus* qui lui donne son
efficacité, est propre à Tert.

37. «Puissance de Damas» et «dépouilles de la Samarie» (III, 13)

Dans ce chapitre, qui reprend avec des adaptations *Iud.* 9, 4-
16 a, Tert. s'attache à repousser l'objection marcionite selon
laquelle *Is.* 8, 4 annoncerait un Christ guerrier et par conséquent ne saurait s'appliquer à Jésus. Comme nous l'avons vu
au début de la note complémentaire précédente, il se réfère
déjà à un texte composite d'Isaïe, qui avait été cité par Justin,
et qu'on doit considérer comme une adaptaton chrétienne de
la prophétie, faite pour annoncer les événements de l'évangile
de l'enfance (cf. PRIGENT, *Justin et l'A. T.,* p. 146-149). La dépendance par rapport à Justin pour cette citation est donc certaine
(cf. DANIÉLOU, *Origines du christianisme latin,* p. 221).

Pour ce qui est de l'exégèse, on peut dire que Tert., d'une
façon générale, se conforme à JUSTIN, *Dial.* 77, 2-4 et 78, 9,
comme à IRÉNÉE, *Haer.* 3, 16, 4 (*SC* 211, p. 304, l. 140-145) : les
trois auteurs voient là l'annonce de la réception des présents
des mages par l'enfant Jésus. Mais, dans le détail, il y a quelques
différences, notamment avec Justin (le commentaire d'Irénée est
très laconique), différences qui ont été relevées par PRIGENT
(*o. c.,* p. 154-155). Ainsi, Tert. ne dit rien d'une application de
la prophétie à Ézéchias, qui était, selon JUSTIN (*Dial.* 67, 1;
77, 2), l'interprétation habituelle des juifs. A son interlocuteur
de *Iud.* 9 comme à Marcion ici, il n'impute que l'annonce d'un
Christ guerrier. C'est à détruire cette interprétation qu'il s'emploie,
avant de présenter l'explication chrétienne. Le développement
s'organise en trois étapes :

1. § 2-3 : Absurdité de l'interprétation littéraliste d'un Christ
guerrier et nécessité d'admettre un sens figuré. L'auteur exploite
au maximum l'indication d'âge *(aetatis demonstratio)* contenue
dans la première partie d'*Is.* 8, 4 et déploie toutes les ressources
de son ironie.

2. § 4-6 a : Rebondissement de l'argumentation par le moyen d'une objection supposée, tirée de *Is*. 7, 14, sur la naissance virginale qui n'est pas moins invraisemblable. S'appuyant là encore sur JUSTIN, *Dial*. 84, 1-3 (cf. PRIGENT, *o. c.*, p. 149), Tert. fait valoir que la naissance virginale était voulue et annoncée par Dieu comme signe, ce qui n'est pas le cas d'un bébé guerrier d'après tout le contexte.

3. § 6 b-10 : Exposé de l'interprétation chrétienne (annonce des présents des mages). Plus clair que ses prédécesseurs, Tert. explicite et commente successivement les trois éléments de *Is*. 8, 4 :

– a) § 7-8 a (jusqu'à *et odores*) : «puissance de Damas» = «or et parfums». Sont présentées d'abord des considérations générales sur l'Orient dont l'or et les parfums constituent la puissance; puis des textes scripturaires en rapport avec l'équivalence «puissance/or» et avec les «rois» apportant des présents au Messie; enfin des rappels historiques (les mages rois en Orient et appartenance ancienne de Damas à l'Arabie; cf. JUSTIN, *Dial*. 78, 10).

– b) § 8 b-10 a (jusqu'à *idololatriam*) : «dépouilles de la Samarie» = «les mages eux-mêmes». Cette interprétation se fonde sur une équivalence Samarie/idolâtrie : les mages, représentants du paganisme, ont «dépouillé» leur idolâtrie en adorant Jésus. Elle est originale par rapport à celle de Justin (*Dial*. 78, 9), pour qui les mages sont les «dépouilles» (le butin) du démon (cf. PRIGENT, *o. c.*, p. 154). La démonstration est faite au moyen d'un dossier de textes scripturaires où des noms de cités ou pays sont utilisés métaphoriquement pour désigner la faute dont ces cités ou pays se sont rendus coupables.

– c) § 10 b : «le roi d'Assyrie» = Hérode. Cette explication reproduit fidèlement celle de JUSTIN, *Dial*. 77, 4 (sur celle du passage parallèle de *Iud*. 9, 16, voir *supra*, p. 130, n. 2).

Par l'accueil et l'exégèse de cette prophétie de *Is*. 8, 4, Tert. se montre tributaire d'une tradition chrétienne ancienne qui ne dépassera pas le début du IIIe siècle (un écho attardé s'en rencontre encore chez COMMODIEN, *Carmen*, v. 410). Le Carthaginois dépend de Justin, mais il s'est attaché à donner plus de vigueur et de netteté à la démonstration, en maintenant les principes exégétiques qu'il a posés : recours à l'interprétation figurée en cas d'absurdité, respect du contexte (ce qu'il a appelé les *cohaerentia capituli* en 12, 2) comme des usages linguistiques de l'Écriture, recherche de conformité avec d'autres textes scripturaires.

38. *qui ante norint lanceare quam lancinare* (III, 13, 3)

Dans le développement humoristique consacré aux hypothétiques bébés *(infantes)* guerriers du Pont – développement qui vise à manifester le caractère absurde de l'interprétation adverse –, Tert., après avoir évoqué les langes qui leur servent d'armure et le beurre (ou crème) qui constitue leur solde, termine sa phrase par un jeu de mots : ils savent *lanceare* avant de savoir *lancinare!* Comment faut-il comprendre cette nouvelle antithèse entre la *militia* et la vie ordinaire d'un *infans?*

Le premier de ces deux verbes ne pose pas de problème. Terme tardif et rare, dont c'est la première attestation littéraire, mot de la langue militaire qui devait donner «lancer» en français, *lanceare* est un dérivé de *lancea* («lance»), qui est lui-même un mot d'origine étrangère, espagnole selon Varron (cf. ERNOUT et MEILLET, *Dict. Étym., s.u.*) Tert. n'en a que deux emplois, ici et dans le passage parallèle de *Iud.* 9, 6 (avec l'orthographe *lanciare*), et le sens est clairement celui que le *TLL* VII, 2, c. 918, l. 55 s. définit : *lancea percutere* («frapper de la lance»). Il n'en va pas de même pour l'autre verbe. *Lancinare* se rattache étymologiquement, non pas à *lancea* comme l'indique HOPPE (*SuS,* p. 118; trad. it., p. 219), mais à *lacer* («déchiré», «lacéré» et aussi «qui déchire»; cf. ERNOUT et MEILLET, *o. c., s. u. lacer, lancino*). Conformément à son étymologie, ce verbe signifie «mettre en pièces», «déchirer» (cf. *TLL* VII, 2, c. 919, l. 27 : *lacerare, discerpere*). De ce vocable, moins rare que le précédent et qui est attesté depuis Catulle, Tert. présente, en plus de notre passage et du texte parallèle de *Iud.,* trois autres occurrences sûres, avec la même signification physique de «déchirer», «mettre en pièces» : *Nat.* II, 7, 5; *Cor.* 14, 4; *Res.* 8, 5 (pour ces deux dernières, il s'agit de la couronne d'épines qui déchire le front de Jésus, et des litières du cachot qui déchirent la chair). En *Marc.* I, 1, 4, nous avons préféré à *lancinatur* de *R* la forme *laciniatur* de la tradition manuscrite (cf. t. 1, p. 250-251), mais le sens reste le même, en un emploi métaphorique.

Comment conviendra-t-il de comprendre *lancinare* dans le présent passage? Le commentaire de J. de Pamèle, dans son édition, a engagé sur la piste erronée, pensons-nous, d'un sens exceptionnel qui serait remodelé d'après *lanx* («plat»). Il indique en effet que, d'après le contexte, il faudrait plutôt comprendre *lancinare* au sens de *manus lancibus admouere*. Les traducteurs germaniques l'ont suivi. C'est ainsi que Kellner rend ce verbe par «den Löffel regieren». HOPPE consacre cette interprétation dans son célèbre ouvrage (*SuS*, p. 118) en rangeant *lancinare* parmi les néologismes et changements de signification; il explique que Tert., ici, fait venir *lancinare* de *lanx* (Schüssel) et il traduit le jeu de mots en opposant «die Lanze schwingen» à «den Löffel regieren» (repris à Kellner). La traduction italienne de *SuS* reproduit fidèlement ces indications. On les retrouve, à date toute récente, dans l'article de R. UGLIONE, «Innovazioni morfologiche, semantiche, lessicali di matrice fonica in Tertulliano», *Civiltà Classica e Cristiana* 12, 1991, p. 159: *lancinare* est rendu par «user d'un plat», «manger».

Contre une telle interprétation, on fera valoir que *lanx* désigne le large plat circulaire des banquets. Tert., qui emploie six fois ce terme, uniquement au pluriel, le met toujours en rapport avec le luxe de la table (*Ap.* 6, 3; *Id.* 8, 4; *Pal.* 5, 5; *An.* 33, 4; *Iei.* 16, 5; *Marc.* II, 20, 4). On voit mal comment notre auteur aurait pu rapprocher ce terme de l'alimentation d'un petit enfant pour faire signifier, par *lancinare,* «approcher ses mains des plats». Plus fantaisiste encore paraît l'explication de «tenir la cuiller» de Kellner et de Hoppe! Celle de R. Uglione («user d'un plat») n'est pas plus convaincante, si on se rappelle les conditions du banquet antique. Le *TLL* fait preuve de quelque scepticisme quand il enregistre (VII, 2, c. 919, l. 71 s.) ce prétendu sens nouveau par dérivation de *lanx:* il qualifie cet unique emploi de *lusus uerborum obscurus*.

Il est clair qu'il faut revenir au sens habituel de *lancinare* si l'on veut rendre compte de la pensée dans ce texte. Holmes (p. 143), tout en traduisant par «lacérer», propose en note une explication possible: «to nibble the teat with

the gum» («grignoter le mamelon avec les gencives»). Mais
cette tentative ne satisfait pas, car *lancinare* signifie
«déchirer». Or plusieurs exemples relevés par le *TLL* (*ibid.*,
c. 919, l. 35 s.) nous mettent sur la voie en montrant que ce
verbe est souvent associé à *dentibus* ou *ore* ou *morsu* pour
désigner l'acte par lequel une viande est déchiquetée, mise
en menus morceaux : ainsi Sénèque, *Thy.* 778 (avec *mandere*);
Ir. 3, 40, 4 (hommes dévorés par les murènes); *Q. N.* I, 16, 3
(avec *ore suo*); Pline, *H. N.* 10, 181 (hommes déchiquetés
par les truies sauvages); Solin 15, 3 (avec *dentibus*). Est-il
téméraire de penser qu'ici, en emploi absolu, ce même verbe
sert à désigner le déchiquetage des aliments solides,
notamment de la viande, par le petit enfant, quand il passe
de l'allaitement (cf. *butyro*) à une vie nutritive plus évoluée?
J.J. Rousseau est là pour nous rappeler, par l'*Émile* (I), qu'«il
importe que les enfants s'accoutument d'abord à mâcher».
C'est bien, croyons-nous, cet apprentissage (cf. *norint*) de la
mastication, fonction vitale déterminante, que Tert. a en vue
quand il emploie ici ce verbe. Le contexte l'éclaire parfaitement, ainsi que la cohérence de cet emploi particulier avec
ceux qu'il en fait ailleurs et où domine toujours, conformément à l'étymologie, l'idée de «déchiqueter», «mettre en
petits morceaux». La traduction exacte de l'expression
ramassée et paronomastique qu'il utilise ici serait donc :
«sachant percer (une cible) de la lance avant de savoir
déchiqueter (leur nourriture)». Sans pouvoir rendre le jeu
phonique, mais en tâchant de reproduire la concision du
texte latin, nous avons proposé : «sachant lancer avant de
savoir mastiquer». Nous rejoignons ainsi la traduction d'Evans
(p. 207) : «before they learn to chew».

39. Confirmation par *Ps.* 44 (45), 3-6 (III, 14)

Ce chapitre est la reprise, avec adaptations et élargisse-
ments de *Iud.* 9, 16 b - 20 a. On remarquera que, après
acutum sapientia (au § 3), le développement de *Marc.* III
s'écarte de celui de *Iud.* pour introduire notamment des
témoignages néotestamentaires (§ 4-5, jusqu'à *allegoricam*)
dont les deux derniers (*Éphés.* 6, 14-17 et *Matth.* 10, 34)

sont susceptibles de s'imposer à l'adversaire marcionite. Dans le prolongement de cet ajout est insérée, au § 7, la phrase *Figurate – admittunt* qui fait valoir le même argument.

Le *Psaume* 44 (45) appartient au cycle des «psaumes royaux» (cf. *TOB*, p. 1 262). C'est un épithalame célébrant le monarque de la royauté temporelle. Mais il a été interprété, dans la tradition juive, puis chrétienne, des noces du Roi-Messie avec Israël (figure de l'Église). Il est intégralement cité par Justin, *Dial.* 38, 3-5, comme prononcé εἰς τὸν Χριστόν. Mais les premiers versets n'ont pas été l'objet d'une reprise et d'une exégèse plus détaillée par Justin. Irénée, *Haer.* 4, 33, 11 cite les v. 3.8 et 4-5 comme prophétiques du Christ et de sa royauté. Tert. a déjà utilisé le v. 2 en *Marc.* II, 4, 1 (cf. t. 2, p. 34, n. 3) : il le comprend, en une interprétation particulière qu'on ne rencontre ni chez Justin ni chez Irénée, de la production du Verbe divin (cf. notre étude «Le témoignage des Psaumes», p. 158). Les v. 3-4 du même psaume ont été produits plus haut, en 7, 5, comme *testimonium* de l'avènement glorieux du Christ. Ici sont cités successivement les v. 4a.3.5 et 6 en une exégèse qui paraît les rapporter, non plus au retour dans la gloire, mais au premier avènement et à ses conséquences : l'instauration, par le Christ Verbe, de son règne ici-bas dans la foi de l'Église. Toute la démonstration, qui éclaire ce passage psalmique au moyen d'*Apoc.* 1, 16, de *Matth.* 19, 29 et d'*Éphés.* 6, 14-17, vise à rendre absurde toute interprétation littéraliste de l'expression «ceindre l'épée» du v. 4 et à prouver le bien-fondé de l'explication allégorique («épée» = la puissance du Verbe divin). Par là le développement se rattache parfaitement à ce qui précède et en apporte la confirmation.

Un problème particulier concerne, au § 2, la traduction à donner de *extende,* dont Tert. (ou la version latine qu'il suit) se sert pour rendre ἔντεινον de la LXX au v. 5. La Vulgate traduit par *intende*. Les Bibles modernes connaissent une grande variété de traductions pour ce v. 5 : ainsi «va, chevauche» (pour la *BJ* qui ne tient pas compte du premier verbe); «bande ton arc, bondis, chevauche» (pour Dhorme); «avec éclat chevauche et triomphe» (pour la *TOB*). L'impératif *extende* a été rendu diversement par les traducteurs de

Tert. : « grandis » (Genoude), « avance » (Holmes, Evans,
Moreschini), « étends-toi » (Kellner). C'est cette dernière traduction qui nous paraît la plus exacte : l'emploi intransitif
de *extendere* (= *se extendere*) figure au *TLL* V, 2, c. 1 979,
l. 33-38 (expliqué par *late diffundi*). Il est clair aussi que
l'interprétation donnée au § 6 *(extendens sermonem),* tout en
revenant à l'emploi transitif habituel de *extendere,* renvoie à
ce sens, le Christ Verbe étant à la fois le sujet et l'objet de
l'extension. On récusera donc des traductions comme celles
qu'on rencontre, pour le même passage scripturaire, dans
Irénée, *Haer.* 4, 33, 11 (*SC* 100, p. 829) et Origène, *C. Cels* 6, 75
(*SC* 147, p. 369), par « tends ton arc » et qui supposent τόξον
(arcum) sous-entendu. Le *TLL,* qui enregistre l'expression
extendere arcum (*ibid.,* c. 1 970, l. 6 s.), ne connaît pas en
revanche d'exemples d'emploi absolu en ce sens.

Pour finir, signalons que les v. 3-4 de ce psaume seront
repris plus bas, en III, 17, 2, dans le même contexte d'opposition entre humilité et gloire du Christ qu'en III, 7, 5. Ils
serviront aussi, en *Marc.* V, 18, 5, à montrer le caractère
spirituel des « armes » du Christ (exégèse toute proche de
celle qui est donnée ici) et, par là, l'accord entre les prophètes et l'Apôtre en *Éphés.* 4, 8.

40. La justification scripturaire du nom de Jésus
(III, 16, 3-6)

Après une argumentation dialectique pour dénier au Christ
de Marcion le droit de porter les deux noms de Christ et
de Jésus, Tert. passe à une argumentation scripturaire fondée
sur l'intelligence que les chrétiens ont reçue des *sacramenta,*
des mystères divins (cf. 16, 1) : il entend par là la lecture,
selon une interprétation christique, des textes de l'A. T. Ici,
il va s'appuyer principalement sur le thème typologique qui
a fait de Josué la « figure » de Jésus-Christ. Ce thème, qui
apparaît avec *Barn.* 12, 8, est propre au christianisme
(cf. Daniélou, *Sacramentum futuri,* p. 206). Il repose sur
l'identité de nom (en hébreu) entre le successeur de Moïse
et le fondateur de la religion chrétienne. Justin, dans deux
importants chapitres du *Dialogue,* lui a donné un relief par-

ticulier (75 et 113). C'est de lui que Tert. s'inspire, soit qu'il ait puisé directement au *Dialogue,* soit que sa source soit le *Syntagma* perdu de l'auteur grec (comme pense PRIGENT, *Justin et l'A. T.,* p. 142). En tout cas, l'Africain a construit sa démonstration en deux temps, avec une netteté qu'on ne trouve pas chez Justin.

Aux § 3-4, il présente, en un premier temps *(prius),* l'explication typologique de Josué, «figure» de Jésus-Christ. Ayant rappelé le changement de nom par lequel Ausès, fils de Navé, s'appela Josué, c'est-à-dire Jésus (cf. *Nombr.* 13, 16; JUSTIN, *Dial.* 75, 2 et 113, 1), il établit un parallèle entre l'œuvre du successeur de Moïse et celle de Jésus-Christ. Puis il termine en soulignant que la préfiguration a porté jusque sur le nom. On trouve là, résumées, concentrées, simplifiées, les explications de Justin. Mêmes correspondances : peuple hébreu/peuple chrétien (Tert., en appelant celui-ci «second peuple», souligne davantage qu'il continue et accomplit le premier); introduction dans la terre promise/mise en possession de la vie éternelle (Tert. modifie un peu son modèle qui renvoie cette possession «après la sainte résurrection» : *Dial.* 113, 4); circoncision par les couteaux de pierre/circoncision par les enseignements du Christ (mais Tert. simplifie en ne retenant pas l'explication de JUSTIN, *Dial.* 113, 6-7 et 114, 4, qui comprend aussi cette circoncision spirituelle de la renonciation aux statues du culte idolâtrique). D'autre part notre auteur explicite l'opposition Moïse/Jésus en y voyant celle de la Loi et de l'Évangile, ce que ne faisait pas Justin. Enfin il ajoute, dans le souci de précision, le rappel de *I Cor.* 10, 4, sur l'équivalence Christ/pierre à laquelle JUSTIN ne faisait qu'une allusion en *Dial.* 114, 4.

Au § 5, en un progrès de sa démonstration, Tert. produit un texte biblique qui apporte la preuve même que ce nom de Jésus, porté par le successeur de Moïse, est celui du Christ. Il s'agit de *Ex.* 23, 20-21. JUSTIN l'avait cité en *Dial.* 75, 1, non sans solennité, mais en le faisant précéder de *Ex.* 20, 22. Notre auteur se limite au texte significatif; il le replace dans son contexte : instruction donnée à Moïse pour le peuple au moment du départ. Comme Justin, Tert. comprend que ce passage vise Josué (Jésus). Il y voit le conducteur du peuple désigné non seulement comme «ange», mais même comme porteur du nom divin de Jésus. Ce texte lui paraît d'autant plus décisif que, selon la théologie habituelle à l'époque (cf. II, 27, 3; t. 2, p. 162, n. 1), les paroles consignées dans l'Écriture sont celles du Fils Verbe, Christ préexistant. Ainsi le nom de Jésus s'est trouvé révélé en Josué par le Christ même qui annonçait mystérieusement par là le nom qu'il porterait dans son incarnation. L'interprétation admise de nos jours de cette expression «mon nom est sur lui» se réduit à y voir énoncé : «il possède toute mon autorité» *(TOB)*; et l'ange en question n'est généralement pas identifié au personnage de Josué.

41. Traduction latine d'*Ex.* 23, 21 (III, 16, 5)

Dans la péricope d'*Ex.* 23, 20-21 que produit Tert., le texte latin de la seconde partie du v. 21 – que notre auteur ait traduit lui-même ou qu'il ait suivi une version – présente une difficulté d'interprétation. Nous avons déjà discuté du texte à adopter (voir Notes critiques, p. 245) et conclu à la nécessité de lire, avec tous les éditeurs récents : *non enim celabit te quoniam nomen meum super illum est.* Mais comment faut-il comprendre *celabit te,* verbe qui se rapporte, d'après le contexte, à l'«ange envoyé par Dieu devant le peuple»?

Les traductions modernes, sur l'hébreu, comprennent : «il ne pardonnera pas votre forfait» (Dhorme); «il ne pardonnera pas alors vos transgressions» *(BJ);* «il ne supporterait pas votre révolte» *(TOB).* Si la Vulgate s'inspire de ce sens en traduisant : *quia non dimittet cum peccaueris,* il est clair qu'il faut revenir à la LXX pour comprendre le passage de Tert., comme l'a bien vu Kellner. La LXX porte : οὐ γὰρ μὴ ὑποστείληταί σε · τὸ γὰρ ὄνομά μού ἐστιν ἐπ' αὐτῷ. Les éditeurs de la *Bible d'Alexandrie, Exode,* Paris 1989, p. 239, traduisent : «car il ne reculera pas devant toi; en effet mon nom est sur lui». Une note *(ibid.)* indique que le verbe *hupostéllomai,* avec accusatif, est bien attesté dans les inscriptions d'époque hellénistique au sens de «reculer» (devant un danger) ou de «redouter», et signale un emploi analogue en *Sag.* 6, 7. Sous la forme d'une litote, la LXX brandit aussi, comme le texte hébreu, la menace d'un châtiment.

Sans s'en expliquer, et en commettant une inexactitude sur le temps, Kellner rend le passage de Tert. ainsi : « denn er steht nicht von dir ab und mein Name ist über ihm ». Comment *celare aliquem* pourrait-il signifier « s'écarter de quelqu'un » ? Le *TLL* III, c. 770, l. 13 s. nous met sur la voie d'une compréhension plus exacte en signalant ce tour *celabit te* comme actif enployé avec valeur de pronominal (= *se abscondere*) : cf. *ibid.,* c. 769, l. 82 s. Deux autres exemples de ce tour insolite, tardifs il est vrai et qui ne présentent pas comme ici, l'accusatif de la personne dont on se cache, confirment cet emploi *(ibid.).* On pourra admettre que « se cacher de quelqu'un » soit un équivalent expressif de « reculer devant quelqu'un », dans un mouvement de crainte. D'où la traduction que nous avons adoptée : « il ne se dérobera pas devant toi ». C'est la même litote que celle que nous avions perçue dans la LXX. La Bible de Cyprien traduit le détail par *non enim deerit tibi* (« car il ne te fera pas défaut ») qui devra se comprendre, de la même façon, comme une menace voilée de châtiment (*Test.* 2, 5).

D'autre part, conformément à la LXX, qui relaie l'hébreu sur ce point, nous avons compris le *quoniam* du texte de Tert. comme un équivalent renforcé de γάρ, et non comme celui de ὅτι introduisant une complétive. Par là, nous nous écartons radicalement de l'interprétation de Moreschini et d'Evans qui comprennent : « il ne te dissumulera pas que mon nom est sur lui ». Outre la discordance avec le texte grec qui est ainsi prêtée à la citation de Tert., on peut observer que ce type de complétive n'est pas relevé pour *celare* par le *TLL* (III, c. 766, l. 80 - c. 767, l. 10).

42. Christ ignominieux et souffrant (III, 17, 1-4)

Poursuivant sa comparaison (cf. 12, 1) avec la prophétie d'Isaïe, Tert. consacre un développement à souligner, sans les confondre, deux aspects ordinairement rapprochés du Christ de l'incarnation, aspects que lui-même n'avait pas dissociés dans son évocation de la première parousie (7, 1-2).

Il le fait, selon un procédé déjà utilisé, notamment au ch. 14, en associant versets isaïens et versets psalmiques. Il reprend, en partie, un matériel scripturaire employé dans le ch. 7, et qui est traditionnel depuis JUSTIN, *Dial.* 13, 2-8 et IRÉNÉE, *Dém.* 68-69.

a) Pour l'aspect ignominieux du Christ (§ 1-3), sont utilisés successivement : *Is.* 53, 2-3 (voir la note complémentaire 34, p. 276); *Is.* 52, 14 (cf. aussi JUSTIN, *I Apol.* 50, 2-4) où Tert. insiste sur le fait que ce texte, selon l'exégèse prosopographique, fait entendre la voix du Père s'adressant au Fils; *Ps.* 21 (22), 7 (voir 7, 2 et la note complémentaire 44, p. 297). Sur le thème patristique du «physique sans gloire» du Christ de l'incarnation, voir J. KOLLWITZ, *Das Christusbild des dritten Jahrhunderts,* Münster 1953; W.J.A. VISSER, *Die Entwicklung des Christusbild,* Bonn 1934.

Ces citations sont habilement encadrées par d'autres textes isaïens et psalmiques qui, contradictoirement, se rapportent à la nature divine du Christ, Verbe et Esprit du Père selon la théologie de l'époque : *Ps.* 44 (45), 4, expliqué plus haut en 14, 2-5; *Is.* 11, 1-2, qui est un texte messianique fondamental (souvent cité depuis JUSTIN, *Dial.* 87, 2 et IRÉNÉE, *Dém.* 59). Ce dernier texte entraîne une explication destinée à justifier le don de l'Esprit septuple au Christ issu du rameau de Jessé par Marie (§ 4).

b) Pour l'aspect souffrant et patient du Christ (§ 4 b), sont utilisés *Is.* 53, 3 (suite du texte cité en commençant) et *Is.* 53, 7 (déjà utilisé en 7, 1); *Is.* 42, 2 et 3, textes provenant du «Premier chant du Serviteur de Yahvé», donné déjà comme prophétique du Christ par *Matth.* 12, 18-21.

Depuis *agnosco virgam,* au § 3, l'auteur remploie *Iud.* 9, 26-31, avec nombreuses adaptations et modifications. Ce remploi se poursuit avec le § 5.

43. Les figures de la croix (III, 18)

Les ch. 18 et 19 forment un grand ensemble qui porte sur l'*exitus* du Christ, c'est-à-dire sur sa crucifixion. Le présent chapitre traite des figures de la croix, entendons par là des événements ou des paroles, liés à des personnages de l'A. T., qui annoncent figurativement la réalité future de la crucifixion : sortes de «fulgurations rapides permettant un instant de percer la nuit de l'avenir», selon la formule de J. DANIÉLOU (*Sacramentum futuri*, p. 107).

Après avoir renvoyé à plus tard la réponse à l'objection tirée de *Deut.* 21, 23, Tert. justifie le recours aux figures dans la révélation des mystères *(sacramenta)* les plus sublimes de la foi chrétienne – et la crucifixion en est un –, qui ne devaient pas être l'objet d'une annonce directe et sans voile (§ 2).

Un plan chronologique paraît avoir présidé à l'organisation de la revue des figures retenues par Tert. Celles de notre chapitre proviennent toutes du Pentateuque, de la *Genèse* notamment ; elles se rapportent à des personnags présents dans ces livres bibliques : trois patriarches (Isaac, Joseph, Jacob) et Moïse. Sont présentés successivement :

– Isaac portant le bois pour son sacrifice (*Gen.* 22, 6) : ce «type» du Christ crucifié est absent de l'œuvre de Justin, mais on le trouve chez *Barn.* (7, 3), CLÉMENT DE ROME (*Cor.* 31, 3), IRÉNÉE (*Haer.* 4, 5, 4) et MÉLITON (*Sur la Pâque* § 69 ; *SC* 123, p. 98). Sur cette très ancienne typologie, voir en dernier lieu M. HARL, *La langue de Japhet*, Paris 1992, p. 66.

– Joseph : a) persécuté par ses frères (*Gen.* 37, 12-36) : cette typologie ne se rencontre pas chez Justin ; Tert. en est le plus ancien témoin, avec MÉLITON (*Sur la Pâque* § 69 ; *SC* 123, p. 98) ; ~ b) assimilé, dans la bénédiction reçue, à un taureau (*Deut.* 33, 17) : ce taureau est expliqué comme symbole de la croix, et cette figure provient vraisemblablement de JUSTIN (*Dial.* 91, 3) même si l'explication présentée par Tert. diffère pour quelques détails.

– Le taureau dont parle Jacob (*Gen.* 49, 5-6) : introduite par une liaison analogique avec la précédente, et en rupture avec la chronologie, cette figure est absente chez Justin ; elle ne se rencontre que chez HIPPOLYTE, *Commentaire des bénédictions de Jacob* (*PO* 27, p. 61 s.) qui cite ce texte de la *Genèse* avec la même exégèse typologique et après avoir rejeté l'interprétation littérale (cf. PRIGENT, *Justin et l'A. T.*, p. 209).

– Moïse : a) priant les bras en croix dans le combat contre Amalech (*Ex.* 17, 10-13) : figure probablement tirée de JUSTIN (*Dial.* 90, 4,5 et 97, 1) ; ~ b) brandissant le serpent d'airain

(*Nombr.* 21, 9) : figure présentée par Justin (*Dial.* 91, 4 et 94, 1-3), mais dont l'interprétation typologique commence avec *Jn* 3, 14-15.

Selon Prigent (*o. c.,* p. 214-215), c'est au *Syntagma* perdu de Justin que Tert. ici aurait emprunté son argumentation. En tout cas, plusieurs textes ne proviennent pas de l'auteur grec ; et là même où il emprunte, il réélabore la matière empruntée, en la soumettant à une organisation qui clarifie l'exposé.

Ce chapitre, d'autre part, remploie *Iud.* 10, 1 + 10, 5-10. L'adaptation à la polémique contre Marcion a entraîné un changement important au § 1 : Tert. a évacué la longue explication dont, en *Iud.* 10, 2-4, il avait fait suivre le mention de *Deut.* 21, 23 (la malédiction en cause ne vise pas la passion, mais la culpabilité des crucifiés ; or le Christ, étant innocent, n'a souffert la croix que pour accomplir la prophétie). Ici, notre auteur se contente de renvoyer à plus tard la réponse à l'objection et il dit vouloir s'en tenir au problème de la prédiction de la croix, objet du débat présent et, ajoute-t-il, «parce que ailleurs aussi, il faut prouver les choses avant d'en donner la raison». Sur cette adaptation, qui reste maladroite, d'une phrase de *Iud.* 10, 2 parfaitement claire en son contexte originel, voir Prigent, *o. c.,* p. 207. Voir aussi Tränkle (*Éd. Iud.,* p. XLI-XLII), qui défend le passage de *Iud.* d'être issu d'un travail d'interpolateur.

44. Les prophéties de la croix (III, 19, 1-5)

Cette première partie du chapitre, qui remploie avec peu de changements *Iud.* 10, 11-14 a, regroupe quatre *testimonia,* tirés des *Psaumes* et des prophètes (Isaïe, Jérémie), qui sont des annonces de la croix *(praedicationes crucis);* dans le premier et le troisième de ces textes, la croix est désignée par le terme de «bois». Sont produits successivement :

a) *Ps.* 95 (96), 10 d'après la forme de texte (avec ajout de ἀπὸ τοῦ ξύλου) qu'on trouve largement attestée à l'époque patristique : cf. Justin, *I Apol.* 41, 1-4; *Dial.* 73 (où la suppression de ces trois mots est reprochée aux didascales juifs); *Barn.* 8, 5; Origène, *C. Cels.* 6, 36. Tert. le cite encore en *Iud.* 13, 11.

b) *Is.* 9, 5 : ce *testimonium* est absent du *Dialogue* de Justin, mais figure dans *I Apol.* 35, 2, qui y voit annoncée la puis-

sance de la croix à laquelle le crucifié a appliqué ses épaules.
Texte cité aussi par IRÉNÉE (*Dem.* 56) et par CLÉMENT
D'ALEXANDRIE (*Paed.* 1, 24, 2). L'exégèse de Tert., qui se
concentre sur *imperium* et associe étroitement cette prophétie
à la précédente, dépend de Justin.

c) *Jér.* 11, 19, cité d'après la LXX : passage compris comme
prophétie de la passion chez MÉLITON (*Sur la Pâque,* § 63) et
LACTANCE (*D. I.* 4, 18, 28). JUSTIN, *Dial.* 72, 2, le cite comme
un des textes que les didascales juifs auraient retranchés, mais
il ne l'exploite pas ; peut-être le faisait-il dans son *Syntagma,*
qui serait la source de Tert. comme de Méliton (cf. PRIGENT,
Justin et l'A. T., p. 206-215).

d) *Ps.* 21 (22), 17 et 22 : l'ensemble de ce psaume a été l'objet
d'une exégèse christique chez JUSTIN (*Dial.* 97, 3-106), dont Tert.
est tributaire (cf. notre étude «Le témoignage des Psaumes»,
p. 157-158). Ici, après l'avoir présenté comme globalement prophétique de la passion du Christ et de sa résurrection (appelée
«gloire»), notre auteur retient plus particulièrement les v. 17 et
22, cités d'après la LXX, et qui annoncent l'un les tourments
(*atrocia*) de la croix, l'autre la configuration même de celle-ci
(*cornua unicornis,* expression qui est rapprochée de celle de
Deut. 33, 7, expliquée plus haut en 18, 3).

Ce développement, pour sa matière, est dans la dépendance
de Justin. Mais le choix des *testimonia* et leur présentation
relèvent du souci d'efficacité, de netteté et de concision qui est
caractéristique de l'auteur latin.

45. L'appel des nations (III, 20)

Ce chapitre ouvre une nouvelle section de la «comparaison
avec les Écritures» : celle qui concerne les événements ayant
suivi la mort du Christ. Il traite de l'appel des nations, c'est-à-
dire de la conversion des païens, qui a donné un aspect uni-
versaliste à la foi chrétienne. Ce thème, en particulier depuis
JUSTIN (*Dial.* 26 et 109-133) est un élément constitutif de l'apologétique. Après une transition qui souligne le caractère contrai-
gnant des concordances relevées entre les prophéties et l'histoire du Christ, Tert. passe à l'objet du nouveau développement.
Il démontre que l'appel des nations aussi a été prophétisé, et
il s'appuie, pour cela, sur les textes suivants :

a) *Ps.* 2, 7-8, dont il réfute l'application à David : cette interprétation est ancienne, puisqu'on la trouve dès CLÉMENT DE ROME, *Cor.* 36, 4 ; elle se retrouve chez JUSTIN, *I Apol.* 40, 14-15 ; *Dial.* 122, 6 ; chez IRÉNÉE, *Dem.* 49 (qui rejette l'application à David, lequel n'a régné que sur le peuple juif) ; *Haer.* 3, 6, 1 ; 4, 21, 3. Sur l'interprétation messianique du *Psaume* 2, voir notre étude «Le témoignage des Psaumes», p. 157.

b) *Is.* 42, 6-7 : utilisé dans le même sens dans *Barn.* 14, 7 et JUSTIN, *Dial.* 26, 2 ; 122, 2.

c) *Is.* 55, 4-5, dont l'application à David est combattue par le rappel d'*Is.* 55, 3. JUSTIN (*Dial.* 12, 1) a cité *Is.* 55, 3-5 avant de donner plus loin la suite jusqu'au v. 13 : il y voit la prophétie de la nouvelle alliance. Irénée ne cite pas ce texte. En une sorte de digression, Tert. s'attache à éclairer le sens d'*Is.* 55, 3 qu'il a isolé : il fait un rapprochement avec *Ps.* 131 (132), 11 qu'il lit, non «fruit de tes reins» comme JUSTIN (*Dial.* 68, 5), mais «fruit de ton ventre», comme fait IRÉNÉE (*Dem.* 36 et 64 ; *Haer.* 3, 9, 2 ; 10, 4 ; 12, 2 ; 16, 2 ; 21, 5 et 9) ; et comme Irénée, il y voit annoncée l'ascendance davidique de Jésus par Marie (cf. QUISPEL, *Bronnen,* p. 60 s.). Il revient ainsi à *Is.* 55, 3 qu'il applique à l'Église sanctifiée par la résurrection.

d) *II Sam.* 7, 12, prophétie de Nathan à David, dont il combat l'application à Salomon et démontre, en citant plusieurs détails du contexte, qu'elle ne peut convenir qu'au Christ. Cette prophétie est associée également à *Ps.* 131 (132), 11 chez IRÉNÉE (*Dem.* 36), mais ne paraît pas avoir retenu l'attention de Justin.

Une conclusion récapitulative ramène à *Is.* 55, 3-4 en soulignant l'universalité de la foi dans le Christ par la venue à lui des nations.

Ce chapitre remploie, en son début et en sa fin, des passages de l'*Aduersus Iudaeos*. Ainsi les § 1-4 reprennent *Iud.* 11, 11 (depuis *Sufficit*)-12 et 12, 1-2 (développement dont on trouve d'ailleurs un doublet en *Iud.* 14, 11-12). D'autre part, la phrase du § 9 (*Denique et – regi*) et la phrase finale du § 10 (*Christum – fieri*) se retrouvent, à la suite l'une de l'autre, en *Iud.* 14, 13.

46. «Nations» et «prosélytes» (III, 21, 2-4)

Le chapitre 21 commence par le rappel d'une «antithèse» marcionite entre le Christ du dieu supérieur, déjà venu, et celui du Créateur, destiné à réunifier Israël, et qui est à venir. Ce rappel est, pour Tert., l'occasion de renouveler l'argument sur la postériorité de Marcion par rapport aux Églises apostoliques (cf. I, 19, 5; 21, 4). Ce § 1, qui constitue une sorte de parenthèse dans la trame de la démonstration, est peut-être un rajout (voir Introduction, p. 19).

Au § 2 débute l'argumentation par laquelle l'auteur combat l'application aux prosélytes des textes prophétiques concernant l'appel des nations : cette interprétation était un des thèmes habituels du judaïsme dans sa controverse avec le christianisme. La démonstration se développe en deux temps :

a) un argument linguistique : la distinction, dans le langage d'Isaïe, entre les termes de prosélytes et de nations, les uns et les autres étant mentionnés à part et spécifiquement; ce qui est illustré par l'exemple de deux versets isaïens : *Is.* 54, 15 et 42, 4.

b) un argument historique et chronologique : les prosélytes relèvent de la loi mosaïque et des temps anciens, l'appel des nations relève du Christ et des «derniers jours». Se réfère précisément à ces «derniers jours» et à la venue des nations le texte d'*Is.* 2, 2-4, qui est cité ensuite et expliqué au fur et à mesure, selon le procédé cher à l'auteur : texte annonciateur de la nouvelle alliance, dans son aspect de rupture avec la Synagogue. Ce commentaire rejoint le thème du règne pacifique du Christ, déjà développé en 14, 5-7.

Pour l'idée d'ensemble de la démonstration, Tert. semble dépendre de JUSTIN qui combat la même interprétation judaïque en *Dial.* 122 (cf. PRIGENT, *Justin et l'A. T.*, p. 221). Ainsi l'auteur grec souligne-t-il, en *Dial.* 122, 4, la différence entre l'ancienne loi et ses prosélytes d'une part, et le «Christ et ses prosélytes, nous autres les nations», d'autre part. Mais l'argument linguistique, qui constitue la première partie du développement, paraît être propre à Tert.; *Is.* 54, 15 n'est cité ni par Justin ni par Irénée; et la longue explication d'*Is.* 2, 2-4 ne se rencontre nulle part ailleurs, à date ancienne, sous la forme où elle est ici présentée.

Le chapitre se termine par un remploi : le § 4 reprend textuellement *Iud.* 14, 14, qui constitue la phrase terminale de ce traité tel qu'il est parvenu à nous. Et c'est après cette phrase que nous marquons la césure des chapitres 21 et 22 (voir Notes critiques, p. 257).

47. Prédication apostolique et assemblées chrétiennes
(III, 22)

Étroitement lié à ce qui précède, le chapitre porte sur la mise en œuvre de l'appel des nations. Il est introduit par les deux mots *introgressus* et *decursus* qui visent le premier l'œuvre des apôtres, le second le prolongement de ceux-ci dans les Églises. La démonstration que l'une et l'autre ont été l'objet d'une annonce prophétique dans l'A. T. s'échelonne en quatre moments. Mais dans ce développement, qui ne doit rien à l'*Aduersus Iudaeos,* la polémique contre le marcionisme s'entremêle plus encore que précédemment avec la présentation du dossier scripturaire.

1. *L'œuvre apostolique (§ 1).* Elle est prouvée par :
a) *Is.* 52, 7 : texte cité conformément à *Rom.* 10, 15 qui en fait même application à la prédication des apôtres ; cf. aussi IRÉNÉE, *Dem.* 86 et *Haer.* 3, 1, 1 ; mais ce texte n'est pas cité par Justin.
b) *Ps.* 18 (19), 5 : citation qui se trouve dans le même passage néotestamentaire (*Rom.* 10, 18), avec même application ; cf. JUSTIN *I Apol.* 40, 1-4 (sont cités les v. 3-5, appliqués aux hérauts de l'enseignement et de la manifestation du Christ), *Dial.* 42, 1 ; IRÉNÉE, *Dem.* 21 et 86.
c) *Is.* 46, 12-13 : à la différence des précédentes, cette citation est de caractère personnel ; Tert. est seul à citer ce passage, d'après la *Biblia Patristica* I et II.

2. *Le rejet du judaïsme (§ 2-3).* Avant de donner des preuves, Tert. rappelle la thèse marcionite qui voit dans cette rupture le refus d'un « autre dieu » (que le dieu suprême). Il souligne aussitôt qu'en rejetant le judaïsme, les apôtres ne faisaient qu'accomplir les Écritures du Créateur :
a) *Is.* 52, 11 : ce texte est cité partiellement dans *II Cor.* 6, 17 (qui vise les « infidèles ») ; mais Tert. s'est reporté au texte même d'Isaïe comme fait JUSTIN, *Dial.* 13, 2, qui cite les v. 10-15 en les appliquant à la nouvelle alliance. Notre auteur y voit plus précisément l'annonce de la rupture avec les juifs blasphémateurs du Christ et avec la Synagogue.
b) *Is.* 52, 10, en une citation accommodée et inexacte, destinée surtout à confirmer ce qui précède, et où il voit annoncée l'extension à toutes les nations du salut de Dieu.

c) *Ps.* 2, 3 + 2, 1-2, dont il reprend la présentation et l'interprétation qu'il en a déjà données en I, 21, 1 (t. 1, p. 196, n. 1).

3. Les souffrances des apôtres et des fidèles du Christ (§ 4-5). Ici encore, avant les prophéties, est rappelée la thèse adverse (persécutions à expliquer comme l'œuvre du Créateur par l'intermédiaire de ses hommes, les juifs). Un argument décisif lui est opposé : si le Créateur était ce dieu inférieur qu'admettent les marcionites, il n'aurait ni connu ni prophétisé ces souffrances. Sont allégués successivement :

a) *Is.* 57, 1 : les v. 1-4 d'*Is.* 57 sont cités par JUSTIN comme prophétiques du comportement des juifs à l'égard du Christ et des chrétiens (*I Apol.* 48, 5-6; *Dial.* 16, 5; 110, 6); cf. aussi IRÉNÉE, *Dem.* 72 (*SC* 62 p. 139) et *Haer.* 4, 34, 2. Tert. y souligne la prophétie de la mort du Juste (= le Christ) et des justes (= les chrétiens).

b) *Is.* 3, 10 (sur la souffrance du Juste) : les v. 9-15 d'*Is.* 3 sont cités et expliqués dans le même sens par *Barn.* 6, 7; JUSTIN, *Dial.* 17, 2-3; 133, 2; MÉLITON, *Sur la Pâque* § 72. Mais ici, Tert. dépend de JUSTIN, *Dial.* 136, 2 et 137, 3, par la leçon *auferamus,* qui correspond à ἄρωμεν que l'auteur grec présente comme celle de la LXX et qu'il défend contre la leçon δήσωμεν des juifs : cf. PETITMENGIN, «Citations d'Isaïe», p. 38 (ἄρωμεν, aujourd'hui, n'est attesté que dans des citations, δήσωμεν est la leçon de tous nos mss). ~ Ces deux passages d'Isaïe, pour Tert., servent à marquer que les apôtres et, plus généralement, les chrétiens sont associés au Christ dans les persécutions et souffrances.

c) *Éz.* 9, 4, qui illustre l'étroite solidarité des chrétiens avec le Christ. Ce texte est absent de Justin et d'Irénée. Mais Tert. a donné en *Iud.* 11, 2-9, une longue citation d'*Éz.* 8, 12 - 9, 6, sur la LXX, comme annonce du désastre promis à Israël, sauf pour «qui aura été signé de la passion du Christ».

4. Le culte spirituel des assemblées chrétiennes (§ 6-7). Après l'explication de la prophétie précédente comme annonce de la signation des chrétiens par la croix (cf. CYPRIEN, *Test.* 2, 22), Tert. produit des témoignages psalmiques et prophétiques sur le culte rendu à Dieu par le Christ dans les églises :

a) *Ps.* 21 (22), 23 et 26 : le v. 23 est entendu, comme par JUSTIN (*Dial.* 106, 1-2), du Christ ressuscité; le v. 26, que ni Justin ni

Irénée n'ont cité, sert ensuite à donner à l'interprétation une dimension ecclésiale (culte spirituel de glorification du Père par le Fils dans l'Église). Voir notre étude « Le témoignage des Psaumes », p. 158 et 161.

b) *Ps*. 67 (68), 27 : verset que Tert. est seul à citer d'après *Biblia Patristica* I et II (cf. même étude, p. 161).

c) *Mal*. 1, 10-11 : à ce *testimonium,* JUSTIN (*Dial*. 28, 5; 41, 2; 117, 1) et IRÉNÉE (*Haer*. 4, 17, 5-18, 1) avaient donné beaucoup d'importance en le comprenant comme prophétie rejetant les cérémonies du culte ancien pour fonder le culte spirituel de la nouvelle alliance (cf. PRIGENT, *Justin et l'A. T.,* p. 276-277, qui n'exclut pas une allusion à l'oblation eucharistique).

Une conclusion polémique couronne ce quatrième moment : toutes ces pratiques cultuelles étant aussi celles des marcionites, ceux-ci devront admettre que le Créateur a bien prophétisé leur Christ.

Si une bonne partie du matériel scripturaire mis en œuvre par Tert. dans ce chapitre dépend de la tradition et, plus particulièrement, remonte à Justin dont il lui arrive d'être tributaire dans la forme même des citations, il s'y trouve aussi des éléments originaux. Et la construction – qui souligne l'achèvement de l'œuvre apostolique par le culte des chrétientés – porte la marque propre de l'auteur.

48. Dispersion et ruine d'Israël (III, 23, 1-4)

Cette première partie du ch. 23 remploie, avec des adaptations, *Iud*. 13, 24-27. Elle développe un thème habituel à l'apologétique chrétienne des IIe et IIIe siècles, celui des malheurs – ruine spirituelle et matérielle – qui ont frappé Israël pour prix de son infidélité au Christ (cf. *Ap*. 21, 4-6). Ici, plus particulièrement, Tert. s'attache à montrer comment se sont réalisées ainsi les prophéties de l'A. T. (*Isaïe* et *Psaumes*). Il suit un plan chronologique qui marque les différentes étapes. Il souligne les correspondances avec les événements du N. T., en particulier de la passion; et, selon son habitude, il entrecroise citations (ou rappels) de textes et explications exégétiques.

a) Le rejet des idoles dans les nations par l'œuvre du Christ est présenté comme réalisation d'*Is*. 2, 20 : Tert. est seul, d'après

Biblia Patristica I.II.III, à citer ce texte qu'il applique, non au Jour du Jugement, mais à la première venue du Christ.

b) La cessation de la grâce d'Israël de qui s'est retiré l'Esprit-Saint accomplit *Is.* 3, 1-3 et *Is.* 5, 6. Le premier de ces *testimonia* est simplement résumé (tout ce qui doit être retiré à Israël est réduit au «prophète» et au «sage architecte»); il n'est ni chez Justin, ni chez Irénée. Le second reçoit une interprétation qui est dans la ligne d'Irénée, *Haer.* 3, 17, 3 (rapprochement avec la toison de *Jug.* 6, 36-40). S'attachant au contexte de ce dernier passage, Tert. souligne la correspondance entre *Is.* 5, 4 et 5, 7 et les circonstances de la passion, pour mieux souligner le lien causal entre le comportement des juifs envers le Christ et la fin de leur privilège spirituel.

c) La persévérance d'Israël dans son blasphème, qui marque l'époque entre Tibère et Vespasien, est donnée pour accomplir *Is.* 52, 5 : ce texte fait partie du dossier de Justin (*Dial.* 17, 2) sur la méchanceté des juifs.

d) La dévastation de la Judée par la guerre est l'accomplissement d'*Is.* 1, 7-8 qui sert de *testimonium* dans ce sens depuis Justin (*I Apol.* 47, 1-5; *Dial.* 16, 2; 52, 4; 108, 3) et Irénée (*Haer.* 4, 4, 2). Est rappelé ensuite *Is.* 1, 3-4 qui a été cité plus haut, en 6, 7 (voir la note complémentaire 33, p. 273).

e) Trois textes, explicitement cités, prouvent pour terminer que la méconnaissance du Christ par les juifs a bien été la cause du châtiment qu'ils ont ainsi subi. Ce sont : *Is.* 1, 20, qui est cité aussi par Justin (*I Apol.* 44, 5; mais sans application à la dispersion des juifs); *Ps.* 58 (59), 12, où Tert. entend la voix du Fils demandant au Père la dispersion d'Israël (non cité par Justin et Irénée); *Is.* 50, 11, où l'auteur entend le Christ dire aux juifs qu'il est cause de leur perte et de leur souffrance (d'après *Biblia Patistica* I, II, Tert. est seul à citer ce verset).

Le dossier scripturaire mis en œuvre est, dans sa plus grande partie, original.

49. Promesse terrestre et promesse céleste (III, 24, 7-11)

Contre Marcion, qui nie que le Créateur ait promis à ses fidèles le royaume des cieux (cf. 24, 1), Tert. s'attache à démontrer l'existence, dans les Écritures de celui-ci, d'une promesse concernant le ciel, promesse qui s'accompagne quelquefois d'une promesse terrestre, mais qui aussi bien peut se présenter seule. Il le fait en s'appuyant sur une série de textes dont la production est organisée avec soin.

1. *Textes tirés des bénédictions des patriarches* (§ 7-9 a):

– *Gen.* 22, 17 (descendance d'Abraham). De la double comparaison qu'on y trouve (sable et étoiles), Tert. conclut à deux dispositions, l'une terrestre, l'autre céleste. En fait, et contrairement à ce qu'il affirme, le texte biblique, qu'il rappelle sans le citer, place la comparaison avec le sable *après* la comparaison avec les étoiles. Cette dernière seule (d'après un autre passage, *Gen.* 15, 5) est retenue par les auteurs qui l'appliquent à la descendance chrétienne d'Abraham : CLÉMENT DE ROME (*Cor.* 32, 2) et IRÉNÉE (*Haer.* 4, 7, 1-3). C'est d'ailleurs ce que notre écrivain fera aussi en *Marc.* IV, 34, 14 et V, 20, 7, où il voit énoncée par cette bénédiction la *caelestis promissio*. Qu'entend-il ici par la *terrena dispositio* qu'annonce selon lui la comparaison avec le sable? S'agit-il de l'économie de l'ancienne alliance, comme plus bas à propos d'Esaü? Dans ce cas il a pu tirer parti d'une indication de JUSTIN (*Dial.* 120, 2), qui applique aux juifs fils d'Abraham cette image du sable de la mer «stérile et infécond», «ne produisant aucun fruit». Interprétation qui semble d'ailleurs avoir été traditionnelle : cf. ORIGÈNE, *Hom. Gen.* 9, 1-2 (*SC* 7 bis, p. 238, l. 47 s. et p. 246, l. 47 s.). Mais on ne peut exclure que la *terrena dispositio* concerne, comme plus bas à propos de Jacob, l'obtention des biens terrestres qui sont l'œuvre du Créateur.

– *Gen.* 27, 28 (Jacob béni par Isaac): on a rapproché ce passage d'IRÉNÉE, *Haer.* 5, 33, 3 (*SC* 153, p. 410 s.); cf. QUISPEL, *Bronnen,* p. 60-61. Mais, tandis qu'Irénée, citant *Gen.* 27, 28-29 in extenso, applique ces versets sans distinction au *regnum iustorum,* Tert. ne retient que les deux expressions du v. 28 : il les distingue pour voir énoncée dans la première («rosée du ciel») la promesse céleste, et dans la seconde («richesse de la terre»), la promesse des biens terrestres. Il souligne que l'ordre même des deux expressions est significatif de la priorité de la promesse céleste. Il commente en rappelant la typologie habituelle (Jacob, cadet des jumeaux, et préféré à l'aîné, préfigure le peuple chrétien) et en se référant à la parole du Christ en *Lc* 12, 31 :

ce passage évangélique sera expliqué en *Marc*. IV, 29, 5 (les biens «accordés en plus» sont, d'après le contexte, le vêtement et la nourriture de l'homme par les œuvres et les bienfaits du Créateur). Ainsi, l'exégèse de Tert. ici ne doit rien à Irénée.

– *Gen*. 27, 39 (Ésaü béni par Isaac) : ce texte n'est allégué qu'à titre de comparaison avec le précédent. Tert. en retient un ordre inversé des deux mêmes expressions concernant la terre et le ciel. Il en déduit que, pour Ésaü, figure du peuple juif délaissé au profit du peuple chrétien, la promesse des biens terrestres par la Loi précède celle des biens célestes auxquels les juifs ne pourront accéder que par l'Évangile. Cette exégèse, complémentaire de la précédente, paraît tout à fait originale ; d'ailleurs les prédécesseurs de Tert. n'ont pas cité *Gen*. 27, 39.

2. L'échelle de Jacob en Gen. *28, 10 s. (§ 9 b - 10 a).*

Cet épisode de la *Genèse* apporte un double témoignage : d'abord, l'échelle vue en songe, avec des anges montant et descendant, symbolise le jugement de Dieu selon lequel les uns parviennent au ciel et les autres en sont précipités (même interprétation en *Fug*. 1, 4) ; d'autre part, par le rappel de *Gen*. 28, 17 (désignations données par Jacob à ce lieu) – verset que notre auteur est seul à citer d'après *Biblia Patristica* I – il dégage le sens profond de cette circonstance par rapport au songe lui-même : Jacob ayant vu en haut de l'échelle le Christ Seigneur, l'a appelé «temple de Dieu» et «porte du ciel» : ce qui conforte la démonstration que le Créateur annonce bien à ses fidèles la montée au ciel par le Christ. De cette exégèse complexe et originale qui met l'accent sur l'aspect christologique, et qui est commandée par la thèse à démontrer, on ne trouve que certains éléments chez les prédécesseurs de Tert. : ainsi chez Justin, *Dial*. 86, 2-3 (présence du Christ s'appuyant sur le haut de l'échelle). Chez Irénée, *Dem*. 45, est soulignée la participation à la croix dans l'ascension vers le ciel (cf. aussi *Passio Perpetuae* 4, 3-4). Pour les diverses interprétations juives et chrétiennes de l'épisode, voir *La Bible d'Alexandrie, Genèse*, p. 222-223. Sur les exégèses patristiques, voir W. Rordorf, «Die Jakobsleiter...», dans *Johannes-Studien, Freundesgabe für Jean Zumstein*, Zurich 1991, p. 39-46, qui souligne l'intérêt de ce passage de Tert. dans la tradition d'exégèse christologique issue de *Jn* 1, 51.

3. *Textes tirés des prophètes (§ 10 b - 11).*

Après avoir associé l'image du Christ-porte du ciel à celle du
Christ-voie (sans doute sous l'influence d'une tradition issue de
Matth. 17, 13-14 : cf. W. RORDORF, *l. c.,* p. 41), Tert. cite successivement trois textes «prophétiques» qu'on ne rencontre pas
ailleurs que chez lui d'après *Biblia Patristica* I : *Amos* 9, 6;
Is. 49, 18 (attribué par erreur à *Amos*); *Is.* 60, 8. Ces trois textes
ont le mérite, à ses yeux, d'évoquer avec précision la montée
aux cieux des élus avec le Christ.

Après une évocation du retour du Seigneur (rappels de
I Thess. 4, 17 et de *Dan.* 7, 13, cité plus haut en 7, 4), il
conclut par la citation d'*Is.* 1, 2, dont il a cité la seconde partie
en 13, 9 : ce texte associe, en un énoncé, les deux éléments
«ciel» et «terre» qui ont servi au cours de l'exposé précédent
à témoigner de la promesse terrestre et de la promesse céleste.
L'interprétation paraît proche de celle d'IRÉNÉE, (*Haer.* 4, 2, 1),
qui le produit dans un ensemble de témoignages en faveur du
Dieu qui a créé le ciel et la terre.

Au total, même si Tert. dépend, sur certains points, de ses
prédécesseurs et, d'une façon générale, d'une tradition chrétienne, le dossier de textes ici constitué laisse transparaître une
originalité indéniable dans les choix et les interprétations. Son
exégèse s'attache souvent aux mots (ciel, terre), même à l'ordre
de ceux-ci dans les énoncés, et elle est très strictement condi-
tionnée par la démonstration, l'objectif étant de détruire la
position de l'adversaire marcionite.

INDEX
DES LIVRES I-III

AVERTISSEMENT LIMINAIRE

Les chiffres romains renvoient aux livres, les chiffres arabes aux chapitres et aux paragraphes respectivement. Il n'a pas paru nécessaire de signaler que le lemme revient une (ou plusieurs) autre(s) fois dans le même paragraphe. En cas de répétition du lemme dans le même chapitre, nous l'indiquons par *passim*.

Dans l'index I (scripturaire), le signe + sert à distinguer les citations explicites des autres – implicites ou allusions –, qui sont de loin les plus nombreuses. Pour les *Psaumes,* seule est donnée la numérotation grecque (et latine). La numérotation hébraïque est indiquée dans l'apparat du livre III.

L'index II (auteurs profanes) se limite exclusivement aux citations et allusions relevées dans l'apparat de l'édition. Toutes celles qui figurent dans les notes, infrapaginales et complémentaires, feront l'objet d'un index particulier qui sera établi pour l'ensemble des cinq livres. il en sera de même des références aux auteurs ecclésiastiques.

Pour l'index III (noms propres) et l'index IV (terminologique et grammatical), les lettres «sc» entre parenthèses indiquent que le lemme appartient à une citation scripturaire. L'index III comporte aussi les adjectifs dérivés des noms propres. En ont été écartés les noms théologiques chrétiens (*Deus, Christus, Iesus,* etc.) qui sont rattachés à l'Index terminologique et grammatical. Ce dernier a voulu, sans viser à l'exhaustivité, donner une image du vocabulaire de l'auteur, de ses innovations lexicologiques, de ses tours syntaxiques. Pour les noms théologiques, comme pour certains autres termes, ne sont présentés que des exemples des expressions les plus notables. D'autre part sont signalés les hapax (= hap.), les mots propres à Tertullien (= T), ceux qui font leur apparition dans la langue avec lui (= Tp); et également, par la majuscule U (abréviation de *Unicum*), les emplois qui ne se rencontrent pas dans le reste de son œuvre (nous avons compté pour *Unicum* l'occurrence répétée du mot dans le même passage, ainsi que l'occurrence commune à deux *loci gemelli*). Il nous a paru utile d'éclairer l'usage de Tertullien par des renvois à des ouvrages de base : par «Hoppe», nous renvoyons à la traduction italienne de *Syntax und Stil des Tertullian* (Brescia 1985).

I. INDEX SCRIPTURAIRE

Genèse

1, 1	II, 4, 1
3-4,etc.	II, 4, 2 +
4	II, 12, 2
5	II, 12, 2
7.9.10	II, 12, 2
14	II, 3, 4 +
16	II, 12, 2
20.24	II, 12, 2
22-25	II, 18, 2
26-28	II, 4, 4; 5, 5; 6, 2; 9, 3
26	II, 4, 4 +; 10, 3; 16, 6
27	II, 12, 2
28	I, 29, 2; 29, 4 +; II, 6, 3; 9, 7; 11, 1 +
29	II, 11, 1
2, 7	I, 24, 5 +; II, 4, 4; 6, 3; 8, 1; 9, 1.6; 16, 5; III, 9, 3
8	I, 24, 5 +; II, 4, 1; 4, 4; 10, 3; 12, 2
9	II, 12, 2
17	II, 4, 6 +; 8, 3; 9, 8; 12, 2
18	II, 4, 5 +
19	II, 4, 4
24	III, 5, 4
25	II, 11, 2
28	II, 11, 1
3, 1	II, 7, 3; 10, 1.2.3
4	II, 10, 1
5	II, 10, 1
9	II, 25, 1 +.2 +; 27, 4
10-11	II, 25, 1
9	II, 27, 4
12-13	II, 25, 5
12	II, 2, 7
16	II, 11, 1
17	II, 11, 1
18	I, 24, 7; II, 11, 1
19	II, 11, 2; III, 8, 6
21	II, 11, 2
22	II, 25, 4 +
4, 4	II, 22, 3
9	II, 25, 3
10	II, 25, 3
11	II, 25, 5
13-15	II, 25, 5
6, 5	II, 14, 4
6	II, 28, 2
17	II, 14, 4
8, 21	II, 22, 3
16, 15	III, 5, 4
18, 1-8	III, 9, 1.6
21	II, 25, 6 +; 27, 4

19, 1-22	III, 9, 1
24	II, 14, 4
21, 2	III, 5, 4
22, 6	III, 18, 2
17	III, 24, 7
27, 28	III, 24, 7 +
39	III, 24, 9 +
28, 12-13	III, 24, 9
17	III, 24, 10 +
37, 12-36	III, 18, 3
49, 5-6	III, 18, 5 +

Exode

1, 11	II, 20, 2
11-14	II, 14, 4
13-14	II, 20, 2
16	II, 20, 4
22	I, 29, 8; II, 20, 4
3, 2	III, 10, 4
6	III, 16, 4
8	III, 5, 3
22	II, 20, 1; 28, 2
4, 21	II, 14, 4
5, 6-17	II, 20, 2
9	II, 14, 4
14-16	II, 20, 4
10, 20	II, 14, 4
11, 2	II, 20, 1; 28, 2
12, 35-36	II, 20, 1; 28, 2
37	II, 20, 3
13, 21-22	III, 10, 4
17, 6	III, 5, 4
10-13	III, 18, 6
20, 4	II, 22, 1; III, 18, 7
5	II, 15,1; 22, 1 +
8-11	II, 21, 1
9-10	II, 21, 1 +
12	II, 17, 4 +

13-17	II, 17, 4 +
14.17	I, 29, 4
21, 2	II, 17, 4
24	II, 18, 1; 28, 2
25	II, 18, 1
23, 11	II, 17, 4
20-21	III, 16, 5 +
25, 18	II, 22, 2
32, 6	II, 18, 2 +
10	II, 26, 3 +; 27, 4
11-14	II, 26, 3
32	II, 26, 3
35	II, 14, 4
33, 20	II, 27, 5 +

Lévitique

6, 21	II, 19, 1
11, 1-19	II, 18, 2
10	II, 20, 1
32-33	II, 19, 1
15, 12	II, 19, 1
16, 5-10	III, 7, 7
19, 18	I, 23, 4; II, 17, 4 +
20, 11-17	I, 29, 4
25, 4-6	II, 17, 4

Nombres

11, 4-6	II, 18, 2
13, 16	III, 16, 3
14, 30-31	III, 16, 4
15, 32-36	II, 21, 2
21, 8-9	II, 22, 1
9	III, 18, 7

Deutéronome

6, 5	II, 13, 5 +
13	II, 13, 5 +
14, 1-21	II, 18, 2

10	II, 20, 1	14	III, 20, 9
19, 15	III, 9, 4	12, 28-31	III, 13, 9
21, 23	I, 11, 8; III, 18, 1 +	18, 20-29	III, 15, 7
24, 16	II, 15, 2	**IV Rois**	
25, 4	II, 17, 4; III, 5, 4	2, 23-24	II, 14, 4
26, 9.15	III, 5, 3	20, 3-6	II, 17, 2
30, 15	II, 5, 6	**Psaumes**	
32, 29	I, 16, 4	1, 1	II, 19, 2
35	II, 18, 1	2	II, 19, 1.3
39	II, 13, 4; 14, 1; III, 24, 1	3	II, 19, 3
33, 17	III, 18, 3 +	2, 1-2	I, 21, 1 +; III, 22, 3 +

Josué

1, 1-9	III, 16, 3	3	I, 21, 1 +; III, 22, 3 +
5, 2-3	III, 16, 4	7-8	III, 20, 3 +
6, 3-4	II, 21, 1	4, 5	II, 19, 2

I Samuel

		8, 6-7	III, 7, 5 +
9, 2	II, 24, 2	6	II, 27, 3; III, 7, 2
16-17	II, 23, 1; 24, 2	18, 5	III, 22, 1 +
14, 45	II, 17, 2	21, 7	III, 7, 2; 17, 2 +
15, 1	II, 24, 1; 28, 2	17	III, 19, 5 +
20-23	II, 23, 1	22	III, 19, 5 +
28-29	II, 24, 7 +	23	III, 22, 6 +

II Samuel

		26	III, 22, 6 +
7, 12	III, 20, 8	23, 4-5	II, 19, 3 +
13	III, 20, 9	32, 18-19	II, 19, 4 +
14	III, 20, 9	33, 14-15	II, 19, 2
15	III, 20, 9	20	II, 19, 4 +
16	III, 20, 9	21	II, 19, 4 +
12, 13	II, 17, 2	23	II, 19, 4 +

III Rois

		44, 2	II, 4, 1 +
11, 1-11	II, 23, 1; III, 20, 9	3-5	III, 7, 5 +
		3	III, 14, 1 +.5
		4	III, 14, 1 +.5; 17, 2 +
		5	III, 14, 2 +.6 +
		6	III, 14, 7 +

49, 13	II, 22, 2 +
58, 12	III, 23, 4 +
67, 27	III, 22, 6 +
71, 10	III, 13, 8 +
15	III, 13, 8 +
74, 8	II, 14, 1
77, 25	II, 18, 2
81, 1	I, 7, 1 +
6	I, 7, 1 +
95, 10	III, 19, 1 +.2; 21, 1
103, 4	II, 8, 2 +; 10, 1 +; III, 9, 7
115, 6 (LXX = Vulgate 115, 15) II, 19, 4 +	
117, 8-9	II, 19, 3
22	III, 7, 3
131, 11	III, 20, 6 +
132, 1	II, 19, 3 +

Ecclésiaste

3, 1.17	I, 29, 5

Isaïe

1, 2-3	III, 6, 7 +
2	III, 13, 9 +; 24, 11 +
3-4	III, 23, 3
4	III, 6, 7 +
7-8	III, 23, 3
10	III, 13, 9
11	II, 18, 3 +; 22, 2 +.4
12	II, 18, 3 +
13-14	I, 20, 5 +; II 22, 4 +
16-17	II, 19, 2
18 (?)	II, 19, 2
20	III, 23, 4 +

2, 2-4	III, 21, 3 +
3	III, 22, 1
11 (LXX)	II, 25, 3
20	III, 21, 1 +
3, 1-3	III 23, 2 +
10 (LXX)	III, 22, 5 +
5, 4	III, 23, 3
6	III, 23, 2
7	III, 23, 3
6, 9-10	III, 6, 5 +
7, 14	III, 12, 1; 13, 4 +
15	III, 13, 6
16 (LXX)	III, 13, 5
8, 4	III, 12, 1; 13, 1 + 3.6.8.10; 14, 7
8 (ou 10)	III, 12, 2
14	III, 7, 2-3
9, 5	III, 19, 2 +
10, 14	II, 25, 2
11, 1	III, 17, 3
2	III, 17, 3 +
19, 1-4	III, 13, 10 +
28, 16	III, 7, 2-3
29, 13	III, 6, 6
14	III, 6, 5 +; 16, 1
38, 1-5	II, 17, 2
40, 13-14	II, 2, 4 +
14	II, 2, 4
25	I, 4, 2 +
28	II, 22, 2 +
41, 18-19	III, 5, 3 +
42, 2.3	III, 17, 4
4 (LXX)	III, 21, 2 +
6-7	III, 20, 4 +
19	III, 6, 6 +
43, 18-19	I, 20, 4 +
20	III, 5, 3 +

45, 7	I, 2, 2 +; 16, 4;
	II, 14, 1 +;
	II, 24, 4 +;
	III, 24, 1
9	II, 2, 7
21	II, 26, 1; III, 3, 2
22-23	I, 11, 9
23	II, 26, 1; 27, 4
46, 12-13	III, 22, 1 +
49, 18	III, 24, 11 +
50, 6	III, 5, 2 +
10	III, 17, 5 +
11	III, 23, 5 +
52, 5	III, 23, 3 +
7	III, 22, 1 +
10	III, 22, 3
11	III, 22, 2 +
14	III, 17, 1 +
53, 2-3	III, 7, 2 +;
	17, 1 +
3	III, 17, 4 +
4	III, 17, 5 +
7	III, 7, 1; 17, 4 +
8	III, 7, 6 +
9	III, 23, 5 +
12	III, 19, 9 +
54, 15 (LXX)	III, 21, 2 +
55, 3	III, 20, 5 +.8 +
	.10 +
4-5	III, 20, 5 +.10
57, 1	III, 22, 5 +
2	III, 19, 8 +
58, 6-7	II, 19, 2 +
60, 8	III, 24, 11 +
66, 1	II, 25, 2

Jérémie

| 4, 3-4 | I, 20, 4 + |
| 11, 19 | III, 19, 3 + |

17, 9	III, 7, 6 +
18, 11	II, 24, 4 +
31, 31-32	I, 20, 4 +
38 (Vulg. 31) 29-30	
	II 15, 2

Lamentations

| 4, 20 | III, 6, 7 + |

Ézéchiel

9, 4	III, 22, 5 +
16, 3	III, 13, 9 +
18, 2-4.20	II, 15, 2
23	II, 8, 1
28, 11-16	II, 18, 3 +
15	II, 10, 4
16	II, 10, 5
33, 11	II, 13, 5; 17, 2;
	18, 1
48, 30-35	III, 24, 4

Daniel

2, 34-35	III, 7, 3
4, 33	II, 17, 2
7, 13-14	III, 7, 4 +
13	III, 24, 11

Osée

| 2, 11 | I, 20, 5 + |
| 6, 6 | II, 13, 5; 17, 2 |

Joël

| 3, 18 (LXX 4, 18) | |
| | III, 5, 3 |

Amos

| 4, 13 (LXX) | III, 6, 6 |
| 9, 6 | III, 24, 10 + |

Jonas

3, 8	II, 24, 3
10	II, 17, 2;
	24, 2 +; 28, 2
4, 2	II, 24, 2

Zacharie

3, 1-5	III, 7, 6
12, 10	III, 7, 6
12	III, 7, 6
14, 14	III, 13, 7 +

Malachie

1, 10-11	III, 22, 7 +
3, 23 (LXX 3, 22)	
	III, 16, 1

Matthieu

1, 23	III, 12, 2
2, 9	III, 13, 8
11	III, 16, 6
12	III, 13, 10
4, 1-11	III, 7, 6
5, 17	I, 23, 4
20	I, 23, 5
30	I, 27, 2
43	I, 23, 4
44	I, 23, 3
45	II, 17, 1
48	I, 24, 1; II, 16, 6
7, 7	I, 3, 2
13	II, 13, 3
17-18	II, 24, 3
8, 12	I, 27, 2
17	III, 17, 5
9, 16	III, 15, 5
17	III, 15, 5
20-21	III, 8, 4

10, 4	II, 28, 2
24	I, 14, 4
34	III, 14, 5
11, 13	III, 23, 3
27	II, 27, 4
12, 37	II, 25, 3 +
47	III, 11, 3
13, 12	II, 2, 6
14, 36	III, 8, 4
15, 14	III, 7, 1; 23, 3
16, 14	III, 16, 1
18, 8	I, 27, 2
16	III, 9, 4
19, 29	III, 14, 3
24, 24	III, 3, 1
25-26	III, 3, 1
26, 14-16	III, 23, 5
26	III, 19, 4
27, 23	III, 23, 3
25	II, 15, 3 +
27	III, 7, 7
29	III, 23, 3
35	III, 19, 6
28, 12-13	III, 23, 5

Marc

1, 12-13	III, 7, 6
2, 21	III, 15, 5
22	III, 15, 5
3, 19	II, 28, 2
33	III, 11, 3
5, 25-29	III, 8, 4
6, 56	III, 8, 4
8, 23	III, 8, 4
28	III, 16, 1
9, 43	I, 27, 2
10, 29-30	III, 14, 3
13, 22	III, 3, 1
14, 10-11	III, 23, 5

22	III, 19, 4
15, 14	III, 23, 3
17	III, 23, 3
19-20	III, 7, 7
24	III, 19, 6

Luc

4, 1-13	III, 7, 6
5, 24	III, 11, 4
36	III, 15, 5
37	III, 15, 5
6, 16	II, 28, 2
27	I, 23, 3
39	III, 7, 1
43	I, 2, 1; II, 4, 2; 24, 3
8, 18	II, 2, 6
20	III, 11, 3
43-44	III, 8, 4
9, 19	III, 16, 1
10, 18	II, 10, 3
22	II, 27, 4 +
11, 27	III, 11, 3 +
12, 31	III, 24, 8 +
13, 28	I, 27, 2
14, 26	III, 14, 3
16, 16	III, 23, 3
22	III, 24, 1
20, 36	III, 9, 4 + .7 +
22, 3-6	III, 23, 5
19	III, 19, 4
23, 23	III, 23, 3
33	III, 19, 6

Jean

2, 19-21	III, 24, 10
19	III, 21, 3
3, 14-15	II, 22, 1; III, 18, 7

4, 24	II, 9, 3
6, 63	II, 9, 6 +
9, 6	III, 8, 4
10, 7-9	III, 24, 10
25-38	II, 5, 3
13, 27	III, 7, 6
14, 6	III, 11, 9
19, 2	III, 23, 3
17	III, 18, 2
18	III, 19, 6 +
37	III, 7, 6

Actes des apôtres

13, 34	III, 20, 5.8.10
17, 23	I, 9, 2

Romains

5, 14	III, 19, 1
9, 33	III, 7, 2-3
10, 15	III, 22, 1 +
11, 33	II, 2, 4 +
12, 19	II, 18, 1 +

I Corinthiens

1, 21	II, 2, 5
25	II, 2, 5 +
2, 11	II, 2, 4
14	II, 2, 6
3, 16	III, 20, 9
5, 6	I, 2, 3
6, 3	II, 9, 7
7	I, 21, 3
7, 29	I, 29, 4
8, 4	I, 3, 1
5	III, 15, 2
9, 9-10	III, 5, 4
9	II, 17, 4
20	I, 20, 3
22	I, 20, 3

10, 4   III, 5, 4; 16, 4
14-33   I, 21, 3
11, 2-16   I, 21, 3
15, 3-4   III, 8, 5 +
11   I, 20, 4 +
12-58   I, 21, 3
12   III, 8, 7
14   III, 8, 5.7
15   III, 8, 7
17-18   III, 8, 7
45   II, 9, 6
52-53   III, 24, 6
56   I, 22, 3

II Corinthiens

6, 14   III, 8, 3
12, 2   I, 14, 2; 15, 1
9   I, 14, 1; 29, 6
13, 1   III, 9, 4

Galates

1, 6-7   I, 20, 4
2, 2   I, 20, 2
4   I, 20, 4
9   I, 20, 2.4
11-14   I, 20, 3
14   I, 20, 2
3, 13   III, 18, 1
27   III, 12, 4 +
4, 10   I, 20, 4
22-25   III, 5, 4
26   III, 24, 3
5, 2-12   I, 20, 4
6, 9   I, 29, 5

Éphésiens

1, 20-21   III, 21, 3
2, 20-21   III, 7, 3
5, 31-32   III, 5, 4

6, 12   III, 14, 3
14-17   III, 14, 4

Philippiens

2, 7-8   II, 16, 3; 27, 2
3, 20   III, 24, 3

Colossiens

1, 16   I, 16, 2

I Thessaloniciens

4, 17   III, 24, 11 +

I Timothée

1, 4   I, 9, 7

Hébreux

1, 7   II, 8, 2
14   II, 9, 7
4, 12   III, 14, 3.7
10, 30   II, 18, 1

I Pierre

2, 4   III, 7, 3
6-7   III, 7, 2-3
6-8   III, 7, 3

II Pierre

3, 9   II, 8, 1

I Jean

2, 18.22   III, 8, 1
4, 2   III, 8, 1

Apocalypse

1, 16   III, 14, 3
2, 6   I, 29, 2
12   III, 14, 3

15	I, 29, 2
14, 8	III, 13, 10
17, 5	III, 13, 10
18, 10	III, 13, 10
19, 21	III, 14, 3
21, 2	III, 24, 3-4
22, 14	II, 10, 6
15	II, 5, 1

Écrits non canoniques

Épître de Barnabé

7, 4-11	III, 7, 7
10, 5	II, 20, 1

II. INDEX DES AUTEURS PROFANES

ÉPICURE, *Kyriai Doxai* 1 (Diogène Laërce 10, 139)   I, 25, 3

HÉRACLITE, Fragment 60 (Diels)   II, 28, 1

JUVÉNAL, *Satires* 6, 177   I, 5, 1

PLATON, *Timée* 40 a   I, 13, 3

VIRGILE, *Énéide* 3, 390 s.; 8, 43 s.   I, 5, 1

III. INDEX DES NOMS PROPRES

1. Noms de personnes

Abel   II, 22, 3; 25, 3

Abraham   I, 10, 3; III, 5, 4; 9, 1; 24, 1.2.7

Adam   I, 10, 1; II, 2, 7; 8, 3; 10, 3; 25, 1(sc). 2 (sc).4 (sc). 5; III, 19, 1

Alexander *(nomen serui)* I, 7, 2

Amalech   III, 18, 6

Amos   III, 24, 10

Anaximander   I, 13, 3

Anaximenes   I, 13, 3

Antinous   I, 18, 4

Antoninus   I, 19, 2.3
unde Antoninianus (adj.) I, 19, 2.3

Apelles *(haereticus)*   III, 11, 2

Auses   III, 16, 3.6

Caïn   II, 25, 3.5

Cerdon *(haereticus)*   I, 2, 3; 22, 10; III, 21, 1

Danihel   III, 7, 3; 24, 11

Darius *(nomen serui)*   I, 7, 2

David   II, 17, 2; III, 13, 8; 14, 1.5; 17, 2; 19, 1.5; 20, 3.5(sc).6.7.8.9.10

Diogenes (cynicus)   I, 1, 5

Emmanuhel   III, 12 *passim;* 15, 1

Epicurus   I, 25, 3.5; II, 16, 2

Esaias   I, 4, 2; 20, 4.5; III, 6, 7; 7, 6; 12, 1; 14, 7; 17, 1.3.4.5; 19, 2.8; 20, 4; 21, 2.3; 22, 2; 23, 1.4

Esau   III, 24, 9

Eua   II, 25, 5

Ezechias   II, 17, 2

Ezechiel   II, 10, 2; III, 22, 5; 24, 4

Helias   II, 16, 1

Heraclitus   I, 13, 3; II, 28, 1

Herodes   III, 13, 10

Hieremias   I, 20, 4; III, 7, 6; 19, 3

Hieroboam   III, 13, 9

Hostilius *(rex)*   I, 18, 4 (cf. p. 304-305)

Iacob   III, 18, 5; 21, 3 (sc); 24, 7.8.9

Iesse   III, 17, 3.4

Iohannes (Baptista)   III, 23, 3 (sc)

Iohannes *(apostolus)*   III, 8, 1; 13, 10; 14, 3.4; 24, 4

Iohel   III, 6, 6

Ionas   II, 24, 2

Ioseph   III, 17, 3
Isaac   III, 18, 2; 24, 7
Iudas *(filius Iacob)*   III, 13, 7(sc)
Iudas (Iscariotes)   II, 28, 2; III, 7, 6; 23, 5.6
Iesus (= Josué)   III, 16, 3.5.6; 18, 6. Voir aussi Index IV

Leui   III, 18, 5 (sc)
Loth   III, 9, 1
Lycurgus   II, 17, 3

Malachia   III, 22, 6 (cf. p. 261)
Marcion   I, 1, 1.4.5; 6, 1; 7 *passim;* 9, 2.9; 11, 3.5.8; 15, 4.5.6; 18, 4; 19 *passim;* 20, 1; 21, 5.6; 22, 6.10.12; 23, 2.8; 24, 3; 25, 3.5; 28, 3; 29, 5.8.9; II, 1, 1; 3, 2.5; 4, 2; 6, 2; 7, 3; 17, 1.2; 24, 3; 26, 1.2; 28, 1.3; 29 *passim;* III, 1, 1.2; 8.1; 11, 1; 2.8; 17, 5; 21, 1 – *unde* Marcionites   I, 8, 1; 11, 9; 13, 1; 14, 4; 18, 1; 19, 1; 24, 7; 25, 2; 27, 3; 29, 8; II, 11, 1; 17, 1; 18, 2; 20, 3; 23, 2; III, 8, 1; 12, 3
Maria   II, 4, 5; III, 17, 4; 20, 6.7.8
Metellus *(consul)*   I, 18, 4 (cf. p. 305)
Moyses   I, 10, 1.2; II, 17, 3; 22, 1; 26, 3.4; III, 16, 3.4.5; 18, 6.7; 21, 3.4

Nathan   III, 20, 8
Naue   III, 16, 3

Nicolaitae *(haeretici)*   I, 29, 2
Noe   II, 22, 3

Olofernes   *(nomen serui)*   I, 7, 2
Osee   I, 20, 5

Paulus   I, 20, 2; 21, 2; III, 14, 4
Petrus   I, 20, 2
Pharao   I, 20, 8; II, 14, 4
Philumene   *(haeretica)*   III, 11, 2
Plato   I, 13, 3

Romulus   I, 18, 4 (cf. p. 304); II, 2, 1

Salomon   II, 23, 1; III, 20, 8.9.10
Samuel (-muhel)   II, 23, 1; 24, 7
Saul   II, 17, 2; 23, 1; 24, 1 (sc).2.7
Seuerus   I, 15, 1
Simeon   III, 18, 5 (sc)
Solon   II, 17, 3
Strato   I, 13, 3

Tatius   *(rex)*   I, 18, 4 (cf. p. 304)
Thales   I, 13, 3
Tiberius (Caesar)   I, 15, 1.6; 19, 2.3; 22, 10; 23, 1; II, 2, 1; III, 23, 3 – *unde* Tiberianus   I, 19, 3

Valentinus *(haereticus)*   I, 5, 1
Vespasianus   III, 23, 3

Vrias   II, 17, 2

Zacharias   III, 7, 6; 13, 7
Zeno   I, 13, 3

2. Noms ethniques et géographiques

Aegyptius   I, 10, 3; 13, 3;
II, 14, 4; 18, 2; 20, 1.2.3.4
Aegyptus   I, 10, 1; 20, 4(sc);
II, 14, 4; III, 13, 10
Amorraeus   III, 13, 9(sc)
Arabes   III, 13, 8(sc)
Arabia   III, 13, 8(sc)
Assyrius   III, 12, 1; 13, 1(sc).
6.10
Atticus   I, 9, 2

Babylon   II, 17, 2; III, 13, 10

Caucasus   I, 1, 3 (cf.
p. 285).4
Cetheus   III, 13, 9(sc)
Colchi   I, 1, 3

Damascus   III, 12, 1; 13,
1(sc).2.3.6.7.8

Ephesii   III, 5, 4
Euxinus   I, 1, 5

Galatae   I, 20, 4; III, 5, 4
Gomorra   II, 25, 6; III, 13, 9
Graecus   I, 13, 3.4; II, 9, 1.2;
24, 5.8; III, 15, 4; 22, 6

Hamaxobius   I, 1, 4 (cf. p.102,
n. 2)
Hebraei   II, 20 *passim;* III,
12, 3
Hebraicus   III, 12, 2
Hierusalem   III, 13, 7(sc); 21,
3(sc); 22, 1(sc).5(sc).6; 23, 2;
24, 3
Hister *(flumen)*   I, 1, 4

Idumaeus   III, 20, 9(sc)
Iericho   II, 21, 1
Indi   I, 13, 3
Israhel   II, 17, 2; 24, 2.7(sc);
III, 6, 7(sc) *et passim;* 20, 10;
23, 2.3(sc)
Iudaea   III, 23, 2.7; 24, 2.4
Iudaei   I, 10, 3; 24, 1; 25, 3;
III, 5, 3; 6, 2.6.9; 13, 5.9;
15, 7; 16, 1.3; 17, 4; 18, 3;
19, 1.3.5.; 20, 3; 21, 3; 22, 2;
23, 1.2.6; 24, 1.2.9
Iudaeus   I, 20, 3; III, 6, 10;
7, 1; 8, 1
Iudaicus   I, 20, 4; II, 27, 2;
III, 6, 1.2.8; 21, 1

Massageta   I, 1, 4
Moabitae   II, 23, 1

Niniuitae   II, 17, 2; 24, 2.3.6

Persae   I, 13, 3
Pontus   I, 1, 3.4; 7, 7; 19, 2
– *unde* Ponticus   (adj.) I, 1,
5; III, 6, 3; – (subst. = Marcion) I, 2, 1; 19, 5; II, 1, 1
III, 11, 1; – Pontici   I, 10,
3; III, 13, 3

Rhodius   III, 6, 3
Romanus   I, 9, 2; III, 13, 10
Rubrum (mare)   I, 13, 5

Saba   III, 13, 8(sc)
Samaria   III, 12, 1; 13, 1(sc)
   et passim; 14, 7
Samaritae   III, 13, 10
Scytha   I, 1, 4
Sidonii   II, 23, 1
Sion   III, 21, 3(sc); 22, 1(sc);
   23, 3.6
Sodoma   II, 25, 6; 13, 9
Sor (= Tyrus)   II, 10, 3 (cf.
   p. 75, n. 2)
Symplegadae   I, 2, 1
Syria   III, 13, 8
Syrophoenice   III, 13, 8
Syrus   I, 10, 3

Tauri   I, 1, 3

Camenae   I, 13, 4
Cloacina   I, 18, 4 (cf. p. 304)
Consus   I, 18, 4 (cf. p. 304)

Iuno   I, 13, 4
Iupiter   I, 13, 4

Magna Mater   I, 13, 4
Mars *(sidus)*   I, 18, 1
Mithra   I, 13, 5

Osiris   I, 13, 5

Pauor   I, 18, 4 (cf. p. 305)
Prometheus   I, 1, 4

Saturnus *(deus)*   I, 8, 2
Saturnus *(sidus)*   I, 18, 1

Triptolemus   I, 11, 5

Vesta   I, 13, 4

3. Mythologie et religions païennes

Aeneius (< Aeneas)   I, 5, 1
Alburnus   I, 18, 4 (cf. p. 305)
Amazona   I, 1, 4

4. Gnosticisme

Aeones   I, 5, 1

Bythos   I, 5, 1

Sige   I, 5, 1

IV. INDEX TERMINOLOGIQUE ET GRAMMATICAL

aborsiuus   III, 8, 1 (cf. p. 231)

abluere (= baptizare)   I, 14, 3

abscondere *(intrans.)*   I, 1, 3 (cf. *TLL* I, c. 157, l. 64 s.)

absit   I, 27, 5

absolutus (= certus, clarus)   I, 9, 7; II, 5, 2; 21, 2 (cf. *TLL* I, c. 178, l. 53)

abundans : ex abundanti   III, 1, 1; 7, 1

accessio   I, 22, 10

acerra   I, 27, 5

acror (= acor)   I, 2, 3 (cf. p. 252 s.)

adaequaere   I, 3, 4; 5, 2; 25, 1; II, 9, 3; III, 17, 4

adamare   I, 14, 2 (cf. p. 164, n. 2)

adfinis   I, 12, 3; II, 9, 8; 11, 3

adflatus   I, 24, 5; II, 6, 3; 8, 2; 9 *passim*

admetiri   II, 10, 5 (U)

administrare *(intrans.* = «servir»)   II, 9, 7 (sc); – *(trans.* = «gouverner»)   I, 25, 7; II, 9, 9; 21, 2; 22, 4; III, 10, 2

adscribere   I, 3, 6; 6, 3.4; 7, 3.4.5; 24, 4; II, 4, 6; 5, 7; 6, 5; 10, 3; 11, 3; 24, 2; III, 13, 6

aduentus   III, 4, 5; 7 *passim*

aduersari   + *accus.* I, 14, 4; + *dat.* III, 7, 6; 13, 10

aduersatio   II, 13, 1 (cf. p. 191)

adulans   -tius I, 27, 4   (hap.)

adusque (= usque ad)   II, 19, 1

aemulari *(trans.)*   II, 29, 4 (cf. *TLL* I, c. 975, l. 45 s.)

aemulatio   I, 25, 6.7; II, 16, 1.7; 29, 3.4 (cf. p. 211)

aenigma   III, 5, 3 (cf. p. 271)

agitare   III, 1, 1 (cf. p. 56)

aliquanti (= aliquot)   III, 10, 3 (cf. p. 108, n. 6)

aliud est si   I, 27, 5; III, 4, 5; 13, 3; 15, 6

allegoria   III, 5, 3 (cf. p. 271)

allegorice   III, 5, 4

allegoricus   III, 14, 5.7; 17, 2; 24, 2

an (= nonne)   II, 25, 6; 27, 3; III, 12, 2; 14, 2; 18, 7; 20, 8; 23, 1; 24, 13; – (=num) III, 8, 3

anabibazon   I, 18, 1 (U; cf. p. 303)

angelicus   II, 10, 4; III, 9, 4; 24, 6

angelus   I, 7, 2; II, 8, 2; 9, 7; 10, 1(sc).2; 18, 2; 27, 3(sc); III, 7, 2(sc).5(sc); 9, *passim;* 11, 1; 16, 5(sc).6; 24, 9(sc)

animatio   II, 3, 3

ante est (+ *subj.*)   III, 13, 2;
    cf. Hoppe, p. 140
antecessor   I, 10, 4; 20, 2
antehac   I, 8, 1
antemna   III, 18, 4 (cf.
    p. 160, n. 4)
antichristus   I, 22, 1; III, 8,
    1.2
Antithesis   I, 19, 4; II, 28, 1;
    29, 1.3.4
Apocalypsis   III, 14, 3
apocarteresis   I, 14, 5 (T)
apostata   I, 1, 1
apostolatus   I, 20, 2 (Tp)
apostolicus   I, 21, 4.5; III, 1, 2
apostolus (= Paul)   I, 9, 7;
    14, 1; 15, 1 (+ uester = Mar-
    cionitarum); 16, 2; 20, 5.6;
    21, 3; II, 2, 4; 5, 1; III, 5, 4;
    8, 3.5.7; 14, 7; 15, 2; 24,
    3.11
apostolus Iohannes   III, 8, 1;
    14, 3; 24, 4
apostoli   I, 20, 2.6 (+ falsi);
    21, 4; III, 1, 1; 8, 7; 22 *passim*
apparentia   I, 19, 5
apparitor   II, 8, 2(sc); III, 9,
    7(sc)
aquigenus   II, 12, 2 (Tp, U)
aquilex (*acc.* -licem)   III, 5, 3
    (cf. p. 74, n. 4)
arbitratrix   II, 12, 3 (Tp, U)
arbitrium (liberum)   II, 6, 3.6;
    7, 3.5; 9, 8; 10, 5; 25, 3
arbustus   *comp.* arbustior
    II, 29, 4 (cf. p. 211 s., hap.)
arca   II, 21, 1.2; 22, 2
archangelus   II, 10, 3
architectus   III, 23, 2(sc)

archon   III, 13, 9 (-ontas);
    22, 2; (-ontibus; cf. p. 259)
argumentari   I, 2, 3; 4, 1;
    12, 1; 13, 5; 19, 4; III, 18, 1;
    24, 13
argumentatio   I, 4, 1; 16, 2; II,
    5, 1; III, 6, 2; 7, 1; 15, 1
armiger   III, 14, 7 (U; cf.
    p. 135, n. 4)
articulus   I, 2, 3; 17, 3; II, 5, 3;
    24, 5
artifex   I, 13, 2.5; 14, 1; II,
    4, 2; 9, 7; III, 9, 2
aspernamentum   III, 23, 1(sc);
    cf. p. 194, n. 3
astutus   II, 18, 1 (U; cf. p. 196)
auctoritas   I, 11, 5; 12, 2;
    26, 5; 27, 4; II, 7, 2; 27, 5;
    III, 2, 1; 3, 3; 4, 1
auctrix   II, 12, 3
auersio   III, 3, 1 (cf. p. 218)

baiulare   III, 18, 2
baptisma   I, 28, 2; 29, 1;
    III, 7, 6
barbaria (-ries)   I, 1, 3 (cf.
    p. 284).5
barbaricus   III, 13, 3 (cf.
    p. 237)
barbarus   I, 1, 4; 10, 3
Basiliae   III, 20, 5 (cf. p. 178,
    n. 1)
bellator   III, 13, 1.5; 14, 1.5.7
bellipotens   I, 6, 1; III, 14, 7
    (cf. p. 135, n. 3); 21, 3
benedicere   I, 29, 2; II, 4, 3;
    11, 1; 18, 2; III, 5, 3(sc); 7,
    5(sc); 18, 3; 22, 6(sc); 24, 7
benedictio   II, 4, 6; 11, 1;

15, 2; 19, 3(sc); III, 22, 6; 24, 8.9

benefacere   I, 23, 7; II, 4, 3; 19, 2

benefactum   II, 23, 2

beneficium   I, 17, 1; II, 19, 2; 24, 1; III, 23, 2

benignitas   I, 2, 3; 9, 4; 22, 10; II, 19, 1; 27, 8

blasphemare   II, 2, 7; III, 23, 3(sc)

blasphemia   I, 1, 4; II, 4, 2; 20, 1; III, 21, 3; 22, 2

blasphemus   I, 28, 1

bonitas   I, 17, 1; 22 *passim;* 23 *passim;* 24 *passim;* 25 *passim;* 26 *passim;* 27, 1; 29, 7; II, 3 *passim;* 4 *passim;* 5, 3; 6 *passim;* 7, 1.2; 10, 5; 11, 2.3.4; 12, 1.3; 13, 1.2; 16, 6; 17, 1; 19, 2.4; 20, 1; 29, 1.3.4

bonus (+ *infin.*)   II, 4, 3 (cf. Hoppe, p. 99)

bonus atque optimus   I, 6, 1; II, 2, 7

caecutire   II, 2, 3 (U)

caelum (tertium)   I, 14, 2; 15, 1

calceare (-ciare)   + *double acc.* I, 8, 1 (cf. p. 259); III, 14, 4(sc)

candidatus (+ *dat.*)   II, 25, 5 (cf. p. 206 s.)

canere (= praedicere)   III, 7, 8; 19, 5; 22, 6

canicula   I, 1, 5 (cf. p. 251)

canicularis   I, 19, 2

cantrix   III, 5, 3 (U, cf. p. 75, n. 6)

capit (= ἐνδέχεται)   II, 9, 3 (cf. p. 65, n. 3); III, 6, 9 (cf. p. 84, n. 3)

capitulum   I, 2, 1; III, 11, 3; 12, 2

captare   I, 12, 2.3; 14, 4; III, 16, 1

carere (*transit.*)   II, 14, 4 (cf. *LHS* § 60 d)

carnalis   III, 20, 6

carnaliter   III, 18, 3

carneus   III, 11, 1.9

carnificina   III, 18, 5

caro   in carne uenisse III, 8, 1   caro Christus III, 8, 4

castratio   I, 29, 6

castrator   I, 1, 5 (Tp)

catachresis   III, 15, 4 (U)

catholicus   II, 17, 1; III, 21, 3; 22, 6

cauere (+ *prop infin.*)   III, 6, 3 (cf. p. 76, n. 4)

causatus (*pass.*)   II, 25, 1 (cf. p. 149, n. 4)

cautio   II, 5, 4

cedere (= concedere)   II, 24, 3 (cf. p. 143, n. 4)

celare   III, 16, 5 (cf. p. 292)

cellula   I, 14, 2 (U)

censeri   I, 3, 2; 8, 2; 9,9; 22, 5; 25, 2; II, 3, 3.5; 16, 6; III, 17, 4 (cf. p. 248)

census (= origo)   I, 21, 4.5; II, 5, 1; 10, 5 (cf. p. 77, n. 4); III, 18, 5; 20, 6

cessatrix   I, 24, 2 (hap.)

charisma   III, 23, 4

Cherubin   II, 10, 3(sc); 22, 2

christianizare   I, 21, 4 (hap.; cf. p. 198, n. 3)

Christianus   I, 1, 5; 3, 1; 25, 3; II, 16, 3; III, 8, 5; 12, 3; – Christiani Creatoris: I, 24, 2; III, 21, 1; – Christiani Marcionis: III, 21, 1

Christus   – Creatoris I, 20, 6; III, 1, 2 etc.; – Iudaicus (Iudaeorum) III, 21, 1; 23, 1; – Deus Christus: III, 20, 2; – Christus Esaiae: III, 12, 1; 17, 4; – Christus Marcionis: I, 22, 1; III, 4, 2 etc.; – Christus alterius dei: III, 16, 6.7; 23, 5; 24, 6

cicercula   I, 11, 5 (U)

cidaris   III, 7, 6(sc) (U; cf. p. 229)

circa (= de)   I, 2, 2; 11, 8; 21, 4; II, 6, 7; 22, 4; 23, 1; 24, 2; III, 4, 4; 7, 8; 24, 8

circumcidere   III, 16, 4

circumcisio   I, 20, 4.5

circumferre   I, 1, 5; 14, 2; II, 21, 1.2; III, 11, 2; 22, 1

circumlator   I, 19, 1; 21, 6 (Tp)

circumscriptor   I, 27, 1; II, 7, 3 (cf. p. 58, n. 1)

circumuenire (= decipere)   II, 5, 1

citra   II, 27, 3(sc); III, 7, 2(sc).5(sc); 17, 1(sc)

cliens   II, 22, 3.4 (U)

cludere   I, 7, 7; 15, 4; III, 3, 3 (cf. p. 219)

coinquinare   I, 28, 3

comesor   I, 1, 5 (U)

commendabilis   II, 13, 2

comminatiuus   II, 25, 6 (Tp, U)

comminator   II, 9, 9 (Tp)

comminuere   II, 19, 4(sc); III, 7, 3(sc); 17, 4

comminus   II, 29, 1; III, 5, 1

commissio   II, 18, 1 (U)

communicatio   III, 8, 3; 15, 2

comparare (= efficere)   II, 9, 3 (cf. p. 66, n. 1)

comparatio   I, 4, 2.3.5.6; 7, 6; III, 12, 1 (cf. p. 118, n. 3); 13, 9; 14, 1

comparere   I, 16, 1.4

compendium   I, 1, 7; II, 27, 1; 29, 1; III, 1, 2

computare   I, 15, 3

concessare   I, 21, 1

conchula   I, 13, 5 (U)

concupiscentia   I, 25, 4; III, 14, 3; 18, 5(sc)

concussibilis   I, 25, 4 (hap.)

condecet   II, 16, 7

condemnator   II, 9, 9 (U)

condere   I, 2, 2 (sc); 11 passim; 16, 4; 17, 3; II, 10, 3(sc).4; 14, 1(sc).2; 24, 4(sc); 25, 3; III, 6, 6(sc); 24, 1(sc)

condicere (+ dat.)   II, 2, 4 (cf. Hoppe, p. 233)

condicio (humana)   I, 3, 2; II, 27, 2; III, 6, 3; 7, 6

condicionalis   II, 22, 4; III, 23, 4

condignus (Deo)   III, 7, 8

conditio (= κτίσις)   I, 13, 1; 15, 1; 16, 4; 18, 2; 19, 1; 29, 2; II, 10, 4 conditor   I, 10, 1; 16, 4; 20, 5; II, 2, 1; 6, 4; 10, 4; 14, 1.2

conditrix   I, 7, 3

confessio (nominis)   I, 24, 4

conflictatrix   II, 14, 4 (hap.)

confligere   -ictus II, 19, 2 (U; cf. p. 198)

congredi   -essus *(pass.)* II, 27, 6

congressio   I, 1, 7; 3, 1; II, 27, 2; III, 1, 2

congruere (+ secundum)   II, 27, 8 (cf. p. 166, n. 4)

conscientia   I, 3, 2; 10, 3; II, 17, 1; 25, 1; 26, 1; III, 14, 7

consecratio   I, 8, 2; II, 26, 3

consentaneus   I, 20, 6

consequens (est ut...)   I, 16, 1; II, 7, 2; 21, 1; 22, 4; – + *prop. inf.* III, 24, 2

conserere gradum   III, 2, 1 (cf. p. 58, n. 1)

conseruatrix   II, 13, 2 (hap.)

consignare (= confirmare)   II, 4, 2; 19, 4; III, 15, 3 (cf. Hoppe, p. 244)

consiliarius   I, 25, 5; II, 2, 4(sc)

consimilis   III, 7, 7; 13, 9

consonantia   III, 20, 1

consputare   III, 7, 7 (cf. p. 230)

constitutor   II, 11, 3 (U)

constrictare   II, 16, 1 (hap.; cf. p. 100, n. 3)

consultum   II, 17, 4

consultus -tior   II, 2, 5

contemporalis   I, 15, 4 (Tp)

continet   Scriptura c.   III, 13, 5 (cf. p. 239)

contrarietas   II, 21, 1; 29, 4

contristatio   II, 11, 1 (Tp)

conuellere   III, 7, 7 (cf. p. 279)

conuenit *(impers.)*   I, 3, 3; III, 10, 3

conuersari   II, 27, 3.7.8 (cf. p. 165, n. 7); III, 9, 6; 10, 2; 11, 1

conuersatio   I, 20, 3; 21, 3; II, 19, 1 (cf. p. 165, n. 7)

conuersio (= «conversion») III, 5, 3

conuictus   I, 20, 3; III, 8, 4

conuorare   I, 1, 3 (hap.)

corcodrillus   II, 14, 4

corporaliter   III, 8, 4

corporeus   III, 15, 6

corpulentia   III, 11, 1

corpusculum   III, 17, 1 (cf. p. 150, n. 3)

corruptibilitas   II, 16, 4 (U)

corruptorius   II, 16, 4 (Tp, U)

Creator   + noster I, 9, 4; – + meus II, 17, 4; III, 10, 4; 19, 6; – homines Creatoris III, 22, 4; – spiritus Creatoris III, 22, 7

creatura   II, 24, 5

credere   + *accus.* II, 17, 3; 26, 2; 27, 7; III, 3, 4; 4, 5; 24, 7; – + *dat.* II, 26, 2; III, 3, 2; 13, 4; 23, 8; – + in *et accus.* I, 12, 3; III, 13, 8; 18, 7; – + ut *et le subj.* III, 18, 1; – + *prop. infin.* III, 24, 12; – *emploi absolu :* II, 24, 9

credibilis   III, 6, 3

crementum   I, 29, 2

crepitacillum   III, 13, 2 (U; cf. p. 122, n. 3)

cruciare   I, 22, 8

crucifigere   -ixus I, 14, 2; II, 27, 7; III, 19, 5.6

crux   I, 25, 3 *(conject.)*; II, 27, 2; III, 11, 7; 18 *passim;* 19 *passim;* 22, 5; 23, 3.5

cucumerarium   III, 23, 3(sc)

cuiusmodi   (= cuiuscuiusmodi) III, 17, 3 (cf. p. 247)

curiositas   I, 2, 2; II, 21, 2 (cf. p. 131, n. 5)

custodire   -dibo *(futur)* II, 19, 4(sc) (cf. p. 199)

debellatrix   III, 13, 10 (Tp)

decemplex   II, 14, 4 (U)

deceptus, -us   III, 6, 3 (Tp)

decere (Deo)   II, 6, 7

decipere   I, 2, 3 (cf. p. 253)

dedolare   II, 19, 1 (U)

deducere (= deducendo facere) II, 20, 1 (cf. p. 201)

defectio   I, 4, 6; 12, 3; 24, 3; II, 8, 3

defensa, ae   II, 18, 1(sc) (U)

defensorius   II, 14, 3 (Tp; cf. p. 94, n. 1)

defingere   II, 2, 7(sc)

definire   I, 3, 2.5; II, 1, 1; 12, 3; 13, 5; 14, 2; III, 9, 4.5

definitio   I, 21, 5; 29, 9; II, 5, 3; 6, 7; 7, 1; 8, 3; 16, 3; 18, 1; 24, 8

defrutum   III, 5, 3 (cf. p. 74, n. 1)

deiecte   *comp.* deiectius II, 27, 8 (hap.)

deiectus   II, 6, 4 (Tp, U)

deierare   II, 26, 1

delator (= diabolus)   II, 10, 1

deliberare (= liberare)   II, 19, 4(sc)

delineare   III, 7, 6

delitiscere (= delitescere)   II, 25, 1

demandare   II, 8, 1; III, 5, 1 (cf. p. 71, n. 6); 8, 5

demereri   I, 5, 5; II, 1, 2

demetere   I, 13, 4 (U; cf. p. 296)

demolitio   II, 1, 1 (U)

demonstratio   I, 17, 4; II, 9, 8; 29, 2; III, 13, 2

deplangere   II, 24, 3 (U)

desaeuire *(transit.)*   I, 24, 4; III, 18, 5

desaltare   III, 11, 6 (U; cf. p. 114, n. 6)

despector   II, 23, 1 (U, Tp)

despoliare (+ *double accus.*) III, 7, 6; 13, 10 (cf. *LHS* § 48 dα)

despuere   I, 29, 3

destillare   III, 5, 3 (cf. p. 73, n. 5)

destinare   I, 1, 6; II, 24, 6; III, 3, 3; 6, 6; 13, 2; 16, 1.3; 18, 3; 21, 1; 24, 7

destructor   III, 6, 10 (Tp)

destricte   I, 3, 1 (U)

deuocare   I, 9, 9

deuotio   II, 17, 2

Deus (deus)   deus deorum I, 7, 1(sc); 10, 2; – deus legis

I, 19, 5; – deus Moysei I, 10, 2; – Deus Creator III, 20, 2; 22, 1; – Deus uerus II, 1, 2.3; – Deus ueritatis II, 5, 1; – Deus uiuus II, 14, 4; – Deus aeternus II, 22, 2(sc); – Deus iudex II, 17, 1; – deus philosophorum II, 27, 6; – deus Marcionis I, 7, 2 *et passim;* – deus tuus (uester) II, 17, 4 *et passim;* – deus haereticus I, 21, 5; *vocatif* dee I, 29, 8 (cf. p. 282); – deus optimus I, 17, 4; II, 19, 4; 20, 3; 24, 3; 27, 8; III, 4, 4; 21, 1; – optimus (seul) II, 17, 3; III, 8, 2; 24, 1; – deus superior III, 10, 5

diabolus   II, 5, 1; 8, 3; 10, *passim;* 13, 3; 14, 2; 28, 1; III, 7, 6; 14, 3.4(sc); 18, 6.7

dictum   II, 22, 4 (cf. p. 203 s.)

diffidentia   I, 1, 7; III, 15, 7

dignatio   II, 4, 2; 6, 4

digne (Deo)   II, 6, 1

dignus (Deo)   I, 11, 6.7; 12, 3; 13, 1.2; 18, 2; 25, 2; 26, 5; II, 3, 2.5; 7, 4; 14, 3; 19, 2; 27, 1.6; 29.1; III, 24, 5

diiudicare   I, 7, 1(sc)

dilectio   I, 23, 9

dimidiatio   I, 24, 3 (hap.)

diminutio   I, 6, 3; 7, 6

diminutus   *comp.*-tior II, 9, 7 (U)

dirigere (= contendere)   I, 9, 10 (cf. p. 142, n. 3)

disciplina   I, 20, 4; 21, 3; 22, 10; 23, 4; 26, 1; 27, 1.3; 28, 4; II, 5, 7; 11, 3; 13, 5; 17, 3; 19, 1; III, 16, 4

discere   I, 9, 5; 11, 2; II, 17, 4; 26, 4; III, 2, 4; 7, 1; 14, 7; 16, 3; 21, 3(sc); 24, 7.13 (cf. p. 267)

dispar   I, 6, 1; 7, 7

dispensator   I, 24, 3

dispergere (dispar-)   II, 20, 1; III, 23, 4 (cf. p. 263)

disponere   I, 2, 1.3; 7, 6; 9, 9; II, 3, 4; 5, 4.7; 6, 4; 27, 4; 28, 3; III, 2, 3; 9, 6; 13, 5; 15, 2; 17, 5; 20, 5(sc)

dispositio   I, 2, 3; 20, 4; 29, 8; II, 6, 4; 7, 1; 9, 9; 27, 3; III, 2, 3.4; 4, 2; 15, 2.3.4; 18, 4; 20, 2.4(sc).5(sc).8; 24, 7.9

dispungere (= complere)   II, 4, 2; 7, 4 (cf. Hoppe, p. 237 s.); – (= repensare) II, 23, 3 (cf. p. 139, n. 3)

diuersitas   I, 6, 2.4; 9, 8.9; 16, 2.3; 19, 4; 21, 2; II, 12, 1; 16, 4; 29, 2.3; III, 3, 4; 15, 3; 16, 7; 17, 4; 18, 1; 19, 7; 24, 1

diuinatio   III, 5, 2

diuine   II, 27, 7 (U)

diuinitas   falsa –   I, 11, 3.5

doctrina   I, 18, 2; 25, 3; II, 17, 3; 25, 3; III, 6, 10; 17, 5

documentum   III, 3, 1.2.4.; 17, 4

dominari   + *génit.* III, 6, 6(sc); cf. p. 275 et Hoppe, p. 60

dominatio   I, 4, 4; 10, 2 (cf. p. 261 s.); 27, 4

dominicus   I, 2, 1; III, 7, 7;
    16, 4; 19, 5, 22, 2(sc)
dominus (appliqué au dieu de
    Marcion)   I, 14, 2; 15, 1;
    27, 3; – (appliqué au Christ)
    I, 20, 1; III, 18, 6; 19, 4
dormire (in Christo)   III, 8, 7
dos   I, 10, 3; 25, 7
dubitatiuus   II, 25, 6 (Tp)
ducatus, us   III, 7, 1 (cf. p. 85,
    n. 7)
dulcor   III, 5, 3 (Tp; U)

eatenus... qua   I, 26, 5; III, 2,
    4; 24, 11
ebullire   I, 27, 5
ecclesia   I, 7, 1(sc); 21, 4; II,
    4, 4.5; III, 1, 2; 5, 4; 7, 3.7;
    22, 6(sc).7; 23, 2; 24, 2
ecquid (= nonne)   I, 9, 7
ediscere   II, 27, 4; III, 9, 6
edocere   III, 18, 1
edomare   II, 19, 1; – *p.p.p.*
    edomitus II, 15, 2; 29, 3
efficere   + *prop. infin.* II,
    6, 5; 26, 2 (cf. Hoppe, p. 104)
egere   + *génit.* III, 10, 4 (cf.
    p. 234)
eiusmodi (= talis)   II, 13, 4;
    25, 1; III, 6, 7; 12, 1; 14, 1.7
    (cf. p. 136 n. 1)
electio   II, 2, 7
elector   II, 20, 3 (Tp, U)
electus   *p.p.p. de* elicere II,
    10, 4 (cf. p. 76, n. 3)
elementum   I, 13, 3.4.5; 14, 2;
    28, 1; II, 12, 3; 29, 4;
    III, 10, 4; 11, 2; 24, 11
elemosina   I, 23, 9
eliquere   I, 4, 5

elogium   I, 22, 8; II, 10, 1;
    III, 13, 10
emancipare   II, 6, 5
emendatio   I, 1, 2
emendator   III, 4, 5
emolumentum   I, 5, 3
enecatrix   I, 29, 8 (hap.)
enormitas   I, 2, 2
ergastulum   II, 2, 6; 20, 4
erogare (= offerre)   II, 4, 5
    (cf. p. 39, n. 4)
eructare   II, 4, 1(sc); cf. p. 35,
    n. 4
erudiri + *accus.*   II, 16, 2 (cf.
    LHS § 48 a; *TLL* V, 2, c. 830,
    l. 80); – in + *accus.* II, 17, 4
erumpere   I, 17, 1 (cf. p. 177,
    n. 4); II, 13, 1; III, 13, 3;
    22, 7
escatilis   I, 1, 3 (T)
ethnicus   I, 8, 2; II, 27, 2;
    III, 24, 4
euagari   I, 9, 3
euangelicus   II, 25, 3; III,
    22, 3
euangelium   I, 1, 5; 19, 4.5;
    20 *passim*; 21, 5; II, 15, 3;
    17, 1; 27, 4; III, 8, 5; 11,
    4; 13, 6; 14, 3.4(sc); 15, 5.7;
    16, 4; 17, 5; 19, 4; 20, 3;
    21, 3; 24, 8.9
euangelizare   III, 22, 1(sc)
euentare   I, 22, 5 (cf. p. 274)
euocatio   II, 25, 2 (U)
euoluere   II, 10, 2; III, 6, 4
euomere   III, 8, 1
exactor   II, 13, 4
exaggeratio   I, 23, 5
examen   I, 5, 1

examinare   I, 9, 5; 22, 1.2;
II, 6, 8; III, 1, 2 (cf. p. 57,
n. 4)

examinatio   I, 4, 5; 29, 9;
II, 3, 1; III, 11, 4

exasperatio   II, 16, 6 (U)

exauctorare   III, 3, 1 (cf. p. 62,
n. 1)

excludere   I, 1, 3 (cf. p. 285 s.);
4, 5; 6, 1; 20, 4; 21, 1; II, 1, 1;
6, 7; 29, 3; III, 1, 2; 19, 1

excusabilis   II, 8, 3 (U)

executor   I, 27, 6

exemplarium   I, 1, 1; 16, 1

exemplum   I, 2, 1; 4, 1;
4, 2.3; III, 17, 3; 22, 2; 25, 3;
29 *passim;* III, 9, 1; 10, 1.4;
14, 7; 24, 7.13

exhalare *(intrans.)*   I, 19, 2

exitus   I, 1, 2; 4, 5; 28, 1; II,
4, 6; 6, 7; 16, 6; 18, 3(sc);
25, 2; III, 11, 7; 18, 1.2; 19, 7;
20, 10; 23, 1.6

exorbitare   II, 10, 5; III, 2, 2

exorbitatio   I, 29, 4 (Tp)

exorbitator   II, 13, 5; III, 6,
10 (cf. p. 84, n. 5) (T)

expandi (= manus expandere)
I, 23, 9 (cf. *TLL* V, 2, c. 1 599,
l. 28 s.)

expectabilis   III, 16, 1 (Tp, U)

experimentum   I, 18, 3; III,
3, 4; 24, 12

expugnabilis   II, 13, 2 (U)

expugnare   II, 13, 3; III, 11,
4.9; 16, 2 (cf. p. 144, n. 1)

expugnator   II, 13, 4

expungere («payer»)   II, 20,
4; – («accomplir, ache-
ver»)   III, 5, 2; 12, 3; 13,
6; 17, 5; 20, 2; 23, 1; 24,
4

extendere   III, 14, 2(sc).6(sc);
cf. p. 289

exustio   III, 23, 4

facere (+ *prop. infin.*)   II, 6, 1;
17, 1; III, 11, 5 (cf. Hoppe,
p. 103 s.); – (+ quod *et subj.*)
III, 4, 3

factor   I, 15, 5; II, 9, 6; 28, 2

famulabundus   III, 7, 4(sc)
(hap.) cf. p. 88, n. 3

febricitare   I, 24, 7

felicitas   I, 7, 6; 29, 1; II, 9, 5

feliciter   II, 16, 6

felix   II, 16, 6

feritas   I, 1, 3

fermentum   I, 2, 3

ferramentum   II, 16, 1 (U)

fidelis   II, 26, 4; III, 20, 5(sc)
et passim; 22, 5; 24, 2

fides (loyauté)   II, 10, 2; –
(fidélité) II, 7 *passim;* – ex
fide («en toute sincérité») I,
14, 4; II, 22, 4; 27, 7; III,
11, 2

figulus   II, 2, 7; 9, 7

figura   II, 10, 3; 20, 1; 21, 2;
22, 1; 27, 2; III, 7, 8; 13, 10;
16, 4; 18, 1; 19, 4; 24, 8

figurare   I, 13, 4; III, 7, 7;
18, 2; 19, 4

figurate   III, 5, 3; 13, 9; 14, 7

figuratus   II, 19, 1; 22, 2;
26, 4; III, 13, 3; 14, 5.7; –
Christum figuratus III, 18, 3
(cf. p. 250)

Filius (filius) Dei (Creatoris) II, 27, 3.5; III, 19, 2; 20, 9; – Filius (seul) II, 27, 6; – Filius hominis III, 11, 4; 24, 11; – filii Dei (= Christiani) III, 22, 6

fingere III, 10, 5

finis (= τέλος) I, 22, 7

flatus II, 9, 3.7

flosculus I, 13, 5

fluitare II, 2, 1 (cf. p. 24, n. 3)

fore (= esse, avec partic. futur) III, 22, 6 (cf. p. 260)

forma I, 3, 2.6; 4, 5; 6, 1; 9, 4 et passim; 10, 4; 11, 4.5.6; 15, 4; 18, 3; II, 5, 5; 6, 4; 10, 2.5; 14, 2; 24, 8; III, 5, 1; 6, 1; 7,7; 17, 1(sc)

formare (= animo concipere) I, 12, 2 (cf. p. 156, n. 1)

formidare (+ infin.) I, 13, 3

forsitan (+ indic.) I, 4, 2; II, 21, 2; III, 8, 2.7

fortasse (+ subj.) III, 9, 3

fortassean I, 9, 8; 28, 1

fouea III, 7, 1

fraudulentus (comp. -tior) II, 28, 2 (U)

fraus II, 7, 4 (cf. p. 59, n. 4); 20, 1.3; 28, 2

frequentia I, 1, 2

fretum I, 1, 3

friuolus I, 15, 1

fructificare II, 4, 2

fructus (= actus fruendi) II, 3, 3

fungi (trans.) II, 7, 5 (cf. Hoppe, p. 46)

furunculus II, 25, 1; III, 16, 1

futtilis II, 7, 3

gehenna I, 27, 2(sc); 28, 1

gemmare II, 10, 3 (U)

generaliter III, 17, 5

generosus I, 11, 9; 29, 8; II, 8, 2

gentes (= τὰ ἔθνη) I, 4, 1; 7, 2; III, 6, 6; 13, 7; 14, 6.7; 17, 4; 20, 3(sc)

gentilis II, 14, 4

germanus I, 8, 2

gerula III, 13, 2 (cf. p. 122, n. 4)

gestire (+ infin.) II, 29, 1; III, 1, 1

gloria I, 8, 1; 28, 4; III, 7, 6; 17, 1(sc).2; 19, 3; 22, 6; 24, 12

gloriari (sens pronominal) II, 4, 5; – (sens passif) III, 22, 6(sc); cf. p. 261

gradatim I, 4, 5

gradus I, 1, 7; 4, 4; 9, 2; 13, 1; 19, 1; 23, 6; III, 2, 1.2

gratia I, 20, 2; 23, 9; 24, 6; II, 2, 6; 15, 2; 20, 4; 22, 3; III, 7, 5(sc).7; 14, 1(sc).2.5.6; 16, 1.4; 17, 2.4; 18, 2.3; 19, 9; 23, 2; 24, 12

gratiositas I, 9, 1 (hap.)

gratus (in + accus.) I, 29, 8 (cf. p. 281)

grauitas II, 7, 1.4.5

gula I, 29, 3.6; II, 18, 2

gymnosophista I, 13, 3

habere (+ infin.) I, 3, 5; 11, 8; 22, 2.4; II, 6, 4; 9, 8;

15, 2; III, 2, 4; 7, 1 (cf. p. 86,
n. 2).7; 9, 5; 11, 4; 12, 1;
16, 4; 20, 2; 22, 6

habitaculum   II, 4, 1

habitatio   I, 14, 4

hactenus   I, 24, 4

haeresis   I, 1, 6; 8, 1; 13, 3;
19, 4; 21, 6; 24, 5; II, 2, 7;
18, 1; III, 11, 9; 18, 5(sc)

haereticus *(adj.)*   I, 1, 6; 2,
3; 3, 1; 10, 3; 16, 1; 19, 2;
21, 5; 29, 8; II, 2 *et passim;*
III, 1, 2; 6, 1; 19, 6;
– *(subst.)* I, 1.7; 2, 2; 29, 8;
II, 2, 1; 9, 2; 14, 1; 16, 3;
20, 2; 26, 2; 27, 2; III, 5,
4; 7, 1; 8, 1; 9, 5.7

haurire   III, 11, 3(sc) cf.
p. 112, n. 5

hibernum (= hiems)   I, 1, 3
(cf. *TLL* VI, 3, c. 2 689, l. 37 s.)

hierophanta   I, 13, 3 (U)

hircus   III, 7, 7

hodiernus (in, ad h-m)   III,
7, 8; 16, 1

holocaustum   II, 22, 3(sc)

homo   ante hominem II, 27, 4
(cf. p. 208); –miscens hominem et deum II, 27, 6;
– homo eius (*sc.* Christi) III,
6, 10; – praestare hominem
III, 24, 13

hospita   I, 2, 3 (U)

hospitalis   I, 1, 3

hucusque   II, 4, 6; III, 15, 1;
20, 1

humanitas (= condicio hu-
mana)   I, 27, 3; II, 27, 2.3;
– (= benignitas) II, 17, 4

humanitus   III, 9, 5

humilitas   II, 16, 3; 27, 1.2;
III, 7, 1.6.8; 17, 4; 19, 5(sc)

hypocrita   I, 14, 5

iactitare   I, 9, 1; II, 20, 1

idem (= ipse)   III, 21, 3 (cf.
LHS § 105 eε)

identidem   III, 16, 6 (cf.
p. 245)

idolatria   I, 10, 2; 13, 4; II,
14, 4; 18, 3; 22, 1.2; – idololatria I, 9, 2; III, 13, 8.9.10;
20, 9

idolothytum   I, 21, 3 (Tp)

idolum   I, 7, 2; 11, 3; II, 22, 2;
23, 1; III, 15, 2

Iesus   III, 7, 6; 16 *passim;*
18, 6; – Iesus Christus I, 8, 1;
III, 16, 4; – Christus Iesus I,
19, 1.2; III, 7, 6; 19, 3

ignorabilis   III, 6, 4 (U, cf.
p. 78, n. 4)

ignorantia (= status ignoti)
I, 8, 1 (cf. p. 134, n. 3)

ignotus (deus)   I, 8, 1; 9 *passim;* 17, 3; III, 3, 4

imaginarius   I, 27, 1; III, 8, 4;
11, 4

imago et similitudo   II, 4,
3.4(sc); 5, 1.6; 6, 2.3; 8, 2;
10, 3; – imago (seul) II,
9, 3.4; 16, 5.6

imbuere   II, 16, 5 (cf. p. 193
s.); – («combler») III, 24, 9

impendere   II, 14, 4; 26, 3(sc)

imperfectus (bonitatis)   I, 24, 3

imperialis   II, 4, 4 (U)

impingere   III, 11, 5

implicare   I, 9, 7

impraescientia   II, 7, 4 (Tp, U)

impresse   III, 8, 5 (Tp; cf. p. 99, n. 3)

impressus   II, 25, 2 (cf. p. 149, n. 5)

improuidentia   II, 23, 3; 24, 1.2.8 (Tp)

improuidus   II, 23, 1 (U)

imputatiuus   II, 25, 2 (hap., cf. p. 149, n. 5)

in tantum ... in quantum   I, 1, 6; III, 14, 7; – in tantum III, 1, 2

inauditus   I, 8, 1; III, 24, 12

inaugurare   III, 16, 4 (cf. p. 146, n. 5)

incertus (deus)   I, 9, 2 et passim; 10, 4; II, 25, 1.3.6; III, 4, 4

inclamatio   II, 25, 1 (Tp)

inconcussus   I, 19, 5 (U)

incongressibilis   II, 27, 6 (hap.)

incongruentia   II, 25, 1 (Tp)

inconsiderantissimus   II, 29, 4 (hap., cf. p. 176, n. 1)

inconstans   III, 15, 7 (cf. p. 142, n. 1)

incorporabilis   III, 17, 3 (hap.; cf. p. 152, n. 3)

incorruptela   III, 24, 6(sc); cf. Deus Christ., p. 61, n. 4

incorruptibilis   I, 25, 3

incorruptibilitas   II, 16, 4.6 (Tp)

incorruptorius   II, 16, 4 (hap.)

incrassare   III, 6, 5(sc)

incredibilis   II, 18, 1; III, 8, 1; 13, 4; 18, 2

incredulitas (= condicio non credentium)   I, 12, 3

incrementum   II, 11, 1

incutere (risum)   III, 20, 8 (cf. p. 179, n. 2); – incussus II, 25, 2 (cf. p. 149, n. 5)

indeficiens   III, 7, 5 (Tp, U)

indere   III, 15, 5; 16, 6 (cf. p. 243)

indeterminabilis   I, 9, 7(sc) (Tp, U)

index   I, 1, 3; III, 13, 8

indignus (Deo)   I, 11, 7; 13, 2 et passim; 17, 4; 26, 5; II, 3, 2; 26, 2; 27, 1.6; III, 7, 8; 10, 3; 11, 7

indomitus   II, 29, 3

indubitatus   I, 9, 7; 11, 2; III, 2, 3

induere   I, 24, 5; III, 10, 4.5; 12, 4(sc)

ineluctabilis   I, 4, 6 (U)

inexpeditus   I, 9, 7 (U)

infamare   I, 2, 3

infamia («diffamation»)   II, 10, 2; III, 23, 3 (cf. p. 197, n. 3); – («mauvaise réputation»)   II, 24, 4

infantare   I, 14, 3 (hap.)

infectus («incréé»)   I, 3, 2; 7, 3; 9, 9; 15, 3.4.5

infelix (-licissimus)   I, 2, 1; II, 20, 2

infercire (p.p.p. : infersus)   III, 10, 1

informator   I, 2, 3 (Tp)

infrenatio   I, 29, 6 (hap.)

ingenitus (= insitus, naturalis +

dat.) I, 22, 3; 25, 1; II, 3, 5; 11, 2; 12, 3

ingenium (sens péjoratif) I, 13, 3.4; II, 20, 1; III, 8, 1; 21, 3

inglorius III, 17, 1 (cf. p. 150, n. 5)

ingratia II, 24, 6 (Tp)

ingratus II, 13, 1; 14, 4; 16, 7; 18, 2; 24, 1; III, 24, 11

inhabitare I, 1, 3; III, 20, 9

inhabitatio III, 24, 9(sc) (U)

inhonestas III, 7, 8 (Tp)

inhonorabilis III, 17, 1 (Tp, U; cf. p. 150, n. 5)

inhonoratus III, 7, 2(sc); 17, 1(sc)

iniectio I, 22, 1; III, 21, 1 (cf. p. 180, n. 2)

ininuestigabilis II, 2, 4(sc) *conj.*

inlaesus I, 19, 5

inmensus I, 9, 3; II, 3, 5

innatus («incréé») I, 3, 2; 7, 3; 9, 9; 15, 3.4.5; – («non né») III, 9, 5 (Tp)

innouatio I, 1, 2

inobaudire III, 16, 5(sc) (U; cf. p. 147, n. 7)

inoperatus II, 11, 2 (hap.)

inquit (*sc.* Deus, Scriptura) II, 3, 4; 4, 5; 8, 2; 10, 4; 21, 1

inrationalis I, 23, 1.8; 25, 7; 28, 1

inrationaliter II, 6, 2 (T)

inreuerens II, 14, 4

inrogare II, 15, 3

inscriptus II, 17, 1 (cf. p. 109, n. 5)

inserere II, 4, 2 (cf. p. 183 s.)

insigniter III, 19, 5 (U)

inspectatio II, 17, 3 (Tp)

insperatus III, 16, 2

instinctor II, 10, 1 (U)

instinctus I, 2, 1

instituere («créer») II, 5, 5; 6 *passim;* 8, 1; 10, 2.5

institutio II, 6, 4.5; 7 *passim;* 10, 2.5; 22, 2; III, 21, 3

institutor I, 29, 4; II, 6, 4

institutum II, 6, 1

instructio II, 25, 3

instrumentum I, 10, 2; 18, 2; 19, 4; II, 16, 1; 20, 2

insusurrare II, 7, 5 (U)

intercipere (= interimere) III, 13, 10

interdictor II, 9, 9 (Tp)

interemptibilis III, 6, 4 (hap., cf. p. 78, n. 3)

interminabilis II, 3, 5 (Tp)

interpretari (*sens passif*) III, 3, 3 (cf. p. 221); 18, 5 (cf. p. 162, n. 2)

interpretatio II, 24, 3; III, 7, 7; 12, 2; 14, 1.7; 19, 6; 20, 10; 24, 2.10

interrogatorius II, 25, 2 (U, cf. p. 149, n. 1)

interuersio I, 20, 1; III, 1, 2 (cf. p. 56, n. 1)

interuomere II, 20, 1 (U; cf. p. 125 n. 3)

introgressus III, 22, 1 (hap; cf. p. 186, n. 1)

inuituperabilis II, 10, 3(sc). 4

inutilis (= noxius)   III, 22,
    5(sc) (U; cf. p. 190, n. 6)
iocunditas   I, 20, 5(sc); II,
    22, 3
ipse (= idem)   II, 29, 3; –
    ipse idem III, 22, 2 (cf.
    Hoppe, p. 195 s.)
iterabilis   II, 28, 2 (Tp, U)
iudaismus   I, 20, 3; III, 6, 10;
    22, 3 (Tp)
iudex   I, 6, 1; 24, 3.7; 26, 1;
    27, 6; II, 2, 7; 11, 1.3; 12, 3;
    14, 3; 15,1; 16, 1; 17, 1.3;
    23, 1.2; 24, 4; 27, 8; 29, 1.2;
    III, 18, 4
iudicatum (= res disceptatione
    iudicata)   II, 12, 3
iudiciarius   I, 25, 3; II, 17, 1;
    24, 4
iustificare   II, 19, 2(sc); 25, 3(sc)

laciniare (= lancinare)   I, 1, 4
    (hap.; cf. p. 250 s.)
laesura   II, 10, 3(sc).4(sc); II,
    24, 5
lanceare   III, 13, 3 (Tp; cf.
    p. 286)
lancinare   III, 13, 3 (cf. p. 286)
languere   I, 1, 2
lanx   II, 20, 4 (cf. p. 287)
latebrae   I, 9, 3
latera (= later)   II, 20, 1(sc)
    cf. p. 200 s.
latere (transit.)   II, 25, 3; cf.
    Hoppe, p. 43
latrare   II, 5, 1
lector   III, 5, 1; 6, 1
legalis   II, 19, 1
legislator   II, 7, 4 (U)

lenocinator   I, 22, 10 (hap.)
lex (loi juive)   I, 19, 4.5; 20,
    1.4; etc.; II, 13, 5; etc.; III,
    4, 5; etc.; – (loi primordiale)
    II, 4, 5.6; 5, 1, etc.
libellulus   II, 1, 1
libellus   I, 1, 7; II, 27, 8;
    III, 1, 2
libripens   II, 6, 5 (U; cf.
    p. 216 s.)
licentia   I, 3, 1; II, 18, 1
lignarius   I, 19, 1 (U)
lignatus, us   II, 21, 2 (hap.,
    cf. p. 203)
linea   I, 7, 7; 9, 2; 25, 1; II,
    5, 6; 9, 4.5; III, 5, 1
lippire   I, 2, 3 (U)
liquor   I, 1, 3
litteratura   III, 6, 1
lucrari   I, 20, 3; 27, 5
luminaria   II, 3, 4; 12, 2

machaera   III, 14, 5(sc);
    21, 3(sc); 23, 4(sc)
magnitudo (diuina)   I, 18, 3
magnum (summum –)   I, 3, 2
    et passim; 4 passim; 5
    passim; 6 passim; 7 passim;
    – aliud magnum I, 4, 6 (cf.
    p. 287 s.)
magus   I, 13, 3; III, 13, 6.8.10
maiestas (diuina)   I, 15, 4; II,
    5, 2; 25, 3; 27, 1.2
maledicere   II, 4, 3; 11, 1;
    25, 5; III, 18, 1
maledictio   III, 13, 10; 18, 1
maledictum   I, 11, 8
maledictus   I, 1, 3 (cf. p. 284);
    III, 7, 7; 18, 1(sc)

malefacere   II, 4, 3

maleficus   I, 18, 1 (cf. p. 303)

malignitas   I, 12, 3; 22, 7; 24, 2; II, 24, 5; 28, 1

malitia   I, 17, 4; 22, 3; 24, 2; II, 3, 5; 10, 2.5; 11, 3; 14, 2.3.4; 24, 2(sc) *et passim;* III, 16, 6(sc); 21, 3

malitiositas   III, 15, 7; 23, 8 (T; cf. p. 142, n. 2)

mammilla (= mamilla)   III, 13, 2 (cf. *TLL* VIII, c. 245, l. 42)

manare   I, 19, 2 (cf. p. 186, n. 1); III 16, 4

mandatos   III, 2, 2; 4, 1 (cf. p. 59, n. 4)

mandatus   III, 16, 5 (cf. p. 147, n. 6)

martyrium   I, 14, 5

massa   I, 2, 3

materialis   II, 8, 2

mathematicus   I, 18, 1

matrix   I, 14, 4; II, 16, 6

maturitas   II, 29, 4 (cf. p. 211)

maturus (+ *infin.)*   I, 29, 5 (cf. Hoppe, p. 101)

maxime (cum −)   II, 26, 1; III, 4, 1; 22, 2

medicator III, 17, 5 (Tp, U; cf. p. 156, n. 2)

mediocritas (= paruitas)   I, 14, 1; 18, 3; II, 27, 1.8

medulla   I, 14, 4

mendacium   I, 11, 3; II, 1, 1; 28, 2; 29, 1; III, 8, 2 *et passim;* 9, 5; 10, 5; 11, 6.8

mendicitas   I, 14, 3

mendose (-sissime)   I, 1, 1 (U)

mentio   I, 21, 2; III, 1, 1

metator   I, 8, 3 (U)

minime (= non)   I, 13, 2; 25, 1

minorare   III, 7, 2(sc)

minotaurus   III, 18, 3 (U)

minutalis   I, 4, 5

minutus (-tior)   I, 14, 1

miseratio   II, 24, 3

miserescens   II, 24, 2(sc) (U)

misericordia   I, 24, 6; II, 13, 5; 16, 6.7; 17, 2; 19, 3(sc). 4(sc); 24, 2(sc); III, 20, 9

misericors   II, 24, 2(sc); III, 24, 1

mitis   I, 6, 1; II, 2, 1; 29, 1.3

mitra   III, 7, 6(sc) cf. p. 229

modico (*adv.)*   II, 27, 3(sc)

modicus (= paruus)   I, 2, 3; 14, 2; 16, 4; II, 27, 8; − modicum (*subst.)* I, 3, 3; − modicum (*adv.)* III, 7, 2(sc).5(sc)

modulari (= ἁρμόζειν)   II, 12, 1 (cf. p. 84, n. 1); − modulatus (*passif)* II, 29, 4 (cf. Hoppe, p. 126)

moles   II, 4, 1; 12, 2

moliri   I, 15, 4

molitio   I, 11, 8

momentaneus   III, 17, 4 (Tp)

monstrosus (-truosus) I, 29, 4; III, 4, 1; 5, 3; 13, 4

mortificare   II, 14, 1(sc)

muliercula   III, 11, 6 (U)

multifarius   I, 4, 6

mundus   I, 10, 1.3; 11, 4; 13, 2.3; 14, 5; 15 *passim;* 16, 1; 23, 8; II, 2, 2.5.6; 4, 3; 6, 3; 12, 1; 17, 1; 29, 4; III, 9, 3; 24, 6

munusculum   II, 22, 3 (U)
mus (Ponticus)   I, 1, 5 (cf. p. 104, n. 1)

naris (-em contrahere)   I, 13, 1
nascibilis   III, 11, 1; 19, 8 (Tp)
nasus   II, 25, 3 (cf. p. 151, n. 4)
natalis (-les)   I, 10, 1
nationes (τὰ ἔθνη)   III, 5, 3; 7, 4(sc); 18, 3(sc); 20, 2.4(sc) 5(sc).10(sc); 21, 2.3; 22, 1.3.6(sc); 23, 3(sc)
natiuitas   III, 7, 6(sc); 9, 5; 11, 1.2.4 *et passim;* 13, 6; 15, 1
natura   I, 2, 3; 4, 2.6; 18, 2.4; 22, 5.10; II, 6, 4.5; 7, 1; 11, 2; 24, 4; III, 5, 1; 11, 7; 13, 3.4; 15, 2.
naturalis   I, 9, 1; 13, 4; 22, 3.4.6; 23, 1; 24, 1; II, 12, 3; III, 15, 2; – naturalia I, 22, 5.6
nauclerus   I, 18, 4 (cf. p. 107, n. 3); III, 6, 3
ne *(adv. affirmatif)*   I, 1, 5
ne (= nonne)   II, 5, 5; 9, 7 (cf. Hoppe, p. 141)
necessarius (-rior)   I, 17, 4
nedum   I, 10, 2; 16, 2; 22, 5; 23, 7; II, 2, 1; 24, 8; III, 13, 2; 19, 7; 21, 1; – nedum ut I, 23, 1
negatio   I, 27, 5; II, 25, 3.5
negotiatrix   II, 3, 3 (U)
nemo («inexistant»)   I, 8, 1; 28, 1; II, 1, 2
neomenia   I, 20, 5(sc)
neophytus   I, 20, 3

nequam   I, 7, 2; 23, 8
nequitia   II, 19, 2; 20, 1; III, 14, 3
nisi si (= nisi forte)   III, 19, 8 (cf. *LHS* § 367 c)
nocentia   II, 13, 4 (Tp)
nolentia   I, 25, 6 (hap.)
nomen (*opposé* à substantia)   I, 7, 3
non (*après* nullus)   III, 3, 3 (cf. p. 219); 15, 3
nonnisi   III, 15, 3 (cf. *LHS* § 367 d)
norma   I, 9, 5.7 (U)
notare *(cum genetiuo forensi)*   II, 7, 3 (cf. *LHS* § 58 b)
notitia   I, 9, 5; 10, 1; 11, 8.9; 17, 4; 18, 1; 19, 5; 21, 5; 25, 4; II, 3, 2
notus (deus)   I, 10, 3; 11, 1; II, 2, 1; 3, 1
nouamen   I, 20, 4(sc).5 (Tp)
noue   III, 4, 1
nouitas   I, 1, 7; 8, 2.3; 9, 1; 20, 6; 21, 2; III, 13, 4
nouus (deus)   I, 2, 3; 8, 1.2; 9, 3.4; 21, 1; III, 4, 1
nubilum   I, 1, 4
nude   III, 18, 2
nullificamen   III, 7, 2(sc); 17, 3(sc) (Tp; cf. p. 87, n. 6)
numerosus   I, 2, 3
nutricare   II, 19, 4(sc); cf. p. 123, n. 4

obducere (= deuincere)   I, 21, 5; III, 16, 7 (cf. p. 150, n. 1)
oblatio   II, 18, 3; 22, 3
oblator   II, 26, 4 (Tp, U)

obligamentum III, 22, 3 (Tp; cf. p. 189, n. 4)

obrodere II, 5, 1 (U)

obsecutor II, 13, 5 (Tp)

obstipescere (= obstup–) II, 15, 3

obstrepere III, 16, 2 (cf. p. 243)

obstrepitaculum I, 20, 1 (hap.)

obtundere (*p.p.p.* obtusus) I, 2, 2; III, 5, 1

obtusio III, 6, 6 (cf. p. 224; Hoppe, p. 245, n. 21)

obuenticius I, 22, 3; II, 3, 3.5; 12, 3 (Tp)

obumbrare I, 9, 3; 10, 2; 13, 4; III, 18, 2

occursus, us II, 24, 8

oculatior II, 25, 3 (hap., cf. p. 151, n. 3)

offensio III, 7, 2(sc).3(sc)

officialis I, 25, 6 (cf. p. 225, n. 4)

officina III, 11, 7

olentia II, 22, 3 (hap.)

omnifariam II, 2, 3; 19, 1

omnipotens (Deus) I, 1, 4; II, 2, 1; 5, 4; 13, 4; – omnia potens II, 29, 1 (cf. p. 172, n. 3)

oneratus (*cum genetiuo forensi*) II, 25, 5 (cf. p. 154, n. 1)

opera I, 1, 2; II, 20, 3; III, 8, 4

operans (*comp.* -antior) II, 4, 4 (U) = efficax

operari I, 16, 1; 18, 2; 22, 4; 23, 6.9; II, 3, 3.4; 12, 1; 21, 1; III, 3, 2; 9, 1; 14, 2 (cf. p. 241)

operarius II, 17, 1; 20, 2

operatio I, 16, 2; 22, 9; 24, 2; 25, 7; II, 10, 5; III, 4, 2; 17, 5; – «rites sacrificiels» II, 18, 3

operator III, 8, 4 (Tp)

opimitas III, 24, 7(sc)

optimus Voir Deus (deus)

opus («œuvre littéraire») II, 29, 2; III, 1, 1; 24, 2; – («œuvre de la Création») I, 11, 4; etc.; – («action») II, 23, 3; 24, 1; etc.

opusculum I, 1, 1.2; 29, 9; II, 1, 1

oratio («prière») III, 18, 6

ordinare II, 10, 5; 12, 3; 19, 2

ordinarius I, 27, 4

ordinate (-tius) I, 19, 1 (U)

ordinatio II, 3, 1

ordo I, 23, 5; 24, 1; II, 5, 7; 14, 3; 17, 1; 27, 2.7; 29, 3; III, 1, 1; 2, 4; 3, 1; 4, 1.5; 7, 7; 13, 6; 16, 6; 17, 1.5; 20, 1; 21, 3; 22, 5; 23, 6; – ordinis esse III, 2, 1

originalis II, 9, 1

pacifer III, 21, 3 (U; cf. p. 185, n. 4)

paedagogus I, 8, 1

paenitentia II, 8, 1; 13, 5; 17, 2; 24, 1.2.6.7(sc).8; 28, 2; III, 4, 3; 23, 3

palus («barre») IIII, 18, 4

parabola III, 5, 3

paracletus I, 29, 4

paradisus   I, 10, 1; 22, 8; 24,
    5(sc); II, 2, 6; 4, 4; 10, 3(sc).6;
    12, 2; 25, 2
paratura   I, 11, 9; II, 1, 1;
    III, 2, 4; 10, 4 (Tp)
parilitas   I, 5, 5; 6, 1.2
partiarius   I, 24, 1; III, 16, 3
partitio   I, 24, 5 (U; cf. p. 219,
    n. 4)
passer   III, 5, 3 (cf. p. 74,
    n. 5)
passibilis   III, 7, 6 (Tp)
passio   II, 16, 4; 18, 1; 24, 6;
    27, 3; III, 6, 4; 7, 7; 8, 5.6;
    15, 6; 18, 1.2; 19, 1.5.7
passiuus   I, 7, 1 (cf. p. 128,
    n. 1); 20, 3 (cf. p. 309 s.)
Pater (Deus −)   II, 27, 3; −
    (Pater) II, 26, 4; 27 *passim;*
    III, 2, *passim;* 4, 1; 6, 7.8;
    7, 2 *et passim;* 15, 1; 17, 1;
    18, 2; 20, 3; 22, 6; 23, 4
patere   I, 1, 3; 11, 3; II, 6, 7
patientia   II, 7, 5; 16, 6.7;
    17, 2; III, 4, 2.3; 17, 4; 23, 8
patriarches   II, 27, 3
patrocinari (+ *dat.*)   I, 6, 2;
    II, 6, 1
patrocinium   I, 9, 4; III, 2, 1
paupertinus   I, 14, 2
peccator   I, 27, 2.6; 28, 1; II,
    8, 1(sc); 10, 4; 13, 5; 17, 2;
    19, 2(sc)
peccatorius   II, 24, 4 (T)
peierare   II, 26, 1
penes   I, 1, 4; II, 2, 5; 6, 2;
    27, 5.7; III, 12, 3; 13, 3; 19, 1
pensare   II, 6, 7; 13, 1
pensitare   II, 2, 1

pensum   I, 1, 3 (U)
Pentateuchus   I, 10, 1 (U)
perditio   I, 24, 2; II, 25, 2;
    III, 7, 7
perfectus   I, 23, 3; 24, 1;
    25, 1; II, 1, 2; 13, 5; 16, 6;
    III, 9, 1
periclitari   I, 6, 3; 9, 7; II,
    16, 7
permissor   I, 22, 10 (T)
perorare   II, 7, 5; III, 23, 4
    (cf. p. 198, n. 1)
persona   I, 22, 1; II, 10, 3.4;
    15, 2; 23, 1; 24, 2; 26, 4;
    27, 5; III, 6, 7(sc); 7, 6;
    11, 6; 19, 7; 22, 5(sc) (cf.
    p. 190, n. 5).6
peruersitas   I, 27, 5; II, 27, 7
phantasma   I, 22, 1; 27, 1;
    III, 8, 9.1.3; 10, 5; 11, 8.9;
    15, 6; 24, 16; − Phantasma
    (comoedia) II, 11, 6
pharetra   I, 1, 3 (U)
pharisaeus   I, 23, 5(sc); III,
    6, 6; 18, 5
philosophari   I, 13, 5
philosophus   I, 1, 5; II, 16, 2;
    27, 6
physicus   I, 13, 3
pictorius   I, 3, 1 (U)
pinnula   I, 13, 5 (U)
pisculentum   II, 20, 1 (U)
placenta   III, 5, 3 (cf. p. 74,
    n. 3)
plagiarius   I, 27, 4 (U)
plagiator   I, 23, 7 (Tp, U)
plagula   III, 15, 5 (cf. p. 140,
    n. 1)

planus   III, 6, 10; 15, 7 (cf. p. 84, n. 4)

plaustrum   I, 1, 3

plurifarius   I, 4, 4 (Tp, U)

poderes   III, 7, 6(sc)

poeticus   I, 3, 1

politeuma   III, 24, 3(sc) (hap.)

popularitas   I, 10, 2

portendere   III, 5, 3; 13, 1; 22, 6

portio   II, 9, 1; 25, 2; III, 6, 8

post *(adv.)*   I, 19, 5; II, 6, 7; III, 4, 1

posteritas   II, 15, 1; 17, 3; III, 1, 2

potior (deus)   I, 6, 3; 11, 9; II, 8, 2

praeacutus   III, 14, 3 (U)

praecellere   I, 4, 5; 15, 1

praecinere   I, 21, 1; III, 20, 1

praecocus   III, 8, 1 (cf. p. 94, n. 2)

praeconium   I, 26, 1; II, 4, 1; III, 24, 12

praecurare   II, 29, 4 (cf. p. 211)

praedamnare   II, 10, 5; 23, 2; III, 3, 3

praedicare   I, 11, 5.8; 19, 3; 20, 4.6; 21, 2; III, 1, 1.2; 2, 3; 3, 2.4; 4, 3; 5, 3.4; 6 *passim;* 11, 4; 12, 4; 14, 7; 15, 5; 18, 1.2.7; 19, 7; 20, 10; 22 *passim;* 23, 1.6; 24, 4.6.7.13

praedicatio   I, 18, 2; 20 *passim;* III, 2, 3.4; 3, 4; 6, 4.9; 8, 5.7; 13, 6; 17, 5; 18, 1.2; 19, 5.7; 21, 3; 24, 7

praedicator   III, 17, 5; 22, 2

praedicere («prévenir») II, 4, 6; – («prédire») III, 17, 4

praeducere   III, 5, 1

praefari   I, 1, 2; II, 1, 1; III, 3, 2

praeferre   I, 2, 3 (cf. p. 253); 8, 1; 22, 1; 24, 3.7; 25, 1; 29, 2

praegnatus, us   III, 13, 5 (T)

praeiudicare   I, 7, 2; 9, 7; 19, 3; 23, 3; II, 6, 7; 16, 4.5; 27, 3; III, 1, 1

praeiudicium   I, 11, 6; III, 6, 3; 20, 1; 24, 12

praelatior   I, 9, 4; III, 24, 8 (Tp)

praemeditatus *(passif)* II, 17, 4 (U)

praeministrare   I, 9, 5

praemittere   I, 16, 1; II, 4, 4; 24, 3; 29, 3; III, 13, 1; 20, 5; 22, 5; 24, 9

praemonitio   II, 4, 6 (corr.) (Tp)

praemonstrare   II, 4, 3

praenotare   III, 6, 4; 7, 1

praenuntiare   I, 20, 6

praeparatio   III, 14, 4(sc)

praepotentia   II, 7, 2 (U)

praeripere   III, 3, 2

praescientia   II, 5, 3; 7, 1.2 (Tp)

praescire   II, 3, 3; 5, 4; 7, 4; 28, 2

praescius   II, 5, 1.2; 9, 4

praescribere («ordonner») I, 28, 2; 29, 4; II, 17, 4; 22, 4; 24, 1; – («établir un principe préalable») I, 6, 2 (cf.

p. 126, n. 1); 9, 4; 25, 7; II, 1, 2; 3, 1; III, 3, 3

praescriptio   I, 1, 7; 11, 6; 22, 1; III, 1, 2; 16, 6

praescriptum   II, 7, 4; 17, 4

praesignare   I, 13, 1

praestantia («supériorité»)   I, 4, 6; 5, 4; – («générosité») II, 7, 16 (cf. p. 106, n. 4)

praestigiae (-gia)   III, 11, 1 (cf. p. 110, n. 4); 24, 13 (cf. p. 215, n. 6)

praestruere   I, 11, 8; 12, 3; III, 11, 1; 13, 4

praesumere   I, 2, 2; 11, 4; 15, 6; II, 2, 1; 16, 6; III, 1, 2; 6, 1; 8, 1; 16, 2

praesumptio   I, 2, 1; 11, 9; III, 8, 2

praetendere   I, 23, 1; II, 6, 5; III, 13, 7(sc)

praetexere   I, 1, 7

praeuaricatio   I, 20, 3

praeuaricator   I, 22, 10; 27, 1

presbyter   III, 22, 2

pressura   II, 19, 4(sc)

primordium   a -dio I, 1, 6; 10, 1.3; 17, 3.4; 21, 4; 22, 2.4.7; 23, 3; 28, 2; II, 2, 1.6.7; 3, 1; 6, 8; 11, 1; 12, 1; 27, 4; – in -dio : I, 22, 7; II, 9, 7; III, 5, 4; – in -diis : II, 26, 2; 28, 4; – a -diis : II, 17, 3

principaliter   I, 4, 2

prius est (+ subj.)   III, 24, 13 (cf. Hoppe, p. 140)

probabilis   I, 1, 5 (cf. p. 286 s.)

probatio   I, 9, 4.9; 20, 1; 21, 5; II, 5, 3; III, 15, 3; 18, 1

procacitas   II, 14, 4 (U)

proferre   («production du monde»)   I, 10, 1; – («prolation du Verbe») II, 27, 1

professio   I, 8, 1; II, 24, 2; III, 4, 1; 20, 8

profusor   I, 24, 3 (Tp, U)

prohibitio   II, 18, 1

prohibitor   II, 26, 3 (U)

proludere   II, 4, 1; 5, 1

proma   II, 10, 3(sc) (cf. Vx. II, 4, 3; Res. 27, 4-5)

promissum   II, 19, 4; III, 9, 7; 20, 6

pronuntiare   I, 2, 2; 3, 1.3.5; 6, 4; 13, 3.5; 20, 6; 26, 4; II, 2, 7; 10, 3; 11, 4; 12, 2; 18, 2; 20, 4; 27, 5; III, 1, 2; 3, 3; 5, 3; 7, 2; 8, 1; 12, 3; 23, 5; 24, 3

pronuntiatio   I, 2, 1; II, 25, 6; III, 13, 3

propere   III, 4, 3

prophetare   III, 19, 7; 20, 2.5; 21, 4; 22, 5.7

prophetes (-ta)   I, 20, 4; 21, 5; II, 5, 4; 14, 4; 16, 2; 18, 1; 19, 2; 23, 1; 26, 4; 27, 3; III, 4, 5; 5, 3 (nomin. -tes); 6, 6.7 (nomin. -ta); 7, 1.4 (nomin. -tes); 11, 9; 13, 4; 16, 5; 17, 3; 18, 5; 19, 4 (nomin. -tes); 20, 8 (nomin. -ta); 21, 2; 23, 2.3

prophetia   I, 10, 3; II, 10, 2; III, 13, 6; 19, 3.7; 22, 6; 24, 4;

– (*abl. plur.* prophetis) III, 3, 4 (cf. p. 65, n. 6)

propheticus   II, 19, 1; III, 5, 2 (Tp)

propitius   I, 23, 9

propositum   III, 17, 4 (cf. p. 154, n. 2)

proprietas   I, 7, 7; 22, 4; 24, 5; II, 6, 5; 9, 2; 16, 6; III, 6, 1; 15, 3

proselyti   III, 21, 2(sc).3; 22, 1

prosperari   II, 19, 3(sc); III, 14, 2(sc).6

prospicere   II, 2, 4; 4, 1.4; 6, 2; 13, 3; 15, 1; 18, 1.2; III, 5, 2; 24, 5

prostitutus   I, 9, 2

prouidentia   II, 4, 6;7, 5; 15, 3

prouocare   I, 9, 1.4.8.9; 18, 3; II, 9, 7; III, 6, 7(sc); 12, 1

prouocaticius   II, 3, 3.5 (T)

prouocatio   I, 9, 8; II, 18, 1

pruina   I, 1, 3 (cf. p. 284)

psalmus   I, 21, 1; III, 14, 5; 19, 5; 20, 3.6; 22, 1.3.6; 23, 4

pseudochristus   III, 3, 1 (U)

pseudoprophetes   III, 15, 7

puerperium   III, 11, 7

punitor   II, 13, 4 (U)

pusillitas   II, 25, 1; 27, 2.3.6.8; 28, 1 (Tp)

pusillus   II, 2, 6; 26, 3; 27, 1.7

putatiuus   III, 8, 4; 9, 1.2; 11, 1.5

qua (= ut)   I, 9, 6; 12, 3; 15, 3; 17, 4; 21, 1; II, 5, 3; 9, 4.8; 14, 4; 18, 1; III, 2, 1; 6, 3.8.10; 9, 2

quadratus   I, 18, 1 (cf. p. 303)

quaestio   I, 1, 7; 2, 2; 9, 6.7; 15, 2; 17, 3; 21, 2.3; 25, 1; II, 5, 1; 9, 2; 19, 2; III, 9, 1; 11, 5; 15, 1; 24, 2

quale est (erat)   + ut I, 9, 5; 11, 5.9; 15, 1; 26, 2; II, 6, 3; III, 23, 7 (cf. Hoppe, p. 157); – + *infin.* I, 23, 5; – + si *et indic.* III, 3, 2; 10, 5; – + quod *et indic.* III, 15, 3

qualequid   (= qualecumque) I, 13, 3 (cf. *LHS,* p. 202)

quanquam   + *subj.* I, 7, 7; II, 9, 6; 27, 2 (cf. Hoppe, p. 150); – «d'ailleurs» «du reste» II, 15, 3; III, 3, 4

quando   *(causal)* I, 9, 10; 11, 7; 26, 3; – *(adversatif)* II, 2, 2; 16, 1; III, 6, 3; 15, 3; 18, 6; 21, 2 (cf. Hoppe, p. 152)

quandoque (= aliquando)   I, 20, 5; 22, 7; II, 23, 1; III, 9, 4.7; 14, 5; 18, 6

quanti (= quot)   I, 7, 2

quanto ... tanto   I, 2, 2; II, 1, 2; 11, 4

quantum   in quantum ... in tantum I, 7, 5; 12, 1; 25, 1; II, 5, 2; 24, 7; III, 2, 4. Voir aussi «in tantum» (*sub* in)

quasi (= quod + *propos. complét.*)   II, 10, 1; 18, 3; 24, 5 (cf. p. 206); III, 6, 2; 8, 7; 9, 1; 13, 5; 21, 1 (cf. *LHS* § 321 c)

quatenus   I, 1, 7; II, 1, 1;
    27, 2
qui (= aliquis)   I, 1, 3 (cf.
    p. 250); II, 24, 3
quia (= ὅτι)   II, 4, 2(sc); 6, 7;
    – (devant prop. infinit.) II,
    27, 4 (cf. p. 209)
quid (= aliquid)   I, 3, 3;
    11, 5.7; 22, 5; 28, 2; II, 5, 2;
    7, 2; III, 6, 1; 15, 7
quid illi cum   + abl. I, 11, 1;
    25, 3
quidam (+ nom propre)   I, 2, 3;
    8, 1
quidni   I, 1, 4; 22, 5
quisque (avec attraction de cas)
    I, 4, 1 (cf. p. 116, n. 1)
quo (final, sans comparatif)
    II, 4, 5 (cf. LHS § 375)
quod (complétif)   II, 7, 4;
    10, 1; 22, 2

ramulus   I, 17, 3
ratio   I, 3, 2; 5, 1.2.4; 9, 4.7;
    11, 6.7; 12, 3; 15, 4; 19, 5;
    23 passim; 26, 1; 29, 4 (spi-
    ritalis r.); II, 2, 2; 3, 4; 4, 6;
    6, 1 passim; 7, 1.2; 10, 5;
    15, 1; 19, 1; 27, 1; 29, 4;
    III, 4, 2; 7, 1; 8, 6; 9, 5;
    13, 4.5; 15, 1; 18, 1; 24, 6
    (cf. p. 207, n. 4)
rationalis   I, 23, 1.6.8; 24, 1;
    25, 1; II, 4, 5; 7, 1.5; 9, 4;
    22, 2.4; 29, 4
rationaliter   I, 23, 1; II, 9, 8
reatus   I, 24, 4; II, 15, 2
recenseri   I, 10, 1
recensus, us   III, 1, 2

recidiuus   I, 13, 5
reciprocus   I, 13, 5
recogitare ne (= cauere ne)
    I, 7, 2; – recogitatus II, 6,
    8; 9, 2
redundantia   I, 23, 5; 29, 8
reformare   II, 1, 1; 29, 3;
    III, 1, 1; 9, 3.5.7
refrigerium   II, 17, 4; III, 24, 1
regeneratio   I, 28, 2 (Tp)
regnum (Christi)   III, 4, 5; 7,
    4(sc); – (Dei) III, 24, 1.8(sc);
    – (millénaire) III, 24, 3.6; –
    (regna saecularia) III, 7, 3
regula   I, 1, 7; 5, 2; 6, 2;
    7, 6; 9, 7; 20, 1; 21, 4.5;
    22, 2.3; 23, 1; II, 1, 2;
    III, 1, 2; 2, 2; 17, 5
religio   I, 5, 5; II, 18, 3;
    22, 4; III, 6, 2; 20, 8
remediare   II, 22, 1
renuntiare («remontrer»)   III,
    9, 7; – («publier», «rap-
    porter») II, 14, 2; III, 13,
    6.10; – («renoncer à») III,
    22, 2; – (sibi renuntiare) II,
    20, 3 (cf. p. 201 s.)
repastinare   II, 18, 1 (cf. p. 113,
    n. 4)
rependere   II, 14, 3; 17, 3
repensare   III, 19, 9
repercutere   I, 9, 1; II, 20, 4;
    28, 2; 29, 3
repraesentatio   III, 7, 7; 10, 4;
    24, 4
repromittere   III, 3, 3; 5, 3;
    21, 3; 24, 3.7.13
repudiator   I, 14, 5 (Tp, U)

rescindere   I, 1, 1; II, 7, 2.3; 23, 2

rescissio   II, 7, 3

resignaculum   II, 10, 3(sc) (U)

resignare   I, 28, 3; II, 10, 3

respicere   (*transit.* = « respecter ») II, 16, 7 (cf. p. 195); II, 28, 1

responsio   I, 2, 3

respuere   II, 9, 9; III, 6, 2.9; 15, 6; 19, 6

restitutio   II, 10, 5; 25, 5; III, 24, 1.2

resurgere   I, 11, 8; 24, 3.6; III, 8, 5(sc).6; 9, 5; 24, 6

resurrectio   I, 21, 3; III, 8, 6.7; 14, 6; 19, 8.9; 20, 8; 24, 3.5.6

resuscitare   III, 8, 7

resuscitator   III, 8, 2 (Tp; cf. p. 95, n. 5)

retorquere   I, 7, 2

retractare   I, 19, 1; 21, 6; II, 1, 1.2; 2, 3; 27, 2; III, 4, 1; 6, 1; 24, 6

retractatus   I, 1, 7; 7, 1.7; 9, 7.9

retributio   II, 18, 1

retro (= antea)   I, 1, 1.6; 8, 1; 9, 2.4.10; 19, 5; 20, 1; 25, 4; 29, 4; II, 10, 4; 29, 3; III, 3, 3; 6, 8; 7, 6; 13, 8; 19, 4; 20, 10

reuelare, -lari   I, 2, 3; 8, 1; 15, 1; 18 *passim;* 19 *passim;* 22, 4; III, 4, 3.4.5; 19, 4; 22, 3; 24, 6

reuelatio   I, 17, 4; 18, 1.2; III, 4, 2; 6, 6

reus (= sons)   II, 6, 8; 7, 4; 14, 4; 15, 2

rhinoceros   III, 18, 3 (U)

ruminare   I, 25, 3

rusticus   I, 28, 3; II, 4, 2

Sabaoth   III, 23, 2(sc)

sabbatum   I, 20, 5(sc); II, 21, 1; 22, 4(sc)

sacerdos   III, 7, 6.7; 22, 2

sacramentum   I, 13, 5; 14, 3; 21, 5; 28, 2.3; II, 27, 7; III, 7, 6; 16, 1.4.5; 18, 2; 19, 4; 22, 7

sacrosanctus   II, 21, 2

saecularis   III, 7, 3

saeculum   I, 11, 4; 17, 4; 22, 9; 23, 7; II, 18, 3; III, 16, 4; 24, 5.8; – saecula   I, 8, 1

salus   I, 23, 2; 24, 3; 25, 4.5; 27, 6; 28, 3.4; II, 10, 6; 15, 1; 16, 3; 26, 4; 27, 1.7; 28, 2; III, 2, 4; 7, 7; 8, 5; 18, 7; 22, 3

salutaris   I, 24, 6; 29, 1; III, 6, 6; 18, 7; – spiritus salutaris (Christ de Marcion) I, 19, 2; – salutare (= salus) III, 14, 4(sc)

saluator   III, 18, 4

salutificator   II, 19, 3(sc) (T)

saluus   I, 24, 2.3; 29, 7; – saluum facere II, 28, 3; III, 19, 5(sc); – (« sauvegardé », « sauf ») II, 6, 7; 7, 1; 15, 2; 25, 4

Samia (*sc.* placenta)   III, 5, 3 (cf. p. 74, n. 3)

sanctificare   I, 28, 4

sanctitas («chasteté») I, 28, 4; 29, 2.5

sanctus I, 14, 4; 28, 4; III, 11, 7; 20, 8.9; – sancti *(subst.)* II, 19, 4(sc); III, 13, 10; 24, 5.6; – sanctus Israhel(is) III, 6, 7(sc); 23, 3(sc). – sanctus III, 22, 3(sc)

sapa III, 5, 3 (U; cf. p. 74, n. 1)

sapere («être sage») I, 14, 4; 19, 3; – («signifier») II, 18, 1; 24, 1

Satan, Satanas II, 10, 3; III, 20, 9

scaena I, 1, 3; III, 11, 6

scandalum I, 3, 2; III, 1, 1; 7, 2(sc).3(sc); 18, 2

sciscitatio II, 25, 6 (U; cf. p. 155, n. 3)

scorpius I, 24, 7

scorteus II, 11, 2(sc) (U)

scriba I, 23, 5(sc); II, 20, 4; III, 6, 6; 18, 5

scriptum est II, 27, 3; III, 22, 1; 23, 3; – scribitur III, 4, 4

scriptura II, 9, 2.6; 19, 2 («contrat écrit»); 20, 2; 24, 2.7; III, 6, 1; 13, 1; 18, 5; 22, 2; 24, 12; – -rae I, 16, 2; 29, 9; II, 19, 4; III, 5, 1; 6, 4; 17, 1.5; 20, 1; 23, 6

scrofa I, 5, 1 (U; cf. p. 120, n. 2)

scrupulositas II, 18, 3

scrupulus I, 5, 5; II, 11, 2

scyphus II, 20, 4

sed *(après* etsi) I, 19, 1;

II, 3, 2; 8, 2, 17, 1; 25, 4; III, 17, 2 (cf. Hoppe, p. 203)

seductio II, 2, 7

seductrix II, 2, 7 (Tp, U)

sementis I, 29, 7

senium III, 15, 5

sepes (= saepes) I, 13, 4

sepia II, 20, 1 (U)

Seraphin II, 22, 2 (U)

series I, 9, 7; 29, 9

Sermo (Verbe) II, 4, 1.2.3; 27, 3; – («parole divine») II, 10, 3(sc); III, 6, 8; 14, 2.4(sc).5.6. 17, 2; 21, 3(sc); 22, 1(sc); – sermo nouae prophetiae III, 24, 4

seruitium (= seruus) II, 17, 4

si (+ *interr. indir.*) I, 14, 4; II, 25, 6(sc)

si forte I, 3, 1; 24, 3; III, 4, 5; 24, 9.12

si quando III, 15, 4

sicuti I, 16, 2; II, 8, 2

signaculum III, 22, 7

signare II, 5, 6 (cf. p. 185); 9, 1; III, 3, 2; 7, 7; 22, 5

significantia II, 19, 1

significatio III, 12, 4

signum III, 3, 1(sc).4; 6, 6.10; 13, 4(sc).5.6; 17, 5; 24, 4

simplex I, 2, 1; II, 22, 2.3; 24, 8; 25, 2; 27, 1

simplicitas II, 21, 2 (cf. p. 131, n. 5)

simpliciter (sens exégétique) II, 19, 2; III, 20, 8; – (sens moral) III, 24, 11

simul (= simul ac) I, 5, 1 (cf. p. 256)

simulare I, 4, 2; II, 25, 5

singularitas I, 4, 6; 11, 9

siquidem (= nam) I, 10, 1; II, 5, 2; 16, 5; II, 21, 1; III, 3, 1; 24, 5

sistere I, 5, 2; 7, 7; 20, 5; III, 21, 1

solidare III, 6, 6(sc)

solitarius I, 26, 1

solitudo I, 4, 6; III, 5, 3(sc)

sollemnitas II, 22, 4(sc)

sonus (nominis) II, 24, 8; 25, 2.6; III, 12, 2.3; 13, 1 (cf. p. 122, n. 1)

sophia II, 2, 4(sc)

sorech III, 23, 2(sc) (cf. p. 195, n. 6)

sors I, 7, 5 (cf. p. 290)

specula III, 23, 3(sc)

speculator II, 25, 3

spes II, 25, 4; III, 6, 6; 24, 2.12

spiritalis I, 29, 4 (ratio s.); II, 19, 1; III, 7, 7 (templum s.); 14, 3.6; 17, 2 (gratia s.).4; 18, 7; 24, 5

spiritaliter III, 18, 5; 24, 2

Spiritus Sanctus I, 28, 3; II, 24, 2; III, 23, 2; – S. Dei II, 2, 4(sc); III, 20, 9; – S. (seul) III, 24, 11; Christus S. Creatoris III, 6, 7; 16, 5

spondere II, 5, 6 (cf. p. 185)

sportula III, 16, 1 (U)

spurcitia I, 29, 2

sputamen III, 5, 2(sc)

statiuus I, 16, 2

status I, 3, 2; 4, 6; 6, 2.3; 7, 3.4; 9, 8.9; 13, 5; 19, 1; 21, 1; 22, 3; 28, 2; 29, 3

(≠ excessus).9; II, 5, 5.6; 6, 3; 8, 2.3; 11, 3; 12, 3; 16, 4.6; 17, 1.2; 22, 2; 25, 4; III, 5, 2; 6, 1; 10, 1; 15, 3; 17, 2; 24, 1.3

stercus III, 10, 1

stilus I, 1, 2; 10, 1

stipare I, 15, 2

stipendiari III, 13, 3 (U)

stropha III, 10, 2 (cf. p. 108, n. 3)

structura III, 24, 8

struere II, 6, 1; III, 6, 2

stupor I, 8, 1

subiectio I, 4, 4

sublimare II, 14, 1(sc); III, 7, 3

sublimis (deus sublimior) I, 11, 9; II, 2, 3; 27, 2; – sublimiora II, 25, 3

sublimitas I, 7, 6; II, 10, 3; III, 7, 8; 19, 3; 21, 3

subsiciuus I, 15, 2 (U)

substantia I, 5, 1; 7, 3.4.5; 11, 8; 13, 3.4; 14, 4; 15 passim; 24, 4; 28, 4; II, 2, 3; 4, 4; 5, 1.6; 6, 3; 8, 3; 9, 1.8; 16, 4.6; 22, 1; 29, 3; III, 6, 8.9; 8, 2.3.6; 9, 2.4; 10, 2 et passim; 11, 1.6; 24, 6

substruere II, 9, 8; III, 2, 4

suffectura I, 28, 3 (hap; cf. p. 312 s.)

sufficere suffectus I, 1, 1 (cf. p. 98, n. 2)

suffigere III, 18, 5

suffundere («faire rougir de honte») I, 5, 5; II, 3, 5 (cf. Hoppe, p. 251)

suggestus, us II, 22, 2; III, 2, 1

sulphuratus (-tior)   I, 28, 1 (hap.)

summa («sommet»)   I, 4, 5; – («totalité») II, 9, 1

summitas   I, 4, 4.5

summum magnum   *Voir* magnum

supercilium   I, 8, 1

superducere   II, 1, 2 (cf. Hoppe, p. 251)

superinducere   III, 4, 2 (cf. p. 222)

superindumentum   III, 24, 6(sc) (Tp)

superstitio   I, 5, 5; 9, 2; 13, 4; II, 18, 3; III, 13, 10

superstruere   III, 20, 1

supersum   superest + *subj.* (*sans* ut) I, 19, 4 (cf. p. 272 s.); – + *infin.* II, 24, 6; – + ut *et subj.* III, 20, 7

superuacuus   I, 5, 5

sustinere   (+ *partic.* = «attendre») II, 10, 6 (cf. Hoppe, p. 118)

synagoga   III, 22, 2

talio   II, 18, 1

tanti (=tot)   I, 8, 1; II, 5, 4; 19, 4

taurus   II, 22, 2(sc); III, 18, 4.5(sc)

tempestiuitas   III, 14, 2.5

templum   I, 10, 1; III, 7, 3.7; 20, 9; 21, 3; 23, 2; 24, 10(sc)

temporalis I, 22, 4; II, 25, 4; 29, 3; III, 20, 9

temptator   III, 7, 6

tenus *(prépos.)*   I, 24, 3

terminus   I, 5, 2; III, 20, 2(sc)

terrigenus   II, 12, 2   (Tp, U)

testamentum   I, 20, 4(sc); – uetus t. II, 27, 5; III, 15, 5; – duo testamenta legis et euangelii III, 14, 3

testimonium   I, 10, 4; 13, 1; II, 17, 1; 19, 4; III, 2, 1; 3, 1; 8, 7; 11, 1; 13, 8; 20, 5(sc).10(sc); 23, 5; 24, 1

tetrao   I, 13, 5 (U)

tibia   II, 9, 6

tingere (tinguere)   «baptiser» I, 23, 8; 24, 4; 29, 1; III, 12, 4(sc)

titulare   I, 25, 3; III, 13, 10

titulus   I, 8, 2; 9, 2; 24, 5; II, 1, 1; 3, 2; 5, 4; 11, 3; 22, 1.3; 24, 3; 29, 2; III, 4, 4; 11, 5 (cf. p. 235); 17, 5

tonitruum   III, 6, 6(sc)

totus   toti (= omnes) III, 11, 1 (cf. Hoppe, p. 198); – in totum II, 18, 1; III, 9, 1; – totum (= in totum) I, 29, 7; – totum hoc (= hic mundus) I, 10, 4; 11, 6.7; II, 4, 3; 12, 3

tractatus   II, 6, 7

traditio (apostolica)   I, 21, 4; – («trahison») III, 23, 5

traducere (= coarguere)   I, 24, 1; III, 4, 4

traductio   II, 20, 1; III, 14, 7

tranquillitas   III, 17, 4

transfunctorius   I, 27, 1 (T)

transgressio   II, 4, 6; 5, 4.7; 6, 7; 18, 3

trigonus   I, 18, 1 (cf. p. 303)

tumulus III, 23, 6 (cf. p. 200, n. 4)

uacare I, 9, 3; 11, 3; 15, 2.3; II, 19, 1; 24, 2

ualentia III, 13, 7(sc); cf. *Deus Christ.*, p. 104 s.

uane I, 5, 5; 26, 4; 27, 1; II, 26, 1.2; III, 4, 3.5; 11, 4; 15, 6; 23, 5

uanitas I, 5, 5; 28, 4

uanus I, 8, 1; 28, 1.3; II, 11, 3; III, 4, 4; 11, 3; 18, 5 (uanum... si...); 23, 1; – in uanum II, 19, 3

uapulare I, 8, 1

uarietas I, 1, 2

uel *(adv.)* I, 5, 4; 11, 1; 13, 3; 14, 2; 18, 2; 21, 3; 23, 6; 28, 1; II, 1, 2; 15, 1; 20, 1.3; 26, 2; III, 2, 4; 6, 3; 9, 2; 11, 2; 15, 4; 18, 2; 22, 2; 24, 2

uentilare III, 18, 3(sc)

uerbecinus II, 22, 3 (*corr.* cf. p. 203)

ueritas Christiana I, 3, 1; – nostra I, 3, 5; – euangelii I, 20, 2; Deus ueritatis II, 5, 1; – euangelium ueritatis II, 15, 3; – ueritas spiritus III, 8, 3

uetustas I, 8, 2; 20, 5.6; III, 3, 4 (cf. p. 269)

uexatio I, 22, 9; II, 24, 5

uicarius III, 6, 7

uictrix III, 3, 4 (cf. p. 269)

uidelicet I, 13, 3; II, 25, 6; III, 8, 2; 13, 8

uiderit I, 1, 1; 9, 8; III, 11, 5 (cf. p. 114, n. 2); – uidisset II, 7, 4 (cf. p. 59, n. 4)

uipera III, 8, 1

uirtus (≠ infirmitas) I, 14, 1; II, 29, 1; III, 12, 1(sc); 13 *passim;* 14, 6; 17, 5; 18, 4; – uirtutes («miracles») II, 27, 6; 29, 1; III, 3, 1(sc); 2, 3.4.; 8, 4; 16, 5; – Virtutes III, 21, 3; 23, 5, 8

uisceratio III, 7, 7 (U; cf. p. 92, n. 3)

uiuificare II, 14, 1(sc)

ultorius II, 24, 4 (hap.)

unde (= undeunde) III, 9, 4.5.7 (cf. p. 233)

ungere (unguere) I, 14, 3; III, 15, 6 (étymologie de Christus); – unctus (sens profane) III, 13, 3

unicornis III, 18, 3(sc).4; 19, 5(sc)

uniformis I, 16, 4; II, 5, 6 (Deus); III, 5, 2

unio I, 4, 5.6; 5, 2

unitas I, 5, 5; 20, 4; II, 29, 2

uniuersitas I, 7, 3; 11, 3; 16, 4 (+ conditionis); II, 2, 1; 8, 2; 9, 7; III, 17, 4

uocatio III, 14, 6; 21, 2; 22, 1

uociferari II, 25, 3

uocitare II, 9, 7; III, 16, 6

uolumen II, 1, 1

usurpabilis II, 6, 5 (hap.)

uti (+ *accus.*) I, 14, 5

uti (= ut) I, 9, 3; 11, 8;

17, 3; 26, 5; II, 1, 1; 7, 2; 10, 1; III, 12, 2; 22, 7

utrubique   III, 4, 4

uulpicula (= uulpec –) III, 5, 3 (U; cf. p. 75, n. 6)

zelotes   I, 28, 1; II, 29, 4; III, 23, 7

zibina   III, 21, 3(sc); cf. p. 184, n. 3

V. INDEX ANALYTIQUE

Abraham la postérité d'A. III, 24, 7; – le sein d'A. III, 24, 1-2

Alliance (éternelle) prophétisée par l'A.T., réalisée dans les chrétiens III, 20, 5-10

Ame (humaine) souffle de Dieu, mais sans l'impeccabilité de l'Esprit II, 9, 1-7

Amour (du prochain) I, 23, 4-6

Anges (de *Gen.* 18-19) exemple utilisé en faveur du docétisme III, 9, 1-5 (voir Note complémentaire 35); – leur chair était humaine et sans naissance III, 9, 5-7

Antériorité (et postériorité) I, 9, 5; II, 17, 3; III, 2, 2-3; 3, 2-3

Anthropomorphismes (bibliques) II, 16, 4

Antithèses ouvrage de Marcion I, 19, 4; – les «Contre-Antithèses» de Tertullien II, 28; – l'antithèse est inhérente à l'univers II, 29, 4; – «antithèse» de Marcion entre les deux Christs III, 21, 4; 24, 1

Apellès disciple déviant de Marcion, donne à son Christ une chair empruntée aux astres III, 11, 2

Apôtres leurs activités et leurs souffrances ont été prédites par l'A.T. III, 22, 1-5

Appel (des païens) prophétisé par l'A.T. II, 20, 1-5; – ne peut s'entendre des prosélytes III, 21, 2-4

Astrologie pratiquée par les marcionites I, 18, 1 (cf. p. 302 s.)

Avènements (les deux a. du Christ) annoncés par les prophètes III, 7, 1-6; – symbolisés par les deux boucs III, 7, 7

Barbarie du Pont, patrie de Marcion I, 1, 3; III, 13, 3; de Marcion I, 1, 4; 10, 3

Bonté (du Dieu Créateur)   son éternité II, 3, 3-5; – attestée par la création II, 4, 3; 5, 3-4; 17, 1; – va de pair avec la raison II, 6, 2-8; – innée et première II, 11, 1-2; – source de sentiments admis par Marcion II, 16, 6-7; – prouvée par l'enseignement des prophètes II, 19, 2-4; – réalise, avec la justice, la plénitude de la divinité II, 29, 1-3

Bonté (prétendue absolue du dieu de Marcion)   ne s'est pas manifestée dès l'origine I, 22, 4-10; 23, 3; II, 3, 5; – n'est pas rationnelle I, 23, 2-9; – n'est pas parfaite I, 24; – voulue exempte des sentiments judiciaires I, 25, 2-3; II, 17, 1; – critique de cette conception I, 25, 3-7; 26, 1-2

Brièveté (volonté de)   I, 19, 1; II, 27, 1; 29, 1

Cerdon maître de Marcion I, 2, 3 (cf. p. 110, n. 1); 22, 10; III, 21, 1

Chérubins (de l'arche)   ne contredisent pas à la prohibition légale des représentations figurées II, 22, 2

Christ théologie du Christ préexistant II, 27, 3-7; III, 6, 7-8; – a révélé son nom de Jésus dans l'A.T. III, 16, 5-6; – issu de Jessé par Marie III, 17, 3-4; – appelé à s'incarner pour le salut de l'homme III, 9, 5; – son incarnation est le fondement du christianisme III, 8, 4-7; – argument tiré de l'étymologie de Christ pour réfuter le docétisme III, 15, 6; – ses deux avènements III, 7; – son aspect ignominieux et souffrant au premier avènement III, 17, 1-4; – sa double activité, enseignement et miracles III, 17, 5; – voie et porte du ciel III, 24, 10-11

Christ (du Créateur)   ses promesses selon Marcion III, 24, 1-2

Christ (de Marcion)   ombre et fantôme I, 22, 1; – n'a pris que l'apparence de la chair I, 24, 5; III, 8; 10; – aurait dû être annoncé III, 2, 1-3; – sa venue subite est contraire à l'économie de la foi III, 2, 3-4; – les miracles ne suffisent pas à l'authentifier III, 3; – crucifié par les Vertus et les hommes du Créateur; absurdité de cette thèse III, 23, 5-8

Concordia oppositorum I, 16, 2-4 (cf. p. 301 s.); II, 29, 4

Connaissance (de Dieu) nécessaire au titre de la grandeur et de la bonté I, 9, 4; – antérieure à Moïse I, 10, 1-2; – procurée par l'âme et le monde I, 10, 3-4; II, 17, 1; – par voie naturelle et surnaturelle I, 18, 2; III, 2, 4; – manifeste la bonté divine II, 3, 2-3

Créateur ignore le dieu supérieur selon Marcion I, 11, 9; II, 26, 1; 28, 1; – attaqué par les hérétiques II, 2, 1; – justifié d'avoir ordonné un vol contre les Égyptiens II, 20; – et de s'être contredit sur le sabbat II, 21; – son antériorité absolue III, 3, 3

Création a fait connaître Dieu I, 10; II, 3, 4; – fait défaut au dieu de Marcion sans que rien justifie cette carence I, 11, 4-9; 17, 3; – défense de la création contre les marcionites I, 13, 2-5; 14, 1-2; – produite par la bonté de Dieu II, 3, 3; – création du monde et du paradis pour l'homme II, 4, 1; – atteste la bonté et la puissance de Dieu II, 5, 3-4

Crucifixion (du Christ) prétendue contradictoire à la malédiction de l'A.T. III, 18, 1; – figures de la croix dans l'A.T. III, 18, 2-7; – prédictions de la croix dans l'A.T. III, 19, 1-5

Culte (spirituel) prédit par les prophètes III, 22, 6-7

Décalogue II, 17, 4

Diable ange créé bon, s'est perverti par sa propre volonté II, 10, 1-5; – visé par la prophétie d'Ézéchiel sur le prince de Tyr II, 10, 3-5; – auteur du mal du péché II, 14, 2

Dieu défini comme suprême grandeur I, 3, 1-2 (cf. p. 287 s); 5, 2; 9, 9; – grandeur impossible à connaître II, 2, 3-4; – ses caractéristiques I, 22, 3-4 (cf. p. 202 et n. 2); 23, 1; 24, 1; 25, 1; II, 1, 2; – Dieu et dieux I, 7; – son nom propre est Dieu I, 10, 2; – doit punir les délits contre ses lois I, 26, 5; – paradoxal II, 2, 6; – bon par nature II, 6, 4; – rien de subit en lui III, 2, 3-4; – rend tout digne de lui, sauf le mensonge III, 10, 4-5

Dieu (Créateur)   père et maître de l'homme II, 13, 5 ; – a respecté le libre-arbitre humain II, 7 ; – n'est pas responsable de la chute de l'homme II, 9, 9 ; – auteur des maux du châtiment pour sauvegarder le bien II, 14, 2-3 ; – sa sévérité était justifiée II, 15 ; – radicalement différent de l'homme II, 16, 5-7 ; – s'attache à l'intention du cœur, non à la valeur de l'offrande II, 22, 2-4 ; – sa prétendue versatilité est l'effet de sa bonté et de sa justice II, 23 ; – devait s'abaisser pour être accessible à l'homme II, 27, 1-7

dieu (le — de Marcion)   divinité nouvelle et étrangère I, 2, 3 ; 11, 1 ; – inconnu jusqu'à Jésus-Christ I, 8, 1 ; – incertain I, 9, 2-3 ; – sans action, il ne peut pas exister I, 12, 1-2 ; – sa méchanceté I, 12, 3 ; 22, 8-10 ; 24, 2 ; – libère l'homme qui lui est étranger I, 14, 2 ; 17, 1 ; 23, 11 ; – auteur d'une création invisible I, 15, 1 ; 16, 1-4 ; – ombre et fantôme I, 22, 1 ; III, 24, 13 ; – son inconsistance et inexistence I, 28, 1 ; 29, 9 ; II, 1, 1-3 ; – son injustice à l'égard du créateur de l'homme I, 23, 7-9 ; – favorise le péché en ne le punissant pas I, 27, 1-6 ; – plus cruel que Pharaon par l'interdiction du mariage I, 29, 7-8 ; – ses petitesses et méchancetés II, 28 ; – aurait dû se révéler après le Christ du Créateur III, 4, 2-5 ; – n'aurait pas dû prendre l'apparence de la chair créée par un dieu subalterne III, 10 ; – n'aurait pas dû utiliser le nom de Christ III, 15, 1-6 ; – dieu timoré ou fourbe III, 15, 7 ; – vaincu par le Créateur III, 23, 9

Dithéisme (de Marcion)   I, 2, 1-3 ; sa réfutation I, 4-6

Docétisme (de Marcion)   dénoncé comme mensonge III, 8, 2-3 ; – destructeur du christianisme III, 8, 4-7

Éditions (successives de l'ouvrage)   I, 1, 1-2 ; II, 1, 1 ; III, 1, 1

Église   symbolisée par le paradis II, 4, 4 ; – temple spirituel III, 7, 3.7

Emmanuel   le sens du nom s'est accompli dans le Christ III, 12, 2-4

Épicure   inspirateur de Marcion I, 25, 3-5 (cf. p. 310 s.) ; – sa conception de Dieu n'est pas celle des chrétiens II, 16, 2-3

Eschatologie (marcionite)   I, 27, 6 – 28, 1; III, 4, 5

Éternité   être de la divinité   I, 3, 2; 8, 3; 22, 3.6-7; – caractéristique de la bonté divine   II, 3, 4-5; – éternité divine et divination prophétique   III, 5, 2-3

Étymologie   de kosmos   I, 12, 3; – de diable   II, 10, 1; – de métanoia   II, 24, 8; – de Christ   III, 15, 6

Évangile   explique et justifie la Loi   II, 15, 3

Félicité (divine)   II, 16, 6-7

Femme   symbole de Marie et de l'Église   II, 4, 5

Figures (figuré, figuratif)   expression figurée de la prophétie III, 5, 3-4 (cf. Note complémentaire 32). Voir aussi Crucifixion, Isaac, Jacob, Joseph, Josué, Loi, Moïse

Fils de l'homme   III, 11, 3

Foi (de l'homme)   Dieu s'est attaché à la former   I, 12, 2-3; II, 26, 2; – Dieu l'a préparée par sa création et sa prédication   III, 2, 4; 3, 4

Hérétiques   achoppent sur le problème du mal   I, 2, 2; – soumettent Dieu à leurs appréciations personnelles   II, 2, 1-3; – pires qu'Adam   II, 2, 7; – confondent mal du péché et mal du châtiment   II, 14, 2

Hérésies   inspirées par les philosophes   I, 13, 3; – leur postériorité par rapport à la vraie doctrine   I, 1, 6; 19, 3-4; – préfigurées par la faute d'Adam   II, 2, 7

Homme   chair et âme   I, 24, 5; – sa déchéance en Adam   II, 2, 6-7; – image et ressemblance de Dieu par son libre-arbitre   II, 4, 3-4; 6, 2-8; – créature privilégiée, supérieure aux anges   II, 4, 4-6; 8, 2-3; – son libre-arbitre explique sa désobéissance   II, 5, 5-7; – son combat contre Satan   II, 10, 5-6; – radicalement différent de Dieu   II, 16, 5-6

Humanité (du Créateur)   attestée par ses prescriptions   II, 17, 4

Idolâtrie   lutte contre l'idolâtrie dans l'A.T.   II, 22, 1-4; 26, 2; – symbolisée sous le nom de Samarie   III, 13, 8-9

Ignorances (prétendues du Créateur)   justifiées par son dessein d'instruire l'homme II, 25

Incarnation   fondement du christianisme III, 8, 4-7

Incorruptibilité (divine)   II, 16, 4-7

Interdits alimentaires (de la Loi)   justifiés contre la critique de Marcion II, 18, 2

Isaac   figure du Christ crucifié III, 18, 2; – sa bénédiction prophétique de ses fils III, 24, 7-9

Isaïe   a annoncé l'Emmanuel III, 12; – absurdité d'une interprétation littéraliste de sa prophétie d'un Christ «enfant guerrier» III, 13, 1-3 : c'est l'annonce de l'épisode des mages III, 13, 6-10; – a annoncé l'aspect ignominieux et souffrant du Christ à son premier avènement III, 17; – a annoncé la mort et la résurrection du Christ III, 19, 8-9; – n'a pas pensé aux prosélytes en prédisant l'appel des païens III, 21, 2; – a annoncé la loi nouvelle de l'Évangile III, 21, 3

Jacob   a annoncé le Christ crucifié III, 18, 5; – l'échelle de J. III, 24, 9-10

Jérusalem (céleste)   III, 24, 3-4

Jésus   ce nom n'était pas attendu par les juifs III, 16, 1; – inconciliable avec le nom de Christ pour le dieu de Marcion III, 16, 2-3; – mystère de ce nom : son explication typologique III, 16, 3-6

Joseph   figure du Christ persécuté et crucifié III, 18, 3-4

Josué   type de Jésus-Christ III, 16, 3-6

Judaïsme   rejeté par les apôtres selon les prédictions de l'A.T. III, 22, 2-3

Juifs   leur aveuglement prédit par l'A.T. III, 6, 4-7; – ont repoussé le Christ comme destructeur du judaïsme, non comme représentant d'un autre dieu III, 6, 9-10; – abusés à propos du premier avènement III, 7, 8; – leur dispersion a été annoncée III, 27, 1-4; elle rend inadmissible leur interprétation d'un Christ encore à venir III, 23, 6-7

Justice (du Dieu Créateur)   rend seule rationnelle sa bonté I,

23, 6-7 ; – se manifeste à cause du péché II, 11, 1 ; – sauvegarde la bonté II, 11, 4 ; 17, 1 ; – présente dans l'organisation cosmique II, 12, 2-3 ; – plénitude et perfection de la divinité II, 13 ; 29, 1 ; – défendue contre les hérétiques II, 14, 4

Libre arbitre (de l'homme) sa raison d'être II, 6, 3-7 ; – cause de la chute II, 6, 7-8 ; 9, 8 ; – Dieu ne devait pas intervenir pour limiter son exercice II, 7, 2-5 ; – assure la victoire sur le diable II, 8, 3 ; – mis à l'épreuve en Adam et Caïn II, 25, 3-5

Loi primordiale, destinée à prouver la liberté de l'homme II, 4, 5-6 ; – mosaïque : sa dureté justifiée comme temporaire II, 15, 1-2 ; interprétée comme moyen d'une pédagogie divine II, 17, 4 ; 18, 1-3 ; 19, 1-2 ; sa signification mystérieuse II, 19, 1 ; II, 20, 1 ; 21, 2 ; 22, 1

Mal mal du péché et mal de la punition II, 14 ; 24, 4

Marcion ses blasphèmes contre le Créateur I, 1, 4 ; – mutilateur des évangiles I, 1, 5 ; III, 13, 6 ; – a achoppé sur le problème du mal I, 2, 2 ; – hérétique du règne d'Antonin : sa postériorité I, 19, 2-3 ; II, 1, 2 ; 13, 6 ; – auteur des *Antithèses* qui séparent Loi et Évangile I, 19, 4-5 ; – tourné en dérision dans son métier I, 7, 7 ; 18, 4 ; traité d'aveugle I, 2, 3 ; de fou furieux III, 1, 2 ; de créature satanique I, 19, 2 ; 22, 1 ; III, 8, 2 ; comparé aux bêtes du Pont, à Diogène I, 1, 5 (voir aussi *Barbarie*) ; – n'a pas introduit moins de neuf dieux I, 15, 2-6 ; – a opposé Paul aux autres apôtres I, 20, 2 ; – ne reconnaît pas l'apôtre Jean III, 14, 4 ; – hérite son docétisme des adversaires de Jean III, 8, 1 ; – prétend que les juifs ont repoussé Jésus-Christ comme venant d'un autre dieu III, 6, 1-4 ; – refuse la naissance à son Christ III, 11, 1-2 ; – ses invectives contre conception et enfantement III, 11, 7 ; – tire argument du nom d'Emmanuel III, 12, 1 ; – n'est pas un prophète I, 21, 6

Marcionites leur morgue I, 8, 1 ; leur impudence I, 19, 1 ; leur hypocrisie I, 14, 4-5 ; – leur comportement et leur alimentation I, 14, 4 ; – reprochent au Créateur ses contradictions I, 16, 4 ; – le mettent en cause dans la chute d'Adam

II, 5, 1-2; – prétendent Moïse meilleur que son dieu II, 26, 3; – sont soumis à l'empire du Créateur I, 25, 7; – comparés à des chiens II, 5, 1; à des seiches II, 20, 1; – croient en un dieu crucifié II, 27, 2.7; – ne fuient pas le martyre I, 14, 5 (cf. p. 167, n. 5); 24, 4; 27, 5; – il existe des marcionites de langue hébraïque III, 12, 3

Marcionisme comparé au valentinianisme I, 5, 1; au paganisme I, 11, 3; 18, 4; – ses sacrements I, 14, 3; 23, 9; absurdité de son baptême I, 28, 2-3; – son exigence de chasteté I, 28, 4; 29, 1; – son eschatologie I, 27, 6; 28, 1

Mariage admis par l'Église, rejeté par Marcion I, 29, 1-5; – sans lui, pas de chasteté I, 29, 5-6

Méthode pour l'examen de l'autre dieu I, 9, 6-9; – pour conduire la discussion I, 16, 2; – pour l'examen de la bonté I, 22, 2

Millénarisme règne millénaire prélude du royaume céleste III, 24, 3-6

Miracles (du Christ) insuffisants sans l'annonce prophétique III, 3

Moïse figure du Christ non reconnue par Marcion II, 26, 4; – son intercession montre le pouvoir du fidèle et du prophète auprès de Dieu II, 26, 4; – a préfiguré le Christ en croix III, 18, 6-7

Monothéisme sa démonstration I, 3, 3-6

Montanisme limite le mariage I, 29, 4 (cf. p. 242, n. 1); – oracle montaniste III, 24, 4

Naissance (du Christ) Marcion aurait pu recourir à une naissance illusoire pour son Christ III, 11, 5-9; – le signe de la naissance virginale chez Isaïe III, 13, 4-6

Nom à distinguer de la substance I, 7, 3-4; – de Christ III, 15; – de Jésus II, 16

Nouveauté constitue l'hérésie I, 1, 6-7; 8, 1-3; – incompatible avec l'éternité I, 8, 3; – nouveauté de l'Évangile annoncée par le Créateur I, 20, 6

Ordre inhérent à la rationalité I, 23, 6; – dans l'existence et dans la connaissance III, 2, 2-3

Patience (du Créateur) II, 17, 2

Paul son attitude dans l'incident d'Antioche I, 20, 2-4; – ses observations aux Galates I, 20, 4-5; – son rejet du judaïsme n'est pas adhésion à un dieu autre I, 21, 1-3; – cautionne l'interprétation figurée III, 5, 4; – utilisé contre le docétisme III, 8, 5-7

Père (Dieu le Père) son invisibilité II, 27, 4-5; – comparable au «dieu des philosophes» II, 27, 6 (cf. p. 164, n. 4)

Perfection caractéristique du divin I, 24, 1; II, 16, 6

Persécutions contre les apôtres et les fidèles, annoncées par l'A.T. III, 22, 4-5

Philosophes ont reconnu la beauté de l'univers I, 13, 3; – leur conception de Dieu n'est pas celle des chrétiens II, 16, 2-3 (voir aussi *Hérésie*)

Polythéisme interprétation naturaliste du p. I, 13, 4-5; – interprétation évhémériste du p. I, 11, 4-5; 13, 4

Pont (patrie de Marcion) I, 1, 3

Prescience (de Dieu) défendue contre la critique marcionite II, 5, 4-5; – a même prévu Marcion II, 26, 2

Prescription de postériorité contre l'hérésie I, 1, 6-7; – moyen abrégé de preuve III, 1, 2; – d'opposition totale entre les deux Christs III, 16, 6-7

Promesses (eschatologiques) le rétablissement d'Israël à interpréter du Christ et de l'Église III, 24, 2; – la promesse d'un royaume céleste par le Créateur III, 24, 7-11; – seul le Créateur a pu promettre le ciel III, 24, 12-13

Prophètes (de l'A.T.) suscités par la bonté de Dieu II, 19, 2-4; – puissants auprès de Dieu II, 26, 4; – ont annoncé l'aveuglement des juifs III, 6, 4-10

Prophétie, -tique nécessité d'une annonce prophétique pour la foi au Christ III, 3; – les deux formes du langage prophétique III, 5 (cf. Note complémentaire 32)

Puissance (de Dieu) prouvée par la création II, 5, 3-4

Raison (de Dieu) dans la création de l'homme II, 6, 1-8 ; – dans le plan de Dieu II, 29, 3-4

Rationalité (de Dieu) I, 23, 1 (cf. p. 207, n. 5)

Règle du Créateur, qui s'impose au dieu de Marcion I, 9, 4 ; 11, 4-5 ; 18, 3 ; – naturelle, renversée par le Christ de Marcion III, 2, 2-3

Repentirs (du Créateur) à propos de Saül II, 24, 1-2 ; – à propos des Ninivites II, 24, 2-6 ; – interprétation à donner du repentir divin II, 24, 6-8

Rétorsion des griefs faits au Créateur I, 22, 8-9 ; 26, 4 ; II, 25, 6 (cf. p. 155, n. 5) ; 27, 8 (cf. p. 167, n. 5) ; 28 ; III, 4, 4 ; 15, 7 ; – de la notion d'antithèse II, 29, 4

Sabbat (loi du) II, 21

Sacerdoce (des fidèles) au deuxième avènement III, 7, 7

Sacrifices (de la Loi) leur justification II, 18, 3 ; – leur rejet par le Créateur II, 22, 2-4

Salut (de l'homme) II, 27, 1-7

Sentiments (judiciaires) critiqués par Marcion I, 25, 2-7 ; II, 16, 1-2 ; – ne mettent pas en péril l'incorruptibilité divine II, 16, 3-7

Serments (du Créateur) II, 26, 1-2

Serpent (d'airain) ne contrevient pas à la prohibition des représentations figurées II, 22, 1 (cf. p. 132, n. 1 et 2) ; – préfigure la salut par la croix III, 18, 7

Talion (loi du) II, 18, 1-2 (cf. p. 220-224)

Tradition (apostolique) I, 21, 4

Verbe (divin) son activité dans la création II, 4, 1-3 ; – agent du Père dans la création et le plan divin II, 27, 3-7 ; – apparu avec les deux anges devant Abraham III, 9, 6

Vol (de la vaisselle des Égyptiens) II, 20 (cf. p. 224-227)

CORRIGENDA

LIVRE I

p. 22, 9e ligne, lire : à Gorze en Lorraine (au lieu de : à Gorce en Alsace).

p. 28, 4e ligne, lire : en 1583/84 (au lieu de : en 1579) et 22e ligne, lire : François Dujon (Iunius) (au lieu de : Francesco Iunius).

p. 100, texte latin, l. 19, lire : *erubescunt* (au lieu de : *erusbescunt*).

p. 102, n. 1, 4e ligne, lire : Hippolyte (au lieu de : Hyppolyte).

p. 110, n. 1, 3e ligne, même correction.

p. 116, apparat, après 13, lire : *non homo* (au lieu de : *homo*).

p. 124, n. 1, 4e ligne, lire : un seul (au lieu de : une seul).

p. 145, titre courant, lire : 10 (au lieu de : 13).

p. 149, 11e ligne, lire : qui soit à l'autre (au lieu de : qui ne soit à l'autre).

p. 166, lire : note 1 (au lieu de : note 6).

p. 180, texte latin, l. 1, supprimer la virgule entre *age* et *iam*, et la mettre après *iam*.

p. 214, n. 3, 1e ligne, lire : 276 (au lieu de : 246).

p. 220, texte latin, l. 57, lire : *At nunc* (au lieu de : *An nunc*).

p. 224, texte latin, l. 26, lire : *Quae autem* (au lieu de : *Quae enim*), et l. 39, lire : *Proinde enim* (au lieu de : *Proinde autem*).

p. 241, avant-dernière ligne de la traduction, lire : aussi la folie incestueuse, sacrilège et monstrueuse (au lieu de : l'inceste sacrilège et la folie monstrueuse).

p. 263, 6e ligne à partir du bas, lire : commence (au lieu de : comme).

LIVRE II

p. 36, texte latin, l. 30, après : *finxit*, ajouter : *hominem*.

p. 38, texte latin, l. 37, lire : *ecclesiam ! Eadem,* (au lieu de : *ecclesiam — ; eadem*).

p. 43, 5e ligne, lire : de l'obéissance (au lieu de : de la désobéissance).

p. 46, texte latin, l. 42, mettre une virgule après *spondentis* et l. 43, supprimer la virgule après : *potestate*.

p. 52, texte latin, l. 57, lire : *ei* (au lieu de : *et*).

p. 64, texte latin, l. 12, mettre une virgule après *accidit*.

p. 65, 13e ligne, après «vent», ajouter : quoique la brise vienne du vent.

p. 110, n. 2, 2e ligne, lire : assimilé (au lieu de : assmilé).

p. 134, apparat scripturaire, 1e ligne, lire : Ps. 49, 13 (au lieu de : Ps. 50, 13), et n. 3, 2e ligne, lire : institution (au lieu de : nstitution).

p. 156, texte latin, l. 7, lire : *non sciuit,* (au lieu de : *non scit*).

p. 209, 13e ligne à partir du bas, lire : des idées (au lieu de : de idées).

p. 219, 5e ligne à partir du bas, lire : créés (au lieu de : crés).

p. 231, 22e ligne, lire : Les troisième et quatrième interprétations (au lieu de : La troisième et la quatrième interprétations).

TABLE DES MATIÈRES

INTRODUCTION AU LIVRE III 7

    I. GENÈSE ET DATE 8
    II. CONTENU ET ORGANISATION 10
    III. VESTIGES DE REMANIEMENT 19
    IV. REMPLOIS D'AUTRES OUVRAGES 21
    V. SOURCES, ARGUMENTATION, EXÉGÈSE 25
    VI. POLÉMIQUE 32
    VII. LANGUE, STYLE, RHÉTORIQUE 34
    VIII. L'ÉDITION 37

ABRÉVIATIONS ET SIGLES 41

BIBLIOGRAPHIE 44

SOMMAIRE DU LIVRE III 48

CONSPECTVS SIGLORVM 52

TEXTE ET TRADUCTION 54

NOTES CRITIQUES 217

NOTES COMPLÉMENTAIRES 269

INDEX DES LIVRES I-III 307

    I. INDEX SCRIPTURAIRE 309
    II. INDEX DES AUTEURS PROFANES 318
    III. INDEX DES NOMS PROPRES 319
    IV. INDEX TERMINOLOGIQUE ET GRAMMATICAL 323
    V. INDEX ANALYTIQUE 351

CORRIGENDA (Tomes I et II) 361

SOURCES CHRÉTIENNES

Fondateurs : † *H. de Lubac, s.j.*
† *J. Daniélou, s.j.*
† *C. Mondésert, s.j.*
Directeur : D. Bertrand, s.j.
Directeur-adjoint : J.N. Guinot

Dans la liste qui suit, dite «liste alphabétique», tous les ouvrages sont rangés par nom d'auteur ancien, les numéros précisant pour chacun l'ordre de parution depuis le début de la collection. Pour une information plus complète, on peut se procurer deux autres listes au secrétariat de «Sources Chrétiennes» – 29, rue du Plat, 69002 Lyon (France) – Tél. : 78 37 27 08 :

1. la «liste numérique», qui présente les volumes et leurs auteurs actuels d'après les dates de publication; elle indique les réimpressions et les ouvrages momentanément épuisés ou dont la réédition est préparée.

2. la «liste thématique», qui présente les volumes d'après les centres d'intérêt et les genres littéraires : exégèse, dogme, histoire, correspondance, apologétique, etc.

LISTE ALPHABÉTIQUE (1-399)

ACTES DE LA CONFÉRENCE DE CARTHAGE :
194, 195, 224 et *373*

ADAM DE PERSEIGNE
Lettres, I : *66*

AELRED DE RIEVAULX
Quand Jésus eut douze ans : *60*
La Vie de recluse : *76*

AMBROISE DE MILAN
Apologie de David : *239*
Des sacrements : *25 bis*
Des mystères : *25 bis*
Explication du Symbole : *25 bis*
La Pénitence : *179*
Sur saint Luc : *45* et *52*

AMÉDÉE DE LAUSANNE
Huit homélies mariales : *72*

ANSELME DE CANTORBÉRY
Pourquoi Dieu s'est fait homme : *91*

ANSELME DE HAVELBERG
Dialogues, I : *118*

APHRAATE LE SAGE PERSAN
Exposés : *349* et *359.*

APOCALYPSE DE BARUCH : *144* et *145*

APOPHTEGMES DES PÈRES, I : *387*

ARISTÉE (LETTRE D') : *89*

ATHANASE D'ALEXANDRIE
Deux apologies : *56 bis*
Discours contre les païens : *18 bis*
Voir «Histoire acéphale» : *317*
Lettres à Sérapion : *15*
Sur l'incarnation du Verbe : *199*

ATHÉNAGORE
Supplique au sujet des chrétiens : *379*
Sur la résurrection des morts : *379*

AUGUSTIN
Commentaire de la première Épître
de saint Jean : *75*

Sermons pour la Pâque : *116*

BARNABÉ (ÉPITRE DE) : *172*

BASILE DE CÉSARÉE
Contre Eunome : *299 et 305*
Homélies sur l'Hexaéméron : *26 bis*
Sur le baptême : *357*
Sur l'origine de l'homme : *160*
Traité du Saint-Esprit : *17 bis*

BASILE DE SÉLEUCIE
Homélie pascale : *187*

BAUDOUIN DE FORD
Le Sacrement de l'autel : *93 et 94*

BENOÎT (RÈGLE DE S.) : *181–186*

BERNARD DE CLAIRVAUX
Introduction aux Œuvres complètes : *380*
A la louange de la Vierge Mère : *390*
L'Amour de Dieu : *393*
Éloge de la nouvelle Chevalerie : *367*
La Grâce et le libre arbitre : *393*
Vie de saint Malachie : *367*

CALLINICOS
Vie d'Hypatios : *177*

CASSIEN, *voir* Jean Cassien

CÉSAIRE D'ARLES
Œuvres monastiques, I. Œuvres pour les moniales : *345;* II. Œuvres pour les moines : *398.*
Sermons au peuple : *175, 243 et 330*

LA CHAÎNE PALESTINIENNE SUR LE PSAUME 118 : *189 et 190*

CHARTREUX
Lettres des premiers Chartreux : *88 et 274*

CHROMACE D'AQUILÉE
Sermons : *154 et 164*

CLAIRE D'ASSISE
Écrits : *325*

CLÉMENT D'ALEXANDRIE
Extraits de Théodote : *23*
Le Pédagogue : *70, 108 et 158*
Protreptique : *2 bis*
Stromate I : *30*
Stromate II : *38*
Stromate V : *278 et 279*

CLÉMENT DE ROME
Épître aux Corinthiens : *167*

CONCILES GAULOIS DU IVe SIÈCLE : *241*

CONCILES MÉROVINGIENS (LES CANONS DES) : *353 et 354*

CONSTANCE DE LYON
Vie de S. Germain d'Auxerre : *112*

CONSTITUTIONS APOSTOLIQUES : *320, 329 et 336*

COSMAS INDICOPLEUSTÈS
Topographie chrétienne : *141, 159 et 197*

CYPRIEN DE CARTHAGE
A Donat : *291*
La Vertu de patience : *291*

CYRILLE D'ALEXANDRIE
Contre Julien, I-II : *322*
Deux dialogues christologiques : *97*
Dialogues sur la Trinité : *231, 237 et 246*
Lettres festales   I-VI : *372*
—   VII-XI : *392*

CYRILLE DE JÉRUSALEM
Catéchèses mystagogiques : *126*

DÉFENSOR DE LIGUGÉ
Livre d'étincelles : *77 et 86*

DENYS L'ARÉOPAGITE
La Hiérarchie céleste : *58 bis*

DHUODA
Manuel pour mon fils : *225 bis*

DIADOQUE DE PHOTICÉ
Œuvres spirituelles : *5 bis*

DIDYME L'AVEUGLE
Sur la Genèse : *233 et 244*
Sur Zacharie : *83-85*
Traité du Saint-Esprit : *386*

A DIOGNÈTE : *33 bis*

LA DOCTRINE DES douze APÔTRES : *248*

DOROTHÉE DE GAZA
Œuvres spirituelles : *92*

ÉGÉRIE
Journal de voyage : *296*

ÉPHREM DE NISIBE
Commentaire de l'Évangile concordant ou Diatessaron : *121*
Hymnes sur le Paradis : *137*

EUGIPPE
Vie de S. Séverin : *374*

EUNOME
Apologie : *305*

EUSÈBE DE CÉSARÉE
Contre Hiéroclès : *333*
Histoire ecclésiastique : *31, 41, 55 et 73*
Préparation évangélique,   I : *206*
—   II-III : *228*
—   IV - V, 17 : *262*
—   V, 18 - VI : *266*
—   VII : *215*
—   VIII-X : *369*
—   XI : *292*

– XII-XIII : *307*
– XIV-XV : *338*

ÉVAGRE LE PONTIQUE
Le Gnostique : *356*
Scolies à l'Ecclésiaste : *397*
Scholies aux Proverbes : *340*
Traité pratique : *170* et *171*

ÉVANGILE DE PIERRE : *201*

EXPOSITIO TOTIUS MUNDI : *124*

FIRMUS DE CÉSARÉE
Lettres : *350*

FRANÇOIS D'ASSISE
Écrits : *285*

GALAND DE REIGNY
Parabolaire : *378*

GÉLASE Ier
Lettre contre les Lupercales et dix-huit messes : *65*

GEOFFROY D'AUXERRE
Entretien de Simon-Pierre avec Jésus : *364*

GERTRUDE D'HELFTA
Les Exercices : *127*
Le Héraut : *139, 143, 255* et *331*

GRÉGOIRE DE NAREK
Le Livre de Prières : *78*

GRÉGOIRE DE NAZIANZE
Discours 1-3 : *247*
– 4-5 : *309*
– 20-23 : *270*
– 24-26 : *284*
– 27-31 : *250*
– 32-37 : *318*
– 38-41 : *358*
– 42-43 : *384*
Lettres théologiques : *208*
La Passion du Christ : *149*

GRÉGOIRE DE NYSSE
La Création de l'homme : *6*
Lettres : *363*
Traité de la Virginité : *119*
Vie de Moïse : *1 bis*
Vie de sainte Macrine : *178*

GRÉGOIRE LE GRAND
Commentaire sur le Premier Livre des Rois : *351, 391*
Commentaire sur le Cantique : *314*
Dialogues : *251, 260* et *265*
Homélies sur Ézéchiel : *327* et *360*
Morales sur Job, I-II : *32 bis*
– XI-XIV : *212*
– XV-XVI : *221*
Registre des Lettres I-II : *370, 371*
Règle pastorale : *381* et *382*

GRÉGOIRE LE THAUMATURGE
Remerciement à Origène : *148*

GUERRIC D'IGNY
Sermons : *166* et *202*

GUIGUES Ier LE CHARTREUX
Les Coutumes de Chartreuse : *313*
Méditations : *308*

GUIGUES II LE CHARTREUX
Lettre sur la vie contemplative : *163*
Douze méditations : *163*

GUILLAUME DE BOURGES
Livre des guerres du Seigneur : *288*

GUILLAUME DE SAINT-THIERRY
Exposé sur le Cantique : *82*
Lettre aux Frères du Mont-Dieu : *223*
Le Miroir de la foi : *301*
Oraisons méditatives : *324*
Traité de la contemplation de Dieu : *61*

HERMAS
Le Pasteur : *53*

HERMIAS
Satire des philosophes païens : *388*

HÉSYCHIUS DE JÉRUSALEM
Homélies pascales : *187*

HILAIRE D'ARLES
Vie de S. Honorat : *235*

HILAIRE DE POITIERS
Commentaire sur le Psaume 118 : *344* et *347*
Contre Constance : *334*
Sur Matthieu : *254* et *258*
Traité des Mystères : *19 bis*

HIPPOLYTE DE ROME
Commentaire sur Daniel : *14*
La Tradition apostolique : *11 bis*

HISTOIRE «ACÉPHALE» ET INDEX SYRIAQUE DES LETTRES FESTALES D'ATHANASE D'ALEXANDRIE : *317*

DEUX HOMÉLIES ANOMÉENNES POUR L'OCTAVE DE PAQUES : *146*

HOMÉLIES PASCALES : *27, 36* et *48*

QUATORZE HOMÉLIES DU IXe SIECLE : *161*

HUGUES DE SAINT-VICTOR
Six opuscules spirituels : *155*

HYDACE
Chronique : *218* et *219*

IGNACE D'ANTIOCHE
Lettres : *10 bis*

IRÉNÉE DE LYON
Contre les Hérésies, I : *263* et *264*
– II : *293* et *294*
– III : *210* et *211*

—   IV : *100* (2 vol.)
—   V : *152* et *153*
Démonstration de la prédication apostolique : *62*

ISAAC DE L'ÉTOILE
Sermons,   1-17 : *130*
—   18-39 : *207*
—   40-55 : *339*

JEAN D'APAMÉE
Dialogues et traités : *311*

JEAN DE BÉRYTE
Homélie pascale : *187*

JEAN CASSIEN
Conférences : *42, 54* et *64*
Institutions : *109*

JEAN CHRYSOSTOME
A Théodore : *117*
A une jeune veuve : *138*
Commentaire sur Isaïe : *304*
Commentaire sur Job : *346* et *348*
Homélies sur Ozias : *277*
Huit catéchèses baptismales : *50*
L'Égalité du Père et du Fils : *396*
Lettre d'exil : *103*
Lettres à Olympias : *13 bis*
Panégyriques de S. Paul : *300*
Sur Babylas : *362*
Sur l'incompréhensibilité de Dieu : *28 bis*
Sur la Providence de Dieu : *79*
Sur la vaine gloire et l'éducation des enfants : *188*
Sur le mariage unique : *138*
Sur le sacerdoce : *272*
Trois catéchèses baptismales : *366*
La Virginité : *125*

PSEUDO-CHRYSOSTOME
Homélie pascale : *187*

JEAN DAMASCÈNE
Écrits sur l'Islam : *383*
Homélies sur la Nativité et la Dormition : *80*

JEAN MOSCHUS
Le Pré spirituel : *12*

JEAN SCOT
Commentaire sur l'évangile de Jean : *180*
Homélie sur le Prologue de Jean : *151*

JÉRÔME
Apologie contre Rufin : *303*
Commentaire sur Jonas : *323*
Commentaire sur S. Matthieu : *242* et *259*

JULIEN DE VÉZELAY
Sermons : *192* et *193*

LACTANCE
De la mort des persécuteurs : *39* (2 vol.)
Épitomé des Institutions divines : *335*
Institutions divines,   I : *326*
—   II : *337*
—   IV : *377*
—   V : *204* et *205*
La Colère de Dieu : *289*
L'Ouvrage du Dieu créateur : *213* et *214*

LÉON LE GRAND
Sermons,   1-19   : *22 bis*
          20-37   : *49 bis*
          38-64   : *74 bis*
      et 65-98   : *200*

LÉONCE DE CONSTANTINOPLE
Homélies pascales : *187*

LIVRE DES DEUX PRINCIPES : *198*

PSEUDO-MACAIRE
Œuvres spirituelles, I : *275*

MANUEL II PALÉOLOGUE
Entretien avec un musulman : *115*

MARIUS VICTORINUS
Traités théologiques sur la Trinité : *68* et *69*

MAXIME LE CONFESSEUR
Centuries sur la Charité : *9*

MÉLANIE, *voir* Vie

MÉLITON DE SARDES
Sur la Pâque : *123*

MÉTHODE D'OLYMPE
Le Banquet : *95*

NERSÈS ŠNORHALI
Jésus, Fils unique du Père : *203*

NICÉTAS STÉTHATOS
Opuscules et Lettres : *81*

NICOLAS CABASILAS
Explication de la divine Liturgie : *4 bis*
La Vie en Christ : *355* et *361*

ORIGÈNE
Commentaire sur le Cantique : *375* et *376*
Commentaire sur S. Jean,   I-V : *120*
—   VI-X : *157*
—   XIII : *222*
—   XIX-XX : *290*
—   XXVIII et XXXII : *385*
Commentaire sur S. Matthieu, X-XI : *162*
Contre Celse : *132, 136, 147, 150* et *227*
Entretien avec Héraclide : *67*
Homélies sur la Genèse : *7 bis*
Homélies sur l'Exode : *321*
Homélies sur le Lévitique : *286* et *287*

Homélies sur les Nombres : *29*
Homélies sur Josué : *71*
Homélies sur les Juges : *389*
Homélies sur Samuel : *328*
Homélies sur le Cantique : *37 bis*
Homélies sur Jérémie : *232* et *238*
Homélies sur Ézéchiel : *352*
Homélies sur saint Luc : *87*
Lettre à Africanus : *302*
Lettre à Grégoire : *148*
Philocalie : *226* et *302*
Traité des principes : *252, 253, 268, 269* et *312*

PALLADIOS
Dialogue sur la vie de Jean Chrysostome : *341* et *342.*

PATRICK
Confession : *249*
Lettre à Coroticus : *249*

PAULIN DE PELLA
Poème d'action de grâces : *209*
Prière : *209*

PHILON D'ALEXANDRIE
La Migration d'Abraham : *47*

PSEUDO-PHILON
Les Antiquités Bibliques : *229* et *230*

PHILOXÈNE DE MABBOUG
Homélies : *44*

PIERRE DAMIEN
Lettre sur la toute-puissance divine : *191*

PIERRE DE CELLE
L'École du cloître : *240*

POLYCARPE DE SMYRNE
Lettres et Martyre : *10 bis*

PTOLÉMÉE
Lettre à Flora : *24 bis*

QUODVULTDEUS
Livre des promesses : *101* et *102*

LA RÈGLE DU MAÎTRE : *105-107*

LES RÈGLES DES SAINTS PÈRES : *297* et *298*

RICHARD DE SAINT-VICTOR
La Trinité : *63*

RICHARD ROLLE
Le Chant d'amour : *168* et *169*

RITUELS
Rituel cathare : *236*
Trois antiques rituels du baptême : *59*

ROMANOS LE MÉLODE
Hymnes : *99, 110, 114, 128, 283*

RUFIN D'AQUILÉE
Les Bénédictions des Patriarches : *140*

RUPERT DE DEUTZ
Les Œuvres du Saint-Esprit
–   I-II : *131*
–   III-IV : *165*

SALVIEN DE MARSEILLE
Œuvres : *176* et *220*

SCOLIES ARIENNES SUR LE CONCILE D'AQUILÉE : *267*

SOZOMÈNE
Histoire ecclésiastique, I-II : *306*

SULPICE SÉVÈRE
Vie de S. Martin : *133-135*

SYMÉON LE NOUVEAU THÉOLOGIEN
Catéchèses : *96, 104* et *113*
Chapitres théologiques, gnostiques et pratiques : *51 bis*
Hymnes : *156, 174* et *196*
Traités théologiques et éthiques : *122* et *129*

TARGUM DU PENTATEUQUE : *245, 256, 261, 271* et *282*

TERTULLIEN
A son épouse : *273*
Contre les Valentiniens : *280* et *281*
Contre Marcion, I-III : *365, 368, 399*
De la patience : *310*
De la prescription contre les hérétiques : *46*
Exhortation à la chasteté : *319*
La Chair du Christ : *216* et *217*
Le Mariage unique : *343*
La Pénitence : *316*
La Pudicité : *394* et *395*
Les Spectacles : *332*
La Toilette des femmes : *173*
Traité du baptême : *35*

THÉODORET DE CYR
Commentaire sur Isaïe : *276, 295* et *315*
Correspondance, lettres I-LII : *40*
  lettres 1-95 : *98*
  lettres 96-147 : *111*
Histoire des moines de Syrie : *234* et *257*
Thérapeutique des maladies helléniques : *57* (2 vol.)

THÉODOTE
Extraits (*Clément d'Alex.*) : *23*

THÉOPHILE D'ANTIOCHE
Trois livres à Autolycus : *20*

VIE D'OLYMPIAS : *13 bis*

VIE DE SAINTE MÉLANIE : *90*

VIE DES PÈRES DU JURA : *142*

SOUS PRESSE

ATHANASE D'ALEXANDRIE : **Vie d'Antoine.** G.I.M. Bartelink.

Consultationes Zacchei. J.-L. Feiertag.

GRÉGOIRE DE NAZIANZE : **Discours 6-12.** M.-A. Calvet.

HONORAT DE MARSEILLE, **Vie de saint Hilaire.** P.-A. Jacob.

HUGUES DE BALMA : **Théologie mystique.** J. Barbet, F. Ruello.

IRÉNÉE DE LYON : **Démonstration de la Prédication apostolique.** A. Rousseau.

NIL D'ANCYRE : **Commentaire sur le Cantique.** Tome I. M.-G. Guérard.

PROCHAINES PUBLICATIONS

EUDOCIE : **Centons homériques.** A.-L. Rey.

GRÉGOIRE DE NYSSE : **Homélies sur l'Ecclésiaste.** F. Vinel.

ISIDORE DE PÉLUSE : **Lettres.** Tome I. P. Évieux.

JONAS D'ORLÉANS : **Lettre à Pépin.** A. Dubreucq.

Livre d'heures ancien du Sinaï. M. Ajjoub.

MARC LE MOINE : **Traités.** Tome I. G.-M. de Durand.

PACIEN DE BARCELONE : **Traités et Lettres.** C. Épitalon, C. Granado.

Également aux Éditions du Cerf :

LES ŒUVRES DE PHILON D'ALEXANDRIE
publiées sous la direction de
R. ARNALDEZ, C. MONDÉSERT, J. POUILLOUX.
Texte original et traduction française.

1. **Introduction générale, De opificio mundi.** R. Arnaldez.
2. **Legum allegoriae.** C. Mondésert.
3. **De cherubim.** J. Gorez.
4. **De sacrificiis Abelis et Caini.** A. Méasson.
5. **Quod deterius potiori insidiari soleat.** I. Feuer.
6. **De posteritate Caini.** R. Arnaldez.
7-8. **De gigantibus. Quod Deus sit immutabilis.** A. Mosès.
9. **De agricultura.** J. Pouilloux.
10. **De plantatione.** J. Pouilloux.
11-12. **De ebrietate. De sobrietate.** J. Gorez.
13. **De confusione linguarum.** J.-G. Kahn.
14. **De migratione Abrahami.** J. Cazeaux.
15. **Quis rerum divinarum heres sit.** M. Harl.
16. **De congressu eruditionis gratia.** M. Alexandre.
17. **De fuga et inventione.** E. Starobinski-Safran.
18. **De mutatione nominum.** R. Arnaldez.
19. **De somniis.** P. Savinel.
20. **De Abrahamo.** J. Gorez.
21. **De Iosepho.** J. Laporte.
22. **De vita Mosis.** R. Arnaldez, C. Mondésert, J. Pouilloux, P. Savinel.
23. **De Decalogo.** V. Nikiprowetzky.
24. **De specialibus legibus.** Livres I-II. S. Daniel.
25. **De specialibus legibus.** Livres III-IV. A. Mosès.
26. **De virtutibus.** R. Arnaldez, A.-M. Vérilhac, M.-R. Servel, P. Delobre.
27. **De praemiis et poenis. De exsecrationibus.** A. Beckaert.
28. **Quod omnis probus liber sit.** M. Petit.
29. **De vita contemplativa.** F. Daumas et P. Miquel.
30. **De aeternitate mundi.** R. Arnaldez et J. Pouilloux.
31. **In Flaccum.** A. Pelletier.
32. **Legatio ad Caium.** A. Pelletier.
33. **Quaestiones in Genesim et in Exodum. Fragmenta graeca.** F. Petit.
34 A. **Quaestiones in Genesim,** I-II (e vers. armen.). C. Mercier.
34 B. **Quaestiones in Genesim,** III-IV (e vers. armen.) Ch. Mercier et F. Petit.
34 C. **Quaestiones in Exodum,** I-II (e vers. armen.) A. Terian.
35. **De Providentia,** I-II. M. Hadas-Lebel.
36. **Alexander (De animalibus)** (e vers. armen.) A. Terian.

Photocomposition laser
Abbaye de melleray
C.C.S.O.M.
44520 Moisdon-la-Rivière

———

Achevé d'imprimer par
Corlet, Imprimeur, S.A.
Z.I. route de Vire
14110 Condé-sur-Noireau
N° d'Imprimeur : 5033
Dépôt légal : juin 1994

Imprimé en C.E.E.